Familiezaken

Van Josie Lloyd & Emlyn Rees verschenen
eerder bij Archipel:

Heb mij lief
Blijf bij mij
Oude liefde roest niet
Liefdeslevens

Josie Lloyd & Emlyn Rees

Familiezaken

Vertaald door Esther Ottens

ARCHIPEL

Amsterdam · Antwerpen

Omslagontwerp: Studio Ron van Roon
Omslagfoto: Image Store
Foto auteurs: Anouk Schneider, Archipel

ISBN 90 6305 128 X / NUR 302
www.boekboek.nl

Voor Roxie – welkom en geniet van het leven!

1

Laurie Vale had een prima intuïtie, maar toch duurde het even voor ze zichzelf toe durfde te geven dat dit, haar eerste eigen expositie in meer dan tien jaar, weleens een succes zou kunnen worden. Ze had zich even met een glas champagne in een hoekje van de Londense kunstgalerie teruggetrokken en liet haar blik over haar gasten dwalen, die door de felverlichte ruimte slenterden en de doeken bewonderden die ze zo zorgvuldig aan de pas gewitte bakstenen muren had gehangen. Ze was te moe om echt opgewonden te zijn, maar toch, het aanzwellende geroezemoes van kunstzinnig gebabbel en het regelmatige tikken van naaldhakken op de gladde houten vloer gaven haar een tevreden gevoel. Op de achtergrond klonk vrolijke Cubaanse salsamuziek en ergens barstte iemand in lachen uit.

Zoals altijd kwam Roz, Lauries agent, precies toen het gezellig werd binnenvallen. Ze zwaaide vanuit de deuropening voor ze met snelle stappen of Laurie af liep. Ze droeg hoge laarzen en een enkellange jas van schapenvacht, waarop geen spoor van de miezerige februariregen buiten te bekennen was.

'Fantastische opkomst,' riep Roz uitbundig, terwijl ze Laurie een grote bos roze rozen overhandigde. Boven Laurie uittorenend wurmde ze zich uit haar jas, waaronder een extreem kort zwart jurkje te voorschijn kwam. 'De taxichauffeur raakte helemaal de weg kwijt. Is dit echt al East End?'

'Meer kon ik niet betalen,' zei Laurie verontschuldigend. Met de rozen en Roz' enorme jas in haar armen kuste ze haar op haar wangen. 'Brick Lane is om de hoek... echt waar.'

Roz griste een glas champagne van een blad en nam meteen de gelegenheid te baat om de ober van top tot teen op te nemen.

'Nou ja. Het maakt ook niet uit. Er zijn zeker vijftig mensen. Goed gedaan, hoor.'

'Dank je, maar ik heb het gevoel dat ik in *Candid Camera* zit,' bekende Laurie. 'Ik denk steeds dat er straks iemand begint te roepen dat het een grap is.'

'Doe niet zo raar. Je hebt dit helemaal zelf gedaan, hoor. Al iets verkocht?'

'Een paar bijna,' zei Laurie, die om zich heen keek of ze de bloemen en Roz' jas ergens kwijt kon. 'Zie je die vent in dat tweedjasje?' Ze wees naar de andere kant van de ruimte, waar een man met zijn wijsvinger tegen zijn lippen stond te tikken en iets zei tegen een andere koper, die Laurie nu voor het eerst zag. 'Hij heeft belangstelling voor de grote zonsondergang, voor een of andere chique club in Soho.' Laurie knikte in de richting van het gigantische rood met oranje doek, dat bijna een hele muur in beslag nam. 'Misschien heb ik het te duur gemaakt.'

'Geen korting geven, hoor,' raadde Roz haar aan. 'Hou je poot stijf.' Roz keek met glinsterende ogen om zich heen. Ze was dol op dit soort bijeenkomsten. 'Waar is je toy boy?'

Toy boy was niet bepaald het juiste woord voor James. 'Hij is achtentwintig, hoor. Dat is oud voor jouw doen,' protesteerde Laurie.

'Maar jong voor jouw doen,' zei Roz, tellend op haar lange vingers. 'Zes jaar.'

'Vijfeneenhalf.'

'Maar heb ik je niet altijd al gezegd dat jongere mannen hét helemaal zijn?' zei Roz triomfantelijk. 'En James is goddelijk, bofkont die je bent. Ik wil wedden dat hij een groot uithoudingsvermogen heeft...'

Laurie schudde haar hoofd. Ze liet zich niet verleiden tot een gesprek over haar seksleven, al was het Roz' favoriete onderwerp.

'Hoe dan ook, hij is een heel stuk beter dan je-weet-wel,' vervolgde Roz. 'Godzijdank heb je die eindelijk uit je hoofd gezet.'

Laurie verwaardigde zich niet antwoord te geven op Roz' opmerkingen. Ze wist dat ze haar op haar manier alleen maar probeerde te steunen. Misschien dacht Roz dat er genoeg tijd verstreken was sinds hun noodlottige vakantie en dat ze nu wel eerlijk kon zijn. Het was tenslotte al drie jaar geleden dat hun groepsvakantie voor Laurie geëindigd was met die rampzalige romance. Maar het had die volle drie jaar geduurd voor Laurie er zelfs maar over had willen denken om met iemand anders een relatie te beginnen, en wat Roz ook dacht, Laurie wilde het nog niet horen. Vooral vanavond niet. Niet nu alles juist zo goed ging.

'Hé, ik moet die bloemen in het water zetten en weer aan het werk,' zei Laurie. 'Bedankt voor het versturen van de uitnodigingen en zo. Je hebt zo veel gedaan. Iedereen heeft veel gedaan – Janey met deze ruimte, Toby met de wijn, en Heathers bureau heeft me de obers zelfs voor niets verhuurd. Je weet wel, morele steun. Ik stel 't erg op prijs.'

'Vrienden, schat – wij zijn de nieuwe families,' zei Roz. Ze sloeg een arm om Laurie heen en kneep haar even zachtjes voor ze naar Janey en Heather aan de andere kant van de ruimte zwaaide.

Boven in het kleine keukentje vulde Laurie een plastic bekertje met water en haalde eens diep adem. Wat mankeerde haar toch? Waarom voelde ze zich zo benauwd tussen al die mensen beneden? Terwijl zo veel van haar vrienden gekomen waren om haar een hart onder de riem te steken. Misschien voelde ze zich zo onzeker omdat ze zo lang alleen gewerkt had en nu opeens voor haar publiek te kijk stond.

Had ze nu haar vader maar gevraagd om te komen, in plaats van hem expres af te remmen. Waarom had ze dat eigenlijk gedaan? Omdat ze alleen aan zichzelf dacht en geen zin had om hem bezig te houden? Omdat ze zich ervoor geneerde dat hij zo gewoon was? Of gewoon omdat het, als hij hier in zijn eentje verscheen, te pijnlijk zou zijn dat haar moeder er niet bij was en ze hem wilde behoeden voor goedbedoelde vragen over zijn verlies?

Laurie dronk een paar slokken water en voelde zich schuldig. Ze wist hoeveel deze avond voor haar moeder betekend zou hebben. En als ze heel eerlijk was wist ze ook dat ze niet treurde om Jean Vale, de vrouw die bijna een jaar geleden eindelijk was gestorven, nadat ze lange tijd in een eigen schemerwereldje geleefd had. Laurie treurde om het ideaal dat ze nooit gekend had. Wie

9

ze eigenlijk miste was de welgevormde fantasiemoeder die van-avond hier geweest zou zijn, mooi en elegant en geliefd bij al haar vrienden. Ze miste de vrouw die Laurie in het openbaar omhelsd zou hebben, die haar aangemoedigd zou hebben en ver-trouwen gegeven, die een schilderij van haar gekocht zou hebben en anderen op vriendelijke toon opdracht zou hebben gegeven haar voorbeeld te volgen.

Maar zo was Jean Vale niet. Misschien zou ze zo geweest zijn als ze niet jaren ziek was geweest en van binnenuit langzaam weggerot was, tot het bijna onverdraaglijk was om bij haar in de buurt te zijn. Laurie gooide de rest van het water weg. Ze had meer moeite moeten doen. Zij had zelf de last op zich moeten nemen in plaats van haar vader voor haar moeder te laten zorgen en, aan het eind, bij haar bed in het verpleeghuis de wacht moe-ten houden.

Ze wist dat zijn strenge besluit dat zij verder moest met haar leven, zonder zich druk te maken over de verzorging van haar moeder, uit liefde genomen was, maar toch – Laurie voelde het als een afwijzing. Het gaf haar het gevoel dat ze op afstand werd gehouden, alsof ze beschermd werd tegen iets waartegen ze niet beschermd hoefde te worden. Het was hetzelfde gevoel dat ze had toen haar ouders haar op haar elfde naar kostschool stuurden.

Laurie zuchtte. Het zou allemaal een stuk gemakkelijker zijn als ze broers en zusjes had met wie ze haar verdriet kon delen, maar ze was altijd moederziel alleen geweest. Het had echter wei-nig zin om in zelfmedelijden te zwelgen of te wensen dat het alle-maal anders gegaan was. Ze had haar vrienden en ze had haar onafhankelijkheid. En misschien had Roz wel gelijk. Misschien waren vrienden zelfs beter dan familie.

Laurie staarde naar de roze rozen in de wasbak. Ze mocht haar vrienden niet teleurstellen. Ze riep nu al tijden dat ze nog één keer zou proberen om van haar kunst te leven, en nu had ze de kans de hele wereld te laten zien dat ze een echte kunstenaar was. Ze mocht het niet verknallen.

Laurie had geen idee hoe laat het was toen James haar de volgen-de ochtend wakker maakte, maar toen ze langzaam bijkwam uit een onrustige, van alcohol doordrenkte slaap, voelde ze dat haar dijen geliefkoosd werden. Ze grinnikte en strekte zich loom uit naar James' tong onder de dekens.

Laurie zuchtte. Ondanks haar hoofdpijn raakte ze opgewonden. Ze vroeg zich af op hoeveel vrouwen James Cadogan deze *wake-up call* geoefend had, maar eigenlijk kon het haar niet schelen. In de drie maanden dat ze nu samen waren, had ze hem expres nooit naar zijn vroegere liefdesleven gevraagd. En belangrijker nog, hij had niet naar dat van haar gevraagd. Ze was vastbesloten dit een ballastvrije relatie te laten zijn – en tot nu toe werkte dat prima.

'Goeiemorgen,' zei hij, toen hij tien minuten later naar adem snakkend de dekens van zich af gooide. Laurie liet zich met een bevredigde zucht achterover zakken. Hij ademde tevreden uit terwijl hij zijn hoofd op het kussen naast haar legde.

'Jezus, wat heb ik een dorst!' zei hij. Hij schoot weer overeind en krabde in zijn dikke zwarte haar, zodat het nog woester omhoog kwam te staan. In een tel had hij de dekens teruggeslagen en stond hij op het schapenvel naast zijn bed.

Laurie barstte in lachen uit, ze kon er niets aan doen.

'Wat?' Hij keek grijnzend over zijn schouder.

Ze schudde haar hoofd. Ze kon hem onmogelijk uitleggen wat ze zo grappig aan hem vond. Waarom ze zijn gebrek aan ernst zo verfrissend vond. Ze ging rechtop zitten en trok haar knieën op onder de dekens. Ze vond zijn houding ten opzichte van seks leuk, besefte ze. Ze vond het leuk dat het voor hem nooit meer was dan een van zijn – of in dit geval haar – lichamelijke behoeften die bevredigd dienden te worden. Ondanks zijn trendy kleren en kapsel en zijn succesvolle carrière als muziekproducer, was James in zijn hart niet minder primitief dan een holbewoner. Nu hij de ene behoefte had bevredigd, ging hij door met de volgende. En die volgende was drinken.

Ze keek naar zijn strakke billen, terwijl hij zijn weg zocht door zijn rommelige slaapkamer. Hij leek volkomen op zijn gemak met zijn lichaam, alsof zijn slanke bouw, zijn lange, stevige benen en zijn gespierde maar niet al te brede borst de normaalste zaak van de wereld waren. Waarschijnlijk dacht hij er geen seconde

11

aan wat een geluk hij had dat hij er zo goed uitzag, en Laurie vond het leuk dat ijdelheid hem volkomen vreemd was.

Onmiddellijk riep ze zichzelf tot de orde. Ze had gezworen dit niet te doen. Ze moest James of haar gevoelens voor hem niet gaan analyseren, ze moest niet bedenken wat ze wel of niet leuk aan hem vond, anders liep het straks nog helemaal mis. Ze richtte haar aandacht weer op het heden en probeerde uit te dokteren hoe ze in James' bed terechtgekomen was.

Ze herinnerde zich weer dat hij haar om vier uur 's nachts in een taxi gewerkt had, na een kop koffie en bagels in Brick Lane. Na de expositie was ze te dronken en te moe geweest om te protesteren, maar nu wilde ze dat ze haar hoofd er beter bij gehouden had. Niet dat ze niet graag met James naar bed ging, maar ze deed het liever bij haar thuis.

Ze wist dat ze een snob was en James had inderdaad de grootste kamer van zijn huis, maar toch, het geheel maakte zo'n studentikoze indruk, met al die andere bewoners die James zonder enige vorm van ballotage om zich heen verzameld had. Op dit moment hoorde ze het vage plok-plok van iemand die een verdieping hoger op een bongo zat te spelen.

James' slaapkamer lag op de begane grond. Hij was groot en ruim en helemaal wit geschilderd, inclusief de houten vloer, maar wel met grote haast, zodat het er ongelijkmatig en streperig uitzag, als een krijttekening op een kinderschoolbord. Aan één kant zat een gigantisch raam, met gordijnen die Laurie nog nooit open had gezien. Eronder stond een doorgezakt bureau vol kabels en computers, tegen de muur een elektrische gitaar. Overal lagen wankele stapels cd's en banden, terwijl een afschuwelijke witte linnenkast en een even afschuwelijke ladenkast, met kleren die er aan alle kanten uitpuilden, de rest van de muren in beslag namen. In een hoek stond een levensgrote kartonnen Elvis in zijn Vegas-tijd, die 's nachts fallische schaduwen op het plafond wierp.

De rest van de kamer werd in beslag genomen door het enorme bed waar Laurie nu in zat, te midden van stapels boeken en tijdschriften, vieze sokken en drie lavalampen, met was die in vreemde foetusachtige vormen door het water zweefde.

James kwam terug met een fles Evian, die hij in de hoek naast de stereo gevonden had.

'Ook wat?' vroeg hij toen hij een slok genomen had. Hij zwaaide met de fles naar Laurie.

'Hoe oud is het?' vroeg ze. Het was eigenlijk wel grappig dat ze het volkomen acceptabel vond om lichaamssappen met James uit te wisselen, maar geen fles muf water van hem wilde aannemen.

James nam nog een flinke slok en keek naar het etiket op de fles, alsof hij dacht dat daar een oogstjaar op zou staan. 'Geen idee,' zei hij. 'Niet ouder dan een paar maanden.'

Hij bewoog zijn dikke wenkbrauwen op en neer, alsof hij haar uitdaagde de fles aan te nemen, maar ze schudde haar hoofd. James haalde zijn schouders op en kroop weer onder de dekens. Hij drukte haar dicht tegen zich aan. Zijn voeten voelden ijskoud aan tegen Lauries benen.

'En, Crea-Bea. Hoe is het met je kater?' vroeg hij, terwijl hij haar knuffelde.

'Was daar nou niet over begonnen,' zei ze, want meteen begon haar hoofd te bonzen. Ze boog zich over hem heen om toch maar de fles water te pakken. Intussen wierp ze een blik op het kleine reiswekkertje op de grond. 'O, shit.' Ze liet zich op James' gladde borst vallen.

'Wat is er?'

'Ik zou met Tamsin ontbijten.'

'Tamsin... Tamsin?' James was duidelijk op zoek naar het gezicht dat bij de naam hoorde.

'Mijn huisgenote,' zei Laurie met een lijdzame glimlach. Zij kende wel al *zijn* vrienden.

'O, ja... blond.'

Laurie rolde met haar ogen. 'We hebben vanochtend afgesproken. Ik moet naar huis om te douchen.'

'Niet weggaan,' mompelde James slaperig, en hij trok haar weer onder de dekens. 'Je kunt toch ook hier douchen?'

'In jouw badkamer?'

'Wat mankeert daaraan?'

'Ik ben meer op comfort gesteld dan jij, laten we het daar maar op houden. Heeft met leeftijd te maken. Maar je kunt best mee, als je wilt. Dan kunnen we...'

Maar James had zijn ogen alweer dicht en trok de dekens op onder zijn kin. Laurie stapte uit bed en trok haar kleren van gisteravond aan. Ze stonken naar rook.

'Ik zie je wel weer, slaapkop,' fluisterde ze. Ze woelde door zijn haar en gaf hem een kus op zijn voorhoofd. 'Bel maar als je weer bij bewustzijn bent.'

Laurie had bewondering voor Tamsin. Dat was al zo sinds ze op school vriendinnen geworden waren en samen rookten, poëzie lazen, hun nagels zwart lakten en achter ongeschikte jongens aan zaten. Sindsdien was Tamsin veel radicaler een andere richting in geslagen dan Laurie. Ze had een indrukwekkende baan als juriste, waarvoor ze de hele wereld rond vloog – eerste klas. Ze had zelfs een knappe piloot als vriendje.

Het was tengere, blonde Tamsin die, gekleed in een blauwe kasjmier trui en met gouden sieraden om, een paar uur later met Laurie in hun favoriete café aan Borough Market zat voor een nabespreking van de expositie. Laurie had inmiddels een met verf besmeurde spijkerbroek aan. Ze droeg geen make-up en haar natte haar zat weggestopt onder een wollen muts.

'Ik bedoel, er waren best veel mensen, maar niemand wapperde met zijn chequeboek, behalve dan die vent van de zonsondergang,' verklaarde Laurie. 'Maar dat kwam ook alleen maar door Roz,' voegde ze eraan toe, waarna ze hangend over het tafeltje de hele avond navertelde.

'Ik wou dat ik erbij geweest was,' mompelde Tamsin voor de derde keer.

'Zeg dat toch niet steeds.' Laurie legde een hand op Tamsins arm. 'Jij kon het niet helpen dat die vlucht vertraging had. Anders was je gekomen, dat weet ik toch.'

'Mag ik dan tenminste een schilderij van je kopen, om het goed te maken?'

'Die niet zo raar. Het huis hangt toch al vol met mijn schilderijen. Het zou een beetje idioot zijn als je er een kocht.' Laurie kwam overeind toen de serveerster hun een grote schaal bananenpannenkoeken met stroop bracht. 'Over het huis gesproken, de douche heeft weer kuren. Als ik geld aan die expositie overhoud – áls ik geld aan die expositie overhoud – ga ik denk ik eens een beetje opknappen, wat zeg je daarvan?'

Tamsin gaf geen antwoord. Zwijgend nam ze een slok van haar koffie verkeerd. Toen wreef ze met haar vinger over de rand van de tafel. Laurie, die haar vork al naar haar mond wilde brengen, ving haar blik. Er was iets in het fijne gezicht van haar vriendin waardoor ze haar vork weer neerlegde. Ze veegde haar mond af.

'Oké, vooruit, zeg het maar,' zei Laurie met een blik op Tamsin. Ze zoog aan het rietje in haar verse fruitsmoothie.

'Wat? O, nee. Er is niets, hoor.'

Laurie zette de smoothie neer. 'Heeft het iets te maken met gezagvoerder Mike?' Laurie zette haar zwaarste stem op en trok haar kin op haar borst toen ze zijn naam uitsprak. Normaal gesproken kon Tamsin de grap wel waarderen, maar nu lachte ze niet.

'We hebben besloten samen te gaan wonen,' flapte Tamsin eruit.

'Maar... maar ik dacht dat je hem nog maar...' Laurie bedacht zich. Ze had willen zeggen: 'Ik dacht dat je hem nog maar net kende,' maar wie gaf haar het recht om te oordelen? Als het liefde was, had Tamsin volkomen gelijk dat ze bij hem ging wonen. Ze glimlachte, richtte zich half op en gebaarde naar Tamsin dat ze een beetje naar voren moest komen, zodat ze haar over het tafeltje heen een onhandige knuffel kon geven. 'Wauw!' zei ze.

Tamsin beantwoordde haar omhelzing. 'Ja, gaaf, hè? Ik moet mezelf steeds even knijpen.'

Laurie ging weer zitten en glimlachte naar haar, maar vanbinnen was ze verdrietig. Daar gaat er weer een voor de bijl, dacht ze. Ze had het met bijna al haar vriendinnen zien gebeuren. In een mum van tijd kwam er een dure bruiloft en dan een zwangerschap en een baby en binnen een jaar zou Laurie niets meer met haar gemeen hebben. Ondanks alles wat ze over de expositie gezegd had, voelde Laurie zich nu onzekerder dan ooit.

'Nou...' zei ze met een weifelende blik op haar bord. Ze had opeens geen trek meer.

'Het zal allemaal wel een beetje anders worden,' zei Tamsin opgewekt, waarna ze uitgebreid uit de doeken deed hoe Mike haar zijn romantische voorstel om te gaan samenwonen voorgelegd had in de cockpit van zijn 747, terwijl ze over de Alpen vlogen.

Maar Laurie was in gedachten al veel verder. Tamsin en zij hadden hun piepkleine flatje bijna tien jaar geleden gekocht. Samen een hypotheek nemen had destijds een stuk veiliger geleken dan in zee gaan met de vriendjes die ze op dat moment hadden. De flat was heel goedkoop geweest, dus ze hadden weinig risico gelopen en al die jaren had de situatie hun allebei uitstekend bevallen. En omdat Tamsin steeds vaker op reis was, had Laurie de flat de laatste tijd min of meer voor zichzelf gehad. Het idee dat ze een nieuwe huisgenoot moest zoeken, vervulde haar met angst.

'En, wat zijn jullie nu van plan?' Laurie zette haar vriendin zachtjes met beide benen op de grond.

'Nou, we dachten zo... Ik weet dat je krap bij kas zit. En ik dacht... Mike en ik dachten dat we samen in de flat konden gaan wonen. Maar jij kunt ook mij uitkopen?' vervolgde Tamsin snel. 'Als je wilt. Dan kopen Mike en ik iets anders en hou jij de flat.'

Tamsin voelde zich duidelijk schuldig. Ze bloosde hevig. Laurie staarde naar haar, maar Tamsin ontweek haar blik. Ze wisten allebei dat het volstrekt uitgesloten was dat Laurie Tamsin uitkocht.

'Het punt is, Laurie, dat het nu goed gaat met je kunst en, nou... Ik heb een hele tijd gewacht tot jij...'

'Tot ik wat?'

'Je weet wel... tot je je weer wat stabieler voelde.'

Laurie was sprakeloos. Ze had het gevoel dat ze gedumpt werd door iemand die ze als een goede vriendin beschouwde. Erger nog, ze geneerde zich opeens voor al die keren dat ze Tamsin in vertrouwen genomen had. Ze had altijd gedacht dat Tamsin vol begrip was voor haar verdriet om haar moeder, haar verwarring als het ging om haar liefdesleven en haar carrière. Nu besefte Laurie dat ze alleen maar op het juiste moment gewacht had.

'Het lijkt me het beste dat jij de flat neemt,' zei Laurie. 'Als je dat wilt. Ik ga wel ergens anders wonen.'

Tamsin lachte opgelucht. 'Ik wist wel dat je er niet moeilijk over zou doen. Ik heb het bij de notaris al helemaal uitgezocht. Het duurt een maandje voor alle papieren in orde zijn, maar ik wil je natuurlijk niet onder druk zetten.' Toen Laurie geen antwoord gaf, vervolgde ze: 'En, wat ga je nu doen? Waar ga je wonen?'

'Ik verzin wel iets.'

'Natuurlijk, echt iets voor jou.' Tamsin lachte en zette zo een streep onder het onderwerp. 'Je bent vindingrijk genoeg. Je kunt altijd nog bij James gaan wonen, toch?'

Laurie lachte hol. 'Nou, nee.'

Er viel een stilte.

'Wat doe je komende zondag? Ik heb Mike's ouders namelijk uitgenodigd om te komen lunchen en ik wilde thuis koken. Jij en James zijn van harte welkom.'

'Nee, dank je. Ik denk dat ik maar eens naar mijn vader ga.'

'Hoe gaat het met hem?' vroeg Tamsin vol medeleven.

'O, prima!' zei Bill Vale opgewekt toen Laurie hem een week later dezelfde vraag stelde. 'Kan niet beter,' voegde hij eraan toe, en toen, kalmer: 'Gezien de omstandigheden.'

Laurie vroeg zich af hoe vaak haar vader op dat antwoord geoefend had. Nu wist ze niet of haar geliefde, maar ietwat verwarrende vader dit stukje voor haar opvoerde, of dat hij het echt meende. In ieder geval leek er wel een kern van waarheid in zijn bezwerende woorden te zitten. Zijn wangen bloosden en hij was wat zwaarder geworden, wat hij bij zijn lengte goed kon gebruiken. Zijn witte haar was keurig gekamd en hij droeg een lichtbruin, geruit overhemd en een rode das, een oud vest en een grijze broek. Laurie liep achter hem aan naar binnen. Haar vader woonde alleen in een klein rijtjeshuis in Tunbridge Wells.

'Hoe was het?' vroeg haar vader, doelend op de expositie, toen ze de kleine, gezellige woonkamer in liepen.

'Doodvermoeiend. Ik vond het rot dat je er niet was, pap.'

'Ach, ik wilde je niet in verlegenheid brengen,' zei hij voor de grap, maar ze zag nu dat ze hem gekwetst had. 'Maak je geen zorgen, je krijgt nog veel meer exposities.'

'Dat weet ik nog zo net niet,' antwoordde Laurie, terwijl ze zich op de beige fluwelen bank liet vallen.

'Iets drinken?' vroeg haar vader. Op zijn leren pantoffels liep hij over het groene tapijt naar het drankenkastje, waar zijn tumblers van geslepen glas glanzend op een rijtje stonden. Hij had altijd een ietwat formele manier van doen, na zijn jaren als wiskundeleraar op een school in Canterbury, en hij behandelde Laurie meer als gast dan als dochter.

Ze knikte en trok haar muts van haar hoofd. Ze had geen goede week gehad. Na Tamsins onverwachte nieuws over de flat en het werk dat ze had gehad aan het ontmantelen van haar expositie voelde ze zich leeg en ellendig. Maar het had geen zin om haar vader om emotionele steun te vragen. Hij had nooit begrepen dat ze alleen wilde dat hij luisterde, niet dat hij elk probleem onmiddellijk voor haar oploste. Als ze hem haar onzekerheid zou toevertrouwen, en haar aanstaande dakloosheid, zou hij op zijn nieuwe computer een spreadsheet van haar inkomsten en uitgaven proberen te maken, hopeloos in de war raken en uiteindelijk zijn portefeuille trekken. Ze hoopte dat hij nog tientallen jaren gezond van zijn pensioen zou kunnen genieten en wilde dat hij zijn geld daarvoor gebruikte, niet om haar uit het moeras te trekken.

'Heb je veel geld verdiend?' vroeg hij.

Laurie had een hekel aan liegen, maar kon zich er niet toe zetten om hem te vertellen dat ze alleen maar schulden aan het gebeuren overgehouden had. 'Het ging er meer om dat mensen mijn naam leerden kennen, niet zozeer om geld,' zei ze.

Haar vader slaakte een zucht die meer op een grom leek. Hij ging in zijn gemakkelijke stoel zitten en trok de zondagskrant onder zich vandaan. 'Ja, je moeder wist al dat je talent had toen je net begon te krabbelen. Dromen moet je najagen, weet je.'

'Ja, ik weet het, maar het zou wel leuk zijn als ik er ook een heel klein beetje van zou kunnen leven,' zei ze voor ze zich ervan kon weerhouden.

'Het komt allemaal best goed, je zult het zien. Iets of iemand brengt altijd weer uitkomst.'

Lauries haren gingen overeind staan van zijn nietszeggende woorden. Ze wist dat hij haar alleen maar wilde helpen, maar merkwaardig genoeg deed zijn blinde vertrouwen haar eigendunk geen goed. Om een of andere reden ergerde ze zich er dood aan. Uit zijn mond klonk het alsof het allemaal voorbestemd was. Alsof het allemaal zo gemakkelijk was.

'En, wat voer jij zoal uit?' vroeg Laurie om het gesprek een andere wending te geven. Ze nam een slokje van haar gin-tonic.

'Tja, ik heb het druk gehad met de bewonersvereniging. Trevor Sandler is afgetreden als voorzitter vanwege zijn nieuwe heup, dus nu zoeken we een vervanger...'

Later, toen Laurie hem in het kleine keukentje hielp met de lunch, verbaasde ze zich erover hoe snel en met hoeveel improvisatietalent Bill Vale geleerd had om alleen te wonen. Hij begon maar één keer over haar moeder, maar hield toen onmiddellijk op met praten, haalde diep adem en keek uit het beslagen raam.

'Ze zou in de tuin met haar planten bezig geweest zijn,' zei hij weemoedig. 'We zouden een tuin vol narcissen gehad hebben, bij het oude schoolhuis.'

'Ik weet het,' zei Laurie zachtjes. Ze zag de rimpels bij zijn ogen dieper worden. Toen wreef hij over zijn borstelige witte wenkbrauwen.

'Kop op,' zei hij, alsof Laurie degene was die uiting gaf aan haar verdriet. 'Ze zou niet willen dat we hier zaten te kniezen,' zei hij. 'Dat heeft helemaal geen zin.'

Laurie knikte, al speet het haar dat het gesprek voorbij was. Duidelijker zou hij waarschijnlijk nooit zeggen dat hij zijn vrouw miste. Meer liet hij niet los. Aan de andere kant, dacht Laurie niet voor het eerst, wás er misschien gewoon niet meer. Misschien had haar vader het geluk dat de dingen hem nu eenmaal niet zo heel erg diep raakten.

Ze had lang geleden al geleerd dat haar vader elk vertoon van emotie kinderachtig en overdreven vond. Zelfs toen haar moeder stierf had Laurie hem niet zien huilen. Hij had het moedig en gelaten over zich heen laten komen, met die stoïcijnse houding tegenover ongeluk die hij Laurie altijd, vergeefs, had proberen bij te brengen.

En toch wist Laurie zeker dat haar vader op zijn manier van haar moeder gehouden had. Hun relatie leek alleen meer gebaseerd te zijn geweest op kalme kameraadschap dan op hartstocht. Als Laurie aan haar vader en moeder dacht, zag ze altijd voor zich hoe ze naast elkaar zaten en hun genegenheid toonden door heel even elkaars hand aan te raken, door een kop thee voor de ander te zetten of met een van die duizend andere kleine rituelen die ze erop nahielden. Ze had ze nooit iets spontaans zien doen, zoals dansen, en ze had ze nooit op kussen kunnen betrappen, zoals haar vriendinnen wel gedaan hadden bij hun ouders.

Toen ze op kostschool zat, had Laurie zich altijd afgevraagd of haar ouders soms een geheim leven hadden. Maar zodra ze thuiskwam, wist ze weer hoe belachelijk dat idee was. En in de loop van de jaren had haar moeders afstandelijkheid en haar klaarblijkelijke tevredenheid met haar huwelijk Laurie er altijd van weerhouden om haar iets persoonlijks te vragen. En nu was het te laat. Ze zou nooit te weten komen hoe haar moeder zich diep vanbinnen gevoeld had. En wat haar vader betreft zou Laurie niet weten waar ze moest beginnen.

Na de lunch ging Lauries vader naar de buren, om de nieuwsbrief van de bewonersvereniging op te halen. Laurie bood aan met hem mee te gaan, maar daar wilde haar vader niets van weten. Alleen in huis werd Laurie zich bewust van een vertrouwd gevoel van schuldige verveling, die pijn deed aan haar armen en benen. Buiten sloegen de grillige takken van de perzikboom in het kleine tuintje tegen de terrasdeuren, als tikkende vingers. De vogelhuisjes aan het schuurtje zagen er vochtig en verlaten uit.

Haar vader was hierheen verhuisd toen haar moeder naar het verpleeghuis ging en Laurie voelde zich hier nooit helemaal thuis, hoewel de meubels dezelfde waren en er overal bekende spullen stonden: een zilveren lijstje met een foto van haar ouders op hun trouwdag, haar bijna veertigjarige moeder onzeker in een bescheiden wit pakje, een foto van Laurie, blij en zonder voortanden op haar eerste fiets, een paar modelautootjes, die haar vader vroeger bouwde, en zijn verzameling avonturenromans in een boekenkastje met een ruitje ervoor.

Laurie dronk haar glas leeg en liep naar het keukentje om de afwas te doen. De resten van de kip lagen op de snijplank naast de gootsteen, de borden en schaaltjes keurig opgestapeld ernaast.

Aan de muur naast het tafeltje hing een prikbord vol met ansichtkaarten. Laurie keek ernaar, sommige waren al oud, andere nieuw. En toen zag ze een hoekje van de kaart die ze zelf gestuurd had en verstijfde.

'Nee,' zei ze hardop, ineenkrimpend bij de gedachte. Ze moest er niet aan denken. Ze mocht hem niet in haar hoofd toelaten. Maar haar hand ging al naar het bord, haalde de kaart eraf en draaide hem om.

Lieve mama en papa,
    ik heb het geweldig naar mijn zin. Ik ben hier met Roz, Heather enz,. maar heb iemand ontmoet. Ik ben verliefd! Heel, heel gelukkig. Vertel jullie alles als ik weer thuis ben. Als ik nog thuiskom. Dit is het helemaal. Ik ben in de zevende hemel.
    L x

Heel even was ze woest op haar vader omdat hij de kaart nog had. Hoe durfde hij herinneringen te bewaren terwijl zij die van haar allemaal vernietigd had? Maar eigenlijk kon ze het hem niet kwalijk nemen. Het moest hem zo gelukkig gemaakt hebben om Lauries woorden aan haar moeder te kunnen voorlezen toen ze zo ziek was.

De gedachte daaraan – het besef dat ze haar ouders teleurgesteld had, terwijl ze zelf ook zo vreselijk teleurgesteld was, maakte haar razend. Ze scheurde de kaart in kleine stukjes en gooide ze in de vuilnisbak. Toen smeet ze de resten van de kip erbovenop en sloeg het kastje van de vuilnisbak dicht.

Net als een alcoholist of een junk moest ze afrekenen met de herinneringen aan een vorig leven. Ze moest ze uitwissen, niet terughalen. Ze zou de gedachten aan hem niet toelaten. Handenwrijvend feliciteerde ze zichzelf met haar krachtdadige optreden. Het was voorbij. Over en uit. Voorgoed. Ze had James nu. James en een nieuw leven. Ze mocht dan de weg kwijt zijn geweest, maar dat was verleden tijd. Ze zat weer op het juiste spoor en stoomde op richting toekomst.

Ze schrok toen de telefoon ging. Ze rende naar de werkkamer, waar het dichtstbijzijnde toestel stond, en boog zich over het grote houten bureau om op te nemen, waarbij het haar opviel dat haar vader een nieuwe computertafel geïnstalleerd had.

'5490,' zei ze, precies zoals haar vader de telefoon opnam.

'Dag, is Bill thuis?' vroeg een vrouw op onzekere toon.

Laurie lachte geluidloos toen een schokkende gedachte in haar hoofd opkwam. Stel dat haar vader een nieuwe vrouw in zijn leven had? Stel dat hij er daarom zo gelukkig en gezond uitzag? Nee, dat kon toch niet! Niet Bill Vale.

Maar misschien... misschien zat er toch nog leven in hem...

Laurie rekte de gedraaide telefoondraad, liep om het bureau heen en ging in haar vaders leren bureaustoel zitten, blij dat ze iemand had om mee te praten. 'Hij is even de deur uit. Kan ik iets voor u doen? Ik ben zijn dochter.'

Het bleef lang stil aan de andere kant van de lijn. Zo lang zelfs dat Laurie even naar de hoorn keek voor ze weer iets zei. 'Hallo? Bent u er nog?'

'Ja, ik ben er nog.'

'Wie zal ik zeggen dat er gebeld heeft?'

'Kunt u hem zeggen... Kunt u een boodschap doorgeven?'

'Natuurlijk. Zegt u het maar,' zei Laurie tegen de vrouw. Ze draaide een lege envelop om op het groene vloeiblad en viste een ballpoint uit een potje.

'Kunt u tegen hem zeggen... kunt u tegen hem zeggen dat Tony... dat Tony overleden is?'

'Tony?' Laurie herhaalde de onbekende naam. 'Neem me niet kwalijk, was Tony een vriend van mijn vader?'

'Nee, dat was hij niet,' antwoordde de vrouw. 'Maar ik wil dat Bill het weet. De begrafenis is volgende week. Als Bill wil komen, zeg hem dan...' De stem van de vrouw stierf weg. Laurie wilde haar net op weg helpen toen ze weer begon te praten. Haar stem klonk zakelijker nu, alsof ze zichzelf weer in de hand had. 'Zeg hem dan maar dat hij mij even belt.'

Laurie schreef de boodschap en het telefoonnummer van de vrouw op, en probeerde intussen te bedenken wat die vreemde klank in haar stem te betekenen had.

'Oké,' zei ze vriendelijk. 'Ik zal het hem zeggen. Mag ik weten hoe u heet?'

'Mijn naam is Rachel.'

'Rachel,' zei Laurie, terwijl ze het opschreef. 'En dan weet hij wie u bent?'

'O, ja.'

'Bent u een vriendin van hem?' drong Laurie aan.

'Nee,' zei Rachel traag. 'Ik ben niet zijn vriendin.' Er viel een stilte. 'Ik ben zijn zus.'

Nu was Laurie sprakeloos. Het bloed vloog naar haar wangen en haar hand begon te zweten aan de hoorn.

'Zijn wát?'

'Heeft hij het nooit over mij gehad?' vroeg Rachel.

Lauries stem sloeg over. 'Luister, ik weet niet wie u bent,' zei ze, 'en het spijt me dat er iemand dood is, maar ik denk dat u het verkeerde nummer gedraaid heeft. Mijn vader heeft geen zus. Ik denk dat u zich vergist.'

'Nee, ik vergis me niet,' zei de vrouw vermoeid. 'Het spijt me dat ik je aan het schrikken maak. Dit valt vast niet mee. Jij bent Laurel, niet waar?'

'Ik snap niet...' Laurie brak af. 'Ja, ik ben Laurel Vale... Laurie.'

'Hij heeft je genoemd naar onze moeder.'

Laurie slikte moeizaam. Ze was inderdaad naar haar oma vernoemd, maar hoe wist dit mens, die Rachel...

'Laurie, kunnen we elkaar ontmoeten?' vroeg Rachel. 'Ik denk niet dat je vader naar Tony's begrafenis komt, maar ik zou je dolgraag willen spreken. En je moet je familie ontmoeten. Dat wordt wel eens tijd.'

2

Het was negen uur 's ochtends en de hoofdstraat van Stepmouth was klaarwakker. Koude windvlagen wervelden op vanuit de haven. Zwaluwen dartelden tussen de schoorstenen en geveltjes van de vrolijk gekleurde winkels. Aalscholvers en zeemeeuwen zaten elkaar krijsend achterna in de ijsblauwe lucht.

Mensen stonden in groepjes bij elkaar: bij de bushalte, wrijvend in hun gehandschoende handen, rokend, kletsend over boodschappenlijstjes, wachtend op de bus; voor Vale Supplies, roddelend, kirrend tegen baby's in kinderwagens, recepten en voedselbonnen uitwisselend.

Onder de wapperende witte luifel van de vishandel stonden Mark Piper, de kale en bebaarde visboer, en zijn vrouw Eileen met Stephan Able, de kapitein van de *Mary Jane*, te onderhandelen over een vracht vis, kreeft en krab, die Stephan vanaf de kade op een kar naar boven gebracht had.

Voor de Channel Arms rolden blozende mannen van de brouwerij, met vieze petten op en vesten met zweetplekken aan, biervaten van de klep van hun sputterende dieseltruck. Nick Meades lapte de ramen van Ackroyd & Partners Advocaten en zanderige zeepdotten gleden langs het glas naar beneden. Een glimmende zwarte Citroën reed zachtjes brommend door de hoofdstraat in de richting van Summerglade Hill – net een scène uit een Amerikaanse gangsterfilm, dacht Tony Glover toen de auto langs hem reed.

Tony stond een paar meter achter het eind van de rij bij de bushalte, met zijn arm om de slanke taille van Margo Mitchell, die sinds tweeënhalve week zijn vriendin was.

De geur van ovenvers brood en banket dreef uit de bakkerij,

waarvan de deur wijd openstond. Tony werd er bijna gek van. Zijn maag knorde en hij wilde dat hij ja gezegd had toen zijn moeder aanbood om voor hij wegging ontbijt voor hem te maken.

Maar hij was al aan de late kant geweest en had geen tijd gehad. Want Margo Mitchell was niet het soort meisje dat je liet wachten. Zeker niet als je beloofd had haar een dagje mee uit winkelen te nemen – en dat had hij; ze waren op weg naar de kosmopolitische winkels van het nabijgelegen Barnstaple. En al helemaal niet als je zoveel indruk op haar hoopte te maken dat ze eindelijk haar vesting van een beha voor je losmaakte en met je naar de weilanden achter het stadje wilde – en dat wilde hij maar al te graag.

Om op tijd te komen was Tony met halsbrekende snelheid de steile, verraderlijke slingerweg af gefietst die van zijn dorp, vierenhalve kilometer verderop in de West Step Valley, naar Stepmouth leidde.

En het was het haasten waard geweest, nietwaar? Margo was het waard, nietwaar? Tony ademde de zoete geur van haar citroenachtige parfum in en kuste haar getuite rode lippen voor hij haar opnieuw van top tot teen bekeek.

Ze was echt heel leuk, met haar wollen roomwitte vest en hemelsblauwe Terylene-jurk, haar goudblonde haar in een staart, zodat de zilveren oorbellen die ze van haar moeder geleend had goed uitkwamen. En ook al hadden Tony en zij niet bepaald veel gemeen, er waren genoeg redenen om uit te gaan met een meisje dat eruitzag zoals zij.

'Haar tieten, bijvoorbeeld. Net strandballen,' had Pete, Tony's beste vriend, vorige week nog dromerig opgemerkt.

'En haar lippen. Daarmee zuigt ze een golfbal door een rietje,' had hun goede vriend Arthur er met een zucht aan toegevoegd.

Margo was dus een goede vangst, en in ieder geval het mooiste vriendinnetje dat Tony ooit gehad had. Niet dat hij zelf niets te bieden had. Hij was lang, bijna één meter vijfentachtig, en hij was gespierd, want hij had voor zijn school lange tijd in het boksteam gezeten (voordat hij eruit gegooid werd). Hij hield van elegante kleren en droeg vandaag een tot bovenaan dichtgeknoopte zwarte overjas (in de stijl van Richard Burton), een grijze pantalon met messcherpe vouwen in de pijpen en glimmend gepoetste zwarte schoenen. Zijn twinkelende ogen waren blauw, de kleur van de zee op een zonnige zomerdag. 'Een echte charmeur,' had zijn moeder altijd gezegd. Hij had lange, donkere wimpers.

Maar hij mocht dan knap geboren zijn, sindsdien deed hij er alles aan om dat te veranderen. Zijn gezicht was net een geschiedenisboek, waarin te lezen viel in welke netelige situaties hij zoal terechtgekomen was. Er was een stukje van een van zijn voortanden af, als gevolg van een weddenschap waarbij het erom ging bierflesjes open te maken met je tanden. Vorige zomer, toen hij indruk probeerde te maken op de meisjes op het strand, had hij bij een duik in een getijdepoel een verkeerde inschatting gemaakt en zijn neus gebroken op een rots. Op zijn linkerslaap zat een litteken van bijna drie centimeter, een herinnering aan de vechtpartij op school in september, op de dag dat hij zeventien jaar werd. Bij die gelegenheid was hij van school gestuurd, zodat er een einde gekomen was aan zijn hoop op een opleiding.

Hij maakte zich niet al te druk om zijn builen en schrammen. (Maar dat hij van school gestuurd was, dát maakte hem nog steeds kwaad... Sindsdien was hij afwasser in het Sea Catch Café in East Street, waar hij het vet van de borden schraapte en glazen glanzend poetste, waardoor zijn armen zo hard werden als staal.) In zijn ogen was het belangrijk om er stoer uit te zien, zo stoer dat mensen geen loopje met je namen. Daarom kamde hij zijn dikke zwarte haar naar achteren met Brylcreem, zoals hij gezien had op krantenfoto's van de beruchte straatbendes in Londen.

Meisjes vonden het leuk als jongens er stoer uitzagen, dacht Tony, net als in de film. Tony dacht dat hij heel wat van vrouwen wist. Bijvoorbeeld dat je ze aan het lachen kon maken door tegen ze te zeggen dat hun haar mooi zat, of dat ze zo'n leuke jurk aan hadden. Hij had ontdekt dat je op een eerste afspraakje zoende, dat je op een tweede afspraakje aan borsten voelde en dat het vanaf dat moment verder een kwestie van geluk was.

Wat hij nog niet helemaal zeker wist, maar al wel begon te vermoeden, was dat Margo Mitchell, met wie hij in al die tijd dat hij haar kende nog niet verder gekomen was dan zoenen, een eerste-klas flirt was.

'Hou je van me, Tony Glover?' fluisterde ze in zijn oor. 'Nou? Hou je van me?'

Normaal gesproken had Tony van zo'n vraag (zo'n domme, kwijlerige meisjesvraag) pukkeltjes gekregen, maar omdat het al de tiende keer in vijf minuten was dat Margo het vroeg, haalde hij alleen maar zijn schouders op.

'Zullen we het ergens anders over hebben?' antwoordde hij, precies zoals hij al negen keer eerder had gedaan. Hij deed een stap bij haar vandaan, stak een sigaret in zijn mond en zocht in zijn jaszak naar een aansteker.

'Nou...'

Maar Tony hoorde al niet meer wat Margo zei, want precies op dat moment keek hij op, afgeleid door een felgele flits boven zijn hoofd. Daar, op het verweerde houten balkon van de kerk, dat boven de bushalte uitstak en momenteel opnieuw geverfd werd, stonden twee meisjes. Hun gele sjaaltjes fladderden op de wind, licht als de vleugels van een vlinder.

Ze hadden naar hem staan loeren en hij had ze betrapt. En nu stonden ze verschrikt, schuldbewust terug te kijken. Hij kende die gezichten maar al te goed: Pearl Glaister en Rachel Vale. Alle-bei – de een had blond haar, de ander rood – mooie meiden, ech-te stukken. Alle jongens van Tony's leeftijd in Stepmouth wisten wie ze waren.

De roodharige Rachel Vale was het zusje van Bill en de dochter van Edward en Lauren. Ze was zo mooi als een filmster, en ze had gloeiend de pest aan Tony. Sinds de dood van haar vader, acht jaar geleden, had ze geen woord meer tegen hem gesproken.

Het enige wat mooie, bijdehante Rachel Vale deed was *over* Tony praten, meestal als hij het zelf kon horen, meestal om an-dere mensen eens goed in te prenten wat ze van hem vond. Ze keek hem nooit aan en stak zelfs straten over om hem uit de weg te gaan. Dus waarom, vroeg hij zich af, stond ze nu zo naar hem te kijken?

Zodra hij zich deze vraag gesteld had, wist hij ook wat het ant-woord was. Want op het moment dat zijn blik zich van Rachel losmaakte, zag hij het geopende blik verf dat ze boven zijn hoofd hield.

Het blik gleed uit haar hand. Per ongeluk? Of was het opzet? Hij wist het niet. Hoe dan ook, het kwam in volle vaart op hem af.

Tony had geen tijd om opzij te springen. Hij dook in elkaar en sloeg het blik met een achterwaartse zwaai van zijn arm zo ver mogelijk weg.

Hij rolde op zijn zij en zag het blik – een, twee keer – rondtollen in de lucht. De witte verf sproeide in het rond als vuurwerk. Half in de goot, half op de stoep liggend keek hij naar zijn pijnlijke hand en zijn jas: niets, geen druppeltje verf.

Over geluk gesproken...

Pas toen hoorde hij het gegil.

Hij hoefde niet naar Margo te kijken om te weten dat zij het was. Een week geleden was hij met haar naar *The African Queen* geweest, met Bogey en Hepburn; na de pauze had hij haar aan één stuk door zitten tongen en alles op alles gezet om even te kunnen voelen, terwijl zij zich telkens wanneer de muziek spannend werd losrukte en bij elk nieuw gevaar op het filmdoek hysterisch begon te gillen.

Maar deze gil – hij duurde nu al drie seconden en ging als een luchtalarm de hoogte in – overtrof zowel wat betreft duur als toonhoogte alles wat Margo tot nu toe gepresteerd had. Het was een gil die voortkwam uit echte, geen filmische, ontzetting. En toen hij overeind kwam en naar Margo opkeek, zag hij onmiddellijk de oorzaak.

Wat niet gezegd kon worden van Margo Mitchells gezicht, dat helemaal niet meer te zien was.

Tony knipperde verbijsterd met zijn ogen. Zijn prinses was verdwenen en een grauw spook had haar plaats ingenomen.

Eindelijk had Margo alle lucht uit haar longen gegild en werd het stil in de straat. De mensen bij de bushalte waren van haar weggekropen als water van was. Margo keek met grote ogen door het clownsmasker op haar gezicht. Een verfbel sprong kapot bij haar mondhoek. Met haar armen slap langs haar zij begon ze zachtjes te jammeren.

Tony keek kwaad omhoog naar het balkon. Maar Rachel Vale en haar medeplichtige waren verdwenen. Hij kon het niet geloven. Hij kon niet geloven wat Rachel Vale Margo aangedaan had. Hij kon niet geloven wat ze hém had willen aandoen.

'Oké,' schreeuwde hij terwijl hij opsprong. Ze waren nog niet van hem af. Hij zou ze vinden, en dan zouden ze hun excuses aanbieden. Aan Margo én aan hem. En Margo's kleren betalen. En...

'Jij bent er geweest,' was alles wat hij hoorde voor de vuist zijn kaak raakte en hij opeens plat op zijn rug lag.

De vijfenveertigjarige Bernie Cunningham, met zijn aardappel-hoofd en bloemkooloren, was varkensboer van beroep en kroeg-vechter uit overtuiging. Hij was zo sterk als een paard en zo kop-pig als een ezel.

'Opstaan,' blafte Cunningham. Hij trok zijn met verf be-smeurde tweedjasje uit en smeet het op straat. Met poten als boomstammen torende hij hoog boven Tony uit. 'Je vindt jezelf nogal grappig, hè, Glover? Mij een beetje voor gek zetten... Verf over me heen gooien... Kom dan, kleine klootzak, sta op!'

Tony krabbelde achteruit. 'Het zit anders dan u denkt,' zei hij tegen Cunningham. Zijn gezicht stond gespannen. 'Ik gooide het niet naar u... tenminste, dat wel, maar alleen maar omdat iemand het naar mij gooide... ik bedoel...'

Maar Cunningham luisterde niet.

'Margo!' schreeuwde Tony. Zij had toch wel gezien wat er echt gebeurd was? 'Zeg het,' smeekte hij. 'Zeg tegen hem dat het niet mijn schuld was.'

Maar Margo luisterde ook niet. Margo wachtte niet eens op wat komen ging. De arme, getraumatiseerde Margo Mitchell draaide zich om en rende naar haar moeder.

Tony zocht steun bij de mensen die nu om hem en Cunning-ham heen stonden. Maar geen van hen keek hem in de ogen. Als-of hij niet belangrijk was, dacht hij. Alsof wat er met hem ging gebeuren ook niet belangrijk was.

Tony kwam met moeite overeind. 'Alstublieft, meneer Cun-ningham,' zei hij.

Cunningham rochelde en spuugde tussen Tony's voeten op de

grond. 'Genoeg gepraat,' zei hij. Hij schuifelde dichter naar Tony toe en wenkte hem met zijn geheven vuist.

Tony staarde als gehypnotiseerd naar de grote kerel, die als een gekooide orang-oetan heen en weer zwaaide. De mensen begonnen opgewonden te schreeuwen.

De eerste klap, een directe, schampte langs Tony's slaap en wierp zijn hoofd naar achteren. De pijn sneed door hem heen. Maar hij was al zo vaak geslagen, door zijn broer en zijn vader, en in de boksring. Hij beschermde zijn gezicht met zijn vuisten. Hij hield zijn ellebogen strak tegen zijn lichaam, om zijn maag en ribben te beschermen. Met opeengeklemde kaken en gespannen nekspieren slikte hij het bloed door.

Het was maar een directe, hield hij zichzelf voor terwijl hij Cunningham als een havik in de gaten hield. Want als het op die afstand een uppercut of een hoek was geweest, had hij nu buiten westen gelegen, dat wist hij donders goed. Hij zag de schittering in Cunninghams ogen. Hij probeerde hem uit, dat was alles. Hij plaagde hem maar een beetje, voor hij serieus tot de aanval overging.

De adrenaline gierde door Tony's lijf. Hij concentreerde zich niet alleen op Cunninghams gezicht, maar ook op de rest van zijn lichaam. Hij verdeelde het in gedachten in stukken, zoals een slager een koe of een varken ontleedt, inventariseerde sterke en zwakke punten, vuisten en ellebogen, ribben en tanden en ogen.

Bij de volgende directe van Cunningham week Tony achteruit. De klap daarna ontweek hij door opzij te stappen. Het ging dus niet helemaal zoals de oudere man gepland had. Gesterkt door deze gedachte probeerde Tony een truc uit die hij op school in de ring geleerd had. Hij sprong naar voren, maakte een schijnbeweging naar links en verleidde Cunningham tot een opportunistische uppercut, die zijn hele rechterkant onbeschermd liet. Tony ging er vol in en raakte Cunningham hard op zijn oor.

De mensen hielden hun adem in.

Cunningham lachte.

Op dat moment had Tony de benen kunnen nemen. Als hij slim was geweest, had hij dat ook gedaan. Cunningham deed dit voor zijn plezier. Wat maakte het uit dat Tony hem een dreun had gegeven. Tony was gewoon een dom joch dat Cunningham wel even een lesje zou leren.

Maar Tony was van zijn leven nog nooit voor iemand weggelopen. Niet voor zijn broer en niet voor al die gasten die hem de afgelopen acht jaar opgezocht hadden, omdat ze een reputatie wilden opbouwen op de resten van de zijne. Er woonden duizend mensen in dit stadje, en als hij er nu vandoor ging zouden ze dat allemaal te weten komen.

'Kom dan, lelijke dikke klootzak,' sneerde hij. 'Laat maar eens zien wat je in huis hebt.'

Dat liet Cunningham zich geen twee keer zeggen. En wat hij in huis had was een combinatie die hem in zijn diensttijd twee finaleplaatsen in de regimentswedstrijden en na de oorlog één keer het provinciekampioenschap opgeleverd had: een linkse uppercut, gevolgd door een rechtse hoek.

Beide klappen kwamen hard aan. Tony struikelde en viel. Hij lag met zijn wang op het plaveisel. Hij hoorde iets ruisen, als een gezwollen rivier, maar hij wist dat het ruisen in zijn eigen hoofd zat. Er druppelde iets in zijn keel. Hij hoestte en proefde iets zoets. Hij bracht zijn vingers naar zijn neus en zag dat ze rood waren van het bloed.

'Opstaan,' bulderde Cunningham. 'Ik ben nog niet klaar met je.'

Tony probeerde Cunninghams wazige gestalte, die als een weerspiegeling in een kabbelend beekje boven hem hing, scherp te krijgen. Hij wilde opstaan, maar zijn benen bleken van rubber zodra hij zijn gewicht erop liet rusten. Cunningham stak een hand uit en sleurde hem overeind.

Ze verscheen uit het niets: Rachel Vale, die zich als een menselijke koevoet tussen de twee mannen in wurmde en ze uit elkaar haalde.

'Laat hem met rust,' hoorde Tony haar tegen Cunningham zeggen.

'Jij!' riep Cunningham verbaasd. 'Uitgerekend jij... Wegwezen, meisje, of ik...'

'Of je wat?' vroeg ze uitdagend. 'Of je slaat mij ook in elkaar?

Als je me ook maar met een vinger aanraakt, roep ik mijn broer Bill en dan...'

Het geluid van ruisend water kroop weer in Tony's oren. Misselijkheid golfde door zijn maag. Hij zakte in elkaar op de stoep, zich bewust van de mensen die dichterbij kwamen en op hem neerkeken.

'Hij liegt niet,' hoorde hij Rachel Vale op besliste toon zeggen. 'Het was niet zijn schuld. Het kwam door mij. Ik...'

Tony liet zich naar de goot rollen en gaf over.

Opeens merkte hij dat ze hem overeind hielp. Voor de tweede keer die dag, dat leven, keken Tony Glover en Rachel Vale elkaar in de ogen. Ze ondersteunde hem en leidde hem voorzichtig weg van Cunningham en al die anderen.

'Maak je geen zorgen,' zei ze. 'Het komt wel goed met je. Straks komt het allemaal prima in orde met je.'

Ze zei het telkens opnieuw, en intussen leidde ze hem door de hoofdstraat, langs de patatboer, onder het heen en weer zwaaiende uithangbord van de pub door. Aan het eind van de hoofdstraat sloeg ze linksaf en liep ze van de haven af over de parkeerplaats, naar de begraafplaats van St Jude's.

Ze zette hem op het lage muurtje van de begraafplaats. In de frisse zeelucht werden Tony's geest en blik langzaam weer helder. Rachel haalde een zakdoek uit de zak van haar rok en duwde die in Tony's hand.

'Kijk niet zo,' zei ze. 'Dat is onbeleefd.'

Maar hij kon er niets aan doen. Hij had altijd geweten dat ze knap was, maar hij had haar nog nooit van zo dichtbij bekeken, niet zoals nu. Hij zag dat ze een gave huid had en dat haar haar helemaal niet rood was, maar diep roodbruin. Haar neus, oren, mond... alles aan haar zag er pinnig en boos uit. Maar achter dat masker, in die lichtgroene ogen, lag iets zachters verborgen, zorgvuldig verstopt. Verstopt voor hem. Op dat moment had hij er alles voor over om haar te zien lachen.

'Hou je hoofd omhoog en knijp in je neus,' beval ze. 'Dan houdt het bloeden op. Heb ik op school geleerd.'

Ze nam haar lange plooirok op, zodat hij niet zou scheuren, en ging naast hem op de muur zitten. Ze staarde naar de Summerglade Hill, die zich achter het stadje uitstrekte en hoog naar de hemel reikte.

'Je hoorde wat ik tegen Cunningham zei,' zei ze opeens. 'Het was mijn schuld. Niet de jouwe. Ik betaal wel voor de kleren van je vriendin...'

'Sinds wanneer heb jij geld om zoiets te betalen?' vroeg hij verdwaasd. Hij wierp een blik op haar kleren, die netjes maar goedkoop waren, zoals die van de meeste kinderen in het stadje. 'Laat me raden. Je broer leent je het geld, want hij is een fan van me...'

'Waag het niet om over hem te praten,' snauwde ze, en ze keek hem strak aan. 'En maak jij je er maar niet druk over hoe ik aan het geld kom. Als ik zeg dat ik het betaal, dan betaal ik het. Ik sta bij je in het krijt en ik wil niet bij je in het krijt staan. Snap je dat?' Haar ogen schitterden fel. 'Ik wil voor geen cent bij je in het krijt staan, Tony Glover.'

'En ik wil jouw geld niet,' zei hij. 'Niet nu je je excuses aangeboden hebt.'

Ze werd paars. 'Ik heb m'n excuses helemaal niet aangeboden. Ik zei alleen dat ik bij je in het krijt sta. Ik heb geen spijt van wat ik gedaan heb, het ging alleen een beetje te ver.'

'Te ver?'

Ze trok een gezicht. 'Dat ik dat hele blik over je heen gooide. Dat was een ongelukje. Ik wilde alleen een paar druppels op je hoofd laten vallen. Zodat je er raar uitzag.'

'Nou, dat is een hele opluchting...'

'Hoezo?' Ze hield haar hoofd schuin en keek hem met half dichtgeknepen ogen aan.

Hij glimlachte quasi-zielig naar haar. 'Omdat ik heel even dacht dat je me niet mocht of zo.'

Ze keek hem verbluft aan. Toen drong zijn zelfspot tot haar door, en de spanning week van haar gezicht. Opeens barstte ze in lachen uit.

'Zal ik je eens wat zeggen, Tony Glover? Misschien ben je toch niet zo'n gemene zak als ik dacht.'

'Waarom vandaag?' vroeg hij zonder overgang.

'Wat?'

'Waarom besloot je precies vandaag verf over me heen te gooien?'

Ze keek naar haar bleke, knokige knieën. 'Ik weet het niet. Omdat Pearls oom de sleutel van de kerk heeft en we daar soms heen gaan om te roken. En we zagen de verf die de werklui achtergelaten hadden. En ik weet het niet, gewoon omdat...' Ze haalde nukkig haar schouders op.

'Gewoon omdat wat?'

Een claxon toeterde en toen ze naar de parkeerplaats keken zagen ze daar Christopher Asbury, een jongen die op school bij Tony in de klas had gezeten, een rijke knul met een vader die veel van hem hield en zoveel vertrouwen in hem had dat hij hem in het weekend in zijn auto liet rijden.

Naast hem zaten een andere jongen en Anne, een meisje dat Tony wel vaker bij Rachel in de buurt gezien had. Achterin hing Rachels voormalige medeplichtige, Pearl Glaister, uit het raam.

'Rachel Vale, onmiddellijk instappen!' riep Pearl.

Rachel liet zich van het muurtje glijden en streek haar rok glad.

'Gewoon omdat wat?' vroeg Tony nogmaals.

In haar ogen laaide plotseling een vuur. 'Gewoon omdat ik zin kreeg om die arrogante grijns van je gezicht te halen toen ik je daar zo naast Margo Mitchell zag staan...'

'Nou, dat is je dan aardig gelukt.'

'Ja,' zei ze. En eindelijk zag hij de boosheid verdwijnen en ving hij een glimp op van die lach die hij zo graag wilde zien. 'Dat kun je wel zeggen, hè?'

En weg was ze. Ze rende naar de auto en liet hem daar in de kou op het muurtje zitten.

Tony Glover fietste over de steile weg die tegen Summerglade Hill op slingerde en nam het zijweggetje over de heide, tot hij na drieënhalve kilometer het dorp Brookford bereikte.

Bij de telefooncel reed hij zijn eigen straat in. Brookford Cottages bestond uit acht rijtjeshuizen, allemaal eigendom van de gemeente. In 1936 was Tony op nummer 8 geboren, het rood geschilderde huis helemaal aan het eind.

De oude Vauxhall van Tony's stiefvader stond voor de deur. De afgelopen maanden had hij Tony rijles gegeven. Gisteravond nog had Tony op kaarten zitten kijken, op zoek naar plekjes waar hij met Margo heen zou kunnen rijden. Niet dat dat er nu nog van zou komen.

Tony dook door het hoge, witte hek rechts van het huis. Zijn moeder deed de was voor een aantal pensions in Stepmouth en de tuin was één opbollende wolk van lakens en kussenslopen. De geur van waspoeder hing in de lucht.

'O, jezus,' riep Don toen hij opkeek van de oude radio waaraan hij op het stoepje bij de achterdeur had zitten prutsen en Tony's gezicht zag.

Tony's stiefvader was een grote, trage man met een rode, geïrriteerde huid. Hij zag eruit als een alcoholist, maar dat was hij niet. Hij werkte als elektricien bij de Watersbind-waterkrachtcentrale. Tony mocht hem en vertrouwde hem, en dat was al zo sinds hij Tony vijf jaar geleden verteld had dat hij met zijn moeder wilde trouwen en van plan was goed voor haar te zorgen.

Don legde een met littekens bezaaide vinger op zijn lippen. Hij legde de glazen buis die hij schoon had zitten maken neer, kwam overeind en trok zijn vest en overhemd over zijn behaarde buik.

De vier jaar oude tweeling, Tony's halfbroertjes die in een hoekje van de tuin hadden zitten knikkeren, sprongen nu als één man op. Fysiek gezien waren ze het tegenovergestelde van hun vader, snel als Tony, maar met een souplesse die aan vogels deed denken en Tony altijd aan zijn moeder herinnerde. Ze hadden allebei pikzwart haar, met een rechte pony die Tony's moeder elke zaterdag na hun wekelijkse bad met een stofschaar langs een puddingschaal bijknipte.

'Wat is er met je gebeurd?' riep Mikey uit. Hij had versleten bruine veterschoenen aan, een blauw truitje en een tweedehands flanellen broek. Hij rende naar zijn broer toe om hem beter te bekijken.

Zijn precies hetzelfde geklede tweelingbroertje Adam kwam achter hem aan. De jongens bekeken hun broer vol stil ontzag, met donkere, intelligente ogen.

'Iemand heeft je geslagen,' oordeelde Adam. 'Iemand heeft

hem geslagen. Kijk, papa. Kijk, Mikey.' De tranen schoten in zijn ogen. 'Iemand heeft onze Tony geslagen.'

'Wie?' wilde Mikey weten. Hij keek om zich heen, alsof de boosdoener misschien nog in de buurt was. 'Wie was het? Waar is hij nu? Waarom heeft hij dat gedaan?'

Tony wilde dat ze trots op hem waren, zoals hij zelf trots had willen zijn op zijn grote broer Keith. Hij wilde helemaal niet dat ze hem zo zagen. 'Niets aan de hand,' zei hij geruststellend.

'Als je moeder je zo ziet, is er goddomme wél iets aan de hand,' zei Don. Hij tikte de tweeling zachtjes op hun schouders. 'Ga maar weer knikkeren, jongens, dan kunnen Tony en ik even praten.'

Met tegenzin liepen de jongens weg en lieten ze zich onder de knoestige oude perenboom zakken. Eventjes zaten ze samen te fluisteren, toen verzamelde Adam de knikkers, terwijl Mikey een streep in de aarde trok waarachter ze moesten beginnen.

'Waar lach je om?' vroeg Don verbaasd aan Tony.

'Nergens om,' antwoordde Tony. 'Alleen, Keith en ik knikkerden daar ook altijd toen we klein waren.' De glimlach verdween van zijn gezicht en hij draaide zich naar Don om. Don wilde het niet over Keith hebben. Niemand wilde het over Keith hebben.

'Laten we je maar een beetje opknappen,' zei Don.

Ze slalomden tussen de lakens en kussenslopen door naar de houten schuur achter in de tuin, waar de wc was. Don draaide de kraan open, die als een stalen loot uit de grond naast de schuur stak.

'Hier.' Hij nam het gebarsten stuk carbolzeep uit het blikje dat aan de buitenkant aan de schuur gespijkerd zat en gaf het aan Tony.

Tony hield zijn handen onder de kraan en liet de zeep schuimen.

'Wie was het?' vroeg Don.

'Cunningham.' Het water kletterde in de modder.

'Bernie Cunningham?' Don siste ongelovig. 'Verdomme, Tony. Waarom moest je hem nou zo nodig opzoeken?'

'Ik zocht hem niet op. Het was niet mijn schu...'

Een toonloos fluiten legde hem het zwijgen op. Don draaide

onmiddellijk de kraan dicht en de mannen keken elkaar slecht op hun gemak aan. Tussen de opbollende lakens zagen ze Tony's moeder aankomen, een lege wasmand achter zich aan slepend. Ze droeg een oude bruine jurk, die hier en daar nat was van het zweet. Ze was zevenenveertig, vier jaar jonger dan Don, en droeg haar mooie zwarte haar onder een rood-wit geblokt hoofddoekje.

Terwijl ze op haar tenen ging staan om de knijpers van de waslijn te halen en de droge lakens in de mand te laten vallen, zag ze opeens haar man en zoon schuldbewust zwijgend bij de kraan staan.

Een seconde later kregen ze er stevig van langs.

'Je had het me beloofd!' schreeuwde ze tegen Tony. 'Je had me beloofd dat je dat niet zou doen. Nooit meer.' Ze keek vol walging naar het opgedroogde bloed op zijn gezicht.

Don ging tussen haar en Tony in staan. 'Wacht even, Sissy,' zei hij sussend tegen Tony's moeder. 'We weten nog niet eens wat er gebeurd is. Hij zegt dat het niet...'

'Ik zie verdomme zo ook wel wat er gebeurd is,' schreeuwde ze, terwijl ze Don opzij duwde en haar gezicht vlakbij dat van Tony bracht. 'Hij heeft verdomme weer gevochten, dat is er gebeurd. Toe dan!' Ze keek Tony recht in de ogen. 'Ontken het maar!'

Adam en Mickey begonnen te snikken.

'Moet je nou horen. Kijk nou eens wat je ons aandoet,' siste Tony's moeder.

'Het spij...' begon Tony.

Ze schudde heftig haar hoofd. 'Nee! Sorry helpt niet!'

Hij wilde haar schouder aanraken. Hij wilde haar troosten, want hij vond het afschuwelijk om haar zo te zien en hij vond het nog afschuwelijker dat hij er de oorzaak van was dat ze zich zo voelde. 'Alsjeblieft...' smeekte hij.

Ze deinsde achteruit, alsof hij een naald in haar schouder had gestoken. Wat hij in haar ogen zag was haat, geen verdriet. Toen wendde ze zich tot Don. 'Je weet wat ik de laatste keer gezegd heb,' snauwde ze.

'Je hoeft dit niet te doen,' zei Don. 'Over zes maanden gaat hij het leger in.'

'Kan me niet schelen. Ik heb geen zin om dit nog een keer mee te maken.' Ze spuugde de woorden uit, alsof ze er al maandenlang op kauwde. 'Niet weer. Niet zoals toen met...'

Ze brak af en keek de andere kant op, maar Tony had heel goed gehoord wat ze niet gezegd had. *Niet zoals toen met Keith.* Dat had ze tegen hem willen zeggen.

Tony's ruggengraat werd ijskoud. Hij vloog langs haar heen en rende naar het huis.

'Ga dan!' riep zijn moeder hem na. 'Ga weg! Ga weg en kom niet meer terug!'

Hij keek niet meer om. Ze vergiste zich, ze vergiste zich als ze dacht dat hij met vechten begonnen was, dat hij zijn belofte aan haar gebroken had. Maar vooral vergiste ze zich als ze dacht dat hij ook maar in de verste verte op Keith leek. Keith? Ze wist niet eens meer wie dat was.

Binnen rende Tony langs de muffe provisiekast, door de van stoom mistige keuken, de gammele trap op.

Zijn kamer lag naast die van zijn moeder. Hij deelde hem met de tweeling. Vanaf de muur keken Roy Rogers en Dan Dare op hem neer. Tony struikelde over een lekke voetbal en trapte hem woest aan de kant, waardoor hij een slordig geschilderd model van de Golden Hind, dat naast de prullenbak op de grond lag, kapot schoot.

Hij voelde zich hier net Gulliver. Dit was zijn kamer niet meer. Hij was er te groot voor geworden. Hij was te veel, de laatste herinnering aan een huwelijk dat afgelopen was. Zijn moeder, Don, de tweeling... ze moesten verder met hun leven en hij moest hier weg en zijn eigen leven beginnen.

Zijn moeder vergiste zich in hem, maar in één ding had ze gelijk: hoe eerder hij wegging, hoe beter het voor iedereen zou zijn.

Voetstappen roffelden de trap op. Zijn moeder smeet de deur van haar slaapkamer dicht, het dunne wandje trilde ervan. Toch kon hij haar nog niet helemaal loslaten. Toch had hij de aanvechting om naar haar toe te gaan en met haar te praten, om haar haar te strelen en alles weer goed te maken. Zoals hij toen hij klein was altijd gedaan had.

Maar ze verborg zich nu niet meer voor zijn vader. Zijn vader was op nieuwjaarsdag 1939 aan koorts gestorven, nadat hij de nacht ervoor in de vrieskou dronken in de goot beland was. En ze draaide de deur nu niet op slot voor Tony's broer, want Keith zat alweer acht jaar in de gevangenis.

Nee, nu was ze voor Tony haar slaapkamer in gevlucht. En het enige wat hij kon doen om te bewijzen dat hij anders was dan zijn vader en zijn broer, was haar met rust laten, iets wat zij nooit gedaan hadden.

Hij haalde zijn plunjezak onder zijn bed vandaan en propte er de belangrijkste dingen in: *De graaf van Monte Cristo*, die hij al half uit had, zijn pot Brylcreem, zijn kam, scheermes, scheerzeep en spiegel. Bovenop legde hij zijn kleren.

Toen hij opkeek stond Don in de deuropening.

'Ze kalmeert wel weer,' zei hij tegen Tony. 'Geef haar een paar uur de tijd en ze...' Maar hij maakte zijn zin niet af, want ze wisten allebei dat het niet waar was. Tony's moeder was een vrouw die bij haar besluiten bleef. Ze was erin geslaagd om Keith uit haar leven te bannen, en nu trok ze haar handen ook van Tony af.

'Waar ga je heen?' vroeg Don.

'Naar opa's schuur.'

'Maar daar...'

'Het komt best goed.'

'Wil je geld lenen?'

'Nee, dank je. De tweeling...' Tony hees de plunjezak over zijn schouder.

'Ik heb gezegd dat ze in de tuin moeten blijven.'

'Wil je ze voor me gedag zeggen? Ik ga door de voordeur.'

'Maar ze...'

Maar Tony hield voet bij stuk. 'Mama wil niet dat ze me nog zien, dus zien ze me niet meer. Niet totdat ik bewezen heb dat ze zich vergist. Ze gelooft niet wat ik tegen haar zeg, dus zal ik het haar laten zien, Don. Ik zal haar laten zien wie ik ben. En wie ik niet ben.'

De mannen keken elkaar aan.

'Veel geluk,' zei Don, en hij stak zijn hand uit.

Tony schudde hem de hand en vertrok.

Tony zat te rillen in een kapotte schommelstoel in een hoek van de schuur van zijn opa. Hij had twee truien en een jas aan en een deken om zich heen. Zijn hoofd deed nog steeds pijn van de vechtpartij. De regen geselde het van golfplaten gemaakte dak en de wind huilde als een spook.

Zijn opa had dit gebouwtje altijd 'schuur' genoemd, maar eigenlijk was het wel ietsje meer dan een schuur. Het stond anderhalve kilometer ten oosten van Brookford, op een stukje land van boer Dooley. Dooley had de grond vóór Tony's geboorte aan zijn opa gegeven, omdat die het leven van de boer gered had door hem onder een tractor vandaan te trekken. Tony's opa had er kippen en konijnen voor de slacht gehouden en was er in de laatste jaren van zijn leven vaak heen gevlucht als zijn vrouw weer eens tegen hem aan zeurde.

De oude stormlamp, die aan een haak aan het plafond hing, flakkerde wild op de tocht. De olie was bijna op en de lamp siste in de klamme, schimmelige lucht. Hij kon elk moment uitgaan.

Tony weigerde zich op zijn kop te laten zitten. Een sterrenstelsel van stofjes danste in het licht van de lamp. Het leven zat nog steeds vol mogelijkheden. Hij wist nog steeds zeker dat het goed was geweest om weg te gaan. Dit was een kruispunt, geen doodlopende straat.

Hij zou de schuur natuurlijk behoorlijk moeten isoleren, als hij er wilde wonen. En dat wilde hij, dat had hij al besloten. Want waarom zou hij zijn in het café verdiende geld verspillen aan de huur van een kamer in Stepmouth? Terwijl de zomer en het mooie weer voor de deur stonden? Buiten was een wasbak met stromend water. Als hij nu ook nog een gasfornuis en een matras had, kwam alles best in orde.

Hij zou hier trouwens niet eeuwig blijven. Zes maanden. Langer niet. Don had gelijk. Over zes maanden kreeg hij een medische keuring, waarna hij ongetwijfeld geschikt verklaard zou worden voor de krijgsmacht. Dan zou hij voor zijn basistraining naar Aldershot gaan. En daarna, in de wijde wereld, was alles mogelijk, nietwaar? Tot die tijd moest hij gewoon zien te overleven.

De lamp ging uit en Tony huiverde. Voor hij zichzelf tot de

orde kon roepen, zat hij aan thuis te denken. Hij zag zichzelf in de woonkamer zitten, turend naar de oranje en groene vlammen in de kolenkachel, luisterend naar de radio, terwijl Don zijn pijp zat te roken en van boven, waar ze de tweeling naar bed bracht, de stem van zijn moeder kwam.

Maar Tony zat niet thuis, hij zat hier – verkleumd, uitgehongerd en alleen.

Hij zocht een prettige gedachte die hem de slaap binnen zou loodsen. Hij probeerde aan Margo te denken, zich voor te stellen dat hij met haar op een warm strand lag, zijn lippen op de hare gedrukt, zijn vingers spelend met het roodzijden lint in haar goudblonde haar.

Maar de gedachte glipte als een aal uit zijn greep. Margo Mitchell wilde hem niet meer zien. Dat had haar moeder gezegd. Toen hij na de vechtpartij naar haar huis gegaan was om zijn excuses aan te bieden, had zij vanuit de deuropening haar bezem als een geweer op hem gericht en hem onomwonden te verstaan gegeven: 'Ze wil je nooit meer spreken.'

Hij trok de deken steviger om zijn schouders.

Maar toen herinnerde hij zich Rachel Vale, de mooie, roodharige Rachel Vale.

'Gewoon omdat wat?' had hij haar op de muur van de begraafplaats gevraagd.

'Gewoon omdat ik zin kreeg om die arrogante grijns van je gezicht te halen toen ik je daar zo naast Margo Mitchell zag staan...'

De grijns was terug, maar deze keer was hij niet arrogant, maar verwonderd. Want hoeveel Tony Glover ook over vrouwen dacht te weten, van Rachel snapte hij niet veel. Haat was een goede reden om verf over iemand heen te gooien. Maar gold dat ook voor jaloezie? Bovendien, toen ze vanaf dat balkon op hem neerkeek was jaloezie waarschijnlijk het laatste wat er in Rachel Vale's hoofd omging...

En nu vormde zij Tony Glovers laatste gedachte voor hij in een diepe, droomrijke slaap viel.

3

Rachel Glover smeet de stapel brieven en ongeopende kaarten neer en nam de telefoon aan, vloekend omdat ze alweer gestoord werd. Het was Anton Philippe.

'Ik heb het droevige nieuws zojuist gehoord,' zei hij met zijn Franse accent, vol oprecht medeleven. 'Ik kan het bijna niet geloven. Ik condoleer u vanuit het diepst van mijn hart, mevrouw Glover.'

'Tony deed altijd graag zaken met u,' zei Rachel zonder omhaal. Ze zette haar bril af.

'Hij was een van mijn beste klanten. Maar hij was vooral een bijzonder mens. Een echte vriend...'

'Bedankt voor het bellen, Anton.'

'Als ik iets voor u kan doen...'

Waarom zeiden mensen dat toch steeds, vroeg Rachel zich af. Waarschijnlijk was het een natuurlijke reactie. Een risicoloos aanbod dat geen enkele consequentie zou hebben, want Anton of wie dan ook kon Tony toch niet terughalen. Niemand kon deze beproeving lichter voor haar maken.

Als ze haar gewone charmante zelf was geweest, had ze uiteraard tegen Anton gezegd dat hij Tony's liefde voor de kunst al die jaren gevoed had en dat hij daarmee het respect en de vriendschap van haar man gewonnen had. Ze zou het gesprek gelardeerd hebben met anekdotes en herinneringen aan hun beroemde lunches in Parijs, tot Anton een traantje had moeten wegpinken. Maar ze was nu eenmaal niet in de stemming voor vleierij.

Terwijl Anton doorpraatte keek Rachel naar het abstracte schilderij boven de marmeren open haard in de salon. Tony had het speciaal voor dit plekje in Dreycott Manor, hun zomerhuis, gekocht toen de kunstenaar nog maar nauwelijks van de academie was. Nu exposeerde hij regelmatig in The Tate Gallery en was het werk een fortuin waard. Het hing er al vijftien jaar, maar nu kon ze het naar het appartement in Londen verhuizen, waar ze vanaf nu waarschijnlijk zou wonen. Ze had geen zin om op het platteland te gaan zitten wegkwijnen. Bovendien, als ze hier bleef zou ze voortdurend bezoek krijgen van mensen die de arme weduwe wilden zien. En ze voelde zich geen weduwe. Nog niet.

Het feit dat ze erover dacht om het schilderij te verplaatsen, dat ze het kón verplaatsen en waarschijnlijk zou verplaatsen, gaf Rachel heel even het spannende gevoel dat ze iets deed wat niet mocht. Ze stond zelf versteld van deze schoolmeisjesachtige reactie op de dood van haar man. Het was alsof ze weer die rebelse griet van vroeger was en Tony tartte omdat hij haar óók getart had, namelijk door dood te gaan. En toch had ze hem toen hij nog leefde eigenlijk nooit getart, in al die jaren dat ze met hem getrouwd was. Dat zou in zijn gegaan tegen het fundament waarop ze hun succesvolle verbintenis gebouwd had – een fundament van inschikkelijkheid waarmee ze Tony het idee gaf dat hij de baas was. Maar nu had ze zin om hem uit te dagen, alsof ze hem alleen maar hoefde te provoceren om een reactie van hem los te krijgen. Ze kon zich maar niet voorstellen dat hij nooit meer op haar zou reageren, helemaal nooit meer. Het leek zo onwerkelijk.

Rachel rilde en liet zich op een kussen in een van de brede vensterbanken zakken. Ze drukte het rode knopje van de telefoon in en keek naar haar zoon Christopher, die op de poef bij de open haard koffie inschonk uit een porseleinen pot. Benson, Tony's springer spaniel, lag neerslachtig op het tapijt naast hem.

Hoewel het vuur in de haard achter Christopher hoog oplaaide, gaf de kamer, de gezelligste en vriendelijkste van het grote huis, Rachel vandaag geen troost. De glanzende vleugel in de hoek stond vol met foto's van haar gezin. Verspreid over de kamer stonden vier lage, zachte banken, bekleed met roomwit leer. Dikke gordijnen omlijstten de twee grote ramen, die een weids uitzicht boden op de tuin en de mistige paardenwei daarachter. En overal stonden vazen met enorme boeketten van vrienden en familie, die een zware geur van rozen en lelies verspreidden.

'Anton,' verklaarde ze, met een blik op haar zoon die zich over het dienblad heen boog. Hij werd kaal, zag ze. Hij had haar rode haar geërfd, maar terwijl zij dankzij haar maandelijkse bezoekjes aan haar trouwe kapper in Knightsbridge nog steeds een dikke roodbruine bos had, was dat van hem altijd dunner en eerder oranje van kleur geweest. Hij droeg de scheiding altijd aan dezelfde kant, al sinds zijn dagen als koorknaap.

Haar zoon, mijmerde Rachel terwijl ze een crèmekleurige envelop van de stapel nam en openscheurde, werd niet bepaald knapper met de jaren. Volgens haar had hij er het beste uitgezien toen hij ongeveer zeven was. Wat de zaak er ook niet beter op maakte, was dat hij zich als volwassene het verkrampte pokerface aangemeten had dat bij zijn werk als advocaat paste. Nu hij halverwege de veertig was, was de gelijkenis met zijn vader nog steeds zichtbaar, maar hij had niets van Tony's ongepolijstheid, geen littekens, niets van de charme die Tony zo onweerstaanbaar had gemaakt.

'Die heb je snel afgepoeierd,' zei Christopher, die haar een kop koffie kwam brengen. 'Wordt het je echt niet te veel? Ik neem met alle plezier de telefoon aan, als je wilt?'

Rachel deed net alsof ze hem niet hoorde en las de volgende condoleancekaart. Zonder hem aan te kijken nam ze de koffie van hem aan. 'Van de familie Richard. Hadden ze niet iets beters kunnen verzinnen dan een Hallmark-kaart? Die dichtregels! Jakkes! Als je dat leest, wil je zelf ook dood.' Ze gooide de kaart naast zich neer.

'Ze hebben in ieder geval wel een kaart en bloemen gestuurd. Als ze dat niet gedaan hadden, had je...'

'Weet ik, weet ik. Dan had ik ze afgeschreven, ook al zijn we al dertig jaar vrienden.'

'Ik begrijp niet wat je van al die mensen wilt, moeder.'

'Ik wil helemaal niets. Ik wil het er gewoon niet over hebben.'

'Maar...'

'Probeer het nou eens te begrijpen, Christopher. Zo is het nu eenmaal. Als ze niets zeggen deugt het niet en als ze wel iets zeggen deugt het ook niet. Ik ben moeilijk aan het doen, zoals je vader zou zeggen.'

Christopher zweeg en Rachel voelde zich schuldig. Het hout in de haard knetterde wel heel erg hard.

'Ik heb Lucy vandaag nog niet gezien,' zei ze uiteindelijk, doelend op Christophers vrouw.

Christopher schraapte zijn keel. 'Ze is een beetje over haar toeren, omdat de baby niet slaapt, snap je.'

Rachel nam een slokje koffie en zette het kopje zachtjes terug op het schoteltje. Thomas' gekrijs had haar de afgelopen nacht wreed uit haar door pillen opgewekte slaap gehaald. 'Het wordt tijd dat Lucy dat kind een dag- en nachtritme bijbrengt,' zei Rachel. 'Dat heb ik haar al zo vaak gezegd.'

'Dat weet ik,' zei Christopher op ijzig-afkeurende toon.

'Kijk niet zo naar me. Ik zeg gewoon waar het op staat. Ze graaft haar eigen graf.'

'Zo makkelijk is het niet, moeder.'

'In 's hemelsnaam, hij is nog maar een baby. Hij hoeft niet in alles zijn zin te krijgen. Hoe eerder je hem laat voelen wie er de baas is, hoe gezeglijker hij wordt en hoe gelukkiger jullie worden.'

Christopher leek op zijn tong te bijten en Rachel moest haar irritatie inslikken. Ze zag al voor zich hoe hij boven bij Lucy zijn frustratie eruit gooide, boos door de kamer beende en op zijn moeder schold. Maar dat kon Rachel niets schelen. Als Christopher nou maar eens het lef had om tegen haar in te gaan, dan zou alles goed komen. Maar dat had hij nooit gedaan en dat zou hij ook nooit doen.

'Zeg dat je het niet met me eens bent en ik begin er nooit meer over.'

Christopher ontweek haar blik.

'Juist. Kinderen moet je stevig aanpakken,' zei Rachel, en de ironie van haar woorden ontging hen geen van beiden. Ze pakte de stapel enveloppen en begon er nog een keer doorheen te bladeren.

Eenmaal alleen zette Rachel zuchtend haar bril af. Ze wreef met haar vingertoppen over haar wenkbrauwen en onder haar ogen, die gezwollen aanvoelden. Toch wist ze dat ze er niet zo beroerd uitzag als ze zich voelde. De meeste mensen die haar voor het eerst ontmoetten schatten haar halverwege de vijftig; ze zouden nooit op het idee komen dat ze tien jaar ouder was.

'Ja, ja, ik weet het,' zei ze hardop, tegen Tony. 'Ik heb een rothumeur, maar je hebt er gewoon geen idee van hoeveel er geregeld moet worden.'

Rachel schudde haar hoofd en glimlachte toen ze zich voorstelde hoe Tony haar aangekeken zou hebben. Ze kon zijn aanwezigheid bijna voelen. Alsof dit alleen maar een grap was en hij in het echt nog leefde.

'Dit is allemaal zo'n gedoe en het is jouw schuld!'

'Mam! Tegen wie heb je het?'

Rachel schrok toen ze haar jongste zoon in de deuropening zag staan.

'Nick,' zei ze, en ze stond op. 'Ik had je niet horen binnenkomen.'

Ze liep naar hem toe en pakte hem bij beide schouders. Hij was bruinverbrand van de skivakantie die hij door de dood van zijn vader had moeten afbreken. Zijn blonde haar was door de zon nog lichter geworden. Hij was bijna veertig, maar had nog steeds het playboy-achtige uiterlijk dat bij zijn frivole levensstijl paste. Rachel stond op het punt hem te vragen of hij nog iemand meegenomen had, maar toen ze hem op de wang kuste hoorde ze hem opeens snikken. Ze keek hem aan; zijn knappe gezicht was vertrokken van verdriet.

Inwendig grommend hield ze hem vast, zijn gewicht zwaar op haar schouders. Ze was het niet gewend om mannen in tranen te zien. Tony had nooit gehuild, behalve dan van vreugde. Alles wat het leven hem toegeworpen had, was hij met lef en een ijzeren wilskracht tegemoet getreden. Waarom leken zijn kinderen niet een beetje meer op hem? En als Nick al zo reageerde, moest ze er niet aan denken hoe Claire eraantoe zou zijn als ze voor de begrafenis uit Palma kwam. Telkens wanneer Rachel haar de afgelopen week gebeld had, had Claire geklonken alsof ze volledig ingestort was.

Eindelijk wist Rachel zich onder haar zoon vandaan te wurmen. Ze nam hem bij de hand en leidde hem rustig naar de bank bij de open haard. Benson, die overeind gekomen was toen Nick binnenkwam, draaide zijn rondje over het tapijt en ging weer liggen. Hij snoof en trok onverschillig een wenkbrauw naar Nick op.

'Het spijt me,' zei Nick toen Rachel hem een tissue uit de zilveren houder op de schoorsteenmantel aangaf. 'Maar ik heb helemaal geen afscheid van hem genomen. Ik heb hem niet nog een laatste keer gezien. Hij heeft niet geweten...'

Waarom raakte dit haar niet? Waarom voelde ze niets anders dan een vaag soort vervreemding? Ze had bijna de neiging om te gaan lachen en tegen haar zoon te zeggen dat Tony gewoon weer een geintje met hen uithaalde.

'Ik kan het ook nog niet goed geloven.'

'Maar hoe gaan we... hoe gaan we door zonder hem?'

'We komen er wel doorheen,' zei ze geruststellend, maar ze wist dat het onoprecht klonk. Daarom vroeg ze Nick maar naar zijn skivakantie. Maar Nick, die gewoonlijk zo gemakkelijk van de hak op de tak sprong, liet zich vandaag niet afleiden. Hij was duidelijk in paniek door Tony's overlijden.

'Maar jij dan? En Ararat? Wie moet het bedrijf nu leiden?'

'Volgens mij hoeft er niet zo veel te veranderen,' zei Rachel, lichtelijk geïrriteerd. Blijkbaar was het Nick ontgaan dat Ararat Holdings een joint venture was. Dat zijn ouders het succesvolle onroerendgoedbedrijf *samen* opgezet en groot gemaakt hadden. Ze dwong zichzelf om zich er niet aan te storen. 'Je hoeft je geen zorgen te maken.'

'Maar kunnen we het niet beter verkopen?'

Zodat jij een pak geld in je zak kunt steken, dacht Rachel verbitterd toen ze dat 'we' hoorde. 'Nee. *Ik* zou Ararat nooit verkopen. Dat waren je vader en ik helemaal niet van plan.'

Rachel wilde het helemaal niet over zaken hebben. Niet nu en zeker niet met Nick. Ararat Holdings was van haar en Tony. Het had niets met Nick te maken, en met Christopher evenmin. Tony en zij hadden lang geleden besloten hun kinderen een goede opvoeding te geven en ze vervolgens hun eigen weg te laten gaan.

Christopher was, waarschijnlijk als reactie op de destructieve levensstijl van zijn oudste zus Anna, het keurige, gebaande pad van het recht ingeslagen. Nick daarentegen was ongeveer net zo vaak van baan veranderd als van auto en Rachel wist al lang niet meer hoe vaak Tony hem uit de problemen had geholpen.

Het begon Rachel te dagen dat Nick, nu zijn vader dood was en zij aangekondigd had Ararat niet te zullen verkopen, waarschijnlijk dacht dat zij hem bij het bedrijf zou betrekken. Ze hield van Nick, maar hij was niet bepaald haar betrouwbaarste kind en Ararat was te bijzonder en te succesvol om aan zijn geblunder over te laten. Nee, de enigen die over de toekomst van Ararat zouden beslissen waren zij en financieel directeur Sam Delamere, de man van haar kleindochter.

Maar dat kon ze allemaal niet tegen Nick zeggen. Want Nick was altijd zo jaloers op Claire en haar man Sam. Hij had nooit kunnen accepteren dat Claire Tony's prinsesje was en dat Tony Sam altijd als zijn favoriete zoon behandeld had.

Tony had Sam tot zijn beschermeling gebombardeerd en hem alles geleerd wat hij wist. In het begin mocht hij een paar vakantiehuizen onder zijn hoede nemen, tot hij toe was aan de grote hotels en Tony kon gaan helpen met nieuwe projecten. Tony had ook Sams eerste ontmoeting met Claire geregeld. Hij had hun relatie vanaf het begin aangemoedigd en toen ze twee jaar geleden trouwden, was er een langgekoesterde droom in vervulling gegaan.

Nu Rachel erover nadacht was het eigenlijk wel zo logisch om Sam te vragen het bedrijf te leiden, nu Tony er niet meer was. Voor haar was het te veel, dat klopte wel, en aangezien Sam op het hoofdkantoor op het Spaanse eiland Mallorca toch al zo'n beetje de dagelijkse leiding over Ararat had, leek het niet meer dan normaal dat hij Tony's plaats innam. Ja, dacht ze, Sam was de enige in haar familie die ze volkomen vertrouwde. Hij was haar rots in de branding, en hoe eerder hij hier was hoe beter.

'Maar denk je niet...' hield Nick vol.

'Nick, lieverd, moeten we het nu echt over zaken hebben?' vroeg ze, om hem de mond te snoeren. 'Het was een drukke ochtend en ik ben een beetje moe...'

Straks had ze haar energie nodig om Claire te troosten, ze moest zich nu niet tegenover haar zoon gaan zitten rechtvaardi-

gen. Claire zou haar nog het hardst nodig hebben.
'Natuurlijk. Wat ben ik toch een egoïst. Arme mama. Wat zul jij je ellendig voelen.'

In haar slaapkamer schopte Rachel haar schoenen uit en liep over de dikke wollen vloerbedekking naar haar inloopkast. Toen ze de deur opendeed sprong de lamp automatisch aan en bescheen rijen mantelpakjes en schoenen van bekende ontwerpers, naast planken vol vrijetijdskleding.

Ze liep naar binnen en begon tussen haar kleren naar een geschikt pakje voor de begrafenis te zoeken. Ze wist dat ze nog snel even naar Londen kon gaan om iets bijzonders te kopen, maar haar zuinige aard weerhield haar daarvan en bovendien werd ze al moe bij de gedachte aan alles wat er de komende week van haar verwacht zou worden. Alle ogen zouden op haar gericht zijn, maar ze wist ook dat Tony de eerste zou zijn om te zeggen dat ze wat hem betreft echt niets nieuws hoefde te kopen. Hij zou het toch niet meer zien.

Ze haalde een paar pakjes uit de kast en gooide ze op een stoel. Toen bleef ze staan en wreef met beide handen over haar gezicht. Ze kon nu net zo goed toegeven waarom ze in die kast stond. Ze raapte al haar moed bij elkaar en liet zich op haar knieën zakken. Ze pakte de hoedendoos, die ze bijna een week geleden weer opgedoken had.

Misschien kwam het doordat ze zich in vijftig jaar niet zo hulpeloos gevoeld had, maar toen Tony stierf was haar eerste reactie om haar broer Bill te bellen. Als op de automatische piloot was ze naar Somerset gereisd, naar binnen gegaan, de trap op gelopen. Ze had de hoedendoos meteen gevonden. Er zat een map in met informatie over Bill, die een privé-detective haar tegen betaling gegeven had en die in de loop van de jaren voortdurend bijgewerkt was.

Het was haar enige geheim geweest. Een geheim dat ze al die tijd in haar kast voor Tony verborgen had gehouden. Ze had zich schuldig gevoeld toen ze de papieren op het echtelijk bed uitspreidde. Het voelde nog erger dan wanneer ze met een nieuwe minnaar op dat bed was gaan liggen.

Op de dag dat ze contact zocht met haar broer zou het verleden als bij toverslag uitgewist worden, zo had Rachel het zich heel lang voorgesteld. Ze had zo impulsief de telefoon gepakt dat ze er echt van overtuigd was dat Bill zou opnemen. Ze dacht dat hij op een of andere manier al aanvoelde dat ze hem nodig had en alleen maar op een teken van haar wachtte om haar te hulp te schieten.

Ze had niet verwacht haar nichtje Laurel – of Laurie, zoals ze liever genoemd wilde worden – aan de telefoon te krijgen. Ze had haar naam zien staan op een vel papier dat de detective haar gegeven had, maar ze was nooit een echt levende persoon voor haar geweest. Maar Lauries stem, haar achterdocht en verwarring, hadden Rachel tot de werkelijkheid teruggebracht. Dit was geen fantasiewereld waarin Bill haar kwam redden en grootmoedig vergaf. Het was een moeilijke, ingewikkelde situatie, en met een schok had ze zich gerealiseerd hoeveel tijd er verstreken was.

Rachel had een beroep op Laurie gedaan, maar toen ze ophing wist ze dat ze zich belachelijk had gemaakt. Voor iemand die een succesvol bedrijf opgebouwd had door listig de markt te bespelen en op het scherp van de snede te onderhandelen, had ze nu wel iets heel doms gedaan. Ze had zich in de kaart laten kijken en liep nu het risico keihard afgewezen te worden. Stel dat Laurie Bill niet van haar telefoontje verteld had? Stel dat hij niet naar de begrafenis kwam?

Ze wist dat haar telefoontje bij Bill waarschijnlijk alleen woede opgewekt had, geen mededogen. Straks was ze behalve Tony ook Bill voorgoed kwijt. Want heel lang had ze nog een vage hoop gekoesterd. En wat als ze die hoop nu moest opgeven? Ze rilde bij de gedachte. Ze wilde er gewoon niet aan denken.

Ze richtte haar aandacht op de papieren in de doos – de krantenknipsels over de gevolgen van de overstroming, vijftig jaar oud en helemaal vergeeld. Ze schokten haar nog steeds, de beelden van al die vertrouwde huizen die door het water weggespoeld waren, de auto's die onder de modder op hun kop in de straten lagen. En erger nog, de laan boven de Harbour Bridge, waar ze toen het water gezakt was het lichaam van haar moeder vonden, met haar armen en benen wijd hangend in de takken van een boom.

Er waren ook foto's van de verfomfaaide overlevenden in het geïmproviseerde kamp. Zelfs op de korrelige krantenfoto's was de gepijnigde blik in de ogen van de mensen die huis en familieleden kwijtgeraakt waren goed te zien. Ze herinnerde het zich alsof het gisteren gebeurd was.

Ze keek naar de stapel ongeopende brieven met Bills naam erop, waarvan de oudste ongeveer uit dezelfde tijd was als de krantenknipsels. Op al die enveloppen stond 'retour afzender'. Onderop lag de enig overgebleven foto van haar en Bill met hun ouders. De foto was na de overstroming door een familielid aan Rachel opgestuurd, maar was nu bruin van ouderdom, een overblijfsel van een ander tijdperk. De foto was in de jaren veertig, in de oorlog, genomen. Haar vader had zijn uniform aan, haar moeder hield lachend haar hoed vast; eronder zat haar haar in een modieus haarnetje opgestoken. Rachel was nog maar een kind, met een simpel katoenen jurkje en bruine sandalen aan. Ze stond naast Bill. Hij hield haar hand vast en keek lachend op haar neer. Ze zagen eruit als het ideale gezinnetje.

Hoe verward ze zich de afgelopen dagen ook gevoeld had, één gedachte was steeds in haar hoofd gebleven: als er iets goeds uit Tony's dood zou voortkomen, dan zou het de verzoening tussen haar en haar broer zijn. Nu Tony er niet meer was, vormde Bill de enige verbinding met haar verleden en er was nog zo veel niet opgehelderd. Zo veel wat ze niet begreep.

Rachel deed heel even haar ogen dicht. Ze was een beetje duizelig. Het verleden, de toekomst, het leek opeens allemaal zo grillig, alsof alles wat ze tot nu toe vanzelfsprekend gevonden had zomaar opeens kon veranderen. Vorige week was ze nog met Tony. Ze bleven altijd samen. Feit.

Nu begon ze zich onzeker te voelen over de feiten in haar leven. Over het feit dat ze zo lang alleen maar vooruitgekeken had. Het feit dat ze nooit over haar verleden gesproken had, nooit verwerkt had wat er bij de overstroming in Stepmouth gebeurd was. Het feit dat ze Tony lang geleden beloofd had met geen woord over Bill te spreken, alsof Rachel dan vanzelf ook niet meer aan hem zou denken. Maar nu was ze voor het eerst in staat om het belangrijkste feit van allemaal onder ogen te zien: ze was altijd aan Bill blijven denken, ze had hem nog steeds nodig en hoopte nog steeds op begrip en vergeving. Maar nu was ze aan hem overgeleverd. Ze kon alleen maar wachten tot hij haar terugbelde, of op een andere manier een teken gaf.

De volgende ochtend zakte Rachel weg in een doffe depressie. De baby had haar alweer een nacht wakker gehouden, maar ze had sowieso niet kunnen slapen. Ze kleedde zich vroeg aan en trok zich terug in de werkkamer, waar ze traag heen en weer draaide in Tony's stoel, haar handen gevouwen in haar schoot. Ze staarde naar de luchtfoto aan de muur. Het was een foto van *Sa Costa*, de oude *finca* op Mallorca, die Tony en zij samen gerestaureerd hadden. Het was hun huis, maar vandaag bracht de foto haar geen vrolijke herinneringen en het verlangen om erheen te gaan; in plaats daarvan gaf hij haar het gevoel dat ze haar leven met Tony op een of andere manier verraden had.

Hij beheerste haar gedachten. Het was alsof ze hem voor zich zag staan, terwijl hij haar op haar kop gaf omdat ze zonder over de gevolgen na te denken in een opwelling haar broer gebeld had. In gedachten probeerde ze hem duidelijk te maken hoe ze zich voelde, maar hij walste met zijn eigen gevoelens over haar heen. Ze hadden zelden echt harde woorden tegen elkaar gesproken, maar nu kon ze zich hem alleen maar boos en onverzettelijk voorstellen. Het beeld riep herinneringen op aan de paar keer dat ze ruzie gemaakt hadden, en die vervulden haar van schaamte.

Het was bijna tijd voor de lunch toen Brenda, de huishoudster, op de deur klopte en haar uit haar gepeins haalde. Brenda was klein en had grijze krullen. Zolang Rachel zich kon herinneren droeg ze een jasschort en vandaag was ze niet van haar gewoonte afgeweken. Ze stak haar hoofd om de deur en haar onopgemaakte gezicht was geruststellend vertrouwd.

'Telefoon voor je, Rachel,' zei ze. Hoewel ze al jaren in Somerset woonde, was ze haar Schotse accent nooit kwijtgeraakt. 'Heb je hem niet gehoord?'

'Waar is iedereen?' vroeg Rachel.

'Christopher, Lucy en de baby zijn naar buiten, en ik heb Nick opdracht gegeven die arme Benson uit te laten. Wil je een kopje thee?'

Rachel glimlachte vermoeid. Na jaren van probleemloze communicatie tussen de twee vrouwen wist Brenda instinctief wat ze nodig had. Ze knikte en nam de telefoon aan.

'Ja?'

'Rachel? Met Laurie. Laurie Vale. We hebben elkaar laatst gesproken.'

Rachel schoot overeind in haar stoel en klampte zich met beide handen aan de hoorn vast.

'Ik weet niet of ik hier goed aan doe... Ik bedoel, ik lijk wel gek...' Laurie klonk gespannen en Rachel probeerde haar voor zich te zien, maar dat lukte niet. Ze zag alleen maar een jongere versie van zichzelf. 'Ik ken je niet eens. Je bent een vreemde voor me. Ik zou eigenlijk niet met je moeten praten, maar ik heb besloten naar de begrafenis te komen... als je dat goedvindt?' flapte Laurie eruit.

'Natuurlijk vind ik dat goed! O...' Voor het eerst in een week glimlachte Rachel. Ze kon maar niet geloven dat ze met haar nichtje zat te praten. Ze had het gevoel dat ze een herkansing had gekregen.

Toen het korte telefoongesprek afgelopen was, en Rachel Laurie overgehaald had om de avond vóór de begrafenis al te komen, boog ze haar hoofd en bracht haar lippen naar de telefoon. 'Dank je,' fluisterde ze.

Lauries telefoontje gaf Rachel net de energie die ze nodig had en maakte Tony's afwezigheid een stuk minder voelbaar. Aan het eind van de dag was ze weer net zo efficiënt als anders. Ze had de mooiste logeerkamer voor Laurie gereedgemaakt, bloemen in ontvangst genomen, een massa telefoontjes gepleegd en zelfs een paar uur met Thomas gespeeld, zodat Lucy even kon gaan slapen.

De volgende ochtend kwam er een gestage stroom bezoekers op Dreycott Manor aan – vrienden van de familie en mensen uit het dorp die Rachel kwamen condoleren. Rachel stond iedereen waardig te woord, maar hun verdriet raakte haar niet. Ze wist dat iedereen haar wantrouwig in de gaten hield, vooral Christopher, die bang scheen te zijn dat ze weer net zo 'moeilijk' zou gaan doen als gisteren en mensen zou beledigen.

Rachel was ruim op tijd op het station om Laurie op te halen. Ze parkeerde haar Mercedes Coupé op het kleine parkeerterrein en zette de motor af. Ze haalde de kleine zilveren poederdoos uit haar handtas, keek in het spiegeltje en werkte haar donkerrode lippenstift bij.

Ze had zichzelf proberen wijs te maken dat Lauries komst niets bijzonders was. Ze was gewoon een naam op de steeds langer wordende lijst van gasten voor de begrafenis van morgen, maar daar in die auto wist Rachel dat de ontmoeting met Laurie een enorme stap was op weg naar verzoening met haar verleden. Het hing ervan af of ze in staat zou zijn om met deze onbekende jonge vrouw een relatie op te bouwen. Als ze Laurie Vale voor zich wist te winnen, kon ze uiteindelijk misschien ook Bill voor zich winnen. En als ze Bill voor zich won – tja, dan kwam alles misschien toch nog goed.

Haar hart bonkte toen de trein het stationnetje binnenreed en ze de auto uitstapte. En voor het eerst sinds Tony gestorven was, voelde Rachel zich echt alleen. Met elke stap die ze zette, had ze het gevoel dat ze een onbekend pad op liep, steeds verder weg van alles wat ze met Tony gedeeld had. Heel even keek ze om naar haar auto. Maar het was nu te laat om terug te krabbelen. Ze moest doorzetten, wat de gevolgen ook zouden zijn.

En toen zag ze Laurie, die in haar eentje bij de ingang van de parkeerplaats stond. Zelfs van deze afstand was de gelijkenis met Bill zo treffend dat Rachel even haar adem inhield. Ze droeg een lange, vormeloze, veelkleurige wollen jas, een lange sjaal om haar nek en hoge zwarte veterlaarzen. Ze had rood haar en ze droeg het heel kortgeknipt, waardoor haar hoge jukbeenderen en grote amandelvormige ogen extra opvielen. Met het hart in de keel stak Rachel haar hand op om naar haar te zwaaien.

Ze had gedacht dat Laurie lang zou zijn, maar toen ze elkaar halverwege het middelste pad ontmoetten, bleek Rachel boven haar uit te steken.

'Hallo, Laurie,' zei Rachel, die niet wist of ze haar moest omhelzen of een hand geven. 'Ik ben Rachel. Je tante...'

Rachel was van plan geweest haar zenuwen onder controle te houden door meteen een vriendelijk gesprek te beginnen en naar Bill te informeren. Maar de manier waarop haar nichtje haar aankeek maakte haar onzeker. Ze wist niet wat ze moest zeggen, en voor het eerst in jaren begon ze te blozen.

Tot Rachels verbazing barstte Laurie in lachen uit, wat onmiddellijk de spanning brak.

'Het spijt me,' riep Laurie zenuwachtig. 'Ik moet altijd lachen als ik nerveus ben. Het komt gewoon... je lijkt zo totaal niet op papa! Ik wil je niet beledigen, maar ik had een oud vrouwtje met grijs haar verwacht.'

Nu begon Rachel ook te lachen, vooral van opluchting. Ze begreep nu pas wat een enorm risico ze genomen had door Laurie bij haar thuis uit te nodigen. Stel dat ze schichtig of onzeker of verongelijkt was geweest? Stel dat ze agressief of argwanend was geweest? Maar deze vreemde jonge vrouw was zo gewoon dat ze zin kreeg om haar stevig tegen zich aan te drukken.

'Geloof me,' zei ze, 'vanbinnen bén ik ook een oud vrouwtje met grijs haar.'

'O, neem me niet kwalijk. Wat ongevoelig van me. Het spijt me zo van...'

'Laat maar,' zei Rachel snel. 'Je hebt hem niet gekend, en bovendien heb ik zo genoeg van al die mensen die doen alsof ik van porselein ben. Luister, we hebben nog wel even tijd voor we naar huis moeten. Zullen we naar het café gaan en even geen medelijden met elkaar hebben?'

Rachel was in geen jaren in de dorpskroeg geweest, maar het leek een goed idee om Laurie mee te nemen naar de oude cidermakerij met het rieten dak. Behalve pronken met haar pittoreske dorp, wilde ze ook naar een neutrale plek, waar Laurie zich op haar gemak zou voelen en ze elkaar rustig konden leren kennen.

Tony kwam hier altijd om met zijn zoons een biertje te drinken en een potje te biljarten als ze in de kerstvakantie thuis waren. Toen Rachel de grendel van de deur omhoogschoof en de afgesleten traptreden af liep deed de geur van sigarettenrook, vermengd met die van bier en smeulend hout, haar zo sterk aan

Tony denken dat ze even geen lucht kreeg.

'En? Ben ik een beetje wat je verwacht had?' vroeg ze aan Laurie toen ze eenmaal aan het tafeltje bij de open haard zaten. Onderweg naar het café hadden ze honderduit gekletst en Rachel wist al een heleboel van Lauries leven in Londen. Nu wilde ze het gesprek op belangrijkere zaken brengen.

'Ik wist niet wat ik moest verwachten,' zei Laurie. 'Een paar dagen geleden wist ik nog niet eens dat je bestond.'

Rachel nam een slokje witte wijn. 'En hoe is het met Bill?' Ze probeerde het achteloos te vragen, niet te gretig, maar dat lukte niet erg. Vanaf het moment dat ze haar voor het eerst zag, had ze Laurie al naar haar vader willen vragen, maar nu pas durfde ze het.

Laurie zuchtte. 'Hij is heel boos. Ik heb nooit eerder ruzie met hem gehad. Hij verbood me naar je toe te gaan. Hij zei dat je mijn leven kapot zou maken, net zoals je zijn leven kapot gemaakt hebt. Het spijt me als dat cru klinkt, maar ik kan je maar beter vertellen hoe het zit.'

Rachel knikte en voelde binnen in haar iets knappen. Maar ze had niet anders verwacht, hield ze zichzelf voor. Ze hoefde niet al te teleurgesteld te zijn. Er was immers nog hoop. Nu had ze Laurie, deze dappere jonge vrouw die Rachel onmiddellijk in haar hart gesloten had.

'Maar je bent toch gekomen?' zei ze.

'Ik was nieuwsgierig,' bekende Laurie. 'Ik heb altijd graag familie gewild, weet je. Ik was altijd de enige. Geen zusjes en broertjes, geen neven en nichten, niemand. Aan mijn moeders kant ook niet. Ik kan er gewoon niet over uit dat papa nooit iets over je gezegd heeft. Dat hij je geheimgehouden heeft. Hij deed net alsof je een of ander... ik weet het niet. Maar je bent duidelijk heel anders dan hij denkt.'

Rachel glimlachte naar haar. Ze voelde met haar mee; ze begreep er natuurlijk niets van. 'Bill zal zijn redenen wel hebben om kwaad op mij te zijn.'

'Maar wat voor redenen dan? Waar hadden jullie ruzie over?'

'Over mama, vooral. Hij zit met de dood van onze moeder. En met zoveel andere dingen, ik ben de tel kwijtgeraakt.'

'Maar jullie moeder, mijn grootmoeder, die is toch gestorven in het dorp waar jullie vroeger woonden? Bij de overstroming? Of is dat ook niet waar?'

'Jawel, dat is waar. Dat heeft hij je dus wel verteld.'

'Hij heeft me de krantenknipsels laten zien. Haar naam stond op de lijst van slachtoffers.' Laurie zweeg even. 'Godallemachtig!' zei ze.

'Wat is er?'

'Nu weet ik het weer. In de krant. Daar stond dat mijn grootmoeder gestorven was, maar dat haar zoon en dochter nog leefden. Papa zei dat het een drukfout was. Maar dat was het niet. Die dochter was jij. Dit vergeef ik hem nooit.'

'O, Laurie, dat moet je niet zeggen. We moeten altijd in staat blijven om te vergeven.'

Maar Laurie luisterde niet.

'Jij bent toch de enige, hè? Er zijn niet nog meer broers en zussen – ik bedoel ooms en tantes – waar hij nooit iets over gezegd heeft?'

'Nee, ik ben de enige.

'En Edward, mijn opa? Papa zei dat hij in de oorlog gestorven is.'

'In de oorlog, ja...'

'Volgens papa is hij doodgeschoten. Meer heeft hij er nooit over gezegd.'

'Nee, we hebben er geen van allen ooit graag over gepraat.' Rachel zette een punt achter het onderwerp, maar ging onmiddellijk opgewekt verder: 'Maak je geen zorgen. Je vader trekt vast wel bij.'

'Nee, hoor. Ik ken hem. Ik heb zijn gezicht gezien. Als hij erachter komt dat ik hier geweest ben, vermoordt hij me.'

Rachel boog haar hoofd. 'Ik wilde je geen pijn doen, Laurie. Geloof me. En voor alle duidelijkheid, ik zal je leven niet kapotmaken.'

En toen nam het gesprek een andere wending en begon Rachel Laurie alles over haar gezin te vertellen. Het was vreemd om mensen die ze zo goed kende te moeten beschrijven. Ze wilde iedereen graag in een gunstig daglicht plaatsen. Ze vond haar nicht aardig, en ze wilde dat Laurie haar en haar gezin net zo aardig vond.

'En Tony? Het gaat me misschien niets aan, maar... hoe is hij gestorven?' vroeg Laurie uiteindelijk.

'Hij kreeg een hartaanval. Het ging heel snel.'

'Wat naar.'

'We vierden vakantie.' Dit had Rachel aan niemand verteld, zelfs niet aan Christopher en Nick. 'Ik dacht dat hij een grapje maakte. Ik dacht eerst dat hij me voor de gek hield. En toen... toen was hij er opeens niet meer.'

Waarom kon ze dit wel aan Laurie vertellen, terwijl ze haar gevoelens aan haar eigen kinderen absoluut niet kwijt kon? Waarom was het zo gemakkelijk om eerlijk te zijn tegen een vreemde die half zo jong was als zij? Nu Tony er niet meer was, had ze eigenlijk niemand om in vertrouwen te nemen, maar om een of andere reden stond Laurie zo ver van haar gezin af dat ze haar de waarheid kon vertellen. Het was zo'n opluchting om erover te praten. Om voor het eerst sinds Tony's dood zichzelf te kunnen zijn.

'Waren jullie erg dol op elkaar?' vroeg Laurie.

Rachel keek haar verbaasd aan. Dat ze zo'n vraag kon stellen.

'O, Laurie,' zei ze, terwijl haar borst samentrok van pijn en haar ogen opeens vol tranen stonden. 'Je moest eens weten...'

4

Bill Vale veegde met de achterkant van zijn hand het zweet van zijn bleke, met sproeten bezaaide voorhoofd en haalde met een woest gebaar zijn vingers door zijn slordige roodbruine haar. Hij was groot en gezet, en zijn hemd spande als een zeildoek om zijn brede schouders en rug, vastgeplakt met een dun laagje zweet.

Hij dreef de schoffel hard de zware grond van de moestuin in, en nog een keer en nog een keer, hakte centimeter voor centimeter door de braamwortels, onthoofde brandnetels en spitte de vettige aarde om. Nu en dan stopte hij even om een steen op te rapen, die hij dan in de heg verderop slingerde.

Hij had een vriendelijk en open gezicht, met geprononceerde jukbeenderen, een kleine, rechte neus en hoekige kaken. Als hij niet knap was, dan lag dat aan zijn ogen. Die waren lichtbruin van kleur, maar in plaats van zacht als klei waren ze hard als hout.

Toen hij bij het eind van de rechthoek was, die hij met stokken en een stuk touw afgezet had, kwam hij overeind. Hij stak de schoffel in de grond en zag hem trillen als een speer. Hij was doodop, maar toch speelde er een flauw lachje om zijn mondhoeken. Hij vond het fijn om in zijn eentje hier boven te zijn, ver weg van Stepmouth en de winkel, alleen verantwoordelijk voor zichzelf.

De moestuin was een van de dertig volkstuintjes die de gemeente in de oorlog op de kam van de Summerglade Hill beschikbaar had gesteld. Een paar weken geleden was het een oerwoud van onkruid en distels geweest. Helemaal Bills eigen schuld. Na de dood van zijn vader had hij het tuintje laten verkommeren. Maar nu had hij het omgespit en hoefde hij alleen nog maar te planten.

Om zichzelf te belonen haalde hij een stukje Nestlé-melkchocolade uit zijn zak, haalde het zilverpapier eraf en stopte het in zijn mond. Hij genoot van de verfijnde zoete smaak toen de chocola op zijn tong smolt.

Bills vader had het tuintje gehuurd toen het leger hem in 1944 vlak voor kerst naar huis gestuurd had, nadat een Duitse granaatscherf een tien centimeter lange jaap in zijn gezicht gemaakt had en zijn rechteroog als ijs had doen smelten. Het glazen oog dat hij gekregen had, had hij nooit gebruikt; liever droeg hij een bruin leren ooglapje.

'Zo ben ik net een piraat, in plaats van een monster,' had hij Bill uitgelegd toen ze hier op een zonnige zondagochtend hadden zitten praten, terwijl in Europa de oorlog voortwoedde. 'Dan kijken de mensen niet zo naar me.'

Bill had zijn vader altijd aanbeden. 'Ze kijken naar je omdat je een held bent, papa,' had hij geantwoord. 'Omdat we dankzij jou en anderen zoals jij de oorlog gaan winnen.'

Ze hadden met z'n tweetjes zitten uitrusten na een lange middag bieten, aardappels en uien oogsten. Flarden van gesprekken tussen andere mensen die aan het werk waren in hun tuintjes dreven op de wind naar hen toe, muggen en vliegen zoemden lui in de warme lucht.

'Als je bedenkt hoeveel geluk ik gehad heb, is het eigenlijk raar dat het me nog een moer kan schelen wat mensen van me vinden,' vervolgde Bills vader, alsof zijn zoon niets gezegd had, 'maar toch is het zo.' Hij droeg een groezelige bruine ribbroek en een versleten rode trui ('de trui van de paus', zoals hij hem altijd noemde, omdat het kledingstuk hem heilig was.).

'Hoezo had je dan geluk, pap?'

'Omdat de twee jongens die bij me waren toen die granaat insloeg het niet gered hebben.'

Bill vond het nog steeds moeilijk om zich voor te stellen hoe zijn vader, bloedend en overdekt met puin en stof, in een platgebombardeerde boerderij had gelegen. Hij had nog nooit iemand kwaad gedaan, maar die rotzakken die zijn vader kwaad gedaan hadden, die zou hij met liefde kwaad doen. En niet zo'n beetje ook. Volgend jaar werd hij achttien, maar dan zou de oorlog al voorbij zijn – dat zei iedereen tenminste – en was er niemand meer om tegen te vechten.

'Ik wou dat ik bij je was geweest, papa,' zei Bill. 'Ik wou dat ik je had kunnen helpen.'

'Ik niet, jongen.'

'Waarom niet?'

'Omdat iemand voor je moeder en je zusje moest zorgen.'

'Maar...'

Zijn vader keek hem streng aan. 'Ik meen het. Als je me wilt helpen, is dat wat je voor me kunt doen. Altijd voor je moeder en zusje zorgen. Voor ze zorgen als ik er niet ben. Er altijd voor ze zijn als ze je nodig hebben. Wat er ook gebeurt.'

'Maar nu ben je er toch weer, pap...'

'Wat er ook gebeurt, zei ik.'

'Goed, pap,' zei Bill. 'Dat zal ik doen. Wat er ook gebeurt.'

De geur van brandend blad dreef over het tuintje, takjes knetterden droog. Honderd meter verderop stond een magere figuur druk met een deken boven een vuur te wapperen, zodat de vlammen hoog oplaaiden. Bill tuurde naar de grijze wolkjes die opstegen naar de lucht en steeds verder uit elkaar dreven. Net rooksignalen, dacht hij, van een indianenvuur.

'Je bent een goeie knul,' zei zijn vader terwijl hij overeind kwam.

Bills moeder stond over de frambozenstruiken gebogen, met haar blote armen uitgestoken en haar helderwitte schortlinten schitterend in de zon. De achtjarige Rachel zat aan haar voeten, haar lange haar net zo rood als de vlammen van het vuur. Bill zag zijn vader naar hen toe lopen. Naast Rachel stond een met stof beklede mand waaruit ze steeds als haar moeder niet keek een handvol frambozen nam. Met haar mond vol zag Rachel haar vader aankomen. Ze piepte, sprong op en rende weg.

'Houd de dief!' brulde hun vader dramatisch, voor hij de achtervolging inzette.

Hun gelach werkte aanstekelijk en Bill keek grijnzend toe terwijl zijn vader en zijn zusje elkaar tussen de frambozenstruiken en rond het slaveldje achternazaten.

Maar nu lachte er niemand meer.

Sinds die dag waren er negen zomers verstreken. De omgevallen boom waarop ze gezeten hadden was allang vergaan. Hij staarde naar het desolate lapje grond waar hij ooit zijn vader en zusje had zien spelen.

'Wat er ook gebeurt,' zei hij hardop.

Hij draaide zich om en tuurde in de verte.

Het uitzicht vanaf de top van de Summerglade Hill was net een luchtfoto. Recht vooruit – in het noorden – lag het stadje Stepmouth, waar Bill woonde, en daarachter het Bristol Channel. Langs de kust strekte zich in westelijke en oostelijke richting de heide uit, met zijn groene en bruine tinten als van een waterverfschilderij.

De Summerglade Hill zelf werd geflankeerd door de twee diepe, beboste valleien van de East Step en de West Step. De rivieren, die een optelsom waren van ontelbare kleine riviertjes die vanuit de hoogten van Exmoor afdaalden, hadden tegen de tijd dat ze hier waren al een verval van drieënhalve kilometer. Meestal stroomden ze traag, maar nu waren ze gezwollen door de hevige regen van de afgelopen tijd, en waar ze nog steiler begonnen af te dalen vormden ze de ene korte waterval na de andere, alsof ze een trap af renden.

Zo'n driehonderd meter verder naar beneden, aan de voet van de Summerglade Hill, stroomden de twee rivieren samen bij Watersbind, waar een waterkrachtcentrale hun kracht temde. Als één rivier kwam de Step tevoorschijn uit deze borrelende, schuimende poel, waarna ze onder de imposante stenen Watersbind Bridge door stroomde en na nog eens dertig meter van stroomversnellingen eindelijk het vlakke land bereikte en door de vallei kabbelde, in de richting van een diep uitgegraven kanaal dat dwars door het centrum van Stepmouth liep.

Het stadje aan de riviermonding strekte zich ten oosten en westen daarvan uit en werd aan de noordkant begrensd door een grijs ooglid van rotsachtig strand en het grote groene oog van de zee. De twee kanten van Stepmouth waren door twee bruggen met elkaar verbonden: de South Bridge stak de rivier over op het punt waar ze het stadje binnenkwam, de Harbour Bridge waar ze in zee uitstroomde.

Aan weerszijden van het kanaal stonden slordige rijen scheve huizen en hotels, als beesten die hun dorst komen lessen. Een daarvan was van de familie Vale, de kruidenierszaak waar Bill werkte en woonde. Het half vrijstaande bakstenen gebouw van één verdieping was een van de eerste winkels die je tegenkwam als je via de hoofdweg het stadje in kwam. Bill was er zesentwintig jaar geleden, in 1927, geboren.

'Maar ik wil er niet doodgaan,' zei hij, zelf verbaasd dat hij de woorden hardop gezegd had.

De gedachte dat hij misschien de rest van zijn leven aan deze uithoek vastzat vervulde hem met afgrijzen. Tegelijkertijd betwijfelde hij of hij ooit weg zou kunnen komen. Hij had het al eens geprobeerd en het was niet gelukt.

In 1948, na zijn diensttijd, was hij ontsnapt door aan Durham University een studie bouwkunde te beginnen. Maar al na zes maanden was hij teruggekomen om de winkel over te nemen. Aan het eind van zijn tweede trimester stond de uitputting op het gezicht van zijn moeder te lezen. Hij zag het aan de rimpels in haar voorhoofd en de wallen onder haar ogen. Hoewel er geen klacht over haar lippen kwam, wist hij dat het haar uiteindelijk te veel geworden was, de winkel openhouden en voor Rachel zorgen. En dus had hij zijn studie eraan gegeven.

En nu kon hij – wilde hij – niet weg, niet nu hij hier nog steeds nodig was. Hij had het zijn vader beloofd.

Hij wilde hier dus niet doodgaan, maar waarschijnlijk zou het toch gebeuren.

Jaren geleden had hij zich voorgesteld dat het landschap rond Stepmouth vol stond met bouwwerken die hij zelf gemaakt had. Hij had gedroomd van fantastische bruggen over de rivieren, een grootse pier die kon wedijveren met die van Brighton, kabelbanen die de heuvels opkropen en de hoog oprijzende toren van een theater.

De tekeningen lagen nog onder zijn bed, samen met zijn opgeklapte tekenbord en de enige foto die hij nog had van Susan Castle, het meisje met wie hij op de universiteit verloofd was geweest. Ze had het uitgemaakt toen hij stopte met studeren en was dus niet, zoals hij gehoopt had, in Stepmouth bij hem komen wonen.

Maar aan dromen had je niets. En aan spijt ook niet. Hij keek op zijn horloge. Het glas was gebarsten. Zijn vader had het om gehad op het moment dat hij stierf. Bill had het nooit laten repareren; liever wilde hij elk uur van de dag aan het gebeurde herinnerd worden. Hij wilde zijn vader nooit vergeten.

Bill liep naar zijn oude zwarte Norton, die hij met hulp van zijn beste vriend, Richard Horner, opgeknapt had. Hij stapte op de motor, startte en reed zachtjes over het ruige terrein naar de weg. Het was al halfacht: tijd om naar de winkel te gaan en de werkdag te beginnen.

Aan de voet van de Summerglade Hill reed Bill over het kruispunt de hoofdstraat in. Halverwege, voor de pas geschilderde kerk, waren een paar jongens aan het stoeien voor de *Viva Zapata*-poster die op het groene bushokje geplakt zat. Op de parkeerplaats bij de haven stond hier en daar een auto.

Bill sloeg rechtsaf en reed onder de overhangende takken van een huizenhoge eik door, de steeg in die Vale Supplies van de ijzerhandel van Giles Weatherly scheidde.

Bill parkeerde zijn motor achter het busje van Giles en draaide een sigaret. Het was een gewoonte die hij overgehouden had aan zijn tijd in het leger. Hij had gehoopt de wereld te zien, te vechten zelfs, maar in plaats daarvan was hij op een kazerne in Yorkshire terechtgekomen, waar hij geleerd had laarzen te poetsen en met die laarzen aan te marcheren.

Een deur in de steeg leidde direct naar de woning van het gezin, maar Bill liep door naar het piepkleine achterplaatsje. Hij trok zijn hemd uit en waste met ijskoud water uit de kraan zijn gezicht en handen. Terwijl hij zich afdroogde keek hij over de schutting die zijn vader neergezet had zodat hij en zijn zusje er veilig konden spelen.

Een paar meter lager stroomde de Step door het kanaal. Om de paar meter braken keien het wateroppervlak, grijs en glibberig als zeehonden. Bill hield van het geluid van het kabbelende water.

Hij was ermee opgegroeid. Zijn slaapkamer was op palen boven het achterplaatsje gebouwd en stak boven de rivier uit.

De andere huizen die aan weerskanten van het kanaal met hun achterkant naar het water toe stonden zagen er net zo uit als het huis van de familie Vale. Omdat ze geen andere kant op konden, had iedereen zijn huis naar achteren uitgebouwd, zodat de afstand tussen de gebouwen aan de westkant en de oostkant van het stadje nog maar zeven meter bedroeg.

In de keuken rook het naar boenwas en ontsmettingsmiddel. Gedroogde bosjes lavendel hingen aan de balk die het lage, witgepleisterde plafond in tweeën deelde. Het gasfornuis blonk nog net zoals toen ze het vijf jaar geleden hadden geïnstalleerd. Koperen potten en pannen en roestvrijstalen soeplepels en messen glansden aan de muur.

Bill liep door de huiskamer naar de duistere gang, waar zijn moeder, gewikkeld in een dikke blauwe badjas, geduldig op de onderste tree van de trap zat. Ze was een knappe vrouw van zesenveertig, met donker haar en een gulle lach die nooit helemaal de droefheid in haar ogen kon verbergen.

'Goeiemorgen, William.'

'Mam...' Hij boog zich voorover om haar een kus te geven, een verbaasde frons tussen zijn wenkbrauwen. 'Wat...' *doe je hier*, had hij willen vragen. Maar hij wist het eigenlijk al. Hij richtte zich op. 'Rachel!' brulde hij omhoog.

'Doe geen moeite,' zei mevrouw Vale. 'Ze hoort je toch niet.'

'Ze wíl me niet horen, zul je bedoelen,' antwoordde Bill, en hij vroeg streng: 'Hoe lang zit je hier al te wachten?'

'Nou, niet zo lang... Zie je, ik dacht dat ik misschien...' Mevrouw Vale keek hem niet aan terwijl ze sprak en hij vermoedde dat ze Rachel geen moeilijkheden wilde bezorgen. Waarschijnlijk zat ze hier al zeker een halfuur.

'Ze had naar beneden moeten komen om je te helpen.'

'Nou ja, nu ben jij er toch?' zei zijn moeder hoopvol. 'Waarom gaan we niet gewoon...'

'Gewoon wat, mama? Doen alsof het niet gebeurd is? Doen alsof ze geen egoïstisch en lui kreng is? Rachel!' schreeuwde hij nogmaals.

Hij kreeg nog steeds geen antwoord.

'Jij was precies hetzelfde toen je zo oud was,' zei mevrouw Vale op sussende toon.

Maar Bill luisterde niet. Zijn zusje en hij leken helemaal niet op elkaar. Hij deed alles, zij deed zo min mogelijk: zo simpel was dat.

'Ze weet dat ik je stoel gisteravond naar Giles gebracht heb,' zei hij. 'Ik heb het haar gezegd voor je naar bed ging. En ik heb ook tegen haar gezegd dat ik vanmorgen vroeg naar de tuin ging en dat zij je dus moest helpen.'

De rolstoel van zijn moeder. Dat was de stoel waarover hij sprak. Een van de wielen was vastgelopen en hij had hem ter reparatie naar Giles Weatherly gebracht.

Sinds mevrouw Vale haar benen niet meer kon gebruiken, had ze alles op alles gezet om weer zo onafhankelijk mogelijk te worden. Ze was een ordelijke vrouw, die de boeken van de winkel nog steeds onberispelijk bijhield en bovendien een methode ontwikkeld had waarbij ze binnenshuis bijna volledig mobiel was. Ze had twee rolstoelen, een boven en een beneden, en kon zelf de trap op en af. Alleen vanochtend moest ze het – zoals Rachel heel goed wist – met één rolstoel stellen.

'Ik haal hem even voor je naar beneden,' zei Bill.

Zodra zijn moeder de keuken in gereden was om voor het ontbijt te zorgen, rende Bill weer naar boven en keek boos naar de ladder die naar de zolderkamer van zijn zusje leidde. Het geel geverfde, half afgebladderde luik zat dicht en er zat een briefje op geprikt met in Rachels onregelmatige handschrift de woorden:

Rachels kamer!
Kloppen voor je binnenkomt!
En Bill, wegwezen voor je binnenkomt!

'Egoïstische trut,' gromde hij.

Hij klom omhoog en duwde het luik zonder plichtplegingen open. Met grimmige voldoening hoorde hij hoe het omklapte en met een dreun op de grond viel.

Dat zal haar leren, dacht hij. Nu komt ze vast wel overeind.

Toen hij door het luikgat Rachels schemerige, naar potpourri geurende kamer binnenging, zag Bill dat ze zich in werkelijkheid niet verroerd had. Op haar gezicht lag een gelukzalige, vredige uitdrukking. Alles aan haar, van de welvingen die gebeeldhouwd leken in het laken dat over haar heen lag tot de gezonde blos op haar wangen, ademde een bijna onmenselijke sereniteit, alsof ze geen gewone sterveling was, maar een engel die in de nacht uit de hemel afgedaald was.

Het maakte Bill kwader dan hij ooit onder woorden had kunnen brengen.

Bill rukte aan de dunne groene lap stof die voor het dakraam gespannen zat en liet het zonlicht de kamer in stromen.

Maar ze kwam nog steeds niet in beweging.

Hij stak een hand uit om haar wakker te schudden. Maar halverwege bleef hij stokstijf staan; hij had een beter idee. Bill was niet gemeen aangelegd en ondanks zijn stemming van vanochtend hield hij veel van zijn kleine bijdehante zusje. Maar het kon geen kwaad om haar eens flink de stuipen op het lijf te jagen. Hij zou zijn mond zo dicht mogelijk bij haar oor brengen... hij zou zijn longen vol lucht zuigen... en dan...

Het was een formidabele brul, een koninklijke brul, de brul van twee half verhongerde, driehonderd kilo zware Bengaalse tijgers die vechten om een stuk vlees. Het was een brul die het servies van de planken blies, een brul die de muren van Jericho had kunnen slechten, een brul die een luie, zeventienjarige nietsnut de dood op het lijf jaagt en voor eens en altijd duidelijk maakt wie er de baas is.

Op één saillant detail na: het was Rachel die brulde, niet Bill.

Precies op het moment dat er geen lucht meer bij kon in Bills longen, precies op het moment dat hij zijn mond opendeed om uit alle macht in Rachels oor te blaffen en een piepend, bibberend, onderdanig wrak van haar te maken... deed ze haar ogen open en slaakte ze een oorverdovende kreet.

Bill sprong naar achteren en stootte zijn hoofd tegen een balk, stof dwarrelde naar beneden.

'Kom je bed uit!' schreeuwde hij, woest in zijn ogen wrijvend.

'Ik kom al!' gilde ze terug. En dat klopte, zag hij nu. Ze was opgesprongen, had het laken van zich af gerukt en beende in haar verkreukelde witte nachtjapon op hem af. 'Eruit!'

'Wat?'

'Eruit!' herhaalde ze. 'Nu!'

'Luister jij eens even,' begon hij.

'Nee, luister jij maar eens even. Je weet toch wat er op het luik staat. Je weet dat je hier niet mag komen.'

Hij deed zijn best om kalm te blijven, om de verstandigste te zijn. 'Ik ga pas weg als jij luistert naar wat ik te zeggen heb.'

'Nou, schiet op dan, zeg het maar. Zeg maar zo veel als je wilt, en dan oprotten.' Ze stond kwaad naar hem te kijken.

'Weet je wat ik aantrof toen ik van de tuin kwam?' begon hij.

'Laat me raden,' zei ze, 'een ruimteraket?'

'Nee,' zei hij, zonder acht te slaan op haar sarcastische toon. 'Mam: op de onderste tree van de trap.'

Rachel trok een spottend gezicht. 'Tjonge, zeg. Onze eigen moeder. In ons eigen huis. Wil je nu een medaille?'

'Weet je waarom ze daar zat?'

'Maak me gek.'

'Omdat jij verdomme te belazerd was om haar stoel naar beneden te dragen,' beet hij haar toe.

'Vloek niet tegen me,' zei ze.

'Waarom niet?'

'Omdat ik dan verdomme ook tegen jou mag vloeken.' Maar opeens verscheen er een heel andere uitdrukking op haar gezicht. 'Moest ik haar stoel naar beneden dragen? O,' zei ze, terwijl er weer een andere uitdrukking op haar gezicht verscheen. 'Je hebt de andere stoel gisteren naar Giles gebracht, hè? En ik moest... shit...' Beteuterd sloeg ze een hand voor haar mond. 'Het spijt me,' zei ze. 'Het spijt me, vergeten.'

Hij had veel zin om nog meer te zeggen. Om te zeggen dat het niet uitmaakte of het haar speet of niet. Dat ze samen moesten werken, omdat anders de hele boel – de zaak, hun gezin – in elkaar zou donderen. En dat het zijn verantwoordelijkheid was om voor hen te zorgen, om hun een veilig thuis te geven. Hij had zin om haar eraan te herinneren dat hij daarvoor teruggekomen was.

'Zeg dat maar tegen mama,' zei hij in plaats daarvan.

Het had immers geen zin een preek tegen Rachel af te steken. Hij wist best wat ze dacht: dat hij een kleinzielige, saaie bemoeial was. En dat hij zich niet als haar vader moest gedragen, omdat ze oud genoeg was om voor zichzelf te zorgen.

En nu hij zo naar haar keek, begon hij te denken dat ze daar misschien wel gelijk in had.

Bill had die middag maar een paar bestellingen. Gladgeschoren, met schoon gepoetste nagels, zijn gesteven witte overhemd strak in de plooi en zijn weerbarstige haar met een natte borstel in het gareel gebracht fietste hij de steeg uit. Hij was in alle opzichten net zo ordelijk en netjes als de winkel zelf.

Het was stil in de hoofdstraat. De meeste mensen hadden hun boodschappen al gedaan en zaten nu aan het middageten. De scherpe geur van bier, cider en sigarettenrook dreef uit de ramen van de Channel Arms en de Smuggler's Rest, terwijl uit de deuropening van fish 'n' chips-handel Captain Ahab de zurige azijnlucht van in beslag gedrenkte kabeljauw en gebakken cervelaatworst walmde.

Bill fietste er snel langs, zwaaiend naar de grijze John Mitchell, die op de eerste verdieping uit een raam hing om de manden met narcissen boven zijn feloranje voordeur water te geven.

Op de hoek van Bay Street hield kwebbelkous mevrouw Carver hem aan en liet hem beloven dat hij zijn moeder zou herinneren aan de vergadering van het Vrouweninstituut, komende zaterdagmiddag.

Bill sloeg aan het eind van de hoofdstraat rechtsaf en hobbelde verder over de keien, zigzaggend langs de scharrelende katten en de roodbruine makreelingewanden die over de kade verspreid lagen. Het was eb en links van hem lagen de vissersboten scheef in de chocoladebruine modder in de haven. In de lucht hing de zilte geur van opdrogende vissersnetten.

Bills maag sprong op als een duveltje in een doosje toen hij over de dikke stenen rand Harbour Bridge op reed. Hij trapte de pedalen nog sneller rond, stoof als een ridder te paard door een fladderende wolk van verontwaardigd krijsende zeevogels.

Zijn eerste bestelling – thee, koffie, Cadbury's melkchocolade –

was bestemd voor het, in Bills ogen ongeïnspireerde, raadhuis, dat met zijn rode baksteen in het niet viel naast St. Hilda's Church. Bill, zijn moeder en zusje waren al zo lang hij zich kon herinneren lid van de kerk. Afgelopen zondag had hij twintig minuten lang in de koele schaduw van de klokkentoren achter zijn moeders rolstoel gestaan, starend naar het gladde granieten crucifix op het graf van zijn vader.

De tweede bestelling was voor een andere vaste klant van Bill: het Sea Catch Café. Het werd al dertig jaar bestierd door meneer en mevrouw Jones, hoewel de laatste tijd het gerucht ging – verspreid door Alun Jones zelf, die popelde om terug te gaan naar zijn geboortedorp in Wales – dat ze van plan waren het café te verkopen. Alleen Mavis, zijn vrouw, moest nog overgehaald worden, aangezien ze niemand hadden die de zaak van hen kon overnemen. Hun enige kind, een in ongenade gevallen dochter, was er in de oorlog met een Amerikaan vandoor gegaan.

Het Sea Catch Café, dat aan de andere kant van het kanaal lag, telde twee verdiepingen en was tweemaal zo breed als Vale Supplies. Beneden zat het café-restaurant. Meneer en mevrouw Jones woonden boven en verhuurden ook nog een paar kamers.

Bill zette zijn fiets in de steeg tegen de muur, naast de vuilnisbakken, die naar gekookte aardappelen en gebakken uien stonken. Hij nam de bruine papieren zak onder zijn arm en wilde aankloppen.

Maar voor zijn knokkels de deur raakten, vloog die open en stond hij oog in oog met Tony Glover, die onmiddellijk asgrauw werd.

'Je bent er nog steeds?' zei Bill. Hij keek Glover zonder met zijn ogen te knipperen aan. 'Alun heeft je dus nog niet ontslagen? Je nog niet de zak gegeven?'

Glover krabde aan zijn voorhoofd en gaf geen antwoord.

'Dat komt dan nog wel,' zei Bill. 'Vroeg of laat verziek je de boel. Kwestie van tijd. Je kunt het gewoon niet helpen. En als het zover is, geeft niemand je meer werk. En dan weet je dat het tijd is om te vertrekken.'

Glover liet zijn hand zakken. En toen zag Bill het: Glovers opgezette oog, de snee erboven en zijn bont en blauwe neus.

'Wie moet ik een drankje aanbieden?' vroeg Bill.

'Hè?'

'Wie heeft je de aframmeling gegeven die je verdiende?' verduidelijkte Bill.

'Ik ben gevallen.'

Bill wilde Glover pijn doen, net als degene, wie het ook was, die zijn gezicht zo toegetakeld had. Hij wilde niets liever. Maar dan zou hij net zo slecht zijn als Glover, bedacht hij. Dan zou hij ook een beest zijn.

Met een ruw gebaar gaf Bill de zak aan Glover.

'Zeg maar tegen Alun dat alles erin zit,' zei hij. Hij keek Glover strak aan. 'En schiet een beetje op,' voegde hij eraan toe, 'anders ga ik weer klagen bij je baas.'

De winkelbel rinkelde zachtjes toen Bill de voordeur van Vale Supplies opendeed en naar binnen ging. De zwart-wit geblokte tegelvloer lag er smetteloos bij; hij had hem vanmorgen nog gedweild. De vertrouwde producten stonden systematisch opgetast op de planken: potten snoep, blikken soep en groente, potten met sauzen en instantkoffie en cacao, pakjes niervet en griesmeel en dozen schuurpoeder, zeep en havermeel.

Mevrouw Macgregor stond in de telefooncel geperst, met de bakelieten hoorn als een knuppel in haar handen, en gaf haar zoon Arthur, die drie jaar geleden naar Bristol verhuisd was, haar wekelijkse preek over de gevaren van overmatig drankgebruik. Achter de gepolijste toonbank stond Rachel op de oude houten ladder om van de bovenste plank een pot koffie met cichorei te pakken. Ze kwam naar beneden en sloeg de koffie aan op de zwarte kassa, waarna ze de pot in een zak stopte en met een glimlach aan Norman Miller overhandigde.

'Bill,' zei Norman beleefd, en hij tikte ter begroeting tegen zijn vilthoed. Zijn zoon Alan was van Bills leeftijd. Hij was tegelijk met Bill naar de universiteit gegaan en woonde nu in Londen, had een goede baan bij een bank, een vrouw en een zoontje.

'Pas op voor Bristol,' sprak mevrouw Macgregor cryptisch, terwijl ze achter meneer Miller aan naar buiten liep. 'Dat is een poel des verderfs...'

71

Het was benauwd binnen en Bill zette de deur op een kier, waarna hij zich omdraaide naar zijn zus, die een tijdschrift gepakt had. Ze keek op en lachte naar hem alsof ze die ochtend geen ruzie gemaakt hadden. Wispelturig was nog te zwak uitgedrukt. Tienermeiden, dacht hij. Hij had al niets van ze begrepen toen hij zelf een tiener was, dus nu was hij helemaal kansloos.

Rachel sloeg haar tijdschrift dicht. Het was een *Illustrated*, met op het omslag Marilyn Monroe, in een laag uitgesneden rood met zwarte kanten jurk en behangen met diamanten. 'Wat denk jij?' vroeg ze, terwijl ze Monroe's gezicht naast haar eigen gezicht hield.

'Van de diamanten?' zei hij plagerig. 'O ja, die zouden je prachtig staan.

Ze rolde met haar ogen. 'Ik heb het over haar haar. Zal ik het ook die kleur laten verven?'

'Word je daar gelukkig van?'

'Misschien krijg ik dan een nieuw vriendje.'

Hij besloot niet te reageren op het woordje 'nieuw', dat impliceerde dat ze er al eentje had.

'Je bent nog te jong voor vriendjes,' zei hij.

'En jij bent te oud om geen vriendinnetje te hebben,' kaatste ze terug.

'En ik? Ben ik oud genoeg om geholpen te worden?'

Bill draaide zich om en zag een vrouw achter hem staan. Haar gezicht kwam hem bekend voor en heel even dacht hij dat hij haar al eerder gezien had, maar toen besloot hij dat hij zich vergist had.

Ze was halverwege de twintig, net als Bill. Ze had een klein zwart leren koffertje in haar hand, beplakt met etiketten van scheepvaartmaatschappijen. Ze zag er onmogelijk modern uit. En... stijlvol? Wat was het goede woord, vroeg Bill zich af, voor een vrouw zoals zij? Want haar kleren – ze droeg een opvallend korte rok met een bijpassend blauw jasje en een brede witte riem om haar middel – waren van het soort dat hij buiten de tijdschriften nog nooit gezien had, laat staan in zijn eigen winkel, zo dichtbij dat hij ze kon aanraken. Niet dat hij erover dacht om ze aan te raken, bedacht hij blozend.

'Hi,' zei ze met een stralende lach.

Bill deed zijn mond open, maar er kwamen geen woorden uit.

Ze kwam een stapje dichterbij. En toen nog een. Ze keek hem recht in de ogen. 'Alles goed?' vroeg ze. Haar accent klonk Amerikaans, maar dan zachter. Canadees misschien, dacht hij.

'Eh...'

Toen ze zo naar hem keek, *door hem heen* keek, had hij opeens het gevoel dat het van levensbelang was dat hij iets interessants tegen haar zei – ze was het soort vrouw dat een interessante reactie verdiende, *verwachtte* zelfs – en dat ze vreselijk teleurgesteld zou zijn als hij in gebreke bleef.

'Eh...'

'Is hij altijd zo?' vroeg de vrouw aan Rachel.

'Alleen op dagen met een G erin,' antwoordde Rachel.

De vrouw grinnikte. 'Heel grappig,' zei ze. 'Dat mag ik wel.'

De vrouw, die haar koffer neerzette, leek haar belangstelling voor Bill te verliezen en keek om zich heen. Ze had kort haar, blond, met kleine krulletjes, en ze droeg een felrode hoed die bij haar lippenstift en nagellak paste. Ze had een schoonheidsvlekje op haar linkerwang, vlak naast haar brede, gewelfde mond.

'Lekkers,' verkondigde de vrouw, stilhoudend voor het glazen gedeelte van de toonbank, waar het duurdere snoepgoed lag. 'Iets te snoepen,' verduidelijkte ze. 'Ik heb iets te snoepen nodig. Als cadeautje.'

'Ik zal u...' begon Rachel.

'...even helpen,' vulde Bill aan. Hij liep om de toonbank heen en duwde Rachel opzij, zonder te letten op de verontwaardigde blik die ze hem toewierp. Hij stond nu tegenover de vrouw, en terwijl zij naar de netjes uitgestalde chocoladerepen onder het glas keek, bestudeerde hij haar spiegelbeeld.

'Ik neem pauze,' zei Rachel achter hem.

'Neem rustig de tijd,' antwoordde Bill zonder om te kijken.

'Laat ik die grote reep Rowntree maar doen,' besloot de vrouw, met een nagel op het glas tikkend.

'Prima.' Bill lachte naar haar. De vrouw lachte terug. Wauw, dacht hij. Het voelde heerlijk als ze naar hem lachte. 'Je moet hier wel ingeschreven staan,' zei hij, toen hij zich weer vermand had.

'Ingeschreven?'

'Vanwege je bonnenkaart. Anders kun je niks kopen.

'Je maakt een grapje, zeker?' zei ze.

'Eh, nee...'

'Bedoel je dat ik je niet gewoon geld kan geven?'

'Ja,' zei hij. 'Chocola is nog op de bon.'

'Jezus Christus,' zei ze, 'zo zout heb ik het nog nooit gegeten – al zal zelfs Hij wel geen zout kunnen krijgen als het eenmaal op de bon is,' overwoog ze, 'niet als Hij geen bonnenkaart heeft, hè?'

'Nee,' zei Bill, die zijn best deed om niet te lachen.

'Nou, shit, shit en nog eens shit. O, god,' zei ze, 'en sorry...' Ze maakte een verontschuldigend gebaar. 'Sorry voor al dat gevloek. En voor mijn godslasterlijke praatjes. Nu ik weer thuis ben moet ik dat allemaal maar snel afleren.'

Hij haalde zijn schouders op. Hij wist niet wat hij moest zeggen. De waarheid was dat hij dat gevloek van haar wel leuk vond. 'Thuis?' informeerde hij.

'Yep.' Haar grijze ogen dwaalden langs de schappen achter hem. 'Een blik sardientjes is niet zo'n geschikt cadeau, hè?'

'Nee.'

Ze richtte haar blik weer op hem, ernstig opeens. 'Ik weet niet wat ik moet doen. Nou kom ik helemaal uit New York, zonder cadeautje. Jezus, wat ben ik toch een kluns.' Ze wierp een laatste blik op de chocoladereep, zuchtte en draaide zich om naar de deur.

Er kwam een gedachte bij hem op. 'Nee, wacht even.'

'Hoezo?'

'Ik heb een idee.'

Ze keek hem verwachtingsvol aan. 'Barst maar los.'

'Kies maar een reep uit, dan gebruik ik mijn bon van volgende week.'

'Nee,' zei ze stellig. 'Dat kan ik niet aannemen.'

Maar opeens wilde hij dit dolgraag voor haar doen. 'Ik sta erop.' Hij haalde de rood-witte Rowntree-reep uit de vitrine en hield hem haar voor.

Ze staarde naar de chocola. 'Tja, ik moet toegeven,' zei ze, 'je zou me wel uit de brand helpen. Maar jij dan?' vroeg ze.

'Ik overleef het wel. Ik ben toch niet zo'n zoetekauw, eerlijk gezegd,' loog hij.

'Echt? Nou, goed dan,' zei ze stralend. Ze nam de reep aan en stopte hem in haar jaszak. 'Maar alleen als ik je terug mag betalen.'

'Ik mag geen geld aannemen voor...' begon hij uit te leggen.

'Nee, ik bedoel als ik bij het distributiekantoor geweest ben. Als ik die bonnenkaart heb, je weet wel.'

'O. Hoe lang blijf je?'

'Een tijdje.' Ze lachte zenuwachtig. 'Misschien zelfs wel een hele tijd, wie zal het zeggen.'

Hij liep om de toonbank heen. 'Hoe ver moet je nog?'

'Niet ver.'

'Laat me je koffer dragen,' bood hij aan.

'Nee, dank je.'

Hij sloeg beschaamd zijn ogen neer.

'Sorry.' Ze legde een hand op zijn arm. 'Zo bedoelde ik het niet. Ik bedoel, een andere keer graag, maar, zoals ik al zei, ik ben heel lang weg geweest en, nou ja, ik kom gewoon liever in m'n eentje aan.'

'Het geeft niet. Ik snap het.'

Ze lachte lief naar hem en klopte even op haar zak. 'Bedankt voor de lening.' Ze stak haar hand uit. 'Trouwens, ik ben Emily.'

Hij schudde haar de hand. Die voelde koud aan, maar hij wilde haar nooit meer loslaten.

'Bill.'

Ze keek hem recht in de ogen en voegde eraan toe: 'Emily Jones.'

Hij haalde zijn schouders op, alsof het niets te betekenen had, maar dat had het wel. Emily Jones. De dochter van Alun en Mavis, de eigenaars van het Sea Catch Café. Emily Jones, die een schandaal veroorzaakt had door haar ouders te trotseren en er aan het eind van de oorlog, toen ze net achttien was, vandoor te gaan met een Amerikaanse vliegenier.

Hij had haar dus toch herkend. Ook al was ze de afgelopen acht jaar heel erg veranderd. Toen ze nog hier woonde sprak hij haar nooit, maar hij kon zich maar al te goed het geroddel van de

75

mensen herinneren, en haar moeder die deed alsof ze in de rouw was. Hij vroeg zich af of Emily over hem gehoord had, over zijn vader, over het veel grotere schandaal dat nog geen maand na haar vertrek over de winkel gekomen was. Maar haar opgewekte lach vertelde hem dat ze van niets wist.

Het was een lach waaraan hij de rest van de dag zou blijven denken. 'Nou, welkom thuis, Emily Jones,' zei hij.

'Aangenomen dat mijn moeder vindt dat ik nog steeds een thuis heb,' zei ze. 'Dus duim maar voor me, ja? Misschien brengt het geluk.' Ze klopte een paar keer hard met haar knokkels op de toonbank.

'Succes dan maar,' zei hij, en hij meende het. 'Hopelijk zie ik je nog eens terug,' voegde hij eraan toe, en dat meende hij ook.

'Dank je,' zei ze. 'Vast wel.'

Hij liep achter haar aan naar de deur en keek haar na terwijl ze de straat uit liep.

Achter hem hoorde hij Rachel de winkel weer binnenkomen.

'Wie was dat?' riep ze.

'Gewoon, een nieuw iemand,' antwoordde Bill. Hij bleef Emily Jones nakijken tot ze aan het eind van de straat om de hoek verdween.

5

Turend door de drijfnatte voorruit kon Sam Delamere ruiken dat
Claire tussen de aankomsthal van het vliegveld en de parkeerplaats achter elkaar twee sigaretten gerookt had.

'Denk je soms dat het vandaag nationale zondagsrijdersdag is?
Ga aan de kant. Fuck verdomme een eind op!' gilde Claire tegen
de nietsvermoedende bestuurder van de roestige rode Mini die
voor hen over de van gaten vergeven weg tufte. 'Weet je waarom
ik zo de pest heb aan dat stomme Engelse platteland?' vroeg ze
op scherpe toon aan Sam, die achter het stuur zat. 'Omdat er
zoveel stomme Engelse kl...'

'Hou alsjeblieft op,' zei Sam.

'Waarmee?'

'Dat weet je best.'

'Nou, blijkbaar niet. Jezus, anders hoefde ik het toch niet te
vragen?'

'Daarmee,' zei Sam. 'Met vloeken. Fuck zeggen. Waar Archie
bij is. Gewoon niet doen, oké?'

'Je zei het net zelf,' antwoordde ze spottend.

'Alleen maar om duidelijk te maken wat ik bedoelde.'

'Toch zei je het.'

Sam zuchtte en streek zijn steile donkerblonde haar uit zijn
gebruinde gezicht. Daar had je het weer: altijd hetzelfde liedje:
zodra ze zich in de verdediging gedrongen voelde bracht Claire
het gesprek terug tot een kinderachtig welles-nietesspelletje. Ze
was achtentwintig, slechts zeven jaar jonger dan Sam, maar soms
voelde hij zich meer de vader die ze nooit gehad had, dan de
echtgenoot die hij was.

Zijn eerste aanvechting was natuurlijk om zijn poot stijf te houden, maar hij hield zich in. Claire leefde van onenigheid, en als hij haar de kans gaf zou ze van hun meningsverschil een knallende ruzie maken. En dat zou hij niet laten gebeuren, vandaag niet, niet nu ze eigenlijk alleen maar steun nodig had.

Hij probeerde de situatie dus maar te zien zoals hij in werkelijkheid was: zij zocht ruzie, hij zat toevallig in de vuurlinie. Ze was boos en verdrietig vanwege de dood van Tony, haar opa, en daar kon ze alleen maar mee omgaan door op Sam in te hakken. Hij begreep het wel. Hij had ook verdriet.

'Oké,' zei hij. 'Ik zei dus iets lelijks. Dat had ik dus niet moeten doen.' De gemakkelijkste manier om aan dit gesprek een einde te maken, wist hij, was haar te laten denken dat ze gewonnen had.

'Nee, dat had je niet moeten doen,' beaamde Claire.

Sams lichtblauwe ogen verduisterden zich. 'Ik zal het niet meer zeggen. En het zou fijn zijn als jij het ook niet deed.'

Claire draaide zich half om en keek naar Archie, die in een zwart kinderzitje achter in de gehuurde MPV zat, die ze twee uur geleden op vliegveld Luton opgehaald hadden.

'Kleine Archie begrijpt het toch niet. Toch, schatje?' Tegen hun tweeënhalf jaar oude zoon sprak ze op hetzelfde gênante babytoontje als tegen hem. Ze stak haar arm uit en streek het ruige bruine haar van het jongetje glad, waarna het onmiddellijk weer omhoog sprong, als varens na een regenbui. 'Pluk, stuk,' zei ze, 'truck, fuck... voor jou is het allemaal hetzelfde, hè, liefie? Allemaal rare grote-mensenwoorden...'

'Ik heb jojo,' verkondigde Archie, doelend op het fluorescerende gele speeltje dat Sam op het vliegveld van Palma voor hem gekocht had. 'Ik wil opie en omie,' voegde hij eraan toe.

Dat waren de namen die Archie aan Sams ouders gegeven had.

'Vandaag niet. Vandaag gaan we naar oma Rachel,' zei Claire.

'Opie en omie,' herhaalde Archie.

Claire begon haar geduld te verliezen. 'Niet vandaag, zei ik.'

'Opie en...'

'Zo is het genoeg,' snauwde ze. 'Hou je mond.'

Archie begon te piepen.

'Wat mama bedoelt,' zei Sam troostend, 'is dat je een andere keer weer naar ze toe kan. Heel snel al. Papa gaat gauw met je naar ze toe. Goed?'

'Ze verwennen hem, weet je dat,' zei Claire. 'Daarom zeurt hij altijd dat hij naar ze toe wil.'

'Hoe weet jij dat?' vroeg Sam. Claire was sinds Archies geboorte maar één keer bij zijn ouders geweest. Sam ging om de paar maanden met Sam naar ze toe, maar Claire had altijd net dringend ergens iets te doen.

Claire kreunde. 'Laten we het daar nu alsjeblieft niet over hebben,' zei ze.

Sam gaf gas en haalde over het slingerende landweggetje de Mini in.

'Ik hou van jou, mammie,' zei Archie.

Claire stak haar arm naar achteren en kneep in Archies knie. 'Ik hou ook van jou, liefie.'

Sam zag Archie in het achteruitkijkspiegeltje scheef naar hem grijnzen en zijn hart smolt.

'Maar ja,' zei Claire, 'jouw ouders hebben tenminste wel het fatsoen om in een stad te wonen. Waarom oma en pipa zo nodig midden in de rimboe zo'n saaie ouwe kast moesten kopen, het is me nog steeds een raadsel.'

Zodat ze jou naar die dure katholieke meisjesschool verderop konden sturen, wist Sam, maar hij zei het niet. Omdat je weed verkocht aan je vriendinnen en van de Internationale School in Mallorca gestuurd werd. Omdat je grootouders als de dood waren dat je net zo zou eindigen als je moeder, die vlak na je geboorte de benen nam en een jaar later in een Parijs kraakpand aan een overdosis overleed.

Niet dat de verhuizing of die dure school Claire goedgedaan hadden, bedacht Sam. Haar nieuwe Engelse school had haar ook geschorst, nadat ze in een donkere kamer betrapt was met haar benen om een knappe gitaarleraar heen. Toen was ze teruggegaan naar Mallorca. In plaats van haar te straffen, hadden de altijd toegeeflijke Rachel en Tony haar geïnstalleerd in een appartement in het oude gedeelte van Palma, met uitzicht op de luchtbogen en zandstenen torentjes van de kathedraal. Daar hadden Sam en zij elkaar leren kennen.

Sam draaide de lange, rechte, door vorst beschadigde oprijlaan van Dreycott Manor op. Grind knerpte onder de wielen. Hij keek naar Claire en zag dat de tranen over haar wangen stroomden. Hij zette de auto aan de kant en pakte teder haar hand. Regen roffelde op het dak.

'Ik had nooit gedacht dat hij dood zou gaan. Ik heb er nooit bij stilgestaan.' Claire wreef in haar ogen en smeerde de mascara over haar wangen. 'Ik dacht dat pipa niet kapot kon.'

'Ik weet het.' Sam had bijna tien jaar lang voor Tony gewerkt. En zoals Tony Claire behandeld had als zijn dochter, was hij Sam steeds meer als een van zijn zoons gaan behandelen. Beter nog dan zijn zoons, had Claire een keer opgemerkt.

Sam hield Claires hand vast. Ze staarden naar de laan van winters kale kastanjes, met aan het eind de brede, symmetrische façade van Dreycott Manor. Voor het huis stond alleen de gedeukte blauwe Ford van Brenda, de huishoudster, wat waarschijnlijk betekende dat de andere familieleden – Rachel, Nick, Christopher en Lucy – al in hun Aston Martins en Mercedessen op weg waren naar de kerk, om de gasten te kunnen begroeten zodra die aankwamen.

'Zie ik er vreselijk uit?' vroeg Claire.

'Nee.' Haar lange zwarte haar zat mooi opgestoken, maar haar ziekelijk bleke huid baarde hem zorgen. Net als de asgrauwe wallen onder haar ogen en het feit dat ze zo mager was. Ze rookte te veel en ze ging te vaak te laat naar bed. Hij kneep een beetje harder in haar hand. 'Je ziet er prachtig uit, net als altijd,' zei hij op geruststellende toon. 'Je bent nog net zo mooi als op de dag dat ik je leerde kennen.'

De relatie van Sam en Claire was heftig begonnen. Letterlijk. Op een warme middag in september 1994 waren ze vijf minuten nadat ze elkaar voor het eerst gezien hadden met elkaar in bed gedoken.

Toen hij in de koele, betegelde hal van haar appartement in Palma op haar neerkeek en zij zijn spijkerbroek losknoopte, had hij nooit kunnen denken dat ze bijna tien jaar later nog steeds bij elkaar zouden zijn.

Hij had gedacht dat het alleen maar seks was. Toen hij net van de universiteit was, was het hem wel eens vaker overkomen, na avondjes zoenen met doorgerookte, meestal dronken meisjes in lawaaiige Londense nachtclubs. Maar nuchter was het hem nog nooit gebeurd, en nooit zo snel, en al helemaal niet op klaarlichte dag. Zoals nu.

Terwijl zij haar lange haar uit haar gezicht schudde – 'zij', want hij wist nog niet hoe ze heette – en hem een diep gegrom ontsnapte, bedacht hij hoe knap ze was en hoe ongelooflijk exotisch ze eruitzag, met haar bruine ogen en door de zon gebruinde huid. Zeker vergeleken bij het stille, bleke meisje met wie hij het een maand eerder in Londen uitgemaakt had.

Uit zijn ooghoek zag hij het getatoeëerde vlindertje op haar enkel. Hij vroeg zich af of het pijn gedaan had en of ze een vriend had toen ze het liet doen. Ook vroeg hij zich af of zijn nieuwe aftershave misschien lustopwekkende eigenschappen bezat, die deze volkomen onverwachte, maar gelukkige, gang van zaken konden verklaren. Verder dacht hij aan haar leeftijd.

'Wanneer heb je voor het laatst seks gehad met een coole, strakke negentienjarige?' had ze hem net nog koket gevraagd.

Hij was voor het laatst met een negentienjarige naar bed geweest toen hij zelf negentien was, zeven jaar geleden. Hij had altijd gedacht dat meisjes van negentien hem weinig interessants te zeggen hadden, en andersom ook. Bijna al zijn vrienden waren ouder dan hij, veel ouder. Hij was altijd het liefst omgegaan met mensen die al iets bereikt hadden in het leven.

Maar nu dit onbekende negentienjarige meisje overeind kwam en zei dat ze zo graag met hem naar bed wilde, hem door de gang naar haar slaapkamer trok en op het onopgemaakte bed duwde en de plafondventilator aanzette, tegen hem zei dat ze hem zo'n lekker ding vond en wilde dat hij haar hier en nu nam, ontdekte hij dat hij alles wat ze met haar schorre stem tegen hem zei juist reuze interessant vond.

'Claire,' antwoordde ze, toen ze twee uur later teen aan teen in bad lagen.

'Sam,' zei hij op zijn beurt (hoewel ze hem niets gevraagd had). Hij was alleen maar naar boven gekomen voor het telefoonnummer van het gasbedrijf, dat in het appartement onder het hare, waar hij net ingetrokken was, het gas nog niet had aangesloten. Hij kon nog steeds niet bevatten dat de middag zich ontwikkeld had tot een ongeloofwaardig plot voor een softpornofilm. Hij keek door de stoom naar Claire en snoof de geur van aloë op. 'Ga jij, eh, vaker...' begon hij.

Ze maakte zijn vraag voor hem af: '... met iemand naar bed voordat je weet hoe hij heet? Nee. Maar ik heb het altijd al eens willen proberen.'

De druppende kraan maakte rimpelende regenbogen op het olieachtige water. Misschien liegt ze, dacht hij. Misschien deed ze dit echt aan de lopende band. Misschien was ze nymfomaan en was dit haar kick. Aan de andere kant, het kon zijn dat ze de waarheid sprak. Misschien was ze gewoon negentien en wilde ze weten of de stormachtige romances die ze op tv zag in het echt ook mogelijk waren. Hij wist drie dingen: ze had een innemende lach, ze lachte naar hém en hij was net zo nieuwsgierig als zij.

'Ik wil je nog eens zien,' zei hij.

'Wat?' zei ze plagerig. 'Helemaal?'

'Ik dacht aan een etentje. Ik dacht dat ik je mee uit zou kunnen nemen. Ik ben nieuw op het eiland. Je kunt me wegwijs maken, als je wilt. Ik dacht dat we wat konden praten en elkaar wat beter leren kennen. Je weet wel, van die dingen die andere mensen doen vóórdat ze samen in bad gaan...' Onmiddellijk vroeg hij zich af of hij te gretig was, of hij haar nu niet afschrikte.

Ze bestudeerde zijn gezicht zoals een juwelier een edelsteen bestudeert, speurend naar tekenen van echtheid. Ze wiebelde met haar tenen tegen de zijne. 'Misschien,' antwoordde ze uiteindelijk, terwijl ze uit bad stapte. Het water liep in straaltjes langs haar goudbruine huid en drupte op de terracotta vloer.

'Misschien ja, of misschien nee?' vroeg hij.

'Misschien sneller dan je denkt...'

Ze had gelijk. Een halfuur later ging hij bij haar de deur uit. Nog eens drie uur later zat hij opeens naast haar in een exclusief restaurant aan de haven, schonk haar een glas Chianti in en fluisterde discreet in haar oor: 'Je wist het de hele tijd al, hè, maffe griet?' Waarop zij alleen maar lachte.

Want natuurlijk had ze vanaf het begin geweten wie hij was. Want ze had het geraden zodra hij tegen haar zei dat hij in het appartement onder het hare woonde. Want ze wist allang dat haar grootvader dat appartement gereserveerd had voor zijn nieuwe medewerker. Sam verleiden was voor haar onderdeel van een gewaagd spel, een spel dat ze nu onder het eten, terwijl ze onder tafel een hand over Sams dij liet gaan, nog steeds aan het spelen was.

Aan de andere kant van de tafel zat Tony Glover, directeur van Ararat Holdings, Sams nieuwe baas en Claires grootvader, of 'pipa', zoals ze hem graag noemde. Tussen Tony en Morgan Cole, de financieel directeur van Ararat, zat Tony's vrouw en zakenpartner Rachel.

Sam keek op van Claires oor en zag Tony naar hem lachen. Het was een lach die Sam herkende, een goedkeurende lach. Zo had Tony ook gelachen toen Sam zes weken eerder de functie van verkoopleider geaccepteerd had, na niet minder dan vijf verkennende gesprekken. Het was ook een zelfverzekerde lach, waaruit Sam bij die gelegenheid opmaakte dat Tony altijd geweten had dat Sam geen nee tegen de baan zou zeggen.

Na het etentje vroeg Tony aan Sam of hij Claire veilig thuis wilde brengen, waardoor Sam zich begon af te vragen of het misschien niet alleen die baan was waarvoor Tony hem zo graag had willen hebben.

'Ze is mijn prinses, Sam, dus zorg goed voor haar, oké?' zei Tony.

Bij Claire thuis hadden Sam en Claire tot vier uur met een fles champagne erbij zitten lachen om wat ze gedaan had, en daarna hadden ze tot vijf uur geneukt. Om zes uur was hij verliefd. Hij was verliefd op haar stem, op de mediterrane warmte ervan, op de contouren van haar borsten, de smaak van haar tong, de geur van haar lakens, het olieverfschilderij van het klooster Santo Bartholomew aan de muur van haar slaapkamer. Hij was halsoverkop verliefd geworden op haar leven en hoopte dat het op een dag ook het zijne zou zijn.

Toen hij die middag wakker werd en het zonlicht door de vitrages naar binnen viel, begon hij te fantaseren over een toekomst op dit mooie eiland voor de kust van Spanje. Want als het goed ging met die baan en met dit maffe, intrigerende, mooie, champagne slurpende, spelletjes spelende meisje, wie wist hoe anders en fantastisch zijn leven er dan over een paar jaar uit zou zien?

En was dat niet de reden waarom hij zijn baan in Londen opgezegd had en hiernaartoe verhuisd was? Omdat hij een ander leven wilde dan zijn collega-effectenmakelaars, die allemaal hetzelfde ongeïnspireerde, zij het goedbetaalde, pad volgden. En was dat ook niet waarom hij het kortgeleden uitgemaakt had met de vriendin met wie hij drie jaar een relatie had gehad? Omdat zij gedroomd had van een comfortabel burgermansbestaan en hij daar gillend gek van geworden was.

Hij boog zich over de slapende Claire en gaf haar zachtjes een kus op haar mond: omdat ze binnen een dag zijn leven op zijn kop gezet had en hem de nieuwe start gaf die hij nodig had. Maar meer nog omdat hij hoopte dat met dit meisje elke dag een nieuwe start zou zijn, in een wereld die voortdurend op zijn kop stond.

Ze waren nu bijna tien jaar verder en Sam begeerde haar nog steeds. Het was een van de weinige dingen in hun relatie die niet veranderd waren. Hij zat op het onbekende bed in de onbekende slaapkamer in Dreycott Manor zijn zwarte zijden das te strikken en keek toe terwijl Claire zich aankleedde voor Tony's begrafenis. Hij streek met twee handen zijn haar glad.

Claire kwam naast hem zitten en trok haar leren laarzen aan, stond op en keerde hem de rug toe. 'Wees eens lief, schat,' zei ze.

Hij voelde haar trillen toen hij haar eenvoudige zwarte jurkje dichtritste. Ze was weer in huilen uitgebarsten nadat Brenda hen voorgegaan was naar deze amper gebruikte en ietwat groezelige logeerkamer in de oude bediendenvleugel aan de achterkant van het huis. De verwaarloosde kamer had iets treurigs. Hij herinnerde Sam aan de slaapkamer van zijn ouders in het nieuwbouwhuis waarin hij opgegroeid was. Het voelde alsof je gevangenzat in een zucht.

Sam kende Claires voorliefde voor drama maar al te goed,

maar hij had zijn vrouw nog nooit zo uit het veld geslagen gezien. Hij had ook nog nooit meegemaakt dat ze zo onzeker was. Het was alsof haar wereld zonder Tony gekanteld was en ze haar evenwicht nog niet hervonden had.

Sam kuste haar zachtjes in haar nek. Ze hield heel even zijn hoofd vast voordat ze naar de verweerde, manshoge spiegel aan de muur liep.

'Ze mag wel heel bijzonder zijn, wie ze dan ook is,' zei ze, terwijl ze zich begon op te maken. Ze wierp Sam een snelle blik toe. 'Ik kan er nog steeds niet over uit. De stomme indringster.'

De 'nieuwe nicht'. Zo noemde Brenda de onderkruipster die haar spullen in de grootste en mooiste logeerkamer aan de voorkant van het huis gedropt had, in de kamer die van Claire was toen ze hier op school zat, waar zij en Sam normaal altijd sliepen als ze op Dreycott Manor waren.

'Ik wil geen nieuwe nicht,' mopperde Claire.

'Nou ja, technisch gezien is ze je nicht ook niet,' verklaarde Sam. 'Ze is de dochter van je oudoom Bill, dus is ze je...'

'Al was ze godverdomme mijn verrekte petemoei,' snauwde Claire. 'Ze heeft hier gewoon niets te zoeken. In mijn oude kamer. Met al mijn oude spullen.' Claire zuchtte. 'Pipa had het walgelijk gevonden, weet je. We mochten vroeger Bills naam niet eens noemen. Hij had zijn dochter echt niet in huis gewild.'

Sam kende het verhaal van de onenigheid tussen Tony en Rachel en haar broer Bill net zo goed als de rest van de familie. Niet zo heel goed dus, want Rachel en Tony waren nooit erg scheutig met informatie geweest. Het draaide allemaal om een of andere stompzinnige ruzie van vijftig jaar geleden, die iets met de dood van hun moeder te maken had. Als Sam het goed begrepen had, was die moeder bij een tragisch ongeval om het leven gekomen, dus waarom naderhand al die heibel uitgebroken was wist hij niet. Kennelijk wilde Rachel nu een einde maken aan de familievete. Vandaar hun verbanning naar de achterkant van het huis.

'Maar Rachel blijkbaar wel,' zei hij tegen Claire. 'Anders had ze haar niet uitgenodigd.'

'Ze is waarschijnlijk zo overstuur dat ze niet meer weet wat ze doet.'

'Om een of andere reden betwijfel ik dat.' Rachel was een van de nuchterste mensen die Sam kende. Op de dag dat Tony stierf was hij, samen met zijn advocaat, naar Biarritz gevlogen. Hij wilde bij haar zijn om haar te troosten, maar ook om te helpen met de papierhandel die nu ongetwijfeld op haar afkwam. Hij had zich geen zorgen hoeven maken. Gewapend met niet meer dan een telefoon had Rachel alles al geregeld, tot en met het vervoer van Tony's lichaam naar Engeland. Haar veerkracht en moed hadden hem met ontzag vervuld.

'Hoe zei Brenda ook alweer dat ze heette?' mijmerde Claire hardop. 'Laura? Louise?'

Sam wist het ook niet meer. Hij had een wriemelende, giechelende Archie de trap op gedragen en had alleen flarden opgevangen van het gesprek tussen Claire en Brenda.

'Het begon in elk geval met een L,' besloot Claire.

'Misschien is ze wel heel aardig,' opperde Sam. 'Volgens Brenda is ze maar een paar jaar ouder dan jij, dus... wie weet? Misschien worden jullie wel vriendinnen.'

'Dank je feestelijk.' Claire stak een sigaret op. 'Ze wil vast alleen maar geld, weet je. Ik wil wedden dat dat het is. Ze heeft waarschijnlijk uitgevogeld hoeveel pipa waard was en denkt nu dat we best wat kunnen missen.'

'Dat weet je helemaal niet.' Hij trok zijn colbertje aan.

'En ik weet het ook niet *niet*. Ik zou niet weten waarom er anders bij een begrafenis opeens een onbekend familielid opduikt. Jij wel?'

'Maar ook al is dat de reden,' hield Sam vol, 'ze krijgt toch niets.'

'Hoe weet je dat'

'Omdat ze dan eerst langs Rachel moet. En langs mij.'

Dat laatste had Sam niet hardop willen zeggen. Maar het was gezegd en aan Claires intuïtie mankeerde niets. Haar ogen schitterden belangstellend.

'Ze heeft het er met jou over gehad, hè?' vroeg ze op scherpe toon, en ze draaide zich naar hem om. Elke gedachte aan die mysterieuze 'nieuwe nicht' werd onmiddellijk terzijde geschoven. Ze maakte haar sigaret uit op het sierbord dat ze als asbak gebruikte en liep met grote passen naar hem toe. Ze greep hem bij zijn revers, trok hem naar zich toe en keek hem diep in de ogen.

'Ze heeft jou gevraagd om Ararat te leiden, en niet oom Chris of oom Nick, hè?'

Claire had het goed geraden. Rachel had Sam die ochtend opgebeld en hem een aandeel van vijf procent en de positie van algemeen directeur aangeboden. Vanaf nu had Sam, in samenspraak met de raad van bestuur – waarin ook de rest van de familie zat en waarvan Rachel zelf de voorzitter was – de dagelijkse leiding over Ararat.

Hij had het wel zo'n beetje verwacht, aangezien hij in de beste positie verkeerde om het bedrijf over te nemen. Hij wist natuurlijk dat Rachel heel goed in staat was Ararat zelf te leiden, maar het leek erop dat ze niet langer de ambitie had. De afgelopen jaren had ze zich toch al meer en meer teruggetrokken. Hetzelfde had voor Tony gegolden. Rachel had voordat ze er te oud voor waren samen met hem van hun geld willen genieten.

Daardoor had Sams baan de afgelopen jaren een nieuwe impuls gekregen; hij had de toekomst van Ararat steeds meer zelf mogen uitstippelen. Hij had zich geconcentreerd op de centralisatie van het bestuur in Palma en intussen op voortvarende wijze zijn belangen in het Middellandse-Zeegebied uitgebreid. Sam was altijd dol geweest op zijn afwisselende werk en was onmiddellijk begonnen zijn kennis te verbreden, waarbij hij van alle aspecten van het bedrijf zelfs de kleinste bijzonderheid had willen leren kennen, van de administratie van elk afzonderlijk hotel tot de namen van alle vierhonderd werknemers.

Zijn persoonlijke benadering had goed gewerkt. De winst van het bedrijf was met bijna dertig procent gestegen. Tony en Rachel waren opgetogen geweest, maar het had hen niet verbaasd. En Sam had de tijd van zijn leven gehad.

Om die reden had hij Rachels aanbod die ochtend zonder aarzelen aangenomen. Terwijl zij hem de voorwaarden voorlegde, zwoer hij in stilte dat hij het vertrouwen dat ze in hem stelde dubbel en dwars waard zou zijn. Vervolgens had Rachel gezegd dat ze het nieuws na de begrafenis aan de rest van de familie wilde vertellen en dat hij erbij moest zijn als het zover was. Ze had

Sam gevraagd om het tot die tijd aan niemand te vertellen en ook om een korte speech voor te bereiden.

'Ik wist het,' kirde Claire. Ze sloeg haar armen om Sams middel en duwde haar voorhoofd tegen zijn borst. 'Je hebt zo hard gewerkt. Ik ben zo trots op je. Op ons.' Ze keek hem met betraande ogen aan. 'Pipa had de zaak bij zijn pensioen toch aan jou overgedaan, weet je. Dat zei hij tegen me. Ik wou alleen dat hij het je zelf had kunnen vertellen.'

Sam trok haar dicht tegen zich aan, sloot haar in zijn armen en wiegde haar trillende lijf, net als toen hij drie jaar geleden uit Frankrijk terugkwam om haar te vertellen dat hij verliefd was op iemand anders en bij haar wegging.

X. Zijn Ex. Zo noemde hij haar nu, die andere vrouw, de vrouw op wie hij in de zomer van 2000 na drie weken Zuid-Frankrijk verliefd geworden was – *dacht* dat hij verliefd geworden was. X, alsof hij geprobeerd had haar weg te strepen, wat ook zo was. X, alsof ze niet meer bestond, wat in zijn wereld ook zo was. X. De enige foto die hij van haar had, had hij verbrand.

Hoewel hij in die tijd al een paar jaar met Claire was, waren ze niet getrouwd. Niet dat hij dat een excuus vond voor wat hij gedaan had. Hij wist dat ontrouw niets met getrouwd-zijn te maken had en alles met liefde. Óf hij had niet zo veel van Claire gehouden dat hij haar trouw kon blijven, óf hij had meer van X gehouden.

Zodra hij de relatie met X beëindigd had, had hij zijn best gedaan om haar te zien als een sirene, die hem met haar onweerstaanbare gezang verleid had. Maar hij had al snel door dat dit een slappe smoes was. Het was helemaal zijn eigen schuld geweest. Als een puber was hij gevallen voor het idee dat liefde alles mogelijk maakte. Een tijdje had hij zich door zijn gevoelens laten meeslepen. Maar niet lang. Want toen was hij tot inkeer gekomen en had de werkelijkheid zijn leven weer stevig in haar greep gekregen.

In de aanloop naar zijn ontrouw had Sam met Claire op een kleine *finca* in het bergstadje Deià in het noordwesten van Mallorca gewoond, terwijl hun nieuwe penthouse in Portals Nous –

oneindig veel hipper dan Palma, volgens Claire – tot in het kleinste detail aan Claires smaak was aangepast.

Het was zes jaar geleden dat Sam en Claire elkaar voor het
eerst ontmoetten, en de middagen in haar naar aloë geurende
bad waren allang opgeofferd aan zijn zakelijke verplichtingen en
haar sociale bezigheden.

Door de week werkte hij, maar zij niet. 's Avonds, na een etentje met familie of vrienden (met wie ze vaak meer praatten dan
met elkaar), ging Sam naar huis en bleef Claire nog in de stad. In
zijn zeldzame vrije weekeinden wandelde hij in zijn eentje door
de olijfboomgaarden in de bergen, terwijl zij naar zee reed om lui
aan het strand te liggen of rond te hangen in een van de barretjes.

Hij wist best dat er iets niet goed zat. Zijn probleem was alleen
dat hij niet zag wát precies. In ieder geval niet duidelijk genoeg
om er iets aan te doen. Hij en Claire hadden heel andere interes-
ses en hij wist niet hoe hij de verschillen moest overbruggen. Hij
was niet zielsblij met haar, maar hij was ook niet ongelukkig.
Meestal konden ze prima met elkaar opschieten, als vrienden.
Soms hadden ze lol samen. Soms aanbad hij haar. En de seks was
altijd goed. Alles bij elkaar leverde het, samen met een baan waar
hij dol op was en een baas die zijn relatie met Claire actief steun-
de, een aantrekkelijke status quo op.

En toen, in 2000, ontmoette hij X, op de bodem van een
zwembad in Zuid-Frankrijk. Het was alsof hij ontdekte dat hij
onder water adem kon halen, alsof zijn leven een sprookje kon
worden.

Hij had in de buurt van Cannes toezicht gehouden op de laatste fase van de bouw van een van Ararats hotels en had van de
gelegenheid gebruikgemaakt door ook even langs te gaan bij de
drie villa's die het bedrijf in de omgeving bezat. Hij had Claire al
twee weken niet gezien en vier dagen niet gesproken.

X had met een stel vriendinnen in een van de villa's gelogeerd.
's Nachts was het water uit het zwembad gelopen. Terwijl de geschrokken vertegenwoordiger van Ararat, die Sam rondreed, het
probleem per telefoon probeerde op te lossen, daalde Sam via het
trappetje af naar de bodem van het zwembad om een kijkje te
nemen.

89

Daar stond ze, met een sarong om haar gebruinde heupen gewikkeld. Ze stond met haar voeten aan weerszijden van de scheur in de binnenwand van het zwembad en tuurde naar de barst in het beton daaronder. Toen ze naar Sam opkeek, glimlachten ze allebei. (Binnen een week zou hij hen er allebei van overtuigen dat het kwam doordat ze voor elkaar bestemd waren; binnen een maand zou hij proberen zichzelf ervan te overtuigen dat het gewoon een bevlieging was, veroorzaakt door de hete middagzon.)

'Wat zou er gebeurd zijn?' vroeg ze. 'Een aardbeving?'

Als dat zo is, wilde hij tegen haar zeggen, dan is die nog steeds aan de gang. Want dat gevoel had hij toen hij in haar ogen keek.

En hij verlangde naar een aardbeving. Nadat hij een uur met haar gepraat had, besefte hij het opeens. Hij wilde dat zijn dierbare status quo door elkaar geschud werd. Hij wilde voelen dat hij leefde en weer weten hoe het was om te flirten. Hij wilde zijn emotionele leven van de handrem halen, vooruit razen en zien wat er om de hoek op hem wachtte.

De volgende dag kwam hij terug, zogenaamd om naar het zwembad te kijken. En de dag erna ook, om openlijk naar die vrouw te kijken. En zodra hij weer vertrok, miste hij de lach die zij op zijn gezicht toverde. Hij miste haar stem, die hem alles over haar leven vertelde. Hij nodigde haar uit voor een drankje en toen voor een etentje, en uiteindelijk, toen haar vriendinnen al aan het pakken waren, vroeg hij haar of ze nog een weekje wilde blijven. Het moment waarop ze ja zei was het mooiste van zijn leven.

Voor ze met elkaar naar bed gingen vertelde hij haar over Claire. En hij vertelde over Ararat. Hij zei dat hij niet meer wist waar zijn werk ophield en zijn privé-leven begon. Hij zei dat hij ergens daar tussenin zichzelf kwijtgeraakt was, dat hij klem zat tussen die twee. Hij had zijn passie geofferd aan zijn ambitie, begreep hij nu. Hij leefde zijn leven maar voor de helft. Zijn leven was een leugen. Het was alsof hij langzaam stikte, zei hij. X was zijn zuurstof, zei hij. Ze was bijzonder en bij haar voelde hij zich ook bijzonder. Hij zei tegen haar dat hij dankzij haar weer wist wie hij was.

Als zij het wilde, zou hij alles voor haar opgeven. Dat beloofde hij haar. Dan zou hij Claire gaan vertellen dat hij op iemand anders verliefd was en dat hij bij haar wegging. Hij zou het aan Tony en Rachel vertellen en ontslag nemen. Hij wilde bij X zijn om wie ze was, niet om wie ze kende of waar ze woonde. Hij zou naar Engeland teruggaan om bij haar te kunnen zijn. Als zij het wilde, konden ze samen een nieuwe start maken. Ze hoefde alleen maar ja te zeggen...

Ze zei ja.

De kerk zat al helemaal vol toen Sam en Claire aankwamen. Sam keek niet naar de oude, tanige gezichten van de rijke mannen en vrouwen die stil en plechtig zaten te wachten tot de dienst begon. Hij leidde Claire haastig het gangpad door en wees haar een plaats naast Rachel op de lange eikenhouten bank vooraan, die gereserveerd was voor de naaste familie.

Claire gaf haar grootmoeder een kus en fluisterde iets in haar oor. Sam boog zich voor Claire langs om even Rachels hand aan te raken. Regendruppels glinsterden als lovers op haar nog natte hoed en jas.

Sam staarde naar Tony's eenvoudige houten kist met de kunstig gemaakte boeketten eromheen. Ernaast stond een gietijzeren katheder, waarachter Sam straks zijn toespraak zou houden.

Aan de andere kant van het gangpad zaten op de voorste rij twee mannen, een eeneiige tweeling van begin vijftig. Ze keken allebei strak voor zich uit. Sam veronderstelde dat dit Tony's halfbroers waren, die in Canada woonden. Sam had ze nooit ontmoet, want Tony was in de loop van de jaren het contact met hen verloren.

In al die tijd dat Sam hem gekend had, had Tony nadrukkelijk nooit over zijn jeugd gesproken. Alsof hij die het liefst wilde vergeten.

Het orgel begon Bach te spelen en Sam richtte zijn blik weer op de kist. Buiten bulderde het onweer.

Dit was de eerste begrafenis die echt iets voor Sam betekende; hiervoor had hij alleen verre familieleden begraven die hij amper gekend had. Sam had het geluk dat zijn ouders allebei nog kerngezond waren en onbekommerd genoten van hun potjes golf, hun tv-series en hun kant-en-klaarmaaltijden. Hetzelfde gold voor zijn broer Tom, die zes jaar geleden naar Australië geëmigreerd was omdat zijn vriend daar woonde. Ook zijn grootouders waren gezond en gelukkig.

De weeïge geur van lelies kroop in Sams neusgaten. Hij rilde. De gedachte dat Tony – een ware vriend, die hem vertrouwd had en zo veel geleerd had – er echt niet meer was, was bijna niet te verdragen. Voor het eerst sinds het nieuws van Tony's dood had hij het gevoel dat hij moest huilen.

Hij dacht aan Archie, voor wie hij zonder aarzelen zijn leven zou geven. De band tussen hen was sterk als staal, gesmeed een seconde nadat Claire Sam vertelde dat ze zwanger was, een seconde vóór hij haar kon vertellen dat hij een punt achter hun relatie zette.

Toen Claire haar armen om hem heen sloeg en haar buik tegen hem aan drukte, was hij overweldigd door gedachten aan het kind. Hoe kon hij een nieuw leven beginnen met X, terwijl er in Claire al een nieuw leven aan het groeien was? Dat leven had hij zelf gemaakt, het was afhankelijk van hem.

Met elke seconde was de wilskracht meer uit hem weggevloeid. En uiteindelijk had hij niets gezegd.

En hij had gelijk gehad, toch? Was het niet de juiste beslissing geweest om alle contact met X te verbreken? Om dat andere leven dat ze misschien samen hadden kunnen delen op te geven zodat hij een vader voor zijn zoon kon zijn? Al het andere was een onmogelijke droom, een fantasie die ver van de stromingen en getijden van de echte wereld ontstaan was.

Dat had hij zichzelf voorgehouden toen hij met Claire naar hun nieuwe huis in Portals Nous verhuisd was. Dat had hij zichzelf keer op keer voorgehouden. Dag in dag uit, week in week uit, maand in maand uit. Tot hij het uiteindelijk was gaan geloven.

Nu wierp hij van opzij een blik op Claire. Dit was zijn werkelijkheid, deze vrouw die hem zijn kind geschonken had, deze vrouw voor wie hij een betere man had proberen te zijn en die hij, dat had hij zichzelf bezworen, voortaan altijd trouw zou blijven.

Het ging niet optimaal tussen hen, dat wist hij best. Hij dacht dat zij hem ook ontrouw geweest was, iets meer dan een jaar geleden, al had hij er geen bewijs voor. Hij had haar met een knappe, jongere man zien lunchen bij La Boveda, in Palma. Toen hij die avond uit zijn werk kwam, had ze gezegd dat ze de hele dag op de boot van haar vriendin Sadie gezeten had. Bij een andere gelegenheid was hij vroeg thuisgekomen en had hij gezien hoe dezelfde man hun gebouw uitkwam en op straat een taxi aanhield. Maar Sam had Claire nooit ter verantwoording geroepen. Hij vond niet dat hij het recht had, na wat hij zelf gedaan had.

Het orgel hield op met spelen en de dominee nam zijn plaats achter de katheder in. De regen sloeg tegen de gebrandschilderde ramen en de dienst begon.

Toen het Sams beurt was om iets te zeggen, liep hij naar de katheder en keek de kerk in. Hij haalde een velletje papier uit zijn binnenzak en vouwde het open. Het was een gedicht van Christina Rossetti dat Tony van buiten gekend had, opgeschreven in zijn eigen keurige handschrift.

Sam las het in stilte nog een keer door:

Mijn hart is zoals een zingende vogel
wiens hart overloopt van vreugde:
Mijn hart is zoals een appelboom
wiens takken buigen door het rijpe fruit;
Mijn hart is zoals een regenboogschelp
die dobbert op een vredige zee;
Mijn hart is zo gelukkig en fier,
want mijn lief kwam, mijn lief is hier.

Hij stak het papiertje weer in zijn zak, schraapte zijn keel en keek naar de bank waar hij net zelf nog op gezeten had. Hij wilde Rachel aankijken terwijl hij het gedicht voordroeg; hij wilde naar haar kijken alsof ze de enige vrouw op de wereld was, om het gedicht echt van haar te maken.

In plaats van Rachel zag hij X. Zijn Ex. De andere vrouw, de vrouw op wie hij in de zomer van 2000 na drie weken Zuid-Frankrijk verliefd geworden was – *dacht* dat hij verliefd geworden was.

Maar nu hij haar in levenden lijve tussen Nick en Christopher in zag zitten, zo dichtbij dat hij haar bijna kon aanraken, zag hij haar opeens niet meer als X. Maar als Laurie, Laurie Vale, de vrouw aan wie hij zijn leven beloofd had, om haar daarna kei-hard te laten vallen.

6

'Au!' riep Rachel toen de speld in haar knieholte prikte.

'Sta stil,' mompelde Laurel Vale, die de laatste speld uit haar mond nam.

Rachel stond op een stoel in de woonkamer achter de winkel. Het was donker buiten, de gele glazen lampenkap die aan een goudkleurige ketting aan het plafond hing verspreidde een warm licht. In de kachel knetterde een stukje kool en op de radio op het bruine dressoir werd het avondconcert van de BBC aangekondigd.

Vanaf haar stoel zag Rachel de stofnesten op de tocht naar de twee oude gasmaskers op de kast wervelen. Een laagje stof lag op de rand van het portret van de overleden koning en op de rand van de ovale houten spiegel. Rachel bedacht dat ze beter ernst kon maken met haar schoonmaakpogingen, voor Bill al dat stof ook zag liggen. Aan de andere kant zou ze het niet gezien hebben als ze niet op die stoel gestaan had en kon ze het waarschijnlijk rustig op z'n beloop laten tot haar moeder opdracht gaf tot de jaarlijkse voorjaarsschoonmaak, wat ze altijd begin april deed.

Rachel keek naar beneden. Laurel Vale zat met haar grijze schort over haar zwarte jurk in haar rolstoel. In haar haar droeg ze een roze met paars zijden sjaaltje. Ze boog zich voorover en tuurde aandachtig door haar hoornen bril, terwijl ze zorgvuldig de zoom van Rachels nieuwe jurk afspeldde. Naast haar had ze het blad van de tafel uitgeschoven om plaats te maken voor de nieuwe elektrische Singer-naaimachine en een verzameling blikjes vol spelden, garenklosjes, band in alle kleuren, knopen en stukjes kant. Stukjes afgeknipte stof van Rachels rode jurk lagen verspreid over het bruine linoleum, als afgevallen bloemblaadjes.

Rachel bracht haar pols naar haar neus om te controleren of het rozenreukwater dat ze eerder die dag van Anne had geleend nog te ruiken was, maar de geur was vervlogen. Wel rook ze de niervetpudding en gekookte kool die zij en haar moeder vanavond gegeten en zogenaamd lekker gevonden hadden. Ze keek naar het patroon van de mouw op tafel en de foto van het model op de voorkant van het tijdschrift. De vrouw stond met haar handen in de zij, om haar smalle taille te accentueren, en zag eruit alsof ze zich nergens druk over maakte. Rachel probeerde de pose na te doen en oefende een zonnige glimlach in de spiegel aan de muur tegenover haar.

Haar moeder legde haar stevige, warme handen op haar benen en draaide haar om op de stoel, zodat ze met haar gezicht naar de andere muur kwam te staan. Uit de radio klonken de sonore tonen van een Beethoven-symfonie. Op de plank boven de deur naar de gang stond een rijtje koperen patroonhulzen die van haar grootvader waren geweest. Tegen de andere muur stond een veel te groot dressoir met het goede porseleinen servies en haar moeders verzameling boeken van Dickens, waarvan Rachel er, ondanks de aanmoedigingen van haar moeder, niet een gelezen had. Ze moest er niet aan denken wat haar moeder zou zeggen als ze wist dat onder Rachels kussen een exemplaar van *Forever Amber* lag, de gedurfde roman die op school nu razend populair was.

Haar moeder leunde achterover. 'Zo.'

Rachel sprong van de stoel en wiegde met haar heupen, zodat de jurk rond haar knieën ruiste.

'Wat vind je ervan?' vroeg ze, terwijl ze haar handen in de zakken van de rok stak en een dansje maakte op het kleine versleten vloerkleed.

Haar moeder pakte lachend het meetlint, dat ze om haar nek gedragen had. Ze zette haar bril af en legde hem op tafel. Zonder bril zag ze er jaren jonger uit. Toch was het krullende zwarte haar dat onder haar sjaaltje uit piepte al grijs aan de slapen en rond haar zachte bruine ogen lagen diepe rimpels. Alleen aan haar hals zag je dat ze in de bloei van haar leven was. Het was een lange, gladde en trotse hals, waar altijd een eenvoudig zilveren kruisje om hing, dat ze vaak als een talisman tussen haar vingers hield.

Rachel keek naar haar nietige platte borst. Ze maakte een spijtig geluid. 'Ik wou dat ik wat ronder was.'

'Je bent goed zoals je bent,' zei Rachels moeder, die het meetlint behendig oprolde.

'Ik lijk wel een jongen.'

Laurel Vale deed haar ogen dicht en schudde op haar gebruikelijke vermoeide manier haar hoofd. Ze had een diepe rimpel tussen haar wenkbrauwen, die nog dieper werd toen ze Rachel veelbetekenend aankeek.

'We krijgen toebedeeld wat we toebedeeld krijgen,' zei ze. 'Haal het niet in je hoofd om iets anders te wensen. Je hebt de mooie benen van je grootmoeder. Wat wil je nog meer?'

Rachel keek naar haar benen en wierp toen onwillekeurig een blik op die van haar moeder, roerloos onder het geruite dekentje over haar knieën. Ook zij had ooit mooie benen gehad – die had ze nog steeds, alleen deden ze het niet meer.

Het verbaasde Rachel altijd dat de benen van haar moeder er zo gewoon uitzagen, terwijl ze ze toch niet kon bewegen. In het begin had Rachel stiekem gehoopt dat haar moeder maar deed alsof. Dat ze de wil om te bewegen bewust had opgegeven. Als een soort stellingname.

Maar dat was alleen maar een kinderlijke fantasie geweest. Haar moeder had een ijzeren wil en was zo trots als een leeuwin. Er was niets onechts aan haar stille lijden als Rachel haar 's avonds naar boven hielp. Ze wist dat haar moeder het vreselijk vond om afhankelijk te zijn van haar dochter. Maar haar moeder sloeg zich er met zoveel kracht en waardigheid doorheen dat Rachel soms gewoon vergat dat ze invalide was. Vergeleken met de meeste mensen leek ze juist uitzonderlijk valide.

'Pearl heeft nieuwe kousen,' zei Rachel.

'Ik kan deze maand geen nieuwe kousen betalen.'

'Teken je dan naden voor me op m'n benen?' vroeg Rachel. Ze keek haar moeder over haar schouder aan en stak een witte kuit naar achteren. 'Dat heeft de moeder van Anne ook gedaan.'

'Het kan me niets schelen wat de moeder van Anne doet. Ik wil niet dat je eruitziet als een...' Rachel keek haar moeder aan, benieuwd of ze iets lelijks zou zeggen. Maar ze wist dat ze dat niet kon. 'Je-weet-wel,' vervolgde ze. 'En nu opschieten. Trek die jurk uit, dan kan ik naaien terwijl jij in bad zit.'

Rachel tuurde door de deuropening naar de tinnen tobbe in de keuken, die naast het gasfornuis stond. Ze wist dat ze haar adem zou kunnen zien zodra ze er binnenging.

'Kunnen we de tobbe niet hier neerzetten? Het is hier veel warmer.'

'Nee.'

Het was het speciale 'nee' van haar moeder. Het nee van de baas in huis. Een nee dat geen verklaring nodig had, en ook niet kreeg.

In één behendige beweging had haar moeder haar stoel omgedraaid en de deur opengeduwd. Terwijl ze van de schuine plank de keuken in reed sloeg een vlaag koude lucht tegen Rachels benen. Ze keek toe hoe haar moeder de zware ketel van het fornuis tilde en resoluut in de tobbe leeggoot.

'Kom op. En een beetje snel graag,' zei ze vanuit een wolk stoom. Rachel trok de jurk uit en legde hem voorzichtig over de rugleuning van de stoel. 'Voor je broer komt en ook in bad wil.'

Het had geen zin om tegen haar moeder in te gaan. Vrijdagavond was badavond en Laurel Vale had persoonlijke hygiëne hoog in het vaandel staan. Rachel vroeg zich af of haar moeder ooit, al was het maar één keer, haar routine los zou laten.

Rachel volgde haar onwillig de keuken in. Ze rilde.

'Zal ik je haar wassen?' vroeg haar moeder.

'Dat doe ik zelf wel,' antwoordde Rachel opgelaten. Ze vond het niet prettig als haar moeder met haar tutte alsof ze nog een klein kind was.

Haar moeder knikte en reed weg. 'Dan laat ik je maar met rust.'

'Mam,' riep Rachel haar na. 'Dank je voor de jurk. Hij is prachtig.'

Haar moeder draaide zich om in het schaarse licht. Haar gezicht stond bedroefd. 'Je bent al zo groot, ik wou dat je vader je zo kon zien,' zei ze.

Aangezien de afwezigheid van haar vader zo'n belangrijk punt in hun gezin was, vond Rachel het een wrange gedachte dat ze zich zijn aanwezigheid helemaal niet kon herinneren. Ze zou het nooit tegen Bill of haar moeder zeggen, maar hoe vaker ze in de loop van de jaren na Thomas Vales dood naar de foto op het kanten tafelkleedje naast haar moeders grote mahoniehouten bed gekeken had, hoe vreemder hij haar voorgekomen was. Uiteindelijk had ze zich erbij neergelegd dat het stijve zwart-wit beeld van haar vader bijna de som van haar herinneringen was.

Ze twijfelde er niet aan (haar moeder had het vaak genoeg tegen haar gezegd) dat haar vader van haar gehouden had, maar ze had er geen enkel bewijs van – geen aandenken, geen briefje, geen haarlok of snuisterij die ze haar eigendom kon noemen. Ze wist dat ze hem meer hoorde te missen en dat het vreselijk was om een ouder kwijt te raken, maar haar moeder miste hem al voor twee. Rachel had lang geleden al besloten het rouwen aan haar moeder over te laten en zich zelf op het leven te concentreren. Tenslotte werd er bij haar thuis al genoeg naar het verleden gekeken en Rachel vond de toekomst veel interessanter.

Ze was niet van plan het aan iemand te vertellen, zelfs niet aan Pearl en Anne, haar beste vriendinnen, maar Rachel had haar toekomst al helemaal uitgedacht: lange reizen (vooral Afrika trok haar aan), een spannende liefdesaffaire met een exotische en ongewone man (gevolgd door een overdadig trouwfeest) en ongekende rijkdom (ze moest op z'n minst een groot herenhuis en een auto met chauffeur hebben). Maar het belangrijkste was dat ze zich zou onderscheiden.

Ze had genoeg over Florence Nightingale en Emily Pankhurst gelezen om te weten dat ze meer met hun soort vrouwen gemeen had dan met het gelaten, huiselijke type dat haar moeder kende van de plaatselijke vrouwenclub. Nee, dacht ze, terwijl ze haar vingers in elkaar haakte en haar armen voor zich strekte, een leven van eten koken en stoepen schrobben was niets voor haar. Als zij haar zin kreeg, zou ze anderen voor zich laten koken en poetsen.

Rachel koesterde zich in het warme water en liet de zeep schuimen in haar handen. Ze wist dat Bill zich ergerde als het water troebel was en de zeep een slijmerige homp, maar ze had het te druk met dagdromen om daar lang bij stil te staan. Op een dag zou ze in een huis met een badkamer wonen, met grote gouden kranen en spiegels rondom. Ze had geen idee hoe ze dat voor elkaar moest krijgen, maar Rachel wist dat het haar zou lukken. Het moest wel. Bill had er misschien geen moeite mee om in de winkel te staan en een brave dorpsjongen te zijn, maar Rachel wist dat zij anders was.

En ze wist ook dat er hier nooit iets zou veranderen. Na haar vaders dood, nog voor het proces, had ze aangenomen dat ze zouden verhuizen om ergens anders opnieuw te beginnen. Ze had aangenomen dat de mensen hen als leprozen zouden behandelen. Dat ze de winkel zouden mijden omdat ze niet aan het gebeurde herinnerd wilden worden. Dat de Vales voor altijd besmet zouden zijn.

Maar haar moeder had het schamele beetje geld dat haar vader hun had nagelaten gebruikt om de winkel te schilderen, opnieuw in te richten en te beveiligen. Toen was haar slotobsessie begonnen. Drie op de voordeur, drie op de achterdeur, twee op elk raam. Ze had de winkel veranderd in een fort, beter beveiligd dan de Bank van Engeland. En toen ze er eenmaal van overtuigd was dat er nooit meer ingebroken zou worden, en de sleutels als een waarschuwing aan de ijzeren ring aan haar riem hingen, had ze verklaard dat de zaken gewoon doorgingen. Ze had iedereen uitgedaagd om haar plannen te dwarsbomen, of zelfs maar medelijden met haar te hebben, alsof ze met haar energie en haar wilskracht alles wat er gebeurd was kon wegpoetsen.

En het was haar gelukt. Laurel Vale had besloten dat alles moest doorgaan alsof er niets gebeurd was, en na een tijdje ging alles ook echt zo door. Als mensen in het begin al dachten dat ze op de plaats van het misdrijf stonden als ze de winkel binnenkwamen, dan leken ze dat na een tijdje helemaal vergeten te zijn. Door de eindeloze routine, van de winkel die open- en dichtging, van steeds dezelfde klanten die in- en uitliepen, was het net alsof er elke dag een heel dun laagje vloeipapier over de winkel kwam te liggen, net zo lang tot de tragedie gesmoord was, weggemoffeld onder het gewicht van het gewone leven.

Thuis spraken ze er nooit over. Ze waren er natuurlijk wel, de gevolgen van wat er gebeurd was, maar ze bleven onder de oppervlakte. Overdag was haar moeder opgewekt en beleefd in de winkel, 's avonds, als ze gegeten en afgewassen hadden, ging ze naar haar kamer.

En op die avonden voelde Rachel het gewicht van haar moeders verdriet. Ze voelde het in het gedempte huilen en het eindeloze bidden achter de gesloten deur van haar moeders slaapkamer. In de zwarte jurken aan de waslijn. Het zat in de zware, verstikkende stilte op de sterfdag van haar vader, of op zijn verjaardag, of op hun trouwdag. In de religieuze borduurwerkjes die ingelijst op de donkere overloop hingen, allemaal gewijd aan de nagedachtenis aan Thomas Vale.

Soms zon Rachel op manieren om haar moeder van haar verdriet te verlossen, en Bill van zijn woede. Ze wilde hen bevrijden, zodat ze weer eens echt gelukkig konden zijn. Maar dat zou nooit gebeuren. In haar somberste buien vond Rachel dat Bill en haar moeder elkaar verdienden. Haar moeder wílde haar verdriet niet loslaten en Bill wílde kwaad blijven. Daardoor waren ze wie ze waren. Nou, één ding stond vast: zij was anders.

Rachel hoorde de achterdeur dichtslaan, en Bill riep: 'Ik ben thuis.'

'Ah, daar ben je,' hoorde ze haar moeder, opeens veel vrolijker, zeggen. Rachel trok een gezicht toen ze zich voorstelde hoe hij zich over haar heen boog om haar een kus te geven. Haar moeder was zo aan Bill verknocht, soms werd ze er misselijk van. Ze hoorde dat haar moeder de radio uitzette.

'Ik ben uitgehongerd,' zei Bill.

'Ik heb je eten voor je bewaard. Het staat in de oven.'

Rachel sloeg haar armen over elkaar en liet zich dieper in het water zakken.

'Pardon!' zei ze verontwaardigd toen haar broer de keuken binnen denderde.

'Maar...'

'Wegwezen!'

'Nou, schiet dan een beetje op.'

Toen Bill weg was stak ze een van haar slanke benen uit bad, strekte haar tenen en aaide over haar scheenbeen alsof ze een ballerina was. Met een lachje pakte ze Bills scheermes, dat ze uit het wc-hokje buiten ontvreemd had, en begon haar benen te scheren. Ze was helemaal niet van plan om op te schieten. Hij was haar vader niet. Hij had niet het recht om de baas over haar te spelen. Nu moest Bill Vale maar eens naar haar pijpen dansen.

De voddenboer was vroeg die zaterdagochtend. Rachel hoorde het paard en de bel al door de hoofdstraat komen voordat Bill begon te schreeuwen dat ze op moest staan om hem te helpen een oud matras naar buiten te sjouwen. Ze deed alsof ze hem niet hoorde en trok het kussen over haar hoofd. Maar toen herinnerde ze zich dat ze vanavond naar het bal ging. Het was niet slim om Bill op de kast te jagen, want als ze te ver ging stak hij misschien een stokje voor haar plannen.

Buiten was er geen wolkje aan de lucht. De vogels kwetterden en zaten elkaar achterna boven de rivier. Bill stond voor de winkel naast een ingezakt matras, met zijn mouwen opgestroopt.

'O,' zei Bill. 'Je bent wakker.'

'Sorry dat ik er niet eerder was, ik zocht nog een wortel voor het paard,' zei Rachel, terwijl ze het slappe peentje dat ze uit de compostemmer bij de achterdeur gehaald had in de lucht stak.

Bill had geen tijd om daar iets op te zeggen, want opeens stond Rachel lachend naar de overkant van de straat te wijzen, waar James Peters zijn huisje uit kwam rennen en snel zijn bretels ophaalde voor hij haastig de paardenmest in een emmertje begon te scheppen. Die mest gebruikte hij voor zijn rozentuin.

'Morgen, James,' schreeuwde Bill, maar die had het te druk om antwoord te geven.

'We zouden dat spul in de winkel moeten hebben,' zei Rachel tegen Bill, terwijl ze het gigantische trekpaard een klopje gaf en de wortel voorhield. 'Dan worden we rijk.'

Bill lachte, met het matras nog steeds in zijn handen. 'Ik denk niet dat mama daar wat voor voelt. Help me even met dit ding, wil je?'

Toen ze klaar waren hielp Rachel haar moeder met opstaan. Ze masseerde haar onderrug, die altijd stijf werd van het liggen.

Daarna hielp ze haar naar de keuken beneden, waar Bill al eieren met spek gebakken had. Onder het eten bladerde Rachel wat in de krant en toen Bill om tien voor negen de luiken van de winkel opendeed, leek iedereen in een goed humeur.

Het was meteen druk; de vaste klanten wilden hun boodschappen gedaan hebben vóór de komst van de onvermijdelijke bussen met toeristen. Pas om tien uur werd het even iets rustiger.

'Ik ga de bestellingen rondbrengen,' kondigde Bill aan, en hij deed zijn schort af. 'Ik heb er maar een paar, en ik moet ook even naar de familie Jones. Ik ben zo terug. Als Ralph komt met de zuivel, zeg dan maar dat hij even moet wachten.'

'Ik ga wel,' zei Rachel, die om de toonbank heen rende en voor de deur ging staan. 'Laat mij het maar doen.'

'Dat gaat niet. Jij moet hier blijven om mama te helpen. En als ik zeg hier blijven, dan bedoel ik ook hier blijven. Niet stiekem met Anne en Pearl naar het strand gaan.'

'Maar als jij op een leverancier wacht, is het toch beter als ik even op de fiets spring?' wierp Rachel op vriendelijke toon tegen. 'Hier,' zei ze, en ze wilde de zakken al uit Bills handen trekken, 'geef maar.'

'Nee,' zei Bill, die de zakken tegen zich aan drukte.

Rachel draaide zich om naar hun moeder. 'Het is niet eerlijk. Hij zegt altijd dat ik meer moet doen en nu bied ik aan om te helpen, en dan is het weer niet goed.'

'Laat haar maar gaan, Bill,' zei Laurel Vale, die de toonbank aan het opwrijven was. 'Jij kunt beter hier blijven.'

'Goed, hoor!' Hij duwde de zakken tegen Rachel aan, zodat ze bijna achteroverviel. 'Maar ik wil dat je meteen terugkomt. Vandaag is het alle hens aan dek.'

'Weet je, je zou eens wat minder wantrouwig moeten zijn.'

'Laat dan maar zien dat je te vertrouwen bent,' siste Bill.

'Ophouden jullie,' zei hun moeder. 'Bill, zo is het genoeg.'

Rachel vond het zelf een beetje stom dat ze zo geboeid was door Emily Jones, maar alle meisjes die ze kende waren van haar eigen leeftijd en hun moeders waren niet meer dan dat: moeders. Behalve een enkele zonderling woonden er in Stepmouth alleen maar doodgewone mensen. In ieder geval geen moderne mensen, en Emily was net een frisse wind, die de belofte van de buitenwereld meevoerde. De wereld die op een dag de hare zou zijn, dacht Rachel.

'Hé, hallo,' zei Emily met haar wonderlijke exotische accent, toen ze Rachel bij de voordeur van het Sea Catch Café begroette. 'Waar is je broer?'

'Hij heeft het druk in de winkel. Het weer, weet je. Dus ben ik maar gekomen.' Rachel stapte af en zette de fiets tegen de muur.

Emily haalde diep adem en zuchtte. 'Je boft dat je even naar buiten kunt. De lente hangt al echt in de lucht, hè?'

Emily zag er nog stijlvoller uit dan ze zich herinnerde. Ze droeg een strak wit truitje en een blauwe rok, maar door de manier waarop haar kleren om haar welgevormde lichaam sloten, zag ze eruit als het model in het tijdschrift dat Rachel gisteren had staan bewonderen. Haar blonde haar was aan de onderkant naar buiten gekruld en boven een van haar oren had ze er een mooie blauwe speld in gestoken. Haar lippen waren roze-rood gestift en ze rookte een lange sigaret met een gouden filter – Rachel had het merk nooit eerder gezien. Rachel had er nooit naar verlangd om iemand anders te zijn, behalve natuurlijk Marilyn Monroe, maar dat was een filmster. Nu zou ze willen dat ze was zoals Emily.

Rachel haalde de zak met groenten uit de mand voor op de fiets en gaf hem aan Emily.

'We zullen het vandaag allemaal wel druk krijgen,' zei Emily nadat ze haar bedankt had. 'Je moet hier een keer met je moeder en je broer komen eten. Ik weet dat we nu alleen maar café zijn, maar ik ga er een *diner* van maken, of een restaurant.' Ze wees naar het café achter haar. 'Ik denk erover om 's avonds een jazzband te laten spelen. Zodat het hier een beetje gaat swingen. Hoe lijkt je dat?'

Rachel wist niet wat ze moest zeggen. Ze wist niet wat een diner was en ze was nog nooit naar een restaurant geweest. Ze ging nooit ergens heen met haar moeder, behalve naar vrienden en de kerk. Als ze ooit al een uitstapje maakten, namen ze boterhammen met gerookte vis of ham mee. Eten in een restaurant waar een jazzband speelde leek Rachel het toppunt van extravagantie. Op grond van haar ervaring met de inwoners van Stepmouth durfde ze nu al te voorspellen dat ze schande zouden spreken van een dergelijke gelegenheid.

'Dat klinkt geweldig.'

'De diner of het restaurant?'

'Wat is een diner?'

Emily lachte, maar niet op een neerbuigende manier. 'Een diner? Tja, dat is een soort melksalon. Er zit een heel leuke in New York, daar kwam ik vaak. Ze hebben er allemaal aparte zitjes, waar je milkshakes drinkt en hamburgers eet.'

'Ik ga later ook naar New York.' Rachel had het niet hardop willen zeggen.

'Je zult het er fantastisch vinden,' zei Emily, alsof Rachels ontboezeming de gewoonste zaak van de wereld was, en volkomen realistisch. 'Je moet echt naar het Empire State Building. O, en naar Macy's. Je kijkt je ogen uit in de winkels daar. Ik weet precies waar je moet zijn.'

Er viel een stilte. Ze voelde dat Emily naar haar keek, maar ze geneerde zich zo dat ze haar blik ontweek. Ze durfde niet op haar plannen in te gaan. Emily trapte haar sigaret uit op het stoepje.

'En, wat doe je later?' vroeg ze, alsof ze het even over iets heel anders wilde hebben. 'Ik bedoel, wat moet je op zaterdagavond in Stepmouth? Ik ben er nog niet achter.'

'Ik ga naar het bal. Het is maar gewoon voor mensen van hier.'

'Dat is beter dan niets,' zei Emily. 'Wat trek je aan?'

'Mijn moeder heeft een jurk voor me gemaakt.'

'Kom even binnen,' zei Emily met een lachje, alsof ze opeens iets bedacht had. 'Misschien heb ik iets voor je.'

Rachel was nog nooit in het café geweest, aangezien er uitsluitend toeristen kwamen. Het was groter dan ze verwacht had. Op de tafels lagen rood geblokte tafelkleedjes. Eén van de wanden bestond bijna helemaal uit raam, zodat je uitkeek op de rivier in de diepte. Op de vensterbanken aan de buitenkant stonden bakken met gele en paarse viooltjes. Het deed Rachel vaag aan de Alpen denken, vanwege een foto van een skihut die ze ooit gezien had.

'Ah, daar is de grote man,' zei Emily. Rachel volgde haar blik naar een deur naast het doorgeefluik. Rachels hart maakte een sprongetje. Want in de deuropening stond Tony Glover, met een vaatdoek in zijn handen. Hij bleef stokstijf staan toen hij haar zag.

'Tony is mijn reddende engel in de keuken,' vervolgde Emily. 'Ik weet echt niet wat ik zonder hem zou moeten. Hij wordt op een dag vast een prima kok. Kennen jullie elkaar?'

Emily weet het niet.

Het drong met zo'n grote schok tot Rachel door dat ze Emily alleen maar sprakeloos kon aanstaren. *Emily weet het niet.* Ze kende de geschiedenis van de Vales en de Glovers niet. Ze wist niet dat er miljoenen redenen waren waarom zij en Tony nooit met elkaar alleen gelaten mochten worden.

Moest ze iets zeggen? Moest ze Emily's illusie verstoren? Op zoek naar het antwoord wierp Rachel een blik op Tony. Een bundel zonlicht viel door het raam tussen hen in, fijn stof glinsterde in de lucht. Toen hij haar aankeek, zag ze de vraag in zijn ogen en ze hield haar adem in.

Weer lieten haar vooropgezette ideeën haar in de steek en had Rachel het gevoel, net als toen na die vechtpartij, dat er iets weggevallen was, dat ze de waarheid in het gezicht keek. Want ze kon niet ontkennen dat Tony Glover er heel gewoon uitzag. Hij zag eruit als een normaal mens. Helemaal niet als de waardeloze schoft die hij was. Hij zag er niet uit als de boeman van Stepmouth. Hij zag eruit als iemand die voor Emily werkte. Als iemand die Emily mocht en vertrouwde. En het viel ook niet te ontkennen dat hij knap was, zoals hij daar bij het raam stond, met het heldere zonlicht op zijn gezicht.

'Nou? Kennen jullie elkaar of niet?' vroeg Emily opnieuw. Ze keek van de een naar de ander, duidelijk in verwarring.

'Zo'n beetje,' zei Tony. Hij wreef over zijn slaap.

Emily knikte. 'Mooi. Dan vermaken jullie je wel even. Ik ben zo terug,' zei ze, en ze deed de deur naar de gang open.

Toen Emily eenmaal weg was, werd de spanning tussen Rachel en Tony zo groot dat ze bijna geen woord kon uitbrengen. Ze probeerde zich voor te stellen dat ze echt in een of ander skioord terechtgekomen waren, ver weg van Stepmouth en iedereen die ze kenden. Zo moeilijk was dat niet. Ook al hadden ze nog geen woord tegen elkaar gezegd, het was net alsof ze in hun eigen luchtbel zweefden, waar de regels van hun gewone leven niet golden.

'Hoe is het met je gezicht?' vroeg ze. De blauwe plekken leken minder geworden.

'Een stuk beter.'

'Ja. Nou, zoals ik al zei: sorry.' Ze deed haar best om hard te klinken, ongevoelig zelfs, maar haar stem klonk hees.

'Laat maar. Ik ben het huis uit gegooid. Maar het was toch tijd dat ik vertrok... dat ik voor mezelf ging zorgen. Dus eigenlijk heb je me een plezier gedaan. M'n moeder, weet je. Die heeft het niet zo op vechten.'

Rachel staarde hem aan terwijl deze openbaring tot haar doordrong. Mevrouw Glover, de ontaarde moeder, de schaamteloze helleveeg, had een geweten? Ze had haar zoon eruit gegooid omdat hij gevochten had?

'Waar woon je nu dan?' vroeg ze.

'In een schuur op het land van de oude Dooley. Hij heeft die schuur aan mijn opa gegeven toen die zijn leven had gered.'

Alweer werd Rachel door de bliksem getroffen. Er bestond een Glover die levens *redde*?

'O ja?'

Emily stormde het café binnen en Rachel maakte een sprongetje van schrik.

'Alsjeblieft,' zei ze buiten adem, en ze gaf Rachel een klein, vierkant doosje.

Rachel maakte haar blik van Tony los en nam het doosje aan. Het doosje was zwart-wit geblokt en er stond een vrouw op getekend die vooroverboog. Door het doorzichtige plastic in het deksel zag Rachel dat er een paar doorzichtige nylon kousen in zat.

'Alsjeblieft. Beter krijg je ze niet,' zei Emily lachend.

'Nee, dat kan niet,' stamelde Rachel, verbaasd over Emily's gulle gebaar.

'O, vooruit, neem maar. Je broer heeft me laatst een grote dienst bewezen. Hij heeft me chocola gegeven om aan mijn moeder cadeau te doen. Ik was hem nog iets schuldig, maar ik weet dat hij de pest heeft aan chocola...'

'Hè? Hij is dol op chocola,' riep Rachel, zonder Emily te laten uitspreken. 'Dat vindt hij het lekkerste van de hele wereld. Zei hij dat hij het niet lekker vindt?'

Er verscheen een raadselachtig lachje op Emily's gezicht. 'Maakt niet uit,' zei ze. 'Maar bedankt. Ik geef hem nog wel een keer een reep chocola. Maar intussen mag jij deze hebben. Een meisje kan altijd wel nieuwe kousen gebruiken. De meisjes die ik ken in ieder geval wel.'

Rachel kon de woorden niet vinden. Het waren de mooiste kousen die ze ooit gezien had. Anne zou groen zien van jaloezie.

'Trek ze vanavond maar aan naar het bal. Een meisje moet af en toe iets bijzonders hebben om indruk te maken op de jongens.' Emily knipoogde naar Rachel en wierp opvallend een blik over haar schouder. Maar Tony was alweer in de keuken verdwenen.

'Nou, zeg eens wat,' zei Emily, opgewonden over haar eigen cadeautje.

'Dankjewel!' zei Rachel uitbundig.

Eenmaal weer buiten reed Rachel op de fiets de steeg in. Toen ze er zeker van was dat niemand haar kon zien haalde ze het pakje sigaretten dat ze bewaard had uit haar zak. In de verte klingelden de masten van de vissersboten, op Harbour Bridge ging een auto over in een andere versnelling. Dichterbij kon Rachel haar eigen hart bijna horen kloppen.

Ze nam een flinke trek van haar sigaret en dacht aan Emily, die er vandaag zo mooi uitzag. En toen verscheen, zonder dat ze het wilde, het beeld van Tony voor haar geestesoog, de zon op zijn gezicht, zijn donkerblauwe ogen die zich in de hare priemden. Tony Glover. Meer dan ooit wilde ze dat hij tegenover haar stond. Ze wilde hem uitdagen, met hem vechten, hem dwingen om uit te leggen waarom hij haar daarnet zo in de war had gemaakt.

Rachel sloot heel even haar ogen. Ze blies de rook uit en voelde zich een heel klein beetje duizelig. Maar ze voelde ook iets anders: een zachte, warme gloed die zich door haar buik verspreidde als ze aan Tony's gezicht dacht.

Abrupt deed ze haar ogen weer open, alsof iemand haar betrapt had. Dit kon niet waar zijn. Ze kon geen begeerte voelen voor Tony Glover. Dat kon gewoon niet. Ze gooide haar sigaret weg en liep met de fiets aan de hand rillend terug naar de straat. Ze kon niet naar zijn vlees verlangen. Het mocht niet.

Want Tony's vlees was slecht. Door en door slecht. Tony's vlees had haar familie kapotgemaakt. Want het was zijn broer, Keith Glover, geweest die met een bivakmuts op zijn hoofd en een geweer in zijn handen midden in de nacht bij Vale Supplies inbrak om de kassa leeg te roven. Het was Keith Glover die zich omdraaide naar haar geschrokken vader in zijn pyjama en hem van dichtbij neerschoot. Het was Keith Glover die onaangedaan toekeek toen hij dood neerviel en zijn doodsbange vrouw achter hem opdook. En het was Keith Glover die, voor hij ervandoor ging, nog een keer schoot, die Laurel Vale's bekken verbrijzelde en haar voor het leven verlamde.

7

Mallorca, nu

Bij het hek van Sa Costa stapte Laurie uit de taxi. Ze zuchtte tevreden en koesterde zich in de hitte van de middagzon. De knappe jonge vrouw die aan de kant van de stoffige, met cipressen omzoomde weg op haar had staan wachten, boog zich voorover en zei door het geopende raampje in het Spaans iets tegen de chauffeur. Daarna wendde ze zich tot Laurie.

'Mevrouw Glover heeft me gebeld. Ik ben Maria,' zei ze, terwijl ze Laurie de hand schudde. Ze had kleine donkere krulletjes en droeg een bloemetjesjurk en een modieuze zonnebril. Laurie voelde zich helemaal een Engelse in het buitenland, half verblind door de zon als een muis die na een lange druilerige winter weer uit zijn holletje kruipt.

'Ik werk op het hoofdkantoor van Ararat in Palma,' vervolgde Maria. De taxichauffeur maakte intussen de achterbak open en liep, sabbelend aan een sigaret, om de auto heen om Lauries bagage eruit te halen. 'Ik hou de boel een beetje in de gaten als mevrouw Glover er niet is. De oprijlaan is net nieuw aangelegd, ben ik bang, dus de taxi kan niet helemaal tot aan het huis rijden.'

Maria werkt vast met Sam, dacht Laurie onmiddellijk, en ze kreeg een schok bij dit stiekeme inkijkje in Sams wereld – een wereld die nu zo angstaanjagend dichtbij was dat ze hem bijna kon aanraken. Misschien zou Maria zelfs wel laten vallen dat Laurie op Mallorca aangekomen was...

Laurie vermande zich en richtte haar aandacht op haar bagage. Was ze gek geworden? Waarom dacht ze dit allemaal? Ze was niet van plan ook maar één gedachte aan die verdomde Sam Delamere te wijden. Daarom was ze hier niet gekomen. Ze wilde niets met hem te maken hebben. Ze was hier op uitnodiging van haar geweldige nieuwe tante en niets – zeker Sam niet – zou haar relatie met haar nieuwe familie verstoren.

'We moeten verder lopen,' zei Maria, die het briefje van vijf euro pakte dat Laurie aan de chauffeur had willen geven. 'Speciaal tarief,' legde ze uit. 'Voor de familie.'

Laurie stopte het geld terug in haar portemonnee en bedacht, niet voor het eerst, dat Rachels invloed iets maffia-achtigs had. Ze kon alleen maar raden wat voor man Tony geweest moest zijn, maar Rachel zelf leek verdacht veel op de *Godfather*. Ze drukte op zo'n innemende en vanzelfsprekende manier haar zin door dat het bijna onmogelijk was om haar tegen te spreken.

Niet dat Laurie bezwaar had gehad tegen haar royale aanbod: exclusief gebruik van Rachels huis op Mallorca, zodat ze een paar maanden rustig kon werken. Haar timing was gewoon te mooi om waar te zijn.

En nu ze hier was losten ook haar laatste twijfels op in de heiige Spaanse lucht. Toen de taxi in een wolk van stof was weggereden, werd Laurie zich bewust van de stilte, die alleen verstoord werd door het gekwetter van de vogels in de bomen en het ritmische getjilp van de krekels.

'Mevrouw Glover is heel goed voor mijn familie. We zijn erg verdrietig om meneer Glover. We vinden het allemaal heel, heel erg,' zei Maria. Ze maakte een klein gietijzeren hekje open, naast het grote elektronische hek. 'Het is een vreselijk verlies voor jullie.'

Laurie hoorde nauwelijks wat ze zei. Ze werd volledig in beslag genomen door het huis. Bougainville in de kleur van frambozenpudding bedekte de muur aan de kant van het smalle weggetje en achter de hekken zag ze bloeiende cactussen en kleine palmbomen langs de oprijlaan, die met een bocht uit het zicht verdween, alsof hij het oerwoud in liep. Ze was zo onder de indruk dat ze te laat besefte dat Maria haar condoleerde en haar vol medeleven aankeek.

'O, ja,' stamelde ze, met het gevoel dat ze een bedriegster was. 'Het was een vreselijke schok.' Laurie verborg haar gêne door het handvat van de grootste koffer uit te trekken, zodat ze hem over de oprijlaan kon rijden. Ze had ook een grote tas bij zich, vol schildersdoeken, penselen en verf, die ze nu op haar schouder hees. Ze had zelfs een hamer meegebracht, om het raamwerk voor de doeken mee te timmeren.

Laurie volgde Maria langs de rand van de nieuwe oprijlaan. Zodra het hek achter hen in het slot viel, vulde Lauries neus zich met het aroma van bloemen, dat het opnam tegen de geur van nieuw, glanzend asfalt. Ze hoorde het lome ritme van discreet weggewerkte watersproeiers en had het gevoel dat ze in een geheime tuin terechtgekomen was, miljoenen kilometers van de stress van haar gewone leven verwijderd.

'We missen meneer Glover allemaal,' zei Maria. 'Hij had altijd heel veel aandacht voor ons. Zonder hem zal het heel anders zijn. Hij was dol op dit huis. Toen hij het kocht was het een krot. Volgens mijn vader stond het toen al vijftig jaar leeg. Maar dat weet je natuurlijk allemaal al.'

Ze waren de bocht om gelopen en Maria's stem stierf weg toen Laurie onwillekeurig bleef staan, diep onder de indruk van wat ze voor zich zag. Het huis, van oorsprong een boerderij, was schitterend. De lichte baksteen ging schuil onder een zee van rode bloemen rond de gewelfde houten deur. Ervoor stonden drie enorme palmbomen met wijd uitwaaierende bladeren. Daarachter, voorbij de keurig gesnoeide struiken, zag Laurie een met wijnranken begroeid terras met een gigantische barbecue. Het was een huis dat je alleen tegenkwam in de duurste, meest exclusieve vakantiegidsen. En het was van haar. Helemaal van haar.

'Jij hebt geluk. Je familie... het zijn zulke geweldige mensen,' zei Maria, die wachtte tot Laurie haar ingehaald had.

'Ik heb tot voor kort nooit veel contact met ze gehad,' prevelde Laurie, maar Maria hoorde haar bekentenis niet. Ze stak de sleutel in de voordeur en wierp een blik op haar horloge.

'Het spijt me, ik moet nu gaan. Ik moet terug naar kantoor. Mijn neef Fabio maakt het zwembad schoon en haalt boodschappen voor je, als je wilt. Als de familie hier is, brengt hij vis en fruit van de markt.'

Dit is het paradijs, dacht Laurie. Ze hoefde niet eens boodschappen te doen. Het was precies zoals Rachel gezegd had. Ze zou helemaal alleen zijn en niemand zou haar storen.

Maria overhandigde Laurie de sleutels en viste een kaartje uit haar handtas. 'Dante, de tuinman, komt elke dag, maar hij spreekt bijna geen Engels. Als er problemen zijn, of als je iets wilt vragen, bel me dan.'

'Dank je. Dat is aardig van je.'

Maria glimlachte en zwaaide nog een keer voor ze de oprijlaan weer af liep. 'Veel plezier,' zei ze.

Eenmaal alleen duwde Laurie de zware voordeur open en zuchtte toen de koelte van het huis zich om haar sloot. Ze stond in een eenvoudige hal, met terracotta plavuizen op de vloer en sobere witte muren waaraan smaakvol ingelijste abstracte schilderijen hingen. Ze bleef even staan bij een zwart-witfoto op het kastje. Met een glimlach herkende ze Christopher en Nick als jongetjes, en net als toen ze haar op de avond voor Tony's begrafenis andere foto's hadden laten zien, speet het haar dat ze zelf niet op die vrolijke familiekiekjes stond. Maar ze kon de verloren tijd nog inhalen, dacht ze, terwijl ze de foto terugzette.

Een antieke houten staande klok tikte op het ritme van haar voetstappen toen ze naar de marmeren trap en een stel zware eiken deuren liep. Voorzichtig duwde Laurie een van de deuren open. Ze zag een grote woonkamer, met comfortabele rotan banken en stoelen en een enorme rustieke tafel waaraan achttien mensen konden zitten. Aan het plafond hingen grote houten ventilatoren en aan de andere kant van een brede doorgang lag een gigantische keuken met een ouderwets gasfornuis en een modern kooktoestel en een chique ontbijtbar, compleet met een klein model jukebox.

Maar het mooiste aan de kamer was de glazen schuifpui. Laurie liep op haar tenen over het lichte vloerkleed en draaide de sleutel in een van de deuren om. Pas toen ze het terras op liep zag ze wat Sa Costa zo bijzonder maakte. Het uitzicht was oogverblindend: achter het zwembad en de keurig gemaaide gazons lag een woud van olijf-, eucalyptus- en citrusbomen, en daarachter de glinsterende blauwe zee. Rachel had gezegd dat er een pad door de boomgaard naar het strand liep, maar Laurie had aangenomen dat het een openbaar pad was. Ze was nooit op het idee gekomen dat het huis een eigen strand had.

Nu wist Laurie niet of ze moest jubelen van blijdschap of door de grond zakken van schaamte. Uit Rachels mond had het zo logisch en vanzelfsprekend geklonken dat Laurie hier een tijdje zou werken, maar nu was het net alsof ze achteloos een cadeautje aangenomen had, om er thuis pas achter te komen dat ze iets belachelijk duurs gekregen had. Hoe had zij moeten weten wat voor huis dat huis van Rachel was?

'Allejezus!' riep ze hardop uit. Ze ademde de warme lucht in en keek naar de vlinders die vlak bij haar gezicht rondfladderden. Ze schrok toen een ijsvogel langs haar oor schoot, zijn snavel in het water van het zwembad stak en over de witte duikplank wegvloog.

Haar telefoon verbrak de stilte. Het was Roz. Ze was net zo enthousiast als Laurie over het vooruitzicht dat Laurie een paar maanden in het buitenland zou werken en was razend benieuwd naar het huis. Na Lauries expositie had ze een paar opdrachten weten los te peuteren en ze wilde dat Laurie er zo snel mogelijk aan begon. Ze was ook helemaal weg van het idee dat Laurie er opeens een hele familie bij had en had alles willen weten over Tony's begrafenis. En Laurie had haar gewillig alles verteld, op één belangrijk detail na.

Om een of andere reden had ze het niet opgebracht om Roz te vertellen dat ze Sam gezien had. Ze wist niet of ze het op onverschillige toon zou kunnen zeggen en als Roz eenmaal een vermoeden had van haar verwarde gevoelens, zou ze er nooit meer over ophouden. En als Roz van Sam geweten had, wist ze, zou ze het nooit goedgevonden hebben dat ze naar Mallorca ging, waar ze immers heel dicht bij hem zou zijn.

'En, wanneer komt James?' jubelde Roz toen Laurie haar het uitzicht beschreven had.

'Geef me even een kans! Ik ben letterlijk net aangekomen. Trouwens, James heeft het druk. Hij neemt een plaat op die volgende maand uit moet komen.'

'Arme jij. Ga je je dan niet vervelen? Straks ga je er nog met de zwembadschoonmaker vandoor.'

Laurie lachte. 'Echt niet. Ik moet werken, weet je nog?'

'Nou, als je gezelschap nodig hebt spring ik zo op het vliegtuig. Vergeet niet me te bellen, hè? Ik mis je nu al.'

Laurie hing op. Ondank haar goedmoedige gekibbel met Roz, voelde ze zich schuldig omdat ze niet helemaal de waarheid had gesproken. Het gaf haar hetzelfde weeë gevoel als toen ze haar vader vertelde dat ze naar het huis van 'een vriendin' ging. Laurie sloeg haar armen over elkaar, ze was opeens van streek. Hoe had ze het voor elkaar gekregen om van een goudeerlijk mens te veranderen in iemand die haar geliefde vader en haar beste vriendin zonder enige moeite een hele reeks leugens op de mouw speldde?

Maar ze had geen keus. De verhouding tussen haar en haar vader was vervelend gespannen sinds ze bekend had dat ze naar Tony's begrafenis was geweest en Laurie durfde het gewoon niet nog erger te maken.

'Ik zei al, ik wil de naam van dat mens niet meer horen,' had haar vader gezegd toen ze hem na terugkomst uit Somerset gebeld had.

'Maar, pap, Rachel is niet zo slecht als...'

'Ik bepaal niet wat jij wel of niet doet met je leven, Laurel,' had hij gezegd. 'Ik kan je niet tegenhouden als je iets doet waar ik het niet mee eens ben. Maar je weet hoe ik hierover denk. Je bent willens en wetens tegen mijn wens ingegaan en daarmee heb je me diep gekwetst. Als je wilt dat we op een beschaafde manier met elkaar blijven omgaan, stel ik voor dat je hier niet meer over praat.'

Dat was een onverhuld dreigement geweest. De betekenis ervan was zo helder als het water in het zwembad onder haar. De keus was en bleef: Rachel of haar vader.

'Wat ben je toch onredelijk,' had Laurie aan de telefoon geprotesteerd.

'En jij weet dat je te ver gaat. Ik wil geen ruzie met je. Dat zou me vreselijk verdrietig maken, maar als je hierover doorgaat gebeurt het wel. Als je met dat mens blijft omgaan...'

'Dus je wilt niets weten? Je wilt niet weten hoe het met haar gaat? Of hoe het voor mij was? Of hoe het met de rest van je familie is? Van *mijn* familie?

'Nee.'

'Maar...'

'Ik moet nu ophangen,' had hij abrupt gezegd, en hij had opgehangen.

Nou, pech voor hem, besloot Laurie, terwijl ze zich weer naar het huis omdraaide. Als hij niet kon zien dat Rachel een lieve en grootmoedige vrouw was, dan was dat zijn probleem. Laurie zou niet toelaten dat hij haar relatie met Rachel kapotmaakte, alleen maar vanwege een belachelijke grief die hij weigerde te verklaren. Wat hij ook deed, zij zou de verloren tijd inhalen en genieten van haar status als lid van een rijke familie.

Nadat ze zich tegoed had gedaan aan een pak vers perziksap uit de Amerikaanse koelkast, begon Laurie het huis te verkennen. De overheersende indruk was er een van goede smaak en properheid. Het was alsof ze door een stijlvol hotel dwaalde, niet door een huis waarin mensen woonden. Halverwege de trap trok ze haar schoenen uit omdat ze bang was om vlekken in de lichte vloerbedekking te maken.

Pas helemaal boven in het huis vond ze de fijnste kamer. Ze liet zich achterover op het bed vallen, met zijn mooie groen-witte lappendeken, en wiebelde op en neer op het zachte matras onder de hoge houten balken. Toen draaide ze haar hoofd en keek uit het kleine raam. Over het witte kozijn kropen de rode bloemen. In de verte zag ze de rotsachtige pieken van het Tramuntana-gebergte.

Hierboven heerste een kalme, serene sfeer en ze besloot haar koffer naar boven te sjouwen en haar hopeloos sjofele kleren meteen in de eenvoudige antieke kast te hangen. Als ze eenmaal op orde was zou ze zich vast niet meer zo geïntimideerd voelen door het huis.

Pas toen zag ze het. Ze kon nauwelijks geloven dat het haar niet meteen opgevallen was. Het stond op het kleine houten tafeltje, zo opvallend als een hoofd in een glazen pot, en net zo schokkend. Ze sprong van het bed en deinsde achteruit. Het was een foto van Sam en Claire op hun trouwdag.

Laurie probeerde rustig adem te halen en dwong zichzelf om om het bed heen te lopen en de foto te pakken. Door een waas keek ze in die vertrouwde lichtblauwe ogen, en ze dacht weer aan de begrafenis. Toen gingen haar gedachten terug naar de laatste keer dat ze hem zag vóór dat afschuwelijke moment, en dat was nog erger.

Het was nu drie jaar geleden. Drie lange, ellendige, moeilijke jaren, die in een seconde weggevaagd werden nu haar geheugen haar liet zien dat ze zichzelf al die tijd voor de gek had gehouden. Al die tijd had Sam zich in een hoekje van haar geest schuilgehouden, wachtend op het juiste moment om tevoorschijn te komen en haar weer voor zich op te eisen.

Het was een warme septembermaand geweest. Een perfecte septembermaand, die nu helaas voorbij was. In de vertrekhal van de luchthaven van Nice lag Laurie als een trillende, smoorverliefde puber in Sam Delamere's armen, terwijl de laatste oproep voor haar vlucht naar Engeland uit de luidsprekers kwam. Gretig kuste hij haar oogleden, haar neus, haar kin, haar oorlelletjes, totdat ze door haar tranen heen moest lachen. Ze was zo dicht bij hem geweest, had zoveel tijd in zijn nabijheid doorgebracht dat zijn huid aanvoelde als die van haar, alsof ze de afgelopen drie weken één en dezelfde persoon geworden waren. De gedachte dat ze nu uit elkaar gingen, dat ze niet meer dezelfde lucht zouden inademen, was de pijnlijkste die ze ooit gehad had.

'Ik hou van je, Laurie Vale,' zei hij. 'Jij en ik horen bij elkaar. Ik beloof je dat we de rest van ons leven samen zullen zijn. Ik beloof het, hoor je me? Zeg dat je me hoort.'

'Ik hoor je, liefste. O, Sam, ik kan hier niet tegen.'

Hij legde zijn voorhoofd tegen het hare.

'Ik kan geen afscheid nemen,' zei hij. 'Bespottelijk, maar ik kan het niet.'

Ze schudde haar hoofd en hij veegde een traan van haar wang.

'Ik ga het allemaal regelen,' zei hij zacht. 'Ik heb hooguit een week nodig, dan kom ik achter je aan.'

Behalve de pijn van het afscheid voelde Laurie opeens een groot medelijden – of was het schuldgevoel? – met die andere vrouw, Claire, met wie Sam het thuis zou uitmaken. Laurie was ook wel eens verlaten. Ze wist hoe zwaar het voor hen allebei zou worden. Ook al was de relatie, zoals Sam zei, eigenlijk al lang voorbij.

'Wees aardig voor haar, Sam,' zei ze. 'Doe haar niet meer pijn dan nodig is.'

Hij knikte. Hij begreep het. Boven hun hoofd klonk uit de luidspreker een dringende oproep aan alle achtergebleven passagiers van haar vlucht.

Laurie klampte zich aan Sam vast.

'Ga nu maar. Ga maar snel. Hoe eerder je gaat, hoe sneller we weer bij elkaar zijn,' zei hij. De pijn in zijn stem had haar hart gebroken.

Terug in Engeland was ze in het begin alleen maar euforisch geweest en had ze iedereen die het maar horen wilde verteld dat ze de liefde van haar leven had gevonden. Ze gaf zich over aan dromen over de toekomst. Ze hadden samen veel gepraat over plaatsen die ze graag wilden zien, en Laurie raakte geobsedeerd door het idee van een wereldreis als begin van hun tijd samen.

Binnen een paar dagen lag haar flat vol met brochures en *Lonely Planet*-gidsen, en informatie over koophuizen in vijf verschillende wijken, voor het geval Sam liever eerst wilde verhuizen. Terwijl ze wachtte tot Sam zou bellen met het goede nieuws dat hij onderweg was, richtte ze de flat waarin ze samen met Tamsin woonde opnieuw in, waarbij ze alles met Sams ogen bekeek. Ze organiseerde zelfs een feestje ter ere van Sam, zodat hij al haar vrienden kon ontmoeten.

Toen, twee dagen nadat haar nieuwe leven met hem had moeten beginnen, kwam er een ansichtkaart. Voorop stond de baai van Palma. Het was een goedkope kaart, zonder enige betekenis. Achterop stond: *Het spijt me. Ik kan het niet uitleggen, maar het zou nooit iets geworden zijn. Probeer alsjeblieft geen contact met me op te nemen. We kunnen elkaar niet meer zien. Vergeet het maar liever. Pas goed op jezelf, Sam.*

Naar adem snakkend las en herlas Laurie de kaart. Radeloos draaide ze hem om en om, in een poging de betekenis ervan te doorgronden. Vergeet het maar liever? *Vergeten?* Hoe kon ze het nou vergeten?

Het sloeg nergens op. Hij was de ideale man voor haar. Hij

had haar aan het lachen gemaakt, hij had haar zo'n goed gevoel gegeven, alsof ze bij hem op haar best was. Hij had haar laten stralen. Hij had haar geïnspireerd. Bij hem had ze de beste ideeën van haar leven gekregen. Goed, het had maar heel kort geduurd, maar hij was toch ook verliefd op haar geweest? Dat had hij vaak genoeg gezegd.

Niet in staat te geloven wat ze las, maakte ze zichzelf wijs dat er iets vreselijks was gebeurd en dat Sam hulp nodig had. Ze draaide al zijn telefoonnummers, maar er werd nooit opgenomen, zelfs niet door een antwoordapparaat. Toen werd zijn mobiele telefoon afgesloten. Ze belde inlichtingen buitenland en kreeg te horen dat het nummer niet meer in gebruik was.

En eindelijk drong de waarheid tot haar door. De kaart was geen vergissing, en ook geen gemaskeerde noodkreet. De waarheid was niet dat hij door een gruwelijk ongeluk verminkt was geraakt en nu in coma lag, niet in staat om de telefoon te pakken en het uit te leggen. De waarheid was dat hij teruggegaan was naar Claire en Laurie onmiddellijk geschreven had. En hij meende wat hij zei. Sam wilde echt niet dat ze contact met hem zocht. Wat er ook tussen hen was geweest, het was nu voorbij. Voorgoed.

Een holle pijn sneed door haar heen. Alles wat ze gekend had, haar beoordelingsvermogen, het fundament onder haar persoonlijkheid, leek als een gekapseisde boot onder haar vandaan te zakken. Roz, Tamsin, Heather en Janey schoten te hulp en verzekerden haar dat vakantieliefdes heel vaak slecht afliepen, maar Laurie liet zich niet troosten.

Hoe kon ze zich zo vergist hebben? Hij had vanaf het begin tegen haar gelogen. Al die diepe gesprekken over de zin van het leven waren alleen maar voor de show geweest. De emotioneel en fysiek fantastische seks was een schijnvertoning geweest. Ze was verliefd geworden op een leugenaar en dat was haar eigen stomme schuld.

Laurie liep de slaapkamer uit en deed de deur dicht. Het waren donkere dagen geweest. Donkere dagen die ze met veel moeite achter zich gelaten had. En ze lagen ook echt achter haar. Laurie dacht aan de vrouw die ze was toen ze snikkend op de luchthaven van Nice stond en had het gevoel dat ze naar een vreemde keek.

Sam was verleden tijd, bracht ze zichzelf streng in herinnering. De gevoelens die ze nu had waren te verwachten, na zo'n gruwelijk toeval. Natuurlijk herinnerde de ontmoeting met Sam haar aan het verleden. Maar het verleden was niet meer dan dat: het verleden. Het had helemaal geen zin om er verder bij stil te staan.

Het was nu allemaal heel anders, hield ze zichzelf voor, terwijl ze in de hal haar sarong omdeed en naar haar overhoop gehaalde koffer op de vloer keek. Het kostte enige moeite om het zo te laten liggen, maar ze dwong zichzelf ertoe. Ze was niet van plan om wekenlang als een schuldbewuste dienstmeid door Rachels huis te sluipen; ze was van plan een leuke tijd te hebben. En nu wilde ze alleen maar een duik nemen. Dat zou haar hoofd weer helder maken en een eind maken aan deze gevoelens, de pijnlijke herinneringen waar ze helemaal niet op zat te wachten.

Pas halverwege het steile en stenige pad tussen de bomen door keek ze op en zag ze voor het eerst het baaitje in de diepte. En door wat ze zag vergat ze even wat er in de kamer boven gebeurd was. Het zandstrandje was volkomen verlaten, alleen stond er tegen de rotsen een vervallen boothuis. Zou ze dat boothuis als atelier kunnen gebruiken, vroeg ze zich af. Dat zou te gek zijn!

Ademloos rende ze verder naar beneden. Ze rukte haar sarong af en liet hem op het strand vallen. Toen liep ze het warme water in en dook in de kabbelende golfjes. Ze stond op en kromde haar tenen in het zand op de bodem, en haar huid begon weldadig te tintelen.

Wat kan mij het schelen, dacht ze, om zich heen kijkend voordat ze haar bikini uittrok. Ze maakte er een prop van en slingerde hem het strand op, zodat hij met een pets op het zand landde. Het was tijd om eens een beetje van het leven te genieten. Op haar rug in het water liet ze haar oren vollopen met het geluid van de zee. Ze voelde de zon op haar huid terwijl ze daar zo dreef.

Maar haar gedachten kwamen niet zo gemakkelijk tot rust. Dit hier – deze villa, dit privé-strand, deze nieuwe familie – was allemaal zo vreemd. Waarom was ze naar Tony's begrafenis gegaan, vroeg ze zich af. Door welke speling van het lot was ze afscheid gaan nemen van een man die ze nooit gekend had? Ze kon het nog steeds niet bevatten. Ze dacht aan haar overleden oom en keek naar het landschap dat hem ooit zoveel voldoening moest hebben geschonken. En toen dacht ze aan zijn kist in dat kerkje in Somerset.

Eerst had ze het gevoel dat de tijd terugliep. Ze zei bij zichzelf dat ze hallucineerde, dat het Sam domweg niet kon zijn; dat het iemand anders was, iemand die iets met Rachel te maken had, met Tony, de kerk, de kist voor haar. Maar door het wervelen en draaien in haar buik wist ze dat het echt waar was. Dat de man die te laat gekomen was, de man die nu sprak, de man was die haar hart gebroken had.

Lauries hele lichaam verstrakte toen ze hem dat liefdesgedicht hoorde opzeggen, zijn blik de hele tijd op Rachel gericht. Ze keek naar haar tante, die de hand van een jonge vrouw vasthield. Waren zij en Sam...?

Laurie kon niet naar hem kijken. De ironie van Sams woorden maakte haar misselijk. Hoe durfde hij over liefde te spreken? Hoe durfde hij de indruk te wekken dat hij het nog meende ook? Hoe durfde hij iets met Rachel te maken te hebben? Rachel was haar nieuwe tante en nu kwam hij alles bederven.

Zonder het te willen keek Laurie hoe hij na zijn voordracht weer op zijn plaats ging zitten, alsof hij het hoofd van de familie was. Ze zag dat Rachel zich opzij boog en hem een kus gaf. Toen de vrouw naast hem treurig glimlachte en hem over zijn wang aaide, ging er bij Laurie vanbinnen iets kapot.

Even later was de dienst voorbij en schuifelde ze naar het uiteinde van de bank, waar Rachel stond te wachten. Met haar zwarte jurk en zwarte hoed zag ze er sereen uit, en over haar ogen lag een nevel die bijna niets met tranen te maken had.

'Laurie,' zie ze, en ze stak beide handen uit. 'Dit is Claire.'

Laurie dwong zichzelf als een robot om haar hoofd naar de mooie vrouw naast Rachel toe te draaien. Natuurlijk was het Claire. Toen Rachel de vorige avond over haar verteld had, was het geen moment bij haar opgekomen dat het weleens dé Claire kon zijn. Maar hoe had ze dat ook moeten weten? Sam had de achternaam van zijn vriendin nooit genoemd. En daar stond ze, in levenden lijve.

'Aha, jij bent dus Laurie,' zei Claire.

Ze had gehuild tijdens de dienst. Haar ogen waren gezwollen en haar neus vlekkerig, maar toch zag Laurie dat ze een gave huid had, en van dat dansende lange haar waarvoor je om de haverklap naar de kapper moest. Hoe langer ze haar nieuwe nicht bestudeerde, hoe meer ze ervan overtuigd raakte dat Claire tot een heel andere categorie vrouwen behoorde dan zij. Ze was het soort vrouw waaraan Sam, zoals hij ooit zelf gezegd had, de pest had: het gemanicuurde soort, het soort dat buitenkant belangrijker vond dan binnenkant. Toch voelde Laurie zich onmiddellijk oud en plomp naast haar.

Honderd vragen tolden door Lauries hoofd. Had Sam het haar verteld? Wist Claire van hun verhouding? Zou ze een scène schoppen? Laurie was radeloos. Ze wilde niet dat Rachel aan haar zou twijfelen, zeker niet op dit moment.

'Ik vind het heel erg van Tony,' zei Laurie met onaantrekkelijk krakende stem. Ze gaf Claire een hand en merkte dat ze nieuwsgierig opgenomen werd, al kon ze niet uitmaken hoeveel Claire van haar wist. 'Het moet vreselijk voor je zijn...'

Ze mompelde maar wat en viel toen helemaal stil, maar Claire leek het niet erg te vinden. Ze trok zelfs enthousiast aan Sams mouw.

'Dit is mijn man, Sam,' zei ze, terwijl ze Sam naar zich toe trok. 'Onze zoon Archie zie je straks wel. Die is thuis. We vonden niet dat hij erbij hoefde te zijn... Sam, dit is d'r, dit is Laurie, de geheimzinnige nicht.'

Sam Delamere. Na al die tijd, op de onwaarschijnlijkste plek die je je maar kon voorstellen, stond Laurie oog in oog met haar ex-minnaar. En hij was getrouwd. Met haar. Met Claire. Het meisje van wie hij niet hield, maar niet heus. En ze hadden een kind.

Al die keren dat Laurie zich had voorgesteld dat ze Sam tegen het lijf zou lopen, was het nooit bij haar opgekomen dat hij misschien vader was. De wetenschap maakte haar zo razend jaloers dat ze haar vuisten moest ballen om te voorkomen dat ze hem een klap in zijn gezicht gaf.

'Leuk je te ontmoeten, Laurie,' zei hij. De vertrouwde manier waarop hij haar naam uitsprak maakte haar woedend, het gevoel verraden te zijn dreigde haar te overweldigen. Heel even kwam ze in de verleiding iets ongepasts te zeggen, om hem te ontmaskeren. Ze voelde dat Rachel naar haar keek. De tijd leek stil te blijven staan. Ze stelde zich voor dat ze zich naar Rachel omdraaide en zei dat ze wist wie Sam was. Dat hij een leugenaar was. Een bedrieger. Iemand die zich niet aan zijn beloften hield.

Maar voor ze het wist zat ze verstrikt in zijn net van leugens. Moedeloos en onmachtig hielp ze hem zijn gezicht te redden door de spanning die ze voelde zo veel mogelijk te verbergen. Ze dwong zichzelf om een klamme hand naar hem uit te steken. Toen ze elkaar aanraakten, kreeg ze kippenvel.

'Dag,' zei ze. Ze hield haar blik op zijn borst gericht.

'We gaan nu naar het crematorium,' zei Rachel.

'Alleen de naaste familie,' voegde Claire eraan toe. 'Maar jij mag natuurlijk ook...'

Laurie schudde haar hoofd.

'Er zijn zeker twee auto's,' drong Rachel aan, maar haar gebruikelijke helderheid leek haar verlaten te hebben, alsof ze het opgegeven had en Claire nu de leiding overnam.

'Ik denk dat het beter is als ik jullie thuis zie,' mompelde Laurie, terwijl Claire Rachel een arm gaf om haar de kerk uit te leiden.

'Weet je het zeker, Laurie?' vroeg Claire met een bezorgde blik. Laurie glimlachte zwakjes en knikte. 'Dan praten we later wel,' zei Claire in het voorbijgaan over haar schouder. 'Het duurt niet lang.'

Voordat Sam achter hen aan liep, keek hij Laurie aan. Heel even maar. Het was niet meer dan een snelle blik, maar hij raakte haar alsof hij van dichtbij met een pistool op haar schoot. Ze zag hem in slowmotion met zijn ogen knipperen en weglopen.

Ze was er natuurlijk vandoor gegaan. Ze had geen keus gehad. Ze was te zeer uit het veld geslagen door dat wrede toeval, te verbijsterd en geschokt door het lot dat Sam weer op haar pad ge-bracht had. Ze was absoluut niet in staat geweest om Rachel on-der ogen te komen of met Claire over koetjes en kalfjes te praten.

Zodra ze weer veilig in Londen was, had ze besloten Rachel voorgoed uit haar leven te bannen. Haar vader had gelijk gehad. Ze had het zo lang zonder Rachel gered, dat zou nu ook wel weer lukken. Kon er ook maar iets goeds voortkomen uit contact met een familie waarin Sam zo'n centrale figuur was? Ze had haar aandacht weer op James gericht, en op de flat, die ze leeg moest halen voordat Tamsin en Mike er introkken.

Maar Laurie was boos gebleven. Ze had niemand van haar ont-moeting met Sam verteld, maar hij begon weer in haar binnenste te etteren en wilde haar maar niet met rust laten. Vervolgens had ze haar vader over de begrafenis verteld en was ze door zijn kop-pigheid alleen maar erger in de war geraakt.

Te midden van al dit gedoe had Rachel opgebeld om haar voor een paar maanden haar huis op Mallorca aan te bieden. Laurie was verbijsterd over de timing van het telefoontje. Ze had haar tante niet onmiddellijk antwoord gegeven, maar toen ze ophing kwam er een sadistische, gemene, maar heerlijke gedachte bij Laurie op. Als ze Rachels aanbod aannam, kon ze Sam terugpak-ken. Dit was de volmaakte straf voor alles wat hij haar aangedaan had.

Als Rachels nieuwe lievelingetje, recht voor zijn neus op Mal-lorca – niet dat ze van plan was hem tegen te komen – zou ze hem elke dag herinneren aan zijn verraad. Ze zou hem kwellen met haar aanwezigheid, en nu zou *hij* eens degene zijn die geen antwoord kreeg op zijn vragen. Ja, dacht ze, Sam Delamere krijgt een koekje van eigen deeg.

Daarom belde ze Rachel terug en nam ze haar aanbod dank-baar aan. De volgende dag verhuisde ze samen met James haar spullen naar een opslagruimte, waarna ze zich alweer een stuk beter voelde. Ze had de hele zomer een huis en James beloofde dat hij haar zodra zijn agenda het toeliet zou komen opzoeken.

Maar nu ze hier in zee lag woog Lauries kille behoefte om Sam terug te pakken niet op tegen de realiteit van Rachels huis. Het had haar al een keer op het verkeerde been gezet, en ze was nog maar een uur geleden aangekomen.

Laurie zette haar voeten in het zand, streek het haar uit haar gezicht en stond op. Het drijven in zee deed haar goed, maar ze wilde de eerste dag niet verbranden. Traag maar vastberaden liep ze het water uit. Ze had ervoor gekozen Rachels aanbod aan te nemen, uit radeloosheid, hebberigheid, wraakzucht of alle drie – hoe dan ook, ze was er nu. En ze was hier om te werken.

Pas toen ze haar sarong wilde oprapen zag ze dat er iemand over het pad naar beneden kwam. Terwijl ze zich met de sarong bedekte, herkende ze het dansende haar en de trendy outfit van het meisje dat uitbundig zwaaiend op haar af kwam. Met een gevoel alsof ze door de grond zakte, besefte ze opeens de prijs die ze moest betalen voor haar verblijf op Sa Costa: Claire Delamere kwam een babbeltje met haar maken.

8

Stepmouth, april 1953

De meeste mannen die Tony kende – van school, de kroeg en de snookerhal – praatten alleen maar over praktische zaken: waar ze heen gingen, hoe ze daar kwamen en wat ze deden als ze er waren. Ze waren altijd druk met dingen kapotmaken of repareren, of bogen zich grommend over schetsen en gebruiksaanwijzingen. Óf ze werden zo dronken dat ze helemaal niet meer hoefden te denken of te praten.

Maar meisjes, die leken overal over te kunnen praten. Ook over dingen die je niet kon zien of aanraken. Zoals stemmingen en dromen en roddels. Geef een meisje een uur de tijd en ze kletst het helemaal vol. En dat vond Tony het heerlijkste wat er bestond: daarnaar luisteren. Dat miste hij van school nog het meest. Hij was een goede leerling en zou gemakkelijk voor zijn examen geslaagd zijn als hij niet verwijderd was. Ook nu las hij een paar boeken per week: romans, geschiedenis- en reisboeken. Hij vond het leuk om nieuwe dingen te leren en te lezen over plaatsen waar hij nooit geweest was.

En daarom was hij zo graag in de buurt van zijn nieuwe bazin, Emily Jones, die sneller sprak dan een veilingmeester en meer gezien had dan Tony Glover zich kon voorstellen.

'Niet dat ik strikt genomen nog Jones heet, hoor.'

Het was halverwege de ochtend en Tony en Emily zaten op het stoepje achter het Sea Catch Café. Aardappelschillen lagen als houtsnippers rond hun voeten, naast een gedeukte metalen emmer vol gejaste piepers. Van achter uit de tuin klonk het kabbelen van de rivier en de zon straalde aan de blauwe hemel.

'Niet in de ogen van God,' vervolgde Emily. Ze droeg een wijde spijkerbroek en een wit t-shirt met korte mouwen, waarin ze rond haar middel een knoop gelegd had. 'Niet volgens de opvattingen van mijn moeder. Als je trouwt en de naam van een man aanneemt, dan is dat volgens haar voor het leven. Ook al is het een man die ze afkeurt. En ook al blijkt die man een echte eikel te zijn.'

Tony verslikte zich in een slok hete thee. Emily had het over haar ex-man Buck, de Amerikaanse soldaat met wie ze na de oorlog naar Amerika verhuisd was (en aan wie ze inmiddels ontsnapt was door naar huis terug te gaan).

'Dat laatste zei ik, natuurlijk, niet zij,' voegde Emily eraan toe. 'En niet in haar gezicht, uiteraard, want dan had ik haar alleen maar aan het huilen gemaakt. Niet dat mijn moeder weet wat een eikel is,' mijmerde ze. 'Al sprong-ie op haar af en gaf-ie haar een hand. Niet dat-ie dat zou doen.'

Tony hikte van het lachen.

'Wat is daar zo grappig aan?' vroeg ze, terwijl ze nadenkend een trek van haar sigaret nam.

Maar nu grijnsde zij ook, want ze wist heel goed wat er zo grappig was: de grove taal, de platte humor. Ze had het overgehouden aan de tijd dat ze als kok in het restaurant van Bucks oom werkte, zes avonden in de week, tweeënvijftig weken per jaar. En nu was er geen moer meer aan te doen. Het was blijven hangen, net als haar accent.

'Nee hoor, volgens m'n moeder telt een scheiding niet voor God, dus telt het voor haar ook niet. Wat haar betreft heet ik nog steeds Emily Drane. En dat blijft zo tot ik dood neerval. Drane,' zei ze zuur. 'Nou vraag ik je. Met zo'n naam had ik toch kunnen weten dat die Buck een galbak was.'

Tony glimlachte. 'Denk je dat je ooit weer gaat trouwen?' vroeg hij, terwijl hij de met lippenstift bevlekte sigaret van haar aannam.

'Misschien. Als ik de juiste vent tegenkom. Maar ik heb er bepaald geen haast mee.' Een merel vloog op uit de kersenboom in het midden van de tuin. De bloemblaadjes regenden neer. 'Nee, een ezel stoot zich in 't gemeen geen twee keer aan dezelfde steen.'

Tony veegde een beetje as van zijn wijde blauwe koksbroek.

'Heb je wel eens een afspraakje?'

'Hoezo?' vroeg ze koket. 'Weet je iemand die met me uit wil?'

Tony bloosde. Hij moest er even aan wennen om het met zijn nieuwe bazin over dit soort dingen te hebben. Haar ouders hadden hem altijd alleen maar rond gecommandeerd. 'Nee,' zei hij, 'maar er zijn er vast genoeg. Ze zouden wel gek zijn als ze het niet wilden,' voegde hij er openhartig aan toe. Als hij een paar jaar ouder was, en niet zo in beslag genomen werd door iemand anders, had hij misschien zelf wel een gokje gewaagd.

'Als iemand het me vraagt en ik vind diegene leuk genoeg, dan wil ik best. Alleen zal ik deze keer niet meteen denken dat het liefde is, snap je? Zoals toen met Buck. En jij? Heb jij Rachel Vale al gevraagd?'

De vraag verraste Tony. Zijn hart bonsde tegen zijn ribbenkast. Hij staarde haar verbluft aan.

Nu was het haar beurt om te lachen. 'Vroeg of laat doe je het toch wel,' vervolgde ze. 'Of anders vraagt zij jou...' Ze gaf hem plagerig een por. 'Kom op zeg, doe niet zo tuttig. Ik zag wel hoe jullie naar elkaar keken toen ze hier was. Of eigenlijk *niet* naar elkaar keken, wat nog veel meer opvalt...'

Tony's gedachten gingen terug naar die ochtend. Hij herinnerde zich nog goed hoe pijnlijk het was geweest, Rachel en hij samen in het café, terwijl Emily de kousen ging halen. Die kousen herinnerde hij zich ook nog, en hij wist hoe hij zich gevoeld had toen hij die avond in de schuur van zijn opa zat en zich voorstelde hoe Rachel met iemand anders aan het dansen was, op het bal waar hij niet naartoe ging omdat hij geen geld had. Hij had zich voorgesteld hoe die kousen aanvoelden... hoe haar warme huid eronder aanvoelde...

'Ik wil wedden dat ze ja zegt,' verklaarde Emily. 'Ik wil wedden dat ze nu thuis zit te wachten tot jij haar komt vragen. Je moet het doen, weet je. Zo'n knappe meid als zij blijft niet eeuwig wachten. Voor je het weet staat er iemand anders bij haar op de stoep en is jouw kans verkeken.'

'Hoe weet je dat ze niet al iemand heeft?' Het was de eerste keer dat hij toegaf dat hij wel eens aan Rachel dacht. Het voelde alsof hij over een rotte vloer liep die elk moment kon instorten.

'Dat weet ik niet. En jij ook niet.'

'Vergeet het maar,' zei hij, net zo goed tegen zichzelf als tegen haar. 'Het wordt toch nooit wat.'

'Waarom niet?'

'Omdat er dingen tussen mij en de familie Vale zijn die jij niet begrijpt.'

'Wat je broer met meneer Vale gedaan heeft, bedoel je? Dat mevrouw Vale in een rolstoel terechtgekomen is? Dat Bill Vale je haat, omdat je broer nu eenmaal niet meer in de buurt is?'

'Je hebt het dus gehoord.' Natuurlijk had ze het gehoord. Stepmouth was te klein voor geheimen. Dat hij het er nooit met haar over had gehad, betekende niet dat ze het niet allang wist.

'M'n vader heeft het me verteld,' beaamde ze.

'Dan weet je ook waarom er nooit iets tussen mij en Rachel zal zijn.'

'M'n vader zei ook dat je een goeie knul bent. Een harde werker. En toevallig ben ik het met hem eens.'

'Er zijn mensen die er anders over denken.'

'Zoals Bill Vale?'

'En zijn moeder.'

'Maar Rachel toch niet?'

'Ik weet het niet.' Hij dacht aan die keer dat hij na zijn vechtpartij met Cunningham met Rachel op het muurtje van het kerkhof had gezeten. Was het mogelijk dat ze die verf echt gegooid had omdat ze jaloers was? Of hield hij zichzelf voor de gek door dat te denken? 'Kan zijn,' zei hij.

'Zorg dan dat je erachter komt.'

Hij schoot de sigarettenpeuk weg. Hij wilde er niet achter komen, want straks kwam hij erachter dat hij het mis had.

'Je moet positief denken,' zei Emily, alsof ze zijn gedachten gelezen had.

Het zou mooi zijn als ze gelijk had: dat je iets alleen maar hoefde te willen om het te laten gebeuren. Want hij wilde Rachel heel graag weer zien, al was het alleen maar om heel even met haar te praten, of nog een laatste keer die lach van haar te zien.

'Bill vermoordt me als ik bij haar in de buurt kom,' zei hij.

'Niet als je een goede reden hebt...'

'Hoe bedoel je?'

Maar Emily stond zich al uit te rekken en trok haar broek recht. 'Tijd om weer aan het werk te gaan,' zei ze.

Een batterij pannen hing aan de balken in de keuken. Bosjes basilicum, rozemarijn, peterselie en tijm lagen op het werkblad en verspreidden een doordringende, kruidige geur. Emily wierp een keurende blik op de dunne reepjes linguini, die Tony voor ze naar buiten gingen onder haar leiding zorgvuldig had uitgerold op het houten snijblok. Hij kende alleen maar pasta in blik. Vers, zoals Emily het in New York had leren maken, had hij het nog nooit gezien.

Zonder dat het hem gevraagd werd pakte hij een grote pan en vulde die half met koud water. Op de radio zong Guy Mitchell 'Look at that Girl'. Neuriënd sneed Tony de aardappels in vieren – dan werden ze sneller gaar – en hij liet ze een voor een in de pan vallen. Ze lagen onder water als bolletjes vanille-ijs.

'Het veevoer staat op,' kondigde hij aan toen hij de pan op het vuur zette.

Vee. Zo noemde Emily de toeristen die in het Sea Catch Café kwamen eten. Vee, omdat ze zich gedroegen als kuddedieren. En ook omdat ze jaar in jaar uit hetzelfde wilden eten.

Het vergeelde menu voor het raam was in die acht jaar dat Emily in Amerika had gewoond niet veranderd. Alle gebruikelijke Engelse kost stond erop: thee met koekjes, geroosterd brood met jam en, niet te vergeten, aardappels. Aardappels bij alles: gebakken aardappels bij de lever met ui, gekookte aardappels bij de kool met worst, aardappelrasp bij de vis op vrijdag, aardappelpuree bij de kip op zondag.

'We gaan het helemaal anders doen,' had Emily tegen Tony gezegd, op de dag dat haar moeder ermee akkoord ging dat zij de keuken overnam. 'Beetje bij beetje. Jij en ik, Tony, zullen deze mensen eens leren wat eten is.'

Voorheen had hij alleen maar oninteressante klusje gedaan: de vloer dweilen, groente schoonmaken, afwassen. Koken was altijd de taak van Emily's moeder geweest, terwijl Emily's vader in het café stond.

'Ik wil niet dat wij zo werken,' had Emily tegen Tony gezegd.

'Ik wil dat je een echte kok wordt. Ik wil op je kunnen vertrouwen als ik er zelf niet ben en weten dat je net zo goed in staat bent om een koninklijk maal op tafel te zetten als ik.'

Niet dat er de laatste tijd veel koningen langskwamen, had ze toegegeven. Het café zag er ook veel te sjofel en stijlloos uit. Maar dat zou ook veranderen. Meneer en mevrouw Jones maakten nu ernst met hun plannen om naar Wales te verhuizen en Emily wilde het café kopen van het geld dat ze aan de scheiding overgehouden had. Dan kon ze ervan maken wat ze wilde.

'*Marinara*,' verkondigde ze nu. Ze wenkte Tony naderbij. 'Een simpele Italiaanse tomatensaus.' Ze zette een gietijzeren ketel op het vuur en schudde een paar tomaten uit een bruine zak op het werkblad, waarna ze aan de boven- en de onderkant sneetjes in het vel maakte. 'Dan laat het velletje gemakkelijk los als we ze blancheren,' legde ze uit.

Tony had het de afgelopen weken heerlijk gevonden om voor haar te werken. Bij haar moest hij behalve zijn handen ook zijn hersens gebruiken, want ze leerde hem elke dag nieuwe recepten en technieken. Maar er was iets wat hij haar al een tijdje wilde vertellen, iets wat haar plannen misschien in de war zou sturen. Hij wilde haar niet voor de gek houden, daarvoor mocht hij haar te graag.

'Je weet toch dat ik weg moet als ik achttien ben, hè?' zei hij. 'In september. Je weet toch dat ik dan in dienst moet?'

Nu hij het er eindelijk uitgegooid had, was hij opgelucht. Als ze hem op staande voet ontsloeg was hij tenminste eerlijk geweest, dan zou zij hém in de steek laten en niet omgekeerd.

'Hm-mm.' Ze gaf hem een mes en wees naar drie teentjes knoflook.

'Waarom leer je me dit dan allemaal?' vroeg hij terwijl hij begon te hakken.

'Omdat je als je terugkomt nog steeds een baan hebt.'

Ze zei het zo vanzelfsprekend, maar het was niet eens bij hem opgekomen. 'Meen je dat?' vroeg hij.

'Waarom zou ik het niet menen?'

'Ik weet het niet.' Hij wist het wel: omdat hij zich niet kon voorstellen dat ze hem de moeite waard vond.

'Je leert snel, Tony. Je wordt een prima kok. Natuurlijk wil ik je terug.'

Ze haalde een notitieboekje uit haar broekzak en begon er met een stomp potlood in te schrijven.

Tony bracht een blaadje basilicum naar zijn neus om zijn glimlach te verbergen. Kok. Dat klonk goed. Zolang het leger hem niet naar Korea stuurde en hij niet sneuvelde, bedacht hij, had ze misschien wel gelijk. Misschien kon hij echt terugkomen en de draad weer oppakken. En dan... wie zou het zeggen, misschien had hij dan op een dag zelf een restaurant.

Emily scheurde een blaadje uit het notitieboekje en haalde een envelop uit een la. 'Je moet even een boodschap doen,' zei ze. 'Maar je stinkt naar knoflook, dus was eerst even je handen. Boen ze schoon met een roestvrijstalen lepel, dan gaat die lucht er wel vanaf.'

'Is dit soms een geintje?' beet Rachel Vale hem toe. Haar wangen waren donkerrood aangelopen, alsof iemand er een klap op gegeven had.

Haar haar was nat en piekerig, aangezien ze het in de keuken had staan wassen toen Bill haar vroeg op de winkel te letten, terwijl hij in de tuin toezicht hield op de man die de kolen kwam brengen. Boven de kraag van haar gesteven robijnrode bloes klopte boos een ader. Met haar armen langs haar zij en haar handen tot vuisten gebald deed ze Tony denken aan een stripverhaal dat hij ooit gelezen had, over Calamity Jane die twee cowboys in elkaar sloeg omdat ze haar paard hadden gestolen.

'Hoezo?' vroeg Tony.

Ze schoof de brief over de toonbank. 'Wat denk je?'

Op de toonbank, naast het briefje, lag de envelop waarin Tony het had afgeleverd. Op de envelop stond in Emily's schuine handschrift Rachels naam. Hij pakte de brief en las wat Rachel zo kwaad gemaakt had:

Lieve Rachel,
Ik wil graag een keer met je uit.
Kom om zeven uur naar de klokkentoren van St Hilda's,

dan spreken we af waar en wanneer.
Met hoopvolle groet,
Tony Glover

Hij slikte. Hij knipperde met zijn ogen. Zijn mond viel open. Hij las het briefje nog eens en bleef er vol ongeloof naar staren, sprakeloos van verbazing. *Ik wil graag een keer met je uit?* Emily zei dat het een boodschappenlijstje was. *Kom om zeven uur naar de klokkentoren?* Emily had gezegd dat hij de envelop zo snel mogelijk aan Rachel moest geven. ('Niet aan Bill,' had ze er nadrukkelijk bij gezegd, en nu begreep Tony waarom.) *Hoopvolle groet?* Was Emily nou helemaal gek geworden? Hij vermoordde haar. Wie dacht ze wel dat ze was, om zich zo met zijn leven te bemoeien? Zij met die ex-man van haar aan de andere kant van de Atlantische Oceaan... sinds wanneer was zij een deskundige op het gebied van de liefde? Hij was misselijk van schaamte. O, jezus, wat had ze gedaan?

'Nou?' Zoals Rachel haar vinger naar die brief uitstak, had het net zo goed zijn oog kunnen zijn.

Tony rook de shampoo in haar haar, dat ze nog niet eens uitgespoeld had. Het was Silvikrin, hetzelfde merk dat zijn moeder gebruikte, maar de vertrouwde geur bracht geen troost. 'Ik kan het uitleggen,' begon hij.

Pas toen bedacht hij dat hij het helemaal niet kon uitleggen. Alhoewel. Hij kon Rachel gelijk geven en zeggen dat het een geintje was. Hij kon zeggen dat het Emily's geintje en Emily's handschrift was. Maar de kans was groot dat Rachel hem niet geloofde, of Emily niet tot zo'n flauwe grap in staat achtte. Ze zou precies het tegenovergestelde denken: dat het zijn geintje was en zijn handschrift en dat hij het gedaan had omdat hij een gemene rotzak was.

'Wat is er? Ben je je tong verloren?'

Tony's mond ging open, dicht en weer open. Zijn maag trok samen. Ook al vertelde hij haar de waarheid en geloofde ze dat Emily de brief geschreven had, dan nog zou ze zich gekwetst voelen, omdat ze zou denken dat ze in de maling genomen werd. En dat wilde Tony niet.

Vooral omdat hij wist dat dit alles helemaal niets met gemeenheid te maken had. Het was gewoon Emily's gestoorde manier om te helpen. 'Niet als je een goede reden hebt,' had Emily gezegd. En die had ze hem bezorgd.

'Want als je denkt dat je hier zomaar binnen kunt komen om me voor gek te zetten, Tony Glover, dan zul je nog raar opkijken,' zei Rachel, terwijl ze de brief in tweeën scheurde. 'Wat?' zei ze spottend. 'Je dacht toch niet echt dat ik hierin zou trappen, hè? Zeg nou niet dat je zo dom bent dat je dacht dat ik echt naar de kerk zou komen. Om me door je vriendjes te laten uitlachen, zeker?'

'Ik...'

'Want dat kun je wel vergeten. En wil je weten waarom? Omdat ik je niet mag, Tony Glover. Omdat ik je he-le-maal niet mag. Je bent arrogant. En stom. En net zo knap als het achtereind van een varken. Ha!' riep ze triomfantelijk uit. 'Wat dacht je daarvan?'

Tony dacht dat ze geweldig was. Ondanks wat ze zei. Ondanks de manier waarop ze het zei. Ondanks het feit dat ze hem dood wilde. Hij voelde de volle kracht van haar persoonlijkheid op zich gericht, als zonlicht dat door een vergrootglas valt. En het voelde fantastisch. Zo heerlijk zelfs dat het hem opeens speet dat *hij* die brief niet had geschreven. Opeens verlangde hij ernaar om net zo gek te zijn als Emily Drane, want opeens vond hij haar helemaal niet meer zo gek.

'Het is geen geintje,' zei hij. En dat was het ook niet. Niet meer. Hij pakte de stukjes papier en legde ze tegen elkaar aan en draaide ze naar haar toe. 'Ik vraag je mee uit.' Hij zei het heel langzaam, zodat er geen onduidelijkheid over kon bestaan.

Bill Vale beende van achter uit de winkel op hem af.

'Wat doe jij hier?' vroeg hij met een staalharde uitdrukking op zijn gezicht.

Tony wist dat hij het verknald had. Nu zou hij nooit meer de kans krijgen om Rachel ervan te overtuigen dat hij meende wat hij zojuist gezegd had. Ze zou voor altijd denken dat het een grap was. Toen dacht hij aan – en wierp een blik op – de in tweeën gescheurde brief op de toonbank. Hij probeerde er niet naar te kijken, alsof hij daardoor ook onzichtbaar zou zijn voor Bill. Maar het was al te laat.

Bill en Tony staken gelijktijdig een hand uit. Maar Rachel was sneller.

'Dit is van Emily,' zei ze tegen haar broer. Ze deed een stap naar achteren en schermde de brief af met haar schouder. 'Haar boodschappenlijstje. Ze belde al om te zeggen dat ze haar' – ze liet haar blik vol weerzin over Tony glijden – '*knechtje* langs zou sturen. Ik weet niet hoe hij het voor elkaar krijgt, maar onderweg heeft hij het in tweeën gescheurd...'

Tony geloofde zijn oren niet. Waarom dekte ze hem? Ze hoefde de brief alleen maar aan haar broer te geven en ze kon zo van het vuurwerk gaan zitten genieten.

'Een kilo maïsmeel,' las Rachel zogenaamd, 'en twee blikken gecondenseerde melk...'

'Wacht jij maar buiten,' zei Bill tegen Tony. 'Het kan me niet schelen voor wie je boodschappen doet, jij komt er hier niet in. Wegwezen. Ik kom het je zo wel brengen.'

'Tony Glover,' riep Rachel hem na.

Ze stopte groenten in een kartonnen doos. Ze hield de twee stukjes papier omhoog, zodat zowel hij als Bill ze kon zien. Tony wist het. Ze speelde een spelletje met hem. Nu zou ze Bill alles vertellen.

'Het antwoord is ja,' zei ze.

'Het antwoord waarop?' informeerde Bill.

'Op het verzoek op het lijstje.'

'Welk verzoek?' vroeg Bill.

'O, dat is niet belangrijk,' antwoordde Rachel, terwijl ze een pak meel pakte.

Maar toen de betekenis van haar woorden tot hem doordrong, wist Tony dat ze het mis had.

Tony keek voor de tiende keer naar de klokkentoren aan de andere kant van het kerkhof. Erboven gristen vleermuizen zonder een geluid te maken insecten uit de lucht, heen en weer schietend voor de parelwitte volle maan als vissen onder het oppervlak van een vijver. De bladeren van de plataan hingen roerloos aan de takken, zwart als de nacht. De klok wees één minuut over zeven aan. Rachel Vale was laat.

Of ze kwam helemaal niet. Want dat was waarschijnlijker, nietwaar? Dat ze van gedachten veranderd was, of helemaal nooit van plan geweest was om hem hier te ontmoeten. Want wie wist of ze nu niet zelf een grap uithaalde en hem hier gewoon liet staan, klein en dom, zoals zij zich in de winkel eerst ook gevoeld had?

Tony probeerde zich vast te houden aan Emily's stelregel, dat je altijd positief moest denken, maar het lukte hem niet. Hij vreesde juist het ergste, want opeens was Rachel zo belangrijk dat hij haar niet kwijt mocht raken.

Waar waarom, vroeg hij zich tegelijkertijd af. Waarom zij? Vanwaar deze wanhopige behoefte om haar te zien? Deed hij het voor zichzelf? Omdat hij had gedacht dat hij haar nooit zou kunnen krijgen? Omdat hij als hij haar had alles kon krijgen? Of deed hij het voor haar? Omdat hij door haar gelukkig te maken het verdriet dat zijn broer haar gedaan had hoopte uit te wissen? Ging het daarom? Vergeving? Schadeloosstelling? Boetedoening zelfs?

Of deed hij het voor hen samen? Omdat hij door bij haar te zijn in hen beiden een geluk hoopte los te maken dat anders niet bereikbaar zou zijn?

Hij huiverde. De waarheid was dat hij geen idee had. En het deed er ook niet meer toe. Voor de laatste keer spitste hij zijn oren, in de hoop een geluid op te vangen dat op haar komst wees. Maar hij kreeg alleen bevestiging van wat hij al wist: hij was alleen.

Hij stond naast een gebarsten en beschimmeld houten bankje, tegenover de plek waar acht jaar eerder Edward Vale begraven was. Op de dag van de begrafenis had Tony's moeder hem van school thuisgehouden, achter dichtgetrokken gordijnen. Hij had willen gaan. Hij had tegen haar gezegd dat hij zich nergens voor hoefde te schamen. Maar zij had gezegd dat het zo niet werkte, dat het ook nooit zo zou werken. En het zag ernaar uit dat zij gelijk had, en niet Emily.

De lange fietstocht door het donker terug naar de schuur van zijn opa strekte zich somber voor hem uit. De afgelopen avonden had Tony de rit naar huis steeds zo lang mogelijk uitgesteld. Zoals gisteravond, toen hij met Pete en Arthur tot sluitingstijd in de Bay Road Snooker Club gezeten had.

Hij kon de eenzaamheid niet verdragen, al had hij Don precies het tegenovergestelde verteld toen die vorige week langskwam om te zien hoe het met hem ging. 'Ze voelt zich schuldig,' had Don gezegd, doelend op zijn moeder. 'Ze heeft het niet met zoveel woorden gezegd, maar ik ken haar goed genoeg om te weten dat ze zich vanbinnen opvreet.' Alles wat Tony Don vervolgens nog had laten zien – het fornuis dat hij in elkaar gezet had, de isolatie en de tobbe buiten – was hem nutteloos voorgekomen, speelgoed in een kinderachtig spelletje. Als zijn moeder hem terug wilde, waarom zei ze dat dan niet gewoon? Waarom konden ze er niet over praten en hun moeilijkheden oplossen?

Toch wist hij best waarom niet: wat hen uit elkaar gedreven had waren geen woorden, maar daden – *zijn* daden.

En daarom moest hij volhouden. Hij moest haar laten zien dat hij zich prima redde. Als een volwassene. Als hij terug wilde, wist hij, moest hij bewijzen dat hij op eigen benen kon staan.

Hij reed weg over het met mos begroeide pad dat tussen de grafstenen door naar het hek van de begraafplaats slingerde. Opeens verstijfde hij. Hij hoorde iets.

Knap.

Daar had je het weer: het kraken van een tak. Toen hoorde hij sissen. En nog een keer. Tot hij eindelijk begreep dat iemand zijn naam fluisterde.

'Tony? Tony, ben je daar?'

Toen hij haar zag – in de schaduw van een marmeren tombe – wilde hij een gat in de lucht springen. Maar hij hield zich in; eerst moest hij weten of ze hier om dezelfde reden was als hij. Hij kwam uit de schaduw, zodat ze hem kon zien.

'Hier,' antwoordde hij.

Hij had heel andere dingen willen zeggen: 'Je bent mooi,' en 'Sinds die vechtpartij denk ik alleen nog maar aan jou.' Het was allebei waar. En toch zei hij alleen maar 'Hier', want het enige wat echt telde was dat ze er was.

Ze liepen naar elkaar toe, bleven staan. Hun adem vermengde zich in de koude avondlucht. Haar haar zat naar achteren geborsteld, met een witte haarband eromheen. Ze droeg een dikke trui met v-hals en een sjaaltje om haar hals. Haar huid leek op te lichten in de kleur van de maan. Ze zag er etherisch uit, alsof ze van een andere, mooiere planeet kwam. Hij wist dat hij zich haar tot aan zijn dood zo zou herinneren.

'Je kon dus wegkomen?'

'Ik heb tegen m'n moeder en Bill gezegd dat ik bij Pearl een schoolboek ging lenen...' Ze was buiten adem, opgewonden, of bang...

'Je denkt zeker dat ik gek ben?' vroeg hij.

Haar ogen schitterden van opwinding. 'Daarom ben ik hier toch?'

'Wat? Omdat je dol bent op gekke mensen?'

'Of omdat ik ook gek wil zijn...'

Bill... Keith... Alles wat Tony over hen had willen zeggen, over de manier waarop ze hun leven beïnvloed hadden, hij wilde het er niet meer over hebben. Hun broers mochten dit moment niet kapen. Het moest van hen blijven.

Ze kwam heel dicht bij hem staan en keek hem zo aandachtig aan dat hij één krankzinnig ogenblik lang dacht dat ze hem zou kussen.

'Je ziet er raar uit,' zei ze in werkelijkheid, en ze trok zijn das uit zijn jasje.

Hij lachte. En terwijl hij dat deed gleed de spanning van zijn schouders en verdween de frons uit zijn voorhoofd.

'Ik bedoel niet dat je er slecht uitziet,' zei ze. 'Helemaal niet. Je ziet er ouder uit, dat is het. Dat komt vast door die das.'

Ze zei ouder, maar ze bedoelde waarschijnlijk saai. Hij wist dat het niet slim was geweest om een das om te doen, maar hij had weinig keus gehad. 'Het is een cadeautje,' legde hij uit. 'Van Emily.'

Emily had het voor hem klaargelegd toen hij die middag bij Vale Supplies vandaan kwam. Zodat hij er niet uit zou zien alsof hij de hele dag in een keuken had staan sloven, had ze gezegd. Ze had hem naar de badkamer boven gestuurd en hem een gestreken blauw overhemd geleend. Hij had zijn nagels geknipt, zijn haar gekamd en zijn schoenen gepoetst tot ze glommen als kwarts. Hij had Emily laten beloven dat ze tegen niemand zou zeggen dat hij Rachel Vale hoopte te ontmoeten. En dat ze – wat er ook van kwam – nooit een woord tegen Bill Vale zou zeggen.

'Zijn jullie vrienden?' vroeg Rachel.

Waren ze vrienden? Hij hoopte het wel. 'Voor zover dat mogelijk is, aangezien ik voor haar werk,' zei hij.

'Ik wou dat ik een baan had,' zei ze.

'Dat komt vast nog wel.'

Ze haalde grinnikend haar schouders op. 'Misschien ook niet. Misschien trouw ik met een rijke man. Of, beter nog, misschien word ik zelf rijk en hou ik op met werken als ik dertig ben.'

'Wie weet.' Hij wist dat ze maar een grapje maakte, maar hij herinnerde zich nog goed hoe ze hem die middag in de winkel op zijn nummer had gezet. Hij dacht dat ze alles voor elkaar zou krijgen, als ze het eenmaal in haar hoofd had.

'Vind jij je werk leuk?' vroeg ze. 'Vind je het leuker dan school?'

Hij had de vergelijking nooit gemaakt. 'Er is eigenlijk weinig verschil,' zei hij. 'Het gaat er bij allebei om dat je iets leert en genoeg te weten komt om verder te kunnen.'

'En waar ga je dan heen?'

'Dat weet ik niet precies.' Hij glimlachte. 'Je stelt wel veel vragen.'

'Ik probeer gewoon hoogte van je te krijgen.'

'Ben je daarom gekomen?' vroeg hij.

'Ik weet het niet. Ik had het beter niet kunnen doen. Ik mag hier helemaal niet zijn.'

'We mogen hier geen van beiden zijn.'

Er verscheen een ernstige uitdrukking op haar gezicht. 'Daar kunnen we over blijven praten tot we een ons wegen,' zei ze. 'Daar dacht ik aan onderweg hiernaartoe.'

'Waar dacht je nog meer aan?'

'Dat je veel lef moet hebben om te doen wat jij vanmiddag deed. Om daar naar binnen te lopen en me mee uit te vragen.'

Met een beetje hulp, dacht Tony.

'En we zouden hier niet zijn als we hier niet allebei wilden zijn,' vervolgde ze.

Ze keken elkaar zwijgend aan. Hij voelde het moment wegglippen, maar hij wist niet wat hij moest zeggen om dat te voorkomen.

Rachel rilde. 'Ik moet zo weer weg,' zei ze. 'Anders gaan m'n moeder en Bill vragen stellen...'

Tony voelde zich verslagen, ellendig. Hij ontweek haar blik. 'Nou, dan zie ik je wel weer een keer...'

Opeens trok ze aan de revers van zijn jasje. 'Kus me,' zei ze op dringende toon.

Voor hij het wist, voor hij ook maar bewust zijn hoofd naar haar toe gedraaid had, ontmoetten hun lippen elkaar en waren ze aan het kussen. Hij deed zijn ogen dicht en had het gevoel dat hij door de ruimte raasde.

Geschrokken maakte ze zich van hem los, alsof iemand haar ruw wakker geschud had. Toen ze een stap naar achteren deed stootte ze met de hak van haar schoen een gebarsten bloemenvaas om, half verscholen onder een bos verlepte narcissen. Iets verderop sloeg een uil hen vanaf een grafsteen onbewogen gade.

Tony had al veel vaker een meisje gekust, maar nog nooit zoals nu. Hij had niet onder woorden kunnen brengen hoezeer hij zich met haar verbonden, verweven voelde. Hij wilde niet dat het ophield.

Rachel maakte de knoop van zijn das los en liet hem als een slang van zijn nek af glijden.

'Dat is beter,' zei ze. 'Zo ken ik je weer. Niet dat ik je ken.'

Die opmerking bracht hem weer met beide benen op de grond.

'Mag ik hem hebben?' vroeg ze, terwijl ze de das als een prop in haar hand nam.

'Ik dacht dat je hem niet mooi vond.'

'Dat is ook zo.' Ze hield hem tegen haar gezicht en ademde diep de avondlucht in. 'Maar hij herinnert me aan jou.'

Ze kuste hem vurig op de mond.

'Ik moet gaan,' zei ze.

De onafwendbaarheid ervan maakte hem zenuwachtig. 'Wanneer zie ik je weer?' flapte hij eruit, alsof hij nooit geleerd had dat je een beetje onverschillig moest doen tegen de meisjes; hij wilde juist dat ze wist hoe gek hij op haar was. Hij had zijn hele leven in hetzelfde stadje gewoond als zij: ze hadden al genoeg tijd verspild.

'Zeg jij het maar. Schrijf me maar weer een brief.'

'En Bill dan?' vroeg hij, denkend aan de laatste keer dat haar broer bijna een brief onderschept had.

Rachel keek om zich heen. Haar blik viel op de omgevallen vaas aan haar voeten. 'Stop hem hier maar in,' zei ze. Ze zette de vaas rechtop en legde er een platte steen op. 'Dan doe ik dat ook. Dit is nu ons plekje.'

Ze kuste hem nog een laatste keer en kneep zo hard in zijn handen dat het pijn deed. 'Je moet altijd zo romantisch blijven,' fluisterde ze in zijn oor.

Toen was ze weg, opgeslokt door het duister.

9

Mallorca, nu

Zonlicht viel door het dakraam. De koude douche ging vanzelf uit toen Sam onder de straal vandaan stapte. Schuimig water borrelde door de afvoer en in de lucht hing de geur van kamille-douchegel. Druppend op de witte tegelvloer tuurde Sam in de verlichte scheerspiegel. Voor het eerst zag hij piepkleine rimpel-tjes in zijn ooghoeken.

Kraaienpootjes. Zo had zijn moeder ze genoemd toen hij als kind zonder erbij na te denken op de hare gewezen had. Hij wist nog hoe oud ze toen in zijn ogen geweest was. Glimlachend be-gon hij te rekenen. Ze was op dat moment waarschijnlijk pas hal-verwege de dertig, net zo oud als hij nu. Hij bedacht hoeveel ja-ren er toen nog voor haar gelegen hadden en vroeg zich af of ze dat zelf beseft had. Of ze wist hoe snel het voorbij kon gaan.

Lachrimpeltjes, geen kraaienpootjes, besloot hij toen hij zag dat zijn glimlach ze nog duidelijker deed uitkomen. Óf hij ge-bruikte niet genoeg zonnebrandcrème. In ieder geval had het niets met leeftijd te maken, stelde hij zichzelf gerust. En ook niet met stress. Hij streek zijn haar uit zijn gezicht en masseerde zijn slapen met de muizen van zijn handen, zoals de dokter hem voorgedaan had. Stress, hield hij zichzelf voor, zat gewoon tussen je oren.

Hij liep de badkamer uit om even bij Archie te kijken. Hoewel hij hem, na een paar verhaaltjes, nauwelijks tien minuten geleden in bed gestopt had, was Archie al diep in slaap. Sam luisterde naar zijn ademhaling en zag hem met zijn knuffelpanda opgerold in zijn kleine bedje liggen. Hoe weinig lijn er soms ook in Sams leven was, Archie herinnerde hem er altijd weer aan dat het uit-eindelijk allemaal tóch zin had.

Hij dacht terug aan die ochtend, toen Archie de slaapkamer van zijn ouders ingeslopen was, aan Sams vingers getrokken had en net zo lang 'Opstaan, papa, opstaan, opstaan' gefluisterd had tot Sam uit bed gekomen was. In de keuken hadden ze boterhammen uitgesneden in de vorm van vissen, waarna Sam ze geroosterd had en er roerei op geschept had. Hij had ontdekt dat Archie zijn cornflakes niet meer in een plastic kommetje wilde; hij wilde nu een kommetje van aardewerk. 'Als een *gwoot* mens, papa.' Sam glimlachte. Maar het was een droevige glimlach, want met elk nieuw woord dat Archie onder de knie kreeg zag Sam zijn leven tussen zijn vingers door glippen, uur na dag na jaar.

'Droom zacht, mijn mooie jongetje,' zei hij zachtjes, en hij deed de deur achter zich dicht.

Onderweg naar de grote slaapkamer droogde hij zich af. Het was zo'n klamme nacht, het leek wel alsof hij door zweet heen moest waden. Hij pakte de afstandsbediening en zette de airco op z'n hoogst. Als die koude douche al geholpen had, was het niet lang geweest. Achter hem begon de airconditioning te zoemen.

Sam liet de handdoek op de grond vallen en ging naakt onder de plafondventilator staan. Door het damasten gordijn keek hij naar de contouren van de jachten die met de achtersteven naar de kade in de haven van Puerto Portals lagen.

Een van die jachten, de *Ark Angel*, was van Claire: een vijfendertig meter lang motorjacht van Benetti, haar nagelaten door Tony (officieus; officieel was het nog steeds eigendom van het bedrijf).

Tony zat op de *Angel* toen hij voor de kust van Biarritz het leven liet. Maar vanavond werd er feestgevierd op de boot. De twee dekken waren al met rode (Claires lievelingskleur) ballonnen versierd, in afwachting van de borrel die Sam en Claire er zouden geven. Het was een feestje ter ere van hun trouwdag, een paar weken uitgesteld vanwege Tony's begrafenis.

Claire hechtte veel waarde aan haar trouwdag. Claire hechtte veel waarde aan alles, als het haar maar een reden gaf om te feesten. Maar dit werd een kleinere bijeenkomst dan ze aanvankelijk in gedachten hadden, want op Sams initiatief hadden ze de familie van de gastenlijst geschrapt. Om het effect van Tony's begrafenis niet teniet te doen, had hij gezegd.

Claire zat op de rand van het bed. Ze droeg de jarretelgordel en beha van rode kant die Sam op zijn laatste zakenreis naar Londen bij haar favoriete boetiek gekocht had. De roomwitte zijden kamerjas die ze aanhad toen hij terugkwam van het squashen lag op een slordig hoopje op het sisaltapijt. Uit discreet verborgen speakers klonken bastonen. Aan de net-niet-witte muur tegenover haar stond M T V Dance op, op een van de drie flatscreentv's die Claire in hun vijfkamerpenthouse had laten installeren. Claire zat er onbewogen naar te kijken. In het flikkerende licht, zonder make-up op haar gezicht, zag ze eruit als een vampier.

De kamer, ingericht met grijze en beige meubels, straalde iets onpersoonlijks uit. Dat kwam door Claire, die altijd iets met binnenhuisarchitectuur gehad had. Sinds Sam haar kende had ze het er al over dat ze er op een dag haar beroep van wilde maken. Deed ze het maar eens. Ze liet zo veel over aan Isabel Salvador, hun kindermeisje, dat wel duidelijk was dat het moederschap haar weinig bevrediging schonk. Dus waarom niet iets anders geprobeerd? Dan hadden ze in ieder geval eens iets anders om over te praten dan huiselijke aangelegenheden en de roddels van het eiland. Ambitie, ijver... Sam geloofde dat iedereen die eigenschappen in zichzelf kon ontwikkelen. Het waren eigenschappen die hij waardeerde, eigenschappen die hij in háár gewaardeerd zou hebben. Maar wanneer hij haar aanbood te helpen bij de verwerkelijking van haar plannen, kwam ze met allerlei tegenwerpingen. Het was niet het goede moment, zei ze dan. Uit de manier waarop ze dat zei begreep hij inmiddels dat het goede moment nooit zou komen.

'Wat vind je ervan?' vroeg ze nu. Ze wiebelde met haar tenen; ze had ze goud gelakt.

In Sams hoofd kwam een vage jeugdherinnering naar boven, aan een reep Cadbury-chocolade en een middag voor de nieuwe kleuren-tv, die zijn vader op een regenachtige dag vlak voor kerst gekocht had. 'Je lijkt wel een Bond-meisje,' antwoordde hij.

Claire grinnikte. Gevleid? Geamuseerd? Hij kon het niet uitmaken.

'Goudmeisje,' zong ze spitsvondig op de wijs van 'Goldfinger', terwijl ze langzaam haar benen van elkaar deed en hem liet zien dat ze geen slipje aan had. 'Oftewel, goudpoesje,' zei ze giechelend toen ze zijn blik langs haar gebruinde benen zag gaan. 'Zeg eens, echtgenoot,' vroeg ze, 'zie ik er na al die jaren huwelijk nog steeds uit om op te vreten?'

In de koelte van de airconditioning, met de ven wiekend boven hun hoofd, bedreven ze de liefde – de *liefde*, hield hij zichzelf voor, want dat was wat hij dolgraag wilde geloven.

Tegen het eind voelde Sam Claires nagels in zijn schouders. Ze had haar ogen dicht, ze knarste met haar tanden. Hartstocht werkte altijd aanstekelijk, had hij gemerkt. Met of zonder liefde. Met veel of met weinig liefde.

'Harder,' zei ze. Hij zag haar ogen opengaan. 'Kijk me aan, Sam. Kijk in mijn ogen.'

Zijn hart bonsde. Hij deed wat ze hem vroeg. Want hij moest haar laten zien dat hij haar begeerde. Hij moest het zichzelf bewijzen. Het was alsof hij hen met elke stoot dichter bij elkaar probeerde te brengen, aan elkaar probeerde te klinken. Hij wilde dat ze één waren, niet twee. Hij wilde hen als twee chemische stoffen in één onscheidbaar geheel laten opgaan.

Ze klemde zich aan hem vast en samen rolden ze om. Ze boog zich naar hem toe, haar jaden halsketting tussen haar puntige borsten, bungelend boven zijn gezicht en borst. Toen ze zich op hem liet zakken kuste hij koortsachtig haar gezicht. Hij stootte sneller, harder, tot hij klaarkwam.

Ze liet zich zwetend naast hem vallen. 'Gefeliciteerd met je trouwdag,' zei ze ademloos.

Hijgend dacht hij terug aan het moment waarop ze haar ogen opendeed, hem aankeek en zei dat hij haar in de ogen moest kijken. Een zweetdruppel liep langs zijn kaak in zijn hals.

Toen ze haar hand in de zijne liet glijden en er stevig in kneep, gebeurde het. Op dat moment van in potentie volmaakte eenheid, sloeg zijn hart over en begon vervolgens wild te kloppen. De lucht lekte als vlammen uit zijn longen. Hij voelde zich gevangen, alsof hij onder water zat. Zijn voorhoofd werd nat van het zweet. Hij keerde zich van Claire af, zodat ze het niet kon zien.

Zijn instinct zei hem onder het bed te kruipen, zich als een balletje op de vloer op te rollen. Snel bij haar vandaan, schreeuwde het. Maar hij verzette zich ertegen. Hij wist wat dit betekende. Het was dezelfde wankelmoedigheid die over hem gekomen was toen hij in de kerk achter de katheder stond en Laurie Vale in het oog kreeg. Het was angst en hij mocht er niet aan toegeven. Als hij dat deed, wist hij, was hij binnen de kortste keren in de greep van een volwassen angstaanval: buiten adem, duizelig, in paniek en verkrampt.

Dat wist hij omdat het na de begrafenis ook gebeurd was, toen Rachel op Dreycott Manor aankondigde dat Sam de leiding van Ararat zou overnemen. Toen ze Sam vroeg zelf ook een paar woorden te zeggen, had hij als een klein kind staan stotteren. Terwijl de familie hem verbaasd aanstaarde, had hij zich verontschuldigd en was hij de kamer uit gegaan. Hij had zich in de badkamer opgesloten. En toen had de paniek pas echt toegeslagen.

'Alles goed, Sam?' vroeg Claire hem nu.

De bas dreunde. Langzaam – een, twee, drie – begon Sam tot tien te tellen. Hij concentreerde zich op de lichtklok aan de muur en hield zichzelf voor dat de pijn psychosomatisch was. Het zou wel weer overgaan. Dat was hem verzekerd. Met de tijd. Net als de nervositeit. En het gevoel van naderend onheil, dat hem sinds Tony's begrafenis bij alles wat hij deed vergezelde. Met de tijd, was hem verteld, ging het allemaal weer over.

Toen hij na de begrafenis naar Mallorca teruggekeerd was, had hij zich laten onderzoeken. Op het belangrijkste: kanker, hartkwalen. De uitslagen (ECG, bloedonderzoek) waren negatief. De bedrijfsarts had zijn ongemak toegeschreven aan stress. Niet zo gek, gezien wat er met Tony gebeurd was, had ze geoordeeld. Ze had Sam naar zijn dromen gevraagd, en of hij wel eens het gevoel had dat hij geen controle over zijn leven had. Meer ontspanning, had ze hem voorgeschreven toen hij hierop ontkennend antwoordde. Minder alcohol (niet dat hij veel dronk) en meer slaap. En tijd natuurlijk. Want tijd was de beste heelmeester.

'Sam?' Hij hoorde de dringende toon in Claires stem. (Hij had haar niets over zijn bezoek aan de arts verteld.)

Acht, telde hij verder. Negen... De kleine wijzer van de klok maakte een sprongetje. Net zo snel als hij gekomen was, trok de pijn weer uit zijn borst, alsof een reusachtige hand hem eindelijk losliet. Zijn schouders ontspanden zich. Zijn hart klopte alweer minder snel. Hij haalde diep adem en sloot zijn ogen.

Met een uiterste krachtsinspanning lukte het hem om iets te zeggen. 'Niets aan de hand,' antwoordde hij, terwijl hij zich met een geforceerde glimlach naar Claire omdraaide. De glimlach werd oprecht toen hij besefte dat hij het, voorlopig, weer in de hand had – de zorgelijkheid, de angst; precies zoals de dokter gezegd had. Toen kwam de boosheid, boosheid omdat hij zo slap was geweest.

'Wat gebeurde er nou?' vroeg Claire.

'Niets.'

'Je werd opeens helemaal stil.' Ze keek onderzoekend naar zijn gezicht. 'En je hebt een heel raar kleurtje.'

Hij stond op, raapte de handdoek op en veegde het zweet van zijn voorhoofd. Hij ging op de rand van het bed zitten. 'Ik ben uitgedroogd, denk ik.' Zijn schorre stem leek zijn smoes te bevestigen.

Ze keek hem sceptisch aan. 'Weet je zeker dat dat alles is?'

'Ja.'

Ze pakte een fles Evian van haar toilettafel.

'Drinken,' beval ze.

Hij dronk het in één keer op, een hele liter water.

'Je krijgt weer een beetje kleur op je wangen,' zei ze. 'Dit zal je leren.'

'Hoezo?'

'Squashen in dit weer, en dan ook nog neuken... wat had je dan verwacht?'

Hij ademde uit. Ziezo. Hij had een excuus en hij had het niet eens aangewend. Na het werk had hij gesquasht met Gunther, zijn vriend en collega. Hij had vijf spelletjes achter elkaar verloren (de enige vijf spelletjes die Gunther ooit gewonnen had). Sam haalde grijnzend zijn schouders op, blij dat hij er een grapje van kon maken. Want dat kon nu: hij voelde zich weer normaal, zijn hart klopte weer als een metronoom en het was net alsof er niets gebeurd was.

147

'Het was wel een beetje stom, ja,' beaamde hij.

Ze knikte lachend. Eindelijk verdween de spanning uit haar ogen. 'Al blijf je er wel goed van in vorm,' zei ze, terwijl ze achter hem op het bed knielde en zijn gespierde armen streelde. Ze begon zijn schouders te masseren. 'Je bent nog steeds vreselijk gespannen. Je maakt je toch geen zorgen over vanavond, hè?'

'Nee.'

'Zeker weten?'

'Absoluut. Waarom zou ik?'

Ze gaf geen antwoord. Ze wisten allebei waarom. Vanwege zijn vreemde gedrag na de begrafenis, toen Rachel hem gevraagd had een speech te houden. Toen hij de deur van de badkamer eenmaal van het slot gehaald had, had hij gezegd dat het geen stotteren was geweest; hij had zich verslikt in een stuk kauwgum. Maar op dat moment had hij al niet gedacht dat ze hem geloofden, en dit was het bewijs. 'Nou ja, áls het zo is,' vervolgde Claire, 'hoef je niet per se een speech te geven.'

'Zei ik niet net dat ik me geen zorgen maak?' beet hij haar toe. Tot nu toe had niemand een woord over het incident gezegd. Hij had aangenomen dat zijn familie het door het verdriet van die dag gewoon vergeten was. Maar het was natuurlijk wel opgevallen. In ieder geval was het Claire opgevallen.

'Je hoeft niet zo lelijk tegen me te doen,' zei ze berispend, voor ze bedachtzaam vervolgde: 'Maar als je niet zo gespannen bent door het feest, vraag ik me af waardoor dan wel.' Haar spottende toon beviel hem niet, maar wat ze vervolgens aan hem vroeg beviel hem nog veel minder: 'Zeg nou niet dat je nog steeds geobsedeerd bent door die Laurie Vale?'

Hij voelde de spanning in haar vingers. Hij moest goed nadenken hoe hij hierop antwoordde. Claire was slim. Dat was een van de eigenschappen die hem in haar aangetrokken hadden. Maar hij was ook slim, slim genoeg om te beseffen dat hij haar vraag niet kon afdoen als ijdele nieuwsgierigheid, laat staan huwelijkse jaloezie.

Vermoedde ze al iets? Dat was zijn grootste zorg. Had zijn lichaamstaal hem verraden, toen hij zich bij de begrafenis aan Laurie voorstelde alsof hij haar nog nooit van zijn leven gezien had? Had Claire zich afgevraagd waarom hij zo hard zijn best deed om hun mooie nieuwe nichtje niet aan te kijken? Of had Claire de angst in zijn ogen gezien, toen ze hem gisteravond vertelde dat Laurie op het eiland aangekomen was? Was het mogelijk dat Claire intuïtief de diagnose stelde die de arts over het hoofd gezien had: namelijk dat de bron van zijn angsten een vrouw was die zijn leven zou kunnen verwoesten?

Hij hoefde zijn afkeuring over deze nieuwste ontwikkeling niet te veinzen toen hij antwoordde: 'Het is toch niet te geloven dat ze mij niets gevraagd heeft.'

'Wie?'

'Rachel. Het is toch niet te geloven dat ze die vrouw in de villa laat logeren zonder eerst met mij te overleggen.' Volgens de e-mail die Rachel hun gisteravond gestuurd had zou Laurie Vale de hele zomer in Sa Costa bivakkeren.

'Maar waarom zou ze?' vroeg Claire, terwijl ze haar vingers om Sams hals legde.

Omdat Laurie Vale bij ons uit de buurt moet blijven, was het antwoord dat hij niet kon geven.

'Omdat ik het huis misschien al aan iemand anders beloofd had,' zei hij dus maar. En het was nog waar ook. In het verleden hadden talloze zakenrelaties van Ararat al in het huis gelogeerd. Behalve een tweede huis, was Sa Costa voor Tony en Rachel ook altijd een verstandige zakelijke investering geweest, die lucratieve contracten kon opleveren. 'Een belangrijk iemand,' voegde Sam eraan toe.

'Blijkbaar vindt Rachel Laurie belangrijk.'

'Ze kent haar amper.' Vijftig jaar. Zo lang was Lauries kant van de familie van die van Claire afgesneden geweest. Sam had de grootste pech van de wereld dat Rachel juist nu besloot bruggen te gaan bouwen. En dat Laurie Vale de eerste was die zich bereid verklaarde de oversteek te maken.

'Je zingt nu wel een heel ander deuntje, hè?' zei Claire.

'Waarover?'

'"Misschien worden jullie wel vriendinnen",' citeerde Claire. 'Dat zei je toch voor de begrafenis?'

'En jij zei "dank je feestelijk",' antwoordde hij toen hij zich het gesprek weer herinnerde. 'En jij had gelijk: ze is vast een geldgeil trutje dat komt kijken of er nog wat te halen valt.'

'Tjonge, het is wel waar wat ze zeggen over mannen met macht...' Claire duwde hard op een spierknoop in Sams nek.

Ineenkrimpend van de pijn draaide hij zich naar haar om. 'Het is mijn taak om het bedrijf te beschermen.'

Ze glimlachte zelfgenoegzaam, opgetogen omdat ze hem zo gemakkelijk op de kast kreeg. Ze wilde iets zeggen, maar ze bedacht zich. Ze liet zich naar de andere kant van het bed rollen, stak een sigaret op en keek geamuseerd naar hem.

'Wat is er nou?' vroeg hij.

De ven verspreidde de dunne rookwolk die ze uitblies. 'Wat je daarnet zei... over Laurie Vale... dat ze alleen op geld uit is...'

'Wat is daarmee?'

Claires glimlach werd breder. 'Nou, ik vergat je nog te vertellen...'

Dat klonk niet best. 'Wat vergat je me te vertellen?'

'Dat je dat tegen haar zelf kunt zeggen...'

Sam werd koud vanbinnen. 'Ik kan je niet volgen.'

'Als ze vanavond op het feest komt. En voor je zegt dat je niet wilt dat ze komt: ik heb haar al gevraagd en ze heeft al ja gezegd.'

Om halftien stond Sam op de fly-bridge van de *Angel*. Naast hem stond een citronellakaars in een windbestendige houder, waardoor het rook zoals in de citroengaarden in de buurt van Deià, waar hij vroeger altijd ging wandelen. Hij knikte met zijn hoofd en veinsde belangstelling voor het gesprek tussen Luc Laporte, Ararats Franse bedrijfsjurist, en Jamie Dodd, de grootste makelaar in jachten van het eiland, over de verschillen tussen twee concurrerende motorjachtenbouwers.

Sam zeilde graag, maar in tegenstelling tot Jamie en Luc was hij niet dol op motorboten. Hij had een schoener, genaamd *Flight*. De boot was net zo groot dat hij hem in zijn eentje kon bemannen. Op een mooie dag, als de zon zijn huid verwarmde, de wind de zeilen bolde en de zee aan de helmstok in zijn hand trok, werd hij soms overvallen door het gevoel dat alles klopte.

Geluk, dacht hij op zulke momenten, is niet nadenken. Geluk

is zijn. Op de juiste plek zijn. Of met de juiste persoon. Zonder alles in twijfel te trekken. Wat hij de laatste tijd zonder het te willen elk uur van de dag deed.

De laatste keer dat Sam op de *Angel* was, was met Tony geweest. Onder de lunch hadden ze besproken hoe ze voet aan de grond konden krijgen in de opbloeiende Kroatische toeristenindustrie. Toen was alles nog zo veel eenvoudiger geweest. Zekerheid had haalbaar geleken. Nu Sam zo lusteloos een glas champagne stond te drinken, dacht hij aan Tony en hij wenste hem al het goede.

Tony was dol op deze boot geweest. In ieder geval werd hij er graag op gezien. Sam glimlachte bij de herinnering aan zijn schoonvader, die er geen been in had gezien om voor een vermogen aan brandstof van Palma naar Ibiza te varen, waar hij de *Angel* afmeerde naast Rachels favoriete visrestaurant, om na het eten weer terug naar huis te gaan.

Sam was precies het tegenovergestelde. Als hij Claire van het stadsleven kon weglokken, reed hij met haar naar een van de minst modieuze restaurants in het binnenland, waar ze konden eten zonder gestoord te worden. Dan praatten Claire en hij over zichzelf op een manier die er anders nooit van kwam. Het was alsof ze alleen dan nog samenvielen met de mensen die ze waren toen ze elkaar leerden kennen, als ze alle ballast van het leven dat ze sindsdien samen opgebouwd hadden overboord gooiden.

'Het punt is, Jamie, dat juist nú het goede moment is om te investeren,' zei Luc, 'omdat verder niemand het doet.' As van Lucs sigaar viel op het dek. 'Vind je ook niet, Sam?'

Zowel Luc als Jamie keek hem verwachtingsvol aan. Sam vermoedde dat het gesprek niet langer over boten ging, maar hij had geen idee waarover dan wel.

'Lastige zaak,' zei hij ontwijkend. 'Maar laat maar eens horen,' vervolgde hij tegen allebei, 'ik ben wel benieuwd hoe jullie erover denken.'

Met een knikje in de richting van de stewardess, ten teken dat hij nog een glas champagne wilde, nam Jamie het estafettestokje aan. 'Het risico is te groot,' verklaarde hij. 'Volgens mij is het veel veiliger om...'

Met een blik liet Sam de stewardess weten dat zijn glas niet bijgevuld hoefde te worden. Hij had geen zin om te drinken. Er was geen enkele reden om feest te vieren. En hij moest scherp blijven. Hij wierp een blik op het achterdek, waar Laurie nog steeds door Claires kwetterende vriendinnen uitgehoord werd. Terwijl zij, net als Claire, geheel in het zwart gekleed gingen, droeg Laurie een eenvoudig wit jurkje. Hij had haar voor ze aan boord ging haar platte witte sandalen zien uitschoppen. Hij vond haar mooier dan al die andere vrouwen bij elkaar, mooier dan Claire, en hij haatte zichzelf om die gedachte.

Ze keek hem vluchtig aan en wendde zich toen weer tot haar gesprekspartners, alsof hij niet meer was dan een schim.

Deed ze het uit wraakzucht? Kwaadaardigheid? Of gewoon voor de lol? Sam liep alle mogelijkheden na. Want wie wist waarom Laurie hier was? Sam geloofde in ieder geval geen moment dat ze op Mallorca was om te werken. Rachel geloofde het wel. En Claire ook, zei ze.

'Ze is wel familie, hoor,' had Claire die middag gezegd, toen hij bezwaar maakte tegen Lauries aanwezigheid op het feest. 'Bovendien kan ik haar dan beter in de gaten houden,' had ze er realistischer aan toegevoegd. 'Trouwens, Rachel vroeg me haar uit te nodigen.'

Nee, Sam wist niet waarom Laurie hier was. Maar hij wist wel dat hij nooit zou toestaan dat ze een scène schopte. Niet waar al deze mensen bij waren. En hij zou ook niet dulden dat ze als een rommelend epicentrum op dit eiland – *zijn* eiland – zou neerstrijken om voortdurend zijn bestaan te bedreigen. De kring van vrouwen om haar heen week uiteen toen Claire naar de boeg van de boot wees. Laurie liep erheen, zodat Sam haar niet meer kon zien. Hij wachtte tot Claire zich omdraaide.

'Excuseer me even, heren,' zei hij toen.

Hij haastte zich de trap af en liep verder naar de boeg. Het geroezemoes van stemmen stierf achter hem weg. Met een schok bleef hij staan.

Daar stond ze, in haar eentje op de voorsteven, haar blik op de haveningang gericht, een silhouet tegen de heldere mediterrane avondlucht. Populaire beelden drongen zich aan hem op – *Tita-*

nic, The French Lieutenant's Woman. Romantische liefdes, ge-
doemde liefdes.

Hij wilde op haar af stappen, het zo snel mogelijk achter de
rug hebben. Maar de kans dat ze daar samen ontdekt werden,
badend in het maanlicht als de geliefden die ze ooit waren, was te
groot.

Hij deed een stap opzij en trok zich terug in de schaduw van
de stuurhut. Hij wachtte.

Naast de *Angel* was er nog een feest gaande, op een boot die de
Moondance heette. Sam zag de onberispelijk geklede schipper,
indrukwekkend met zijn pet en glimmende epauletten, bij de
passerelle staan, waar hij zijn gasten verwelkomde. De muziek
van de twee boten vermengde zich tot een pittige mix, met salsa
van de *Moondance* en Parijse loungecore van de *Angel*, gekozen
door Claire.

Waar Sam ook keek – naar de *Moondance* of het achterdek van
de *Angel* – zag hij lachende mensen, kristallen champagneglazen
die voor een heildronk geheven werden, hapjes die in monden
verdwenen, sigaretten die smeulden als vuurvliegjes boven de
kalme zwarte zee.

Toen hij eindelijk Lauries voetstappen op het hardhouten dek
hoorde, deed hij vanuit de schaduw een stap naar voren.

Geschrokken sloeg ze een hand tegen haar borst. Toen ze zag
wie hij was, verscheen er een bittere trek op haar gezicht.

'We moeten praten,' zei hij.

'O ja?'

'Dat weet je best.'

'Waarover dan?'

Nog steeds kon Claire ongezien op hen af sluipen. 'Over ons,'
siste hij.

'Is er dan een ons?'

'Ja. Nee.' Hij wist niet wat hij moest zeggen. 'Er was wel een
ons,' zei hij, 'ooit.'

Haar gelaatsuitdrukking verraadde niets. 'Gezien je gedrag op
de begrafenis van mijn oom, dacht ik namelijk dat we elkaar
nooit eerder ontmoet hadden.'

De situatie was zo onwerkelijk. Zoals hij aanvankelijk, achter die katheder in de kerk, zijn ogen niet had kunnen geloven, zo kon een deel van hem nu nog steeds niet geloven dat Laurie echt familie van Claire was. Of dat ze in levenden lijve voor hem stond. Maar het was echt waar. Daar was niets aan te doen. Of hij het leuk vond of niet, dit waren de kaarten die het lot hem toebedeeld had en nu moest hij er het beste van zien te maken.

'Het spijt me,' zei hij. Die woorden klonken hopeloos ontoereikend, ook in zijn eigen oren.

'Het spijt je?'

'Ja.'

'Dat je deed alsof je me niet kende?'

'Ja.'

'Nog iets?'

'Wat?'

'Je hoorde me wel.' Voor het eerst verhief ze haar stem.

'Luister... kunnen we...' Hij wees naar de deur van de verlaten stuurhut.

Ze maakte zijn zin voor hem af: '...binnen verder praten?'

'Ja.'

'Waarom zou ik? Jij hebt lang geleden al duidelijk gemaakt dat je niet verder wil, Sam. Wat zou ik in 's hemelsnaam nog tegen je te zeggen hebben?'

'Er zijn dingen die ik nog tegen jou moet zeggen.'

'Zodat je je minder schuldig voelt? Vergeet het maar.'

Ze probeerde hem opzij te duwen, maar hij verzette geen voet.

'Ga aan de kant,' zei ze.

Zonder nadenken pakte hij haar bij haar pols. 'Alsjeblieft... heel even maar.'

'Laat me los,' zei ze op dreigende toon, 'of ik ga gillen.' In haar ogen lag een hardheid die hij alleen maar van zakelijke rivalen kende. Hij was bang dat hij verantwoordelijk was voor die blik. Misschien was het stom geweest om te denken dat hij haar simpelweg kon overhalen terug naar huis te gaan en uit zijn leven te verdwijnen. Maar misschien had hij altijd al stom gedaan als het om haar ging.

'Dat is de reden dat je hier bent, hè?' zei hij. Hij gaf het nog niet op; hij moest haar in ieder geval duidelijk zien te maken wat ze kon aanrichten. 'Om te gillen, om me terug te pakken, om iedereen te laten weten wat een klootzak ik ben, om me kapot te maken.'

'Kun je het me kwalijk nemen?'

'Nee.' Hij zei het zonder aarzelen. Hij zei het omdat hij wist dat ze er het volste recht toe had, na wat hij haar aangedaan had. 'Maar ik hoop dat je het niet zult doen.'

'Je krijgt twee minuten van me,' zei ze voor ze langs hem heen de stuurhut in glipte.

Binnen brandde naast de lichtgevend groene en gele wijzers een oranje veiligheidslampje, maar verder was de hut in duisternis gehuld. Sam was blij dat hij haar gezicht niet kon zien. Dat maakte het gemakkelijker om te zeggen wat hij kwijt wilde. Ze stond met haar rug tegen het stuurrad.

'Nou?' vroeg ze.

'Waarom ben je hier, Laurie?'

'Omdat Claire – je *vrouw*,' voegde ze er nadrukkelijk aan toe, 'me uitgenodigd heeft.'

'Nee, op het eiland, bedoel ik.'

'Omdat Rachel – familie van ons beiden – me uitgenodigd heeft.'

Frustratie welde in hem op. 'Waarom ben je hier nou echt, bedoel ik,' hield hij vol.

'Om te werken.' Ze lachte schamper. 'Of dacht je dat het vanwege jou was?'

'Ik wist het niet.'

'Dan voel je je dom, hè?'

'Wanneer?'

'Als je niet weet wat er aan de hand is. Waarom iemand iets doet. Waarom iemand jou iets aandoet.'

'Dit is geen spelletje,' zei hij.

'O nee?'

'Nee.'

'Je zult wel gelijk hebben.' Zo in het donker, met het geluid van haar ademhaling zo dichtbij, had hij naast haar in bed kunnen liggen, klaarwakker midden in de nacht. 'Maar ik was wel een spelletje, hè?' zei ze. 'Voor jou.'

'Nee.'

'Zo voelde het anders wel, Sam. Naderhand. Nadat je me geschreven had. Of weet je dat niet meer? Want zo gaat dat met spelletjes, nietwaar, Sam? Zodra ze afgelopen zijn denk je er niet meer aan. Je staat gewoon van tafel op en gaat door met je leven.'

Maar hij wist het nog wel. Het voelde alsof het vandaag pas gebeurd was. 'Ik schreef je omdat ik het niet kon opbrengen met je te praten.'

'Je kon het niet opbrengen om met me te praten,' herhaalde ze langzaam. 'Wel om me te versieren. Dat lukte je heel goed. En om me te neuken. Zelfs om me te vertellen dat je verliefd op me was.' Ongeloof en verbittering klonken door in haar stem. 'Maar om me te bellen? Een volwassen zakenman als jij? Je kon het niet opbrengen om me te bellen?'

Maar ze begreep het niet. Eén telefoontje... Hij had destijds heel goed beseft dat er maar één telefoontje nodig was om hem opnieuw te doen besluiten bij Claire weg te gaan. Hij had dat ene telefoontje niet durven riskeren, want met dat ene telefoontje was hij alsnog de rotzak geworden die hij nu juist niet wilde zijn.

'Weet je hoe dat voelde, Sam? Heb je enig idee hoe het voelde om mij te zijn toen jij deed wat je deed?'

Hij herinnerde zich hoe het was toen hij haar op Tony's begrafenis opeens zag zitten. Haar weer te zien – die eerste snelle blik – had hem zo gelukkig gemaakt dat hij haar naam wilde uitschreeuwen, dat hij naar haar toe wilde rennen en haar in zijn armen wilde nemen. Maar op hetzelfde moment had hij ook weer geweten wat hij haar aangedaan had, en hij was verteerd door schaamte. 'Ik had geen keus.'

'We hebben altijd een keus.'

Hij werd misselijk bij de gedachte aan wat hij gedaan had. Opeens wist hij niet meer wie nu de grootste rotzak was, de man die Claire bedrogen had of de man die de vrouw van wie hij hield bedrogen had.

'Je moet hier weg,' zei hij. 'Je moet van deze boot af en je moet van dit eiland af.'

Het bleef even stil, toen zei ze: 'Wat ik doe zijn mijn zaken. Je hebt niet het recht mij de wet voor te schrijven.'

Ze keken elkaar aan.

'Was je al verloofd toen je mij leerde kennen?' vroeg ze vervolgens. 'Had je toen al besloten dat je de rest van je leven bij Claire wilde zijn?'

'Nee,' antwoordde hij, en voor hij zich kon bedenken voegde hij er uit een wanhopige behoefte om zichzelf vrij te pleiten aan toe: 'En ik was ook nog geen vader. Ik wist nog niet eens dat ik vader zou worden. Dat was al gebeurd voor ik je leerde kennen, snap je. Maar Claire vertelde me pas dat ze zwanger was toen ik terugkwam.'

'Laurie!' riep een gedempte stem van buiten.

'Ik deed wat me het beste leek,' zei hij tegen Laurie voor hij de deur opendeed en naar buiten riep: 'Hier, Claire.'

'Kijk jullie nou toch eens,' zei Claire, die haar hoofd de hut in stak en met half toegeknepen ogen het duister in tuurde, 'in het donker verstopt als een stel ouwe vlammen.'

'Ik vertel net aan Laurie...' begon Sam.

'...hoe navigeren in z'n werk gaat,' vulde Laurie aan. 'Hij vertelt me net hoe je van punt a naar punt b vaart en hoe gemakkelijk het tegenwoordig allemaal gaat.'

Maar op een of ander manier ontging Claire de onderliggende woede.

'Wat saai, Sam,' zei Claire streng, terwijl ze haar armen om zijn nek sloeg en hem op de wang kuste. 'In ieder geval hebben jullie nu wel genoeg beslag op elkaar gelegd. Kom me nu maar helpen dit feest van de grond te krijgen.'

10

'Boe!'

Rachel maakte een sprongetje van schrik toen Tony opdook van achter de muur en in haar zij porde.

'Je liet me schrikken!' zei ze, alsof ze boos was, maar ze voelde dat ze bloosde. Ze draaide zich naar hem om en lachte naar hem.

Stilletjes liet ze het twee dagen oude briefje dat ze in haar hand geklemd hield in haar zak glijden. Het verbaasde haar nu dat ze er ooit aan getwijfeld had of wat erop stond wel echt waar was. Maar het was waar. Tony was er. Zaterdag om tien uur precies voor de doopsgezinde kerk, zoals hij in zijn geheime briefje geschreven had. Hij was een man van zijn woord. Ze had haar smoes, dat ze hier op Pearl stond te wachten, niet hoeven gebruiken. Ze had niet één nieuwsgierige vraag hoeven beantwoorden. Alles liep helemaal volgens plan.

Tony had voor de gelegenheid zijn beste kleren aangetrokken en het ontroerde haar dat hij voor haar al die moeite gedaan had, net als zij voor hem. Ze droeg haar favoriete rode rok en een witte bloes, en een haarband in haar haar. Hij droeg een blauw overhemd met korte mouwen. Hij had de bovenste knoopjes opengelaten en ze kon de krulhaartjes op zijn borst zien.

Ze beet beschaamd op haar lip, verbaasd dat ze hem zo aantrekkelijk vond. Zou hij kunnen raden, vroeg ze zich af, hoe vaak ze aan hem gedacht had, de drie eindeloze dagen sinds hun laatste ontmoeting? Zou hij weten dat ze bij de grote voorjaarsschoonmaak in de woonkamer zijn naam in het stof had geschreven?

Rachel wist dat ze van schaamte zou sterven als Tony van haar meisjesachtige fantasieën af wist. In de overtuiging dat ze op haar voorhoofd geschreven stonden, probeerde ze zo zedig mogelijk te kijken, maar de opwinding die ze voelde als ze hem zag liet zich niet beteugelen. Alsof hij haar gedachten kon lezen vonden zijn ogen de hare, als magneten die te sterk zijn om te weerstaan.

'Kom mee,' zei hij, de spanning brekend, 'voor iemand ons ziet.'

Hij gaf haar een hand, hielp haar over de muur en nam het steile pad dat achter de kerk tussen de naaldbomen door de heuvel op liep. Rachel moest hard lopen om hem bij te houden. Ze was blij dat ze op het laatste moment haar gewone schoenen aangetrokken had en haar pumps thuis had gelaten.

Tony had een zware grijze legerrugzak op zijn rug, maar toch liep hij in een stevig tempo naar de top van de heuvel, waar hij over het stenen muurtje klom. Daar wachtte hij lachend op Rachel, die alle trots liet varen en voorovergebogen, met haar handen op haar knieën, op adem probeerde te komen. Daarna liepen ze verder, het met voren doortrokken pad af, door de wei, en omhoog naar het bosje op de top van de volgende heuvel.

Rachel was hier nog nooit geweest, vooral omdat het nooit bij haar opgekomen was om de route over de heuvels te nemen. Maar zo ging dat als je met Tony was. Nog maar een paar weken geleden was Stepmouth het saaiste, verstikkendste gat geweest dat ze zich maar kon voorstellen, maar met Tony als gids had Rachel in haar geboorteplaats plekjes ontdekt waarvan ze nooit had durven dromen.

In het begin was Rachel bang geweest dat ze elkaar nooit onder vier ogen zouden kunnen spreken, maar Tony had haar uitgelachen. Hij nam haar mee naar al zijn oude schuilplaatsen, waar ze inderdaad altijd alleen waren: de niet meer gebruikte zigeunerwagen op de Summerglade Hill, het beschutte hoekje op het dak van het gebouw van de reddingsbrigade, het wachthokje op de parkeerplaats van de bioscoop, de garage achter de bakkerij en, één keer, Tony's schuur.

Rachel genoot er met volle teugen van. Terwijl haar vriendinnen de laatste duffe roddels uitwisselden, sloeg Rachel haar vleugels uit, beseffend dat zij hun de grootste roddel aller tijden zou kunnen bezorgen. Maar ze wist dat ze nooit iets zou loslaten. Tegen niemand. Ze popelde om het aan iemand te vertellen, het liefst aan Pearl, maar iets weerhield haar ervan. Als ze erover zou praten, als ze aan iemand zou proberen uit te leggen wat voor bijzonders ze met Tony had, zou ze de betovering misschien verbreken.

Ze bleef staan en streek haar haar uit haar gezicht. Ze hoorde de vogels zingen, zag het jonge gras glinsteren en rook de geur van bloemen. Tony wachtte met uitgestoken hand op haar en ze lachte om zijn enthousiasme. Ze rende naar hem toe en legde haar hand in de zijne.

Het had misschien veertig minuten geduurd, maar voor haar gevoel stonden ze in een mum van tijd boven op de heuvel. Op de konijnen na, die zich achter de berken in veiligheid brachten, waren ze helemaal alleen. Rachel keek naar het dak van de kerk in de diepte en het stadje dat nu meer op een maquette leek. Vanuit dit perspectief gezien was het veel gemakkelijker om te ontsnappen dan ze ooit had kunnen denken, en ze kon bijna niet meer geloven dat ze zich zoveel zorgen had gemaakt. Ze had tegen Bill en haar moeder gezegd dat ze een middagje met Pearl naar Barnstaple ging, wat ze zonder vragen geaccepteerd hadden. Nu bad ze in stilte dat Bill Pearl of haar ouders niet tegen het lijf zou lopen. Niets mocht deze dag bederven.

'We zijn er bijna,' zei Tony, die alweer tussen de bomen verdween en op een lange heg af liep die het land van de weg scheidde.

'Waar gaan we heen?' hijgde ze, terwijl hij haar meetrok en met zijn andere hand met een stok een gat in de heg sloeg.

'Dat zei ik toch al. Het is een verrassing.'

Ze wurmde zich langs hem heen door de heg heen en belandde in een droge greppel naast de weg. Ze hielp Tony aan de andere kant omhoog te klauteren, waarna ze samen uitgeput bleven liggen, turend naar de wollige wolken in de blauwe lucht.

Rachel keek over haar schouder naar de weg en stelde verbaasd vast dat ze vlak bij de bushalte waren. Het was riskant om een bus te nemen, maar net als Tony dacht ze dat ze beter hier konden wachten dan in Stepmouth.

Tony haalde een kleine verrekijker uit zijn rugzak. Hij wierp haar een veelbetekenende blik toe en voor ze het wist sprong hij over de greppel en klom hij behendig in een oude eikenboom.

'Wat doe je?' riep Rachel hem na. Ze hield een hand boven haar ogen tegen de zon.

'Van Arthur geleend. Van hieruit kan ik de bus om de hoek zien komen. Ik zie zo wie erin zitten. Of het wel veilig is.'

'Je hebt overal aan gedacht,' zei ze lachend.

'Ik wil hier gewoon weg.'

Als hij bijna boven was reed de bus altijd zo langzaam dat je hem lopend kon bijhouden. De kinderen van Stepmouth hadden de gewoonte om vlak voor de top van de heuvel met z'n allen steeds harder te gaan gillen. Het voelde alsof de bus elk moment terug kon gaan rollen, wat, als door een wonder, nooit gebeurde.

Rachel dacht aan alle verhalen die ze gehoord had over vrouwen in het verzet in Frankrijk. Ze hield van het gevoel van gevaar dat haar omgang met Tony met zich meebracht. Alsof de wereld hun vijand was en zij vrijheidsstrijders waren. In zekere zin was dat ook zo, bedacht ze.

'Duiken!' schreeuwde Tony, en ze liet zich in de greppel glijden. Ze hoorde de groene bus rammelend de laatste meters omhoog rijden. Rachel tuurde door het lange gras.

Ze kruiste haar vingers, hopend dat er geen vaste klanten van de winkel in de bus zaten, of kinderen van school. Die zouden beslist een hoop herrie maken als ze haar en Tony samen zagen.

'Alles goed,' riep Tony. Even later stond hij naast haar, terwijl zij de bus aanhield. Hij knipoogde naar haar en samen stapten ze in de bus.

Tony kocht twee kaartjes naar Wolcombe.

'Je hebt toch wel zin om te gaan, hè?' vroeg hij voor de zekerheid.

'Natuurlijk heb ik zin!'

'Je kijkt alleen zo zorgelijk.'

'Laat mij de helft maar betalen,' zei Rachel, terwijl ze haar portemonnee uit haar zak haalde. Ze had gezien hoe armoedig zijn schuur eruitzag en wist dat hij niet veel geld had. Twee retourtjes leek haar te duur voor hem.

Tony hield haar tegen. 'Nee. Ik trakteer.'

De buschauffeur keek van de een naar de ander.

'Maar...'

'Geen gemaar, we gaan plezier maken en jij hoeft je nergens zorgen over te maken.'

Tony leek er zo kalm onder, maar Rachel gloeide van opwinding toen hij haar door de hotsende bus naar de lange bank achterin leidde. Dit was het spannendste wat ze ooit gedaan had. Ze trilde van verwachting bij het idee dat ze een hele dag samen zouden zijn, ver weg van Stepmouth en al zijn gevaren.

'Ik heb maar iets te eten meegenomen.' Tony gaf een klapje op zijn rugzak en kwam naast haar zitten.

Rachel grijnsde en wilde net iets zeggen toen een enorme vent van achter in de twintig een klap op de metalen stang boven de bank voor hen gaf en hen over de rugleuning aankeek. Hij had een lelijke tatoeage op zijn onderarm en onder het rossige gemillimeterde haar zag zijn sproetige gezicht er extra bol uit.

'Nee maar, als dat Anthony Glover niet is,' zei de man op lijzige, spottende toon. In zijn mondhoeken schuimde spuug. Zijn adem stonk naar bier.

'Je broer Keith de laatste tijd nog gezien? Zeg hem maar dat ik hem wil spreken.'

Tony keek de man rustig aan. 'Ik bemoei me met mijn eigen zaken, Douglas. Als jij je nou eens met de jouwe bemoeide?'

Het was geen vraag. Aan de dreigende toon in Tony's stem hoorde Rachel dat Douglas maar één verkeerde beweging hoefde te maken en het zou vechten worden.

Ze legde een hand op Tony's arm en voelde zijn gespannen spieren. Angst bekroop haar als een koude tochtvlaag. Douglas keek Tony aan en wierp toen een minachtende blik op Rachel, alsof ze vuil was. Heel even dacht ze dat hij op een belediging broedde, of op een dreigement, maar zijn hersencellen konden het niet aan en hij bedacht zich. Hij rochelde luidruchtig en spuugde uit het open raampje, waarna hij naar de voorkant van de bus kuierde.

'Zeg maar dat je me gesproken hebt,' grauwde hij terwijl hij wegliep. 'Hij is me nog wat schuldig.'

'Wie was dat?' vroeg Rachel toen Douglas weg was. Tony keek gespannen, alsof zijn goede humeur uit hem gewrongen was. Hij zat stijf rechtop op de bank.

'Niemand. Hij ging met m'n broer om. Niets bijzonders.'

'O.'

Rachel zweeg. Ze volgde Tony's blik, die recht op de rol vet in Douglas' nek gericht was. Ook al had ze er nu een vaag idee van hoe het was om Tony te zijn en je leven altijd en eeuwig door Keith overschaduwd te weten, ze betwijfelde of zij de juiste persoon was om hem te troosten.

Ze liet haar vingers over het verweerde rode leer van de bank glijden en legde haar hand op die van Tony, maar hij verroerde zich niet. Ze wilde iets zeggen om het goed te maken, om Tony's muur af te breken, zodat hij weer haar Tony zou zijn, niet de harde, onbenaderbare Tony die alle anderen zagen, de Tony die altijd op zijn hoede was.

Ze keek uit het raam en voelde haar hand op de zijne, dwong zichzelf hem daar te laten liggen, ook al voelde het alsof ze hem daarmee pijn deed. Ze zag de weerspiegeling van haar bezorgde gezicht in het raam. Ook al raakte ze hem aan, Rachel voelde dat ze steeds verder van Tony weggleed. En dat kwam allemaal door Douglas. Die had alles verpest.

Maar misschien zou er altijd wel een Douglas zijn, iemand die tegen hen over Keith zou beginnen. Stel dat het altijd zo zou gaan als dat gebeurde, bedacht ze paniekerig. Stel dat ze het verleden nooit te boven zouden komen. Stel dat het verleden hun altijd met harde hand zou laten voelen wie ze waren vóór ze elkaar leerden kennen.

Rachel draaide zich naar Tony om. Ze zou het niet laten gebeuren. Ze had te veel geriskeerd om het nu mis te laten lopen. Bovendien, dacht ze, waren ze nu juist samen omdat ze geen obstakels tussen hen in wilden.

'Tony? Ik vroeg me af... Ik weet dat we het er nooit over gehad hebben, maar nu het toch ter sprake gekomen is, vroeg ik me af...' Ze durfde opeens niet meer. Waar was ze mee bezig? Natuurlijk hadden ze het er nooit over gehad; zij had ervoor gekozen er niets over te zeggen. Net als hij. Omdat ze allebei wisten, net als zij nu, dat het een onderwerp was dat hen uit elkaar kon drijven.

Maar Rachel wist dat ze niet langer kon doen alsof het niet bestond. Al had Douglas geen roet in het eten gegooid, vroeg of laat hadden ze het toch een keer over Keith moeten hebben. Het onderwerp kon niet zomaar aan de kant geschoven worden. Het was het engste dat ze iemand ooit had moeten vragen, maar hoe langer ze het uitstelde, hoe zwaarder de vraag woog.

Ze haalde diep adem. 'Ik vroeg me af... nou, hoe je eigenlijk over je broer denkt.'

'Over Keith? Je wilt het over Keith hebben? Nu? Hier?'

Tony klonk zo bars en geïrriteerd dat ze haar hand terugtrok. Hij keek naar zijn hand, alsof hij nu pas merkte dat de hare daar gelegen had. Hij staarde naar de ruimte tussen hun handen.

'Wat wil je weten?' vroeg hij, vriendelijker nu.

'Ik weet het niet. Alles. Wat je me maar wilt vertellen.'

Een hele tijd bleef zijn gezicht duister, bijna alsof hij te bang was om te praten. Ze wachtte een eeuwigheid en wilde net over iets anders beginnen toen hij begon te praten.

'Hij schreef altijd naar mijn moeder, nadat... je weet wel. Mijn moeder gooide de brieven altijd in de prullenbak, maar hij ging maar door met schrijven. Maand na maand. Bijna een jaar lang. Ze bleven komen. Op een dag heb ik er een gelezen.'

Rachel hield haar adem in. Ze had zich altijd voorgesteld dat Keith simpelweg opgesloten zat, afgeschreven en vergeten. Het feit dat hij contact had met de buitenwereld, in ieder geval met zijn familie, vervulde haar van een morbide fascinatie.

'Wat stond erin?'

'De woorden zelf... de zinnen... daar was niets bijzonders aan. Gewoon alledaagse dingen over wat hij deed in de gevangenis, het eten en zo. Het was meer zijn houding die me raakte. Hij klonk heel anders dan de Keith die ik kende.'

'Op wat voor manier?'

Tony keek langs haar heen uit het raampje. 'Ik weet het niet. Gewoon anders. Wijzer. Ouder. Zonder te ontkennen wie hij was en wat hij gedaan had.'

Tony's blik gleed nerveus naar Rachel, maar ze dwong zichzelf te blijven luisteren. Ze had er tenslotte zelf om gevraagd.

'Ga verder.'

'Nou, toen ik die eerste brief gelezen had, heb ik hem terugge-schreven.'

'Wát heb je gedaan?' Ze schreeuwde het bijna uit.

'Sindsdien schrijven we elkaar.'

Ze had verwacht dat Tony zou zeggen dat hij zijn broer haatte. Ze had aangenomen dat dat zo was. Waarom zou hij anders contact met haar gezocht hebben? Deze ondenkbare bekentenis bracht haar volkomen uit haar evenwicht en ze kon maar niet begrijpen wat het betekende. Hoe kon Tony contact hebben met zijn broer en tegelijkertijd met haar omgaan? Dat klopte toch gewoon niet?

Nu was het net alsof ze zichzelf vanuit de bovenhoek van de bus gadesloeg. Ze had zichzelf wijsgemaakt dat ze veilig was bij Tony, maar nu dacht ze aan alle redenen waarom ze hier niet zou moeten zijn, zo ver van alles wat ze kende. De chauffeur draaide de rechte kustweg op en schakelde naar een hogere versnelling. Achter Tony's hoofd leken de heggen aan de kant van de weg met duizelingwekkende snelheid langs te schieten.

Ze kreeg zin om te slaan. Ze wilde tegen Tony schreeuwen. Gillen. Hoe kon hij? Hoe kon hij ook maar iets te maken willen hebben met die moordenaar, dat beest dat haar vader vermoord en haar moeder invalide gemaakt had? Maar ze kon het niet, niet hier in de bus. En niet voordat ze alles wat Tony zeggen wilde gehoord had. Dat was ze hem wel verschuldigd.

'En... heb je hem gezien?' Ze klonk formeel en zuinig, alsof haar moeder aan het woord was.

'Nee, het eerste wat hij me schreef was dat hij niet wilde dat ik hem kwam opzoeken. Hij heeft in zijn hoofd dat ik nooit een voet in de gevangenis mag zetten.'

Tony's ogen leken haar om begrip te smeken, maar Rachel had het gevoel dat ze hem helemaal niet kende. Dat ze veel te veel om hem heen verzonnen had.

'Kijk alsjeblieft niet zo naar me. Alsof je me haat.'

'Ik haat hém.'

'Dat weet ik. En je hebt gelijk. Ik haat hem ook om wat hij gedaan heeft. Om wat hij was, maar niet om wie hij nu is. Zie je, dat is het hem nu juist: hij is veranderd.'

'Dat kan niet. Mensen veranderen niet.'

'Maar Keith wel. Voor hem is het misschien te laat, maar snap je, hij heeft het idee dat ik goed ben. Dat ik het zal gaan maken. Hij vindt dat er bepaalde beelden en dingen zijn die ik niet in mijn hoofd mag hebben. Zoals die pillen die hij vroeger slikte, of de binnenkant van een gevangenis. Hij zegt altijd tegen me dat ik op het rechte pad moet blijven.'

De herinnering aan Tony die aan het vechten was speelde zich als een scène uit een film in Rachels hoofd af. En terwijl Tony nerveus over de bank voor hen naar Douglas keek, die opstond om bij de volgende halte uit te stappen, wist ze dat zij ook zou moeten uitstappen. Ze zou Tony daar moeten laten zitten en niet meer omkijken. Ze zou naar huis moeten gaan, naar haar moeder, naar Bill, naar de mensen van wie ze hield.

Maar iets in haar nam het alweer voor Tony – háár Tony – op. Keith Glover had niet het recht zich zorgen te maken om zijn broer, want natuurlijk was Tony goed, natuurlijk bleef hij op het rechte pad. Hij had geen preken nodig. En natuurlijk ging Tony het maken. Wat dat 'het' ook was. Dat hoefde een moordenaar hem heus niet te vertellen.

'Ik snap niet hoe je ertegen kunt om met hem te schrijven,' zei ze toen de bus weer optrok. Tony keek niet naar Douglas, die vanaf de straat de bus in gluurde.

'Hij is mijn broer.'

'Bedoel je dat je hem vergeeft? Bedoel je dat? Alleen maar omdat hij je broer is?' Ze had een beklemd gevoel in haar borst. Heel even had ze zin om de bus te laten stoppen en de hele weg terug naar huis te rennen. Zelfs een confrontatie met Douglas leek haar minder erg dan de angst die ze nu voelde.

'Dat hij mijn broer is heeft er niets mee te maken. Het is afschuwelijk wat hij gedaan heeft en hij verdient de straf die hij gekregen heeft. Dat zou hij zelf meteen toegeven.'

'Bedoel je... bedoel je... dat hij spijt heeft?'

'Natuurlijk heeft hij spijt,' zei Tony. 'Kun je je voorstellen hoe het is om te leven met wat hij gedaan heeft?'

'Ja,' zei ze verbitterd.

Tony haalde een hand over zijn gezicht. 'Het spijt me, zo bedoelde ik het niet.'

Rachel plukte aan een los draadje in de zoom van haar rok. Ze was zo in de war. 'Wil je zeggen dat ik medelijden met hem moet hebben?'

'Ik weet alleen dat mijn leven een stuk draaglijker is geworden sinds ik hem vergeven heb. Als je de persoon die je het meeste haat vergeeft, bevrijd je jezelf.'

Het bleef een hele tijd stil.

'Zoek je hem op als hij vrijkomt?' vroeg ze uiteindelijk.

'Dat duurt nog jaren.'

Ze keek naar Tony en had zin om te huilen. Hij zag er zo verdrietig uit, zo opgelaten, zoals hij daar naar zijn handen in zijn schoot zat te kijken. Rachel verlangde intens naar de intimiteit die er vóór dit gesprek tussen hen geweest was. Was ze er maar nooit aan begonnen. Nu voelde alles anders.

Maar toen haar blik de zijne ontmoette zag ze in zijn ogen de tederheid die alleen zij kende. Hij was Tony, haar Tony. Van niemand anders. Ze kon niet zomaar weglopen. Als ze dat deed, had Keith alweer gewonnen.

'Het spijt me,' zei Rachel, terwijl ze een hand naar hem uitstak. 'Ik ben niet boos op je. Het is niet jouw schuld.'

'Haat je me dan niet?'

'Nee. Wij zijn ons, weet je nog?'

Hij boog zich naar haar toe en kuste haar, zijn lippen zacht op de hare. Rachel kneep haar ogen stijf dicht en sloot een onuitgesproken verbond met Tony, en ook met zichzelf. Zo met Tony verbonden had ze het gevoel dat ze viel, alsof ze samen van een hoge berg gesprongen waren. En op dat moment wist ze dat ze alles wat ze kende achter zich liet. Wat ze voorheen ook geweten had, het was nu allemaal weg. Ervoor in de plaats kwam Tony. Ze had geen idee waar haar vertrouwen in hem haar heen zou leiden, maar ze wist dat ze geen andere keus meer had.

Wolcombe was veel minder druk dan Stepmouth, maar het kon bogen op een pier met een kleine kermis, die na de oorlog geopend was. Toen zij en Tony op oude matten van de reuzenglij-baan af suisden en in de draaimolen, hangend aan de goudkleurige palen, hoog boven de zee zwierden, wiste hun gelach de ernst van hun gesprek in de bus uit. Een paar uur later was het alsof er niets gebeurd was.

Ze waren helemaal naar het eind van de pier gelopen; toen pas had Tony het juiste plekje voor hun picknick gevonden. Hij rolde zijn broekspijpen op en haalde een deken uit zijn rugzak, die hij op de ruwe planken uitspreidde. Rachel ging in de zon zitten en liet haar benen over de rand van de pier bungelen. De pier was zo hoog, het was net alsof ze op een wolk zaten.

In de diepte doken de zeemeeuwen krijsend in de golven, vlogen tussen de ijzeren palen en balken onder de pier door. De blikkerige muziek van de kermis dreef op de zilte lucht hun kant uit, terwijl links en rechts van de pier de zee in golven op het strand spoelde en het water in dramatische witte pluimen tegen de houten golfbrekers opspatte.

Rachel schoof een stukje naar voren en legde haar hoofd op haar armen op de ijzeren reling, zodat ze de wind op haar gezicht kon voelen. Haar rok wapperde rond haar benen. Ze deed één oog dicht tegen de felle zon en keek naar het strand in de verte, waar de gebleekte rood-wit gestreepte badhokjes zich uitstrekten als een in de steek gelaten lopende band met poppenkasten.

'Ik kwam hier al toen ik nog klein was,' zei Rachel, die zich van lang geleden opeens haar vader herinnerde, die met een emmertje en een schepje in zijn hand op het strand stond. Ze wist nog dat ze gelachen had toen de golven zijn voeten onder het zand begroeven en hij deed alsof hij voorover in het ondiepe water viel. Het was de eerste gelukkige herinnering die ze ooit aan haar vader gehad had en ze ademde gretig de zilte lucht in, in de hoop dat er nog meer zouden volgen, maar ze kwamen niet.

'Wat is er?' vroeg Tony, en hij legde een hand op haar schouder.

'O, niets.'

'Nee, zeg nou. Waar dacht je aan?'

In de bus had ze tegen Tony gezegd dat hij haar alles kon vertellen. Nu draaide ze zich naar hem om.

'Papa,' zei ze. Nu ze dat zo zei voelde ze zich kwetsbaar.

'Wat was hij voor iemand?' vroeg Tony.

'Dat is het nou juist,' bekende Rachel. 'Ik weet het niet meer. Maar het strand deed me aan hem denken, aan toen ik nog klein was. Hij deed altijd gek, om mij aan het lachen te maken. Hij droeg me op zijn schouders. Ik weet nog dat ik zijn oren vasthield en dat ik ze omdraaide. En als ik dat deed, stak hij zijn tong uit.' Ze lachte, en toen waren ze allebei stil.

'Ik wou dat ik hem had kunnen leren kennen.'

'Ik ook,' zei Rachel. Ze meende het. 'Ik denk dat hij je gemogen zou hebben.'

Ze keken elkaar aan en haar ogen stonden vol tranen, maar ze vielen niet.

'Je zult wel honger hebben.' Tony maakte een eind aan het bitterzoete moment. Hij draaide zich om en maakte zijn rugzak leeg. 'Ik heb maar iets te eten meegenomen.'

Later lachte Rachel om Tony's bescheidenheid. Dat 'iets te eten' was een feestmaal een koningin waardig. En het mooiste was dat Tony het speciaal voor haar allemaal zelf klaargemaakt had. Ze voelde zich heel exotisch toen ze haar smaakpapillen op een geheel nieuwe ervaring trakteerde: pastasalade met look en hamquiche. En de bakjes bleven maar komen. Toen hij zijn versgemaakte koffiebroodjes uit de rugzak toverde, barstte ze in lachen uit. Ze had nog nooit in haar leven zoveel heerlijks gegeten.

'Heb je dit echt allemaal zelf gemaakt?' Hij moest de hele nacht bezig geweest zijn.

'Emily heeft het me geleerd. Ze is een goede lerares. Ze zegt dat ik kok moet worden.'

'Ik zou niet weten wie jouw eten zou willen eten,' plaagde Rachel, waarna ze er bij het zien van zijn beteuterde gezicht snel aan toevoegde: 'Het is veel te goed voor die lui hier.'

Dat antwoord leek Tony wel te bevallen. Hij lag languit op de deken, steunend op een elleboog. 'Misschien ga ik ooit wel naar Londen en begin ik daar een restaurant.'

Rachel glimlachte naar hem. Ze had nooit gedacht dat ze in Stepmouth nog eens iemand van haar leeftijd zou tegenkomen

die net als zij ambities had. Ze had zin om Tony haar eigen toe-
komstplannen te vertellen, maar vergeleken met die van hem
leken die zo vaag. De tastbaarheid van zijn idee en zijn overdui-
delijke talent maakten haar veel enthousiaster dan haar eigen
plannen. In tegenstelling tot die van haar, leek zijn droom gemakkelijk te verwezenlijken.

'Ik ga mee, dan word ik de bedrijfsleider,' zei ze, terwijl ze op
haar knieën overeind kwam.

'Je wilt dus de baas zijn?'

'Waarom niet? Emily is toch ook de baas? Waarom zou ik niet
ergens de leiding hebben? Ik ga goudgeld voor ons verdienen!'

Tony glimlachte. Daarna stak hij zijn flesje gemberbier omhoog en proostte met haar. 'Inderdaad, waarom niet, Rachel
Vale. Op de baas dan maar,' zei hij.

Rachel lachte over de flesjes heen naar hem en voelde zich al
meer de vrouw die ze wilde worden dan ooit tevoren.

11

Mallorca, nu

'Kijk toch eens. Je bent sprekend je papa,' Rachel kietelde Archie onder zijn kin en lachte toen hij giechelend bij haar vandaan probeerde te komen.

'Oma, kijk... bal!' zei hij, terwijl hij zijn rode bal met een verbazingwekkend krachtige bovenhandse worp weggooide, zodat het ding van de terrastrap op de met vuursteen en marmer geplaveide patio stuiterde.

'Ga maar halen.'

Rachel zwaaide naar hem, blij dat er eindelijk weer iets te lachen viel, blij dat ze de moed gevonden had om naar Mallorca te gaan. Blij ook dat ze zich nog steeds nuttig kon maken, bijvoorbeeld door een ochtendje op te passen, zodat Claire, hoewel de nanny op vakantie was, toch naar de pedicure kon. Het gaf Rachel weer het gevoel dat ze normaal was, een functionerend lid van haar gezin, niet iemand die iedereen liever uit de weg ging omdat ze weleens van streek zou kunnen raken.

Het was nu vier maanden geleden dat Tony stierf en de tijd leek rare dingen met haar te doen. Misschien was het onwerkelijke gevoel te wijten aan haar vermoeidheid, gevolg van het rouwproces, maar ze had het idee dat ze in geen tien jaar op Sa Costa geweest was. Nu had ze spijt dat ze niet eerder gekomen was. Dag in dag uit had ze het koude, grauwe miezerweer in Engeland verdragen, met de wind die in de donkere nachten, waarin ze maar niet in slaap kon komen, griezelig rond Dreycott Manor gierde. Ze was van plan geweest naar haar appartement in Londen te gaan, maar om een of andere reden had ze dat niet kunnen opbrengen.

Maar vanochtend, toen ze wakker geworden was van de felle

zon die door de ramen scheen, had Rachel de nestelende vogels onder de dakrand horen fluiten en zich weer min of meer normaal gevoeld. En toen ze het raam opendeed en de geur van bloemen opsnoof en het vage gefluister van de zee hoorde, voelde dat alsof ze na een maandenlange coma eindelijk ontwaakt was.

Hier op het terras, waar een aangenaam briesje stond en de zon haar botten verwarmde, had ze het gevoel dat in haar afwezigheid alles veranderd was. Ze kon zich niet herinneren wanneer de puntige oranje bloemen, die tegen de keurig gesnoeide buxushagen zo mooi uitkwamen, geplant waren; ze wist niet of de gazons er ooit zo diepgroen uitgezien hadden en het was haar nooit opgevallen dat het blauw-wit gestreepte zonnescherm boven het terras zo verbleekt was. Ze had nooit zoveel gekko's over de muur naar de schaduw van de dikke druivenstam zien schieten, ze had de druif zelf nooit zo goed in het blad zien zitten.

En niet alleen haar huis leek veranderd, ook Archie kwam anders op haar over. Op Tony's begrafenis had ze niet zo op hem gelet, maar sinds de laatste keer dat ze hem zag had hij goed leren praten en hij leek onvoorstelbaar hard te groeien.

Kon ze de tijd maar stilzetten en hem precies zo houden als hij was, mijmerde ze, terwijl hij in zijn blauw geruite broekje naar zijn speelgoed op de houten ligstoel dribbelde en aan één stuk door over zijn bal en zijn trein kletste.

Ze wist dat ze hem verwende, maar ze had zich zo lang schuldig gevoeld over voortrekkerij bij haar eigen kinderen, dus wat maakte het uit dat ze toegaf dat ze veel meer van Archie hield dan van Christophers zoon Thomas? Thomas huilde altijd en was een echt moederskindje, maar Archie had iets kwetsbaars, net als Claire toen ze klein was, en nu had ze meer dan ooit het gevoel dat ze hem moest beschermen. Hij was haar erfenis. Een herinnering aan al het goede dat zij en Tony samen gedaan hadden.

Toen de terrasdeur werd geopend en Laurie met een dienblad met koffiepot en kopjes het terras op kwam, draaide Rachel zich om. Ze rook de versgemalen koffiebonen en de zoete gebakjes die Fabio die ochtend gebracht had. Rachel stond op en haalde de kranten van de houten tafel om plaats te maken voor het dienblad.

Toen Rachel gisteravond laat aankwam, had Laurie haar bezworen dat ze haar niet stoorde, maar nu vroeg ze zich af of Laurie dat niet alleen uit beleefdheid gezegd had. Maar ook al was dat zo, dacht Rachel egoïstisch, ze was blij dat ze nu eens de kans had rustig met haar te praten. Sinds hun laatste ontmoeting was haar nieuwsgierigheid naar haar nichtje alleen maar groter geworden, en de afgelopen drie weken had ze veel aan Laurie, die in haar huis aan het werk was, zitten denken.

'Ik zweer het je, mijn hart smelt als ik dat kind zie,' zei Rachel, met een hoofdknik in de richting van Archie, die zijn bal in het bloembed gooide en naar zijn gloednieuwe fietsje op het gazon rende. 'Het is zo'n slimmerik.'

Laurie zei niets, maar Rachel zag dat ze, terwijl ze zich bukte om het blad neer te zetten, nogal stuurs naar Archie keek.

'Ik ben niet zo handig met kinderen.'

'Onzin. Volgens mij vindt Archie je hartstikke aardig. Maar ja, het is anders als je zelf kinderen hebt. Dat zul je nog wel zien.'

'Eerlijk gezegd zie ik het er voorlopig niet van komen.'

Laurie had een breedgerande strooien hoed op en droeg een eenvoudig groen jurkje, dat de sproeten op haar zonverbrande huid nog beter deed uitkomen. Laurie schonk de koffie in. Rachel wilde tegen haar zeggen dat ze niet te lang moest wachten met een gezin stichten. Sinds Tony's dood was ze er meer dan ooit van doordrongen dat tijd kostbaar was. Maar hoewel ze vanochtend al heel open met elkaar gesproken hadden, wist ze dat ze met Laurie niet zo persoonlijk moest worden. Het verbaasde haar wel dat zo'n aantrekkelijke vrouw niet allang verloofd was met een of ander knap kunstenaarstype. Maar misschien wilden jonge vrouwen dat tegenwoordig helemaal niet. Laurie had in ieder geval duidelijk gemaakt dat haar carrière op de eerste plaats kwam.

Rachel klapte voor Archie, die riep dat ze moest kijken hoe hij over het gras fietste.

'Kleinkinderen zijn heerlijk. Het is heerlijk om ze bij je te hebben en nog heerlijker om ze weer aan hun ouders te geven als het je te veel wordt. Hoewel dat in mijn geval niet altijd gelukt is,' voegde ze eraan toe terwijl ze een kopje van Laurie aanpakte.

Rachel was vastbesloten om van een aantal familiezaken geen geheim te maken. Maar nu merkte ze dat ze moeite had om de woorden te vinden, en haar raadselachtige opmerking had Lauries aandacht niet weten te trekken.

Het was jaren geleden dat ze het voor het laatst over Anna had moeten hebben. In die tijd was Claire zozeer een dochter voor haar geworden dat ze soms gewoon vergat dat ze eigenlijk haar kleindochter was. Zou Laurie haar veroordelen om wat er gebeurd was? Zou ze denken dat Rachel een slechte moeder voor Anna geweest was? Maar ze zou haar alleen veroordelen als ze het hele verhaal kende, en het was niet nodig haar meer te vertellen dan de naakte feiten.

'Ik zat net te denken dat ik me soms zo oud voel, vooral als ik zie hoe snel Archie groot wordt,' zei ze met een zucht. 'Je weet wel dat hij eigenlijk mijn achterkleinkind is, hè? Daarom is hij ook zo speciaal. Claire is mijn kleindochter, zie je. Hoewel Tony en ik haar samen met onze eigen kinderen grootgebracht hebben.' Ze nam een slok koffie, in de wetenschap dat ze nu Lauries onverdeelde aandacht had. 'Claire's moeder, Anna, stierf toen ze net twintig was. Claire was nog maar een baby. We hebben haar geadopteerd. Daarom is ze zoveel jonger dan Christopher en Nick.'

Zoals Rachel het zei klonk het als de normaalste zaak van de wereld. Het verbaasde haar zelf dat een leven als zakenvrouw haar zo goed geleerd had onaangename zaken rooskleurig voor te stellen, zodat ze zelfs het afgrijselijkste trauma als romantisch sprookje kon verkopen. Maar één blik op Laurie leerde haar dat ze haar nicht met haar opgewekte toon niet voor de gek kon houden.

'Dat wist ik helemaal niet. Wat is er gebeurd?'

'Met Anna?'

Rachel overwoog haar alles te vertellen. 'Het is zo lang geleden... Het is gewoon... Wat Claire betreft is alles op z'n pootjes terechtgekomen. Anna was heel erg ziek en depressief.' Rachels stem brak. 'Weet je wat? Zullen we het er een ander keertje over hebben? Ik kan nu niet aan Anna denken. Dat wordt me te veel. Dan denk ik ook weer aan Tony en...'

'O, Rachel, het spijt me zo. Ik heb de hele tijd maar zitten kletsen en ik heb je niet eens gevraagd hoe het nu met jou gaat.'

Rachel zette haar zonnebril af en legde hem op tafel. Zonder bril zag ze er moe en afgetobd uit, wist ze. Ze voelde zich kwetsbaar, alsof ze twee blauwe ogen aan Laurie liet zien.

'De meeste dagen functioneer ik best, maar het is allemaal zo onwerkelijk. Ik jojo de hele tijd op en neer; het ene moment is alles goed, het volgende stort ik helemaal in. Zoals nu bijvoorbeeld,' zei ze, terwijl ze geërgerd de onverwachte tranen probeerde in te slikken. 'De afgelopen weken ben ik zo kwaad op Tony geweest. Alles maakt me kwaad. Arme Tony. Ik geef hem steeds de schuld.'

'Dat zal er wel bijhoren.'

Rachel schudde haar hoofd. Hoe kon ze uitleggen hoe frustrerend dit was? Ze kon er niet tegen om zo breekbaar en onbeheerst te zijn. Waarom was ze nu niet sterker? Verwonderd stelde ze vast dat ze deze jonge vrouw alweer haar gevoelens toevertrouwde. Maar het voelde goed om Laurie te vertrouwen.

'Sorry,' zei ze met een snelle blik op haar nicht, die kalm met haar armen voor zich op tafel zat.

Laurie wuifde Rachels excuses weg en glimlachte vriendelijk. 'Het geeft niet.'

'Weet je, het was zo moeilijk om hier te komen,' bekende Rachel. 'Tony en ik hebben hier zoveel mooie jaren gehad. Ik dacht dat het te pijnlijk zou zijn. In zekere zin is het dat ook. Ik ben zo blij dat jij er bent, Laurie.'

'Misschien is het wel beter om hier alleen te zijn. Ik kan best weggaan als dat makkelijker voor je is.'

'Alsjeblieft niet.'

'Weet je, ik zou me niet schuldig voelen als ik jou was. Volgens mij is het doodnormaal dat je boos bent. Volgens mij was mijn vader ook boos toen mijn moeder doodging, al was dat wel anders. Ze was al zo lang ziek, toen ze uiteindelijk stierf was hij klaar om afscheid van haar te nemen. Ik denk dat hij er daarom weer zo snel bovenop was.'

Rachel tuurde naar de horizon. Ze wilde tegen Laurie zeggen dat Bill geluk had. Hij had afscheid genomen van zijn vrouw; zij had niet de kans gekregen afscheid te nemen van Tony. Maar hoe kon ze verwachten dat Laurie begreep dat niets zo wreed was als onverwacht gescheiden te worden van de persoon van wie je het allermeeste hield?

Ze wilde niet verbitterd doen, zoals haar moeder vroeger, maar de laatste tijd had Rachel wel eens het gevoel dat ze gestraft werd. De manier waarop Tony gestorven was, leek te berekend. Te wreed. Daarom had ze het met zichzelf op een akkoordje gegooid. Als zij het voor elkaar kreeg te doen wat haar hele volwassen leven onmogelijk geweest was, namelijk zich verzoenen met haar broer, dan zou ze bewijzen dat het onmogelijke mogelijk was. En als dat lukte, zou Tony terugkomen en alles weer gewoon zijn. Op zijn minst zou ze leren aanvaarden dat hij er niet meer was.

'Hoe gaat het met Bill? Heb je hem over de begrafenis verteld, en dat je hiernaartoe ging?' vroeg ze, zich vermannend.

Laurie schudde haar hoofd, leunde achterover in haar stoel en vouwde haar handen voor haar platte buik. Terwijl Laurie over haar vader sprak, had Rachel het gevoel dat ze naar zichzelf keek, vijftig jaar geleden, klagend over hetzelfde onderwerp. Bill was duidelijk niets veranderd. Hij was nog net zo koppig als vroeger. En nu kwetste hij een volgende generatie, precies zoals hij haar gekwetst had. Rachel zette haar koffiekopje op tafel.

'Ik moet hem spreken, Laurie. Zie je... ik wil dat je hem vraagt hier bij jou te komen logeren. Niet nu meteen, maar binnenkort. We kunnen samen een plan maken.'

'Hij komt toch niet.'

'Maar hij hoeft niet te weten dat ik er ook ben. Misschien is het zelfs veel beter dat hij de waarheid niet weet. Als jij hem hier weet te krijgen, doe ik de rest...'

Rachel slikte haar woorden in. Ze merkte dat ze te ver gegaan was. Ze had haar plan eigenlijk pas op tafel willen leggen als ze Laurie wat beter kende; ze had het er niet meteen uit willen flappen. Het was alsof ze Laurie vroeg partij te kiezen. En ze wist zelf maar al te goed hoe dat voelde.

Maar iets in Lauries ogen verried dat ze toch niet naar haar luisterde. Bijna op hetzelfde moment hoorde ze een luide plons uit de richting van het zwembad.

Laurie sprong op en schoof haar stoel zo hard naar achteren dat hij omviel. Haar koffiekopje kletterde op het terras. Maar Laurie lette er niet op. Ze rende zo hard ze kon naar het zwembad.

Als in slowmotion voelde Rachel dat ze overeind kwam, een schreeuw barstte met zoveel kracht uit haar los dat de kraaien in de bomen aan de andere kant van het zwembad krassend opvlogen. Archie was in het water gevallen.

Lauries sprintje ging naadloos over in een duik. Rachel zag haar schoenen en zonnehoed door de lucht vliegen. Eén angstwekkend ogenblik lang was ze weg. Een tel later verscheen Lauries hoofd alweer boven water, gevolgd door dat van Archie. Ze tilde hem bij zijn middel op en zette hem op de rand van het zwembad, waarna ze zichzelf eruit hees. Toen Rachel eindelijk bij hen was, had Laurie Archie al op haar knie gezet en klopte ze het hoestende jongetje zachtjes op zijn rug.

'O, god!' riep Rachel paniekerig. 'Ik had beter moeten opletten. O, god! O, Archie...'

'Het was een ongelukje.'

'Als hem iets overkomen was...'

'Er is hem niets overkomen.' Laurie klonk beslist. Hoe kon ze zo rustig zijn? Rachel keek op haar neer. Haar jurk plakte aan haar lijf, het water droop uit haar haar over haar gezicht, maar ze maakte een volkomen onverstoorde indruk. 'Niets aan de hand. Toch, Archie?'

Archie knikte en zag er zo troosteloos uit dat Laurie hem zachtjes lachend stevig tegen zich aan drukte. 'Stil maar. Het is alweer voorbij. Moet je ons eens zien. We zijn helemaal nat. Wat zal mama wel niet zeggen?'

'Hij had wel kunnen verdrinken,' zei Rachel. 'Hij had kunnen verdrinken en dat was mijn schuld geweest. Ik lette niet op. En nu denkt Claire... Nu denkt Claire natuurlijk...'

Voor ze het wist was Laurie bij haar om haar te ondersteunen. Ze voelde haar arm om haar schouders.

'Het is voorbij,' zei ze resoluut. Toen boog ze zich dichter naar haar toe. 'Je maakt Archie bang, Rachel. Kalmeer een beetje. Wij gaan ons afdrogen en jij gaat binnen even liggen. Alles is in orde. Laten we er niet te veel drukte over maken. Oké?'

Rachel werd met een schok wakker. Door de openstaande dubbele deuren zag ze Claire en Laurie, die in de hal met elkaar stonden te praten. Met moeite kwam ze overeind. Een hol gevoel van schaamte kleefde haar aan als een dun laagje zweet. Ze wist niet wat ze het ergst vond: dat ze Archie in het zwembad had laten vallen, dat ze zo overspannen gereageerd had of dat ze zomaar in slaap gevallen was en Archie aan Laurie overgelaten had. Brenda, die in Dreycott Manor voor haar zorgde, had toch gelijk gehad. Ze zou de dokter moeten vragen of hij haar niet iets kon geven waardoor ze haar evenwicht weer een beetje terugkreeg.

Rachel streek haar witte linnen broek glad. Ze was nooit het hysterische type geweest. Ze had in bijzijn van haar familie nog nooit haar hoofd verloren. Godzijdank is Laurie er, dacht ze terwijl ze zich naar de hal haastte.

'O, Claire...' begon Rachel, maar Laurie legde haar met een blik het zwijgen op.

Ze had een met verf besmeurd wit hemdje en een gerafelde korte spijkerbroek aangetrokken, waaronder haar gespierde benen en vieze blote voeten extra opvielen. Ze zag eruit als een wildebras naast Claire, die gekleed was in een lichtgrijze broek van ruwe zijde en een satijnen haltertop in dezelfde kleur. Ze stond in de deuropening en de zon viel op de roodbruine highlights in haar lange haar, haar pas gelakte teennagels glansden in haar open schoentjes met naaldhakken.

'Zoals ik al zei...' – Lauries nadrukkelijke toon was speciaal voor Rachel bedoeld – 'Het spijt me dat zijn kleren een beetje nat zijn geworden. Het is mijn schuld. We waren aan het stoeien...' Ze overhandigde Claire een tas.

Rachel stond ervan te kijken hoe gemakkelijk dit leugentje om bestwil Laurie afging.

'O, maak je niet druk,' zei Claire met een ongeïnteresseerde blik op Archie, die een tuinbroekje aanhad dat veel te klein voor hem was. Rachel vroeg zich af waar Laurie dat in 's hemelsnaam vandaan gehaald had.

'We gingen zwemmen,' verklaarde Archie met een blik op Laurie, die naar hem knipoogde en met haar vingertoppen door zijn haar woelde.

'Zo is dat. Je bent een echte waaghals, nietwaar, jongeman?'

Maar Claire lette niet op hen en richtte zich tot Rachel. 'Daar ben je dus. Ik neem je mee uit lunchen. We brengen Archie naar de crèche en dan gaan we naar Reed. Ik heb een tafel voor twee gereserveerd.'

Rachel keek snel naar Laurie.

'Nee, nee, ik bedoel twee uur, niet per se twee personen,' verduidelijkte Claire snel toen ze zich van haar *faux pas* bewust werd.

'Dank je, maar ik moet aan het werk.' Laurie schoot langs Rachel en liep de marmeren trap op. 'Dag, Archie. Doe voorzichtig.'

Toen ze weg was viel er een stilte. Claire glimlachte naar Rachel, en Rachel besefte hoezeer ze haar gemist had.

'Lieverd, kunnen we alsjeblieft hier blijven?' vroeg Rachel. 'Ik heb het gevoel dat ik er net ben. En Reed is zo'n opzichtige tent, weet je.'

'We hoeven er niet heen als je echt niet wilt. Ik had alleen zin om je te verwennen,' zei Claire, maar Rachel merkte dat ze teleurgesteld was. 'We zijn al zo lang niet meer uit geweest. Ik dacht dat het wel leuk was...'

'Oké, oké, ik ga wel mee, maar dan moet jij mij beloven dat jullie morgenavond komen eten. Ik wil dat we hier ook een beetje als familie bij elkaar zijn.'

'Ik weet niet of Sam ook komt. Ik zal het hem vragen.'

Aan de manier waarop ze het zei hoorde Rachel dat ze niet bedoelde dat Sam misschien moest werken. Ze keek naar Claire, die op haar beurt naar Archie keek; hij stond met de paraplu's in de paraplubak te spelen.

'Wat bedoel je, lieverd?'

'O, niets. Hij is gewoon zichzelf niet.' Rachel wist dat Claire niets gezegd zou hebben als het niet echt een probleem was. 'Hij maakt een nerveuze indruk, meer eigenlijk niet. Het zal wel stress zijn.'

Rachel dacht terug aan de begrafenis. Toen zij aankondigde dat Sam de zaak zou overnemen, herinnerde ze zich nu weer, gedroeg hij zich heel vreemd. Op dat moment had ze meer aandacht gehad voor de reactie van Christopher en Nick. Ze merkte meteen dat haar besluit hen boos en jaloers maakte en moest hen allebei apart nemen om hen eraan te herinneren dat Sam, als een betrouwbaar lid van de familie, meer voor haar en Tony gedaan had dan zij zich konden voorstellen. Het irriteerde haar nog steeds dat ze hen op zo'n manier had moeten dwingen om achter haar te staan.

Maar nu ze op die dag terugkeek, besefte Rachel schuldbewust dat ze helemaal geen aandacht aan Sam geschonken had, dat ze zich niet afgevraagd had of het wel goed met hem ging.

'Hij is toch niet boos omdat ik hem gevraagd heb de zaak over te nemen, hè? Ik bedoel, ik dacht dat hij dat zelf ook wilde. Tony zou het zo gewild hebben. Ik dacht dat hij blij was. Ik dacht dat het de juiste beslissing...'

'O, god,' kreunde Claire hoofdschuddend. 'Ik had mijn mond moeten houden. Hoor eens, vergeet maar dat ik iets gezegd heb. Sam is dolgelukkig met zijn promotie, net als ik. Hij neemt niet genoeg vrije tijd, dat is alles. Ik zeg de hele tijd dat hij zich wat meer moet ontspannen, maar je kent hem toch? Hij zeilt niet meer, hij gaat niet meer naar de sportschool. Het is alleen nog maar werk, werk, werk. Ik zie hem amper nog.'

Rachel merkte dat Claire er verschrikkelijk mee zat. Ze hield zielsveel van Sam.

'Ik praat wel met hem,' zei Rachel geruststellend.

'Doe dat alsjeblieft niet,' smeekte Claire, maar het kwam er halfhartig uit. Toen tilde ze Archie op. 'Ik ben niet gekomen om het over mijn problemen te hebben. Kom mee, dan gaan we onszelf opvrolijken.'

Pas laat de volgende middag kreeg Rachel weer de kans om Laurie onder vier ogen te spreken. Verbaasd hoorde ze van Dante, de tuinman, dat Laurie het oude boothuis aan het strand als atelier gebruikte. Wat vreemd dat Laurie zo'n afgelegen, moeilijk te bereiken plekje had uitgekozen om te werken, terwijl het huis zo mooi licht was.

Onderweg naar beneden bedacht Rachel dat ze in geen tijden op het strand geweest was. Er waren zo veel fantastische dingen aan Sa Costa, maar ze leek vergeten te zijn hoe ze ervan moest genieten. Aan de andere kant had ze er ook nauwelijks de tijd voor. Ze had het razend druk met bezoekjes van vrienden, Maria's moeder, die alles over de begrafenis wilde weten, en Fabio, die de boodschappen was komen brengen en zijn baby meegenomen had (op de brommer). Ze was ook even naar Ararat gegaan om haar gezicht te laten zien.

Via de fax had ze voortdurend met het kantoor in contact gestaan, maar het was een hele schok geweest om er weer te zijn. De gerieflijke kantoorruimten, die Rachel zelf gevonden had, aan een stille binnenplaats in de oude stad van Palma, waren helemaal opnieuw ingericht. Sam had een nieuwe secretaresse en receptioniste aangenomen, plus een heel nieuw marketingteam. Rachel had haar best gedaan om haar ongenoegen niet te laten blijken, maar toen Maria haar naar de vergaderruimte bracht, met zijn nieuwe zakelijke meubilair, stond het huilen haar nader dan het lachen. Omdat ze het gevoel had dat ze in de weg liep besloot ze niet lang te blijven, maar de discrete vragen die ze nog over Sam had weten te stellen, hadden geen reden tot ongerustheid gegeven. Integendeel, zelfs. Iedereen die ze gesproken had leek tevreden en de zaken gingen prima.

Dit had Rachel eigenlijk alleen maar ongeruster gemaakt. Want als het werk niet de reden van Sams stress was, wat dan wel? Tony. Dat was de enige mogelijkheid. Sam rouwde, net als zij. En net als zij had hij waarschijnlijk tijd nodig om zich te ontspannen.

Op het strand benaderde Rachel Lauries nieuwe werkruimte via de zij-ingang. Met de voor- en achterdeuren wijdopen was de oude schuur vervuld van licht en het geluid van de golven die zachtjes op het strand spoelden.

Laurie stond aan een doek te werken. Ze had haar rug naar Rachel toe en Rachel kon de geconcentreerde uitdrukking op haar gezicht niet zien, maar zelfs op een paar meter afstand voelde ze Lauries diepe aandacht. Naast haar stond een omgekeerd olievat. Op het vat zag Rachel verschillende paletten, een kan water en een radiootje, waar met veel gekraak een Spaans gitaarstuk uit opklonk. De verweerde betonnen vloer lag vol zand en hier en daar slingerde een stuk ruw drijfhout rond. In het midden van de ruimte lag een oude, afbladderende roeiboot met een stapel kussens erin, over de rand hingen een badpak en een handdoek te drogen.

Tegen de muren stonden verschillende doeken, sommige bevestigd aan oude stukken touw die aan het plafond hingen. Ze hadden allemaal hetzelfde thema – abstracte zonsondergangen en zeegezichten. De kleuren liepen perfect in elkaar over en het licht van Mallorca was volmaakt weergegeven.

Maar toen Rachel de schuur in liep om ze beter te bekijken, slaakte Laurie een gilletje en kwam ze met hoogrode wangen op haar af gerend.

'De helft hiervan is nog niet klaar,' zei ze, terwijl ze in Rachels zicht ging staan. 'Ik laat ze liever pas aan je zien als ik klaar ben.'

Rachel liep achteruit weer naar buiten. Ze had nog nooit zo'n koppig mens als Laurie ontmoet. Nou ja, op Bill na, dan.

'Moet je horen, het spijt me van gisteren,' zei Rachel toen Laurie ook naar buiten kwam. 'Ik stelde me wel een beetje aan.'

Laurie haalde een vieze lap uit de band van haar korte broek en veegde haar handen af. 'Waarom zouden we haar van streek maken als ze het niet hoeft te weten?'

'Dankjewel, in ieder geval. Voor alles. Voor wat je voor me gedaan hebt.'

'Ik kan er maar beter aan wennen, toch? Als ik papa moet overhalen hierheen te komen.'

Ze zei het spottend, alsof het niets bijzonders was, maar Rachel merkte dat ze het meende. Ze keek Laurie sprakeloos aan.

'Nog iets?' vroeg Laurie, die popelde om weer aan het werk te gaan.

'Nee,' antwoordde Rachel.

'Goed, dan ga ik weer door. Als het licht minder wordt, kom ik naar boven,' zei Laurie terwijl ze zich omdraaide.

Nu herinnerde Rachel zich de andere reden van haar komst: ze had Laurie willen vertellen dat Sam en Claire kwamen eten. Maar Laurie liep al op haar doek af en Rachel wilde haar niet nog een keer storen. Ze aarzelde nog even, maar begon toen het pad weer op te lopen.

Rachel was gewend aan doorzichtige mensen in haar leven; en als ze niet doorzichtig waren, waren hun beweegredenen in ieder geval glashelder. Maar toen ze later die middag met het eten bezig was, realiseerde ze zich dat het met Laurie anders was. Ze voelde dat Laurie een hartstocht in zich had die haar intrigeerde. Nu Rachel gezien had wat Laurie van die oude schuur gemaakt had, wist ze pas hoe sensueel ze eigenlijk was, en daardoor boeide Lauries geslotenheid haar zelfs nog meer.

Dat was de reden dat ze niet aarzelde toen vlak voor het eten Lauries mobiele telefoon ging. Ze had hem op het tafeltje bij de deur laten liggen, en pas toen Rachel het groene knopje indrukte besefte ze hoe stom ze deed. Stel dat het Bill was?

Maar toen even later James Cadogan zich voorstelde, verdween de gedachte aan Bill als sneeuw voor de zon. Daar is hij dan, dacht Rachel, die haar geluk niet op kon. Deze indrukwekkende jongeman was Lauries zwakke plek. Laurie had een nieuwe vriend! En onmiddellijk begon Rachel op een plan te broeden.

Glimlachend beëindigde Rachel het korte gesprek. Ze had niet alleen samen met James een onfeilbare manier bedacht om Laurie op te vrolijken en wat ontspanning te bezorgen, in een paar minuten tijd was ze ook meer over Laurie te weten gekomen dan gedurende een hele ochtend praten. Waarom had ze in vredesnaam niets over James gezegd? Hij was geweldig. Rachel was zo opgewonden over het geheimpje dat ze met hem deelde dat ze veel zin had om naar het strand te rennen en het aan Laurie te vertellen.

Maar toen begon ze nerveus te worden. Stel dat Laurie een reden had om het niet over James te hebben? Tijdens hun gesprekken had ze kans genoeg gehad om over haar liefdesleven te vertellen en over haar gevoelens te praten. Rachel raakte in paniek, en ze vervloekte zichzelf omdat ze zo ondoordacht gehandeld had. Misschien nam ze veel te veel voor waar aan. Misschien had ze per ongeluk een vreselijke blunder begaan.

Maar ze had geen tijd er verder over na te denken, want ze

hoorde het piepen van autobanden op de oprijlaan. Rachel zette de oven laag en liep naar de voordeur. Claire en Sam stapten uit Claires lichtblauwe Audi-convertible. Op de plek waar Claire geremd had, hing een vage geur van rubber. Claire gooide haar portier met een klap dicht en rende op haar hoge hakken naar de voordeur, afgemeten trippelend in haar strakke spijkerbroek.

'Zeg eens tegen hem dat hij niet zo chagrijnig moet doen,' snauwde ze, terwijl ze langs Rachel het huis in stormde.

Sam deed zijn portier voorzichtiger dicht en liep op Rachel af, die de voordeur voor hem openhield. Hij zwaaide het colbertje van zijn roomwitte linnen pak aan het lusje over zijn schouder. Hij zag eruit alsof hij direct uit zijn werk kwam.

'Hoi.' Sam bukte vermoeid om Rachel een kus op haar wang te geven. Al had Claire niets over Sams oververmoeidheid gezegd, dan had ze het nu zelf wel gezien. Hij zag eruit alsof de last van de verantwoordelijkheid die ze hem gegeven had hem jaren ouder gemaakt had. Zijn gebruinde gezicht leek opeens minder jongensachtig, met meer rimpels rond zijn ogen dan ze zich herinnerde. Het stond hem wel. Rachel wist dat Sam het soort man was dat met de jaren alleen maar aantrekkelijker werd. Zelfs met die stoppelbaard was hij ontegenzeglijk knap.

Het liefst zou Rachel hem in haar armen nemen en zeggen dat ze verschrikkelijk trots op hem was, of hij nu ruzie met Claire had of niet. De afgelopen dagen met Archie en Claire, om nog maar te zwijgen van Laurie, waren balsem voor haar ziel geweest. En nu Sam er ook was, was de Mallorcaanse tak van haar gezin helemaal compleet.

'Sam, lieverd, ik heb je zo gemist,' zei ze oprecht, terwijl ze hem het huis in trok en de deur achter hem sloot. 'Ik heb je nog nauwelijks gezien.'

Sam glimlachte vermoeid en ze zag een glimp van de charme die ze zo goed kende. 'Je kunt niet alles hebben,' zei hij. 'Wat verwacht je dan, als je me de leiding over een bedrijf geeft?'

Rachel lachte terug. Ze wilde wel iets over haar bezoek aan Ararat zeggen, maar ze was bang dat hij zou denken dat ze zich met zijn zaken bemoeide. Ze had hem de teugels in handen gegeven, dus ze moest hem vertrouwen. Als ze over Ararat begon, dacht hij misschien dat ze dingen achter zijn rug om deed. Nee, nu was het tijd voor het gezin en ze moest leren die twee gescheiden te houden.

'Moet ik jullie even alleen laten?' vroeg ze, met een blik op de terrasdeuren aan de andere kant van de woonkamer, waar Claire door naar buiten verdwenen was. In de lucht hing nog vaag de geur van haar sigaret en haar parfum.

'Nee,' zei Sam. 'Het stelt niets voor. Gewoon een dom meningsverschil over Archie,' voegde hij er met weinig overtuiging aan toe. 'Je weet hoe Claire is... over een minuut is ze het alweer helemaal vergeten. Zal ik ons iets te drinken inschenken?'

'Ja, heerlijk.'

Maar het werd niet het ontspannen etentje dat Rachel zich voorgesteld had. Bij thuiskomst leek Laurie ongewoon geërgerd omdat Rachel haar niet gezegd had dat ze voor het eten verwacht werd, ja, zelfs dat er gasten waren. Gehuld in een handdoek, met haar haar in een natte staart van het zwemmen in zee, groette ze Sam en Claire zo afstandelijk dat Rachel zich voor haar geneerde.

Rachel probeerde er luchtig overheen te praten, maar toen Laurie zich na het douchen bij hen voegde, maakte ze een in zichzelf gekeerde en tobberige indruk. Het was nu te laat om zich voor haar sociale misstap te verontschuldigen en ze verweet zichzelf dat ze Laurie niet gewaarschuwd had. Nu moest ze maar doen alsof er niets aan de hand was. Maar hoe harder ze haar best deed er een leuke avond van te maken, hoe hoger de spanning aan tafel opliep. Alleen Claire zette haar beste beentje voor door Laurie steeds bij het gesprek te betrekken – zonder succes.

Intussen stond Sam met een dreigende blik over de barbecue gebogen, zonder aan het gesprek deel te nemen. Rachel zag hem de kipkebabs en runderlapjes omdraaien, terwijl de geur van de marinade, die ze van kruiden uit de tuin en lokale wijn gemaakt had, over het terras hing. Blijkbaar was hij nog steeds kwaad over de woordenwisseling die hij in de auto met Claire had.

Pas toen ze klaar waren met eten en het een beetje fris begon te worden en Claire, met een veelbetekenende blik op Rachel, de borden naar binnen bracht, besloot ze dat het tijd was om Sam onder handen te nemen.

'Sam, je moet Laurie eens meenemen op de *Flight*,' zei Rachel, terwijl ze in de zachte gloed van de kaarsen op tafel goed naar Sams gezicht keek.

'Ik denk dat Laurie wel wat beters te doen heeft dan zeilen...'

'Onzin. Je zou het enig vinden, toch, Laurie?'

'Eh, ik...' Laurie fronste haar wenkbrauwen. Sams onwilligheid bracht haar duidelijk in verlegenheid, maar Rachel liet zich niet kennen. Ze stond op en schonk voor Laurie en haar nog een glas wijn in.

'Die boot is Sams grote trots. Hij kan zo goed zeilen.'

'Ik heb er de laatste tijd weinig tijd voor,' mompelde hij, met een hand op zijn glas ten teken dat Rachel hem niet bij hoefde te schenken. Teleurgesteld zette ze de fles weer neer. Ze wist dat Sam zich zou ontspannen als hij nog een paar glazen dronk. Hoe vaak hadden ze hier niet met z'n allen op de stoelen met de rode kussens gezeten, met de geur van jasmijn rond de eettafel, als in een oase van rust? Rachel vond het heerlijk om hier 's avonds met haar familie te zitten. Het was een van haar favoriete plekjes. Ooit had Sam haar gezegd dat hij er net zo over dacht.

'Des te meer reden om te gaan, lijkt me. Neem Laurie mee. Laat haar de baai zien. Je hebt de baai van Palma vast nog nooit vanuit zee gezien.'

'Alleen op kaarten,' zei Laurie zachtjes.

Sam hield de voet van zijn lege glas vast en staarde ernaar. Rachel kende hem goed; ze wist dat hij kwaad was, maar ze begreep niet waarom hij zo dwarslag. Waarom deed hij niet een beetje zijn best om aardig tegen Laurie te zijn? Dit was niets voor hem. Een van de eigenschappen die Rachel altijd in Sam bewonderd had, was zijn vermogen om mensen op hun gemak te stellen. Waar was zijn charme gebleven? Eén ding stond vast: ze pikte het niet.

'Sam, ik weet niet waarom je zo moeilijk doet, maar ik vind dat je nu meteen iets moet afspreken. Anders komt het er nooit van. Dan heb je het weer te druk...'

'Rachel, het is een leuk idee, maar ik wil echt verder met mijn schilderijen,' zei Laurie op smekende toon. 'Kunnen we niet...'

Wat hadden ze vandaag toch allemaal? Ze gedroegen zich als

een stel verwende kinderen. Nou, dan zou ze hen ook zo behandelen en hun gewoon opdracht geven om te gaan, of ze nu zin hadden of niet. Waarom zou ze dat niet doen? Het was tenslotte voor hun eigen bestwil.

'Aanstaande dinsdag,' zei ze, en ze gooide haar blauwe servet op tafel. 'Sam, je werkt duidelijk veel te hard. Ik wil dat je een hele dag vrij neemt en eens een beetje plezier maakt. En Laurie, jij kunt ook wel een pauze gebruiken. En spreek me niet tegen. Aanstaande dinsdag, dus. Dat is een feestdag, dus wat werk betreft zal het geen probleem zijn.'

'Wat is er aanstaande dinsdag?' vroeg Claire, die terugkwam met een vestje voor Rachel.

'Sam neemt Laurie mee uit zeilen.' Rachel trok het vestje aan.

'O, ja? Nou, jij liever dan ik,' lachte Claire. 'Ik vind er geen bal aan. Het is zo... nat. En ik waarschuw je, hij slaat je overboord als hij overstag gaat.'

Laurie nam een slokje wijn. Ze zei niets. Ze glimlachte niet eens.

'Ik denk dat het jullie allebei goed zal doen,' zei Rachel. Hopelijk stelde Claire het op prijs dat ze zich aan haar belofte hield en Sam dwong om tijd voor zichzelf te nemen. Ze had nooit gedacht dat het zoveel moeite zou kosten.

'Zeker. Dat zeg ik nou al de hele tijd tegen hem.' Claire ging achter Sams stoel staan en drukte een kus op zijn hoofd. 'Ik bezorg hem zo veel mogelijk beweging, maar er gaat natuurlijk niets boven frisse lucht.'

Sam schudde haar geïrriteerd van zich af, duidelijk in verlegenheid gebracht door haar ondubbelzinnige toespeling.

'Wat!' Claire lachte.

Sam schoof opeens zijn stoel naar achteren, zodat Claire een stap achteruit moest doen. 'Weet je?' zei hij. 'Ik krijg het ook koud. We moesten maar eens naar huis gaan.'

'Je kunt nog niet weggaan.' Rachel dacht dat hij een grapje maakte.

'Ik heb morgen vroeg een vergadering,' verklaarde Sam, terwijl hij overeind kwam. 'Dank je voor het eten, Rachel.'

Sam liet zich door Claires protesten niet van de wijs brengen en even later kuste hij Rachel op haar wangen en gaf hij Laurie een knikje. 'Dan zie ik je volgende week,' zei hij.

Nog geen vijf minuten nadat Claires auto de oprijlaan af gescheurd was, zei Laurie dat ze naar haar kamer ging.

Alleen op het terras trok Rachel haar vest dichter om zich heen. Ze stak haar neus in de zachte wol en snoof de flauwe geur van sigarenrook op. Het deed haar zo sterk aan Tony denken dat ze week werd van verdriet en zelfmedelijden.

Deze avond was een ramp geweest. Om haar heen stortte alles in en nu ze er totaal geen invloed op had, voelde ze zich eenzamer dan ooit. Als Tony er nog maar was, dan waren Sam en Claire gelukkig en zou Laurie...

Dan zou Laurie hier niet zijn. Geen wonder dat het zo moeilijk was het gelukkige gezinnetje te spelen; zij had de regels veranderd.

12

Bills vriend Richard Horner neuriede zachtjes voor zich uit terwijl hij keurend om de Jowett Jupiter liep en zijn hand liefkozend over de glimmende zwarte auto liet glijden, die hij en Bill de hele ochtend hadden staan poetsen.

'Het is geen vrouw, hoor, Richard,' zei Bill lachend.

'Nee,' gaf Richard toe, 'maar er zijn zat vrouwen die met jou een ritje in die auto willen maken, en hij zal waarschijnlijk een stuk betrouwbaarder blijken te zijn dan zij.' Hij gaf Bill een knipoog. 'Aan de andere kant, als de meisjes sneller blijken te zijn dan de auto,' grapte hij, 'zul je ook niet zo heel erg teleurgesteld zijn.'

Richard was Bills beste vriend in Stepmouth. Hij was bijna een kop kleiner dan Bill, een stoere, ongecompliceerde vent met een gespierd lijf en een hoekig gezicht.

Bill en Richard waren bevriend geraakt toen ze in hun schooltijd samen op de voetbalclub zaten. Richard had in het leger voor monteur geleerd en Bill was getuige geweest op zijn huwelijk met zijn schoolvriendinnetje Rosie, nu vier jaar geleden.

Rosie had inmiddels het leven geschonken aan twee dochters; de oudste, de driejarige Joan, was Bills petekind. Wanneer Bill op zondag bij Richards gezin ging lunchen, of met hen meeging naar het strand, werd hij soms overvallen door een alomvattend gevoel van verlorenheid. Dan keek hij verbaasd naar dat gezin, dat op wonderbaarlijke wijze uit Richard voortgekomen was. Hoe was het mogelijk, vroeg hij zich af. En zou hij ooit ook zo gezegend zijn?

Bill en Richard stonden nu in de garage aan Lydgate Lane, die ze speciaal voor de restauratie van de Jowett Jupiter gehuurd hadden. Ze droegen allebei een met olie besmeurde blauwe overall, die Richard geleend had van de carrosseriebouwers in het nabijgelegen Tarnworth, waar Richard werkte. Het was benauwd in de garage en het stonk er naar olie en lak en zweet.

Dat van de Jupiter was Richards idee geweest. Toen de auto, die tegen een vrachtwagen gebotst was, binnengebracht werd had hij Bill vanaf zijn werk gebeld. Richards baas had tegen de rijke jonge eigenaar van de Jupiter gezegd dat hij hem beter naar de sloop kon brengen dan nog geld in de reparatie steken. 'Dat zou echt liefdewerk worden,' had hij verklaard, met een blik op het autowrak. 'Meer tijd en moeite dan dat ding waard is.'

En dat had Richard aan het denken gezet.

Het had hem weinig moeite gekost zijn vriend over te halen. Diep in zijn hart hield Bill wel van zo'n romantische uitdaging. Hij zag zichzelf al achter het stuur van de Jupiter, scheurend over landweggetjes. Hij dacht aan het gevoel van vrijheid dat het hem zou geven.

Richard en hij hadden hun weinige spaargeld bij elkaar gelegd en de onderdelen bijeengeschraapt die nodig waren om de Jupiter in originele staat te herstellen.

Ze hadden er zes maanden over gedaan. Zes maanden waarin Bill alles over autotechniek te weten was gekomen. Zes maanden waarin Richard zijn educatieve kwaliteiten had ontwikkeld. Zes maanden waarin beiden avonden en weekends opgeofferd hadden.

Maar nu waren ze klaar en het resultaat mocht er zijn. De Jupiter, hún Jupiter, was een schoonheid, een verbluffende machine die ze zich nieuw of zelfs tweedehands nooit hadden kunnen veroorloven. Maar dankzij hun ambitie en harde werken was hij nu helemaal van hen. Nu, hoopte Bill, konden ze er eindelijk in rijden.

Richard boog zich over de glanzende motor onder de opengeklapte motorkap. Nadenkend streek hij over zijn zwarte snor.

'En, hoe luidt je oordeel?' vroeg Bill.

Richard liet de motorkap zakken en klikte hem dicht. Hij richtte zich op en legde zijn hand vaderlijk op het zachte dak, zoals Bill hem zo vaak had zien doen op het hoofd van zijn dochters.

'Ga jij maar eerst,' zei Richard, en hij wierp hem de sleuteltjes toe.

Bill ving ze op. 'Laten we samen gaan.'

Richard begon een sigaret te draaien. 'Ik vond het leuk om eraan te sleutelen,' zei hij. 'Ga nou maar. Ik weet dat je popelt om ermee te pronken.'

Dat was geen woord te veel gezegd. Met zijn overall al half uit huppelde hij onhandig op één been heen en weer in een poging eerst zijn versleten werkschoenen uit te krijgen. Onder zijn overall droeg hij een oude trainingsbroek met bretels en een blauw katoenen overhemd. Hij stapte in de auto en startte de motor. De viercilinder 1486cc kopklepmotor spinde als een poes.

Richard tikte tegen het glas en Bill draaide het raampje open.

'Ga je naar haar toe?' vroeg Richard.

'Wie?'

'Drie keer raden.'

'Mijn moeder?'

'Nog twee keer,' zei Richard met een weerzinwekkend Amerikaans accent.

'O.' Bill krabde aan zijn gezicht om zijn blos te verbergen.

Emily. Emily Jones, die bedoelde Richard. Bill had het veel te vaak over haar, beweerde Richard, zo vaak dat ze vast niet zomaar een klant was, zoals Bill bij hoog en bij laag volhield.

Bill moest toegeven dat hij de laatste tijd veel aan haar dacht. Hij verheugde zich op haar bezoekjes aan de winkel. Als hij de bel hoorde, hoopte hij haar te zien binnenkomen. Hoewel hun korte gesprekken altijd vooral om haar bestelling draaiden, was hij wel het een en ander over haar te weten gekomen: haar ouders gingen verhuizen, ze was een nieuw uithangbord voor het restaurant aan het schilderen en ze vond het vreselijk spannend om voor het eerst van haar leven eigen baas te zijn. Op zijn beurt vertelde hij haar allemaal goede dingen over Stepmouth. Hij was zelf ook niet bepaald verliefd op het stadje, maar hij hoopte dat ze het er zo leuk vond dat ze bleef.

'Als ik jou was,' opperde Richard, 'en ik zag er zo flitsend uit, zou ik zeker langs het Sea Catch Café rijden. Twee keer op z'n minst,' voegde hij eraan toe. 'Misschien zelfs wel drie keer.' Hij grijnsde. 'Je weet nooit; misschien besteedt ze dan een keer aandacht aan je.'

'Tja, maar ik ben jou niet,' antwoordde Bill kortaf. 'Daarom zul je mij ook nooit zoiets bespottelijks zien doen.'

En het wás bespottelijk. Volkomen bespottelijk. Bill vond tenminste van wel, toen hij voor de vijfde keer in evenveel minuten langs het Sea Catch Café reed.

Maar het was ook opwindend om misselijk te zijn van de zenuwen, om uit je dagelijkse routine te breken en je tijd te verdoen zonder te weten wat ervan zou komen. Het voelde als een bevrijding. Het was plezierig. En mocht dat niet eens een keer? Was hij niet al genoeg van zijn jeugd kwijtgeraakt? Had hij die niet als stof op de schappen van Vale Supplies zien neerslaan? Werd het niet eens tijd dat hij wat golfjes maakte op het stilstaande water dat zijn leven was?

Hij glimlachte opgelaten door de voorruit naar mevrouw Carver, roddeltante en vriendin van zijn moeder, die voor de slagerij op haar paraplu leunde en hem de afgelopen vijf minuten over de rand van haar halve brilletje met toenemende achterdocht had zien komen en gaan.

Maar het kon Bill niet schelen. Als ze iets vreemds opmerkte, dan hoorde dat er gewoon bij. Zijn aanwezigheid daar, zijn gedrag; de Jupiter verschafte hem een geloofwaardig excuus. Wie zou hem niet geloven als hij zei dat hij gewoon een proefritje aan het maken was?

Hij sloeg de hoek om naar Winstanton Parade, waar mevrouw Carver hem niet meer kon zien, en zette de auto aan de kant van de weg. Bespottelijk, zei hij voor de zoveelste keer tegen zichzelf. Bespottelijk dat een volwassen man als hij als een puber om een volwassen vrouw als Emily heen draaide.

Was hij maar echt de man van de wereld die de Jupiter van hem leek te maken. Had hij maar wat meer ervaring om op terug te vallen. Maar dat had hij niet.

De waarheid was dat hij nooit erg handig met vrouwen was geweest. Zoals met Susan Castle, het meisje met wie hij zich aan de universiteit had verloofd. Dat had hij grondig verpest. Ze was het eerste meisje met wie hij naar bed ging (het enige meisje tot nu toe) en wat hem betrof zou ze ook de laatste zijn. Hij dacht dat ze de rest van hun leven samen gelukkig zouden zijn. Hij wilde net zo worden als zijn vader en moeder. Maar toen het erop aankwam, toen hij naar huis ging om zijn moeder met de winkel te helpen en Susan het door middel van een brief uitmaakte, nam hij niet eens de moeite om de trein te pakken en haar op andere gedachten te brengen. Hij had haar laten gaan. Wat was dat voor liefde, als je niet eens bereid was ervoor te vechten? Helemaal geen liefde, waarschijnlijk.

En als hij zich met Susan Castle zo vergist had, hoe wist hij dan dat hij zich met iemand anders niet opnieuw vergiste? Sinds hij weer in Stepmouth woonde, was hij maar met drie meisjes uit geweest. Geen van die zondagse uitstapjes had tot meer geleid dan stijve gesprekken en wat onhandig gerommel in het donker.

Het was zijn schuld. Hij had er telkens weer een punt achter gezet. Niet dat hij de meisjes in kwestie niet aantrekkelijk vond, hij vond ze alleen zo naïef. Of gewoon, zoals hij soms ook wel eens dacht. Want naïef was heel gewoon hier, voor mensen van zijn leeftijd. Hoewel verderop aan de doorgaande weg een luchtmachtbasis lag, was zelfs de oorlog ver weg gebleven. Er waren geen bommen op Stepmouth gevallen. Ze hadden geen lijkenzakken te zien gekregen. Voor zover hij al gekomen was, had de dood hen bereikt in de vorm van vederlichte telegrammen die zachtjes op de deurmat vielen, of als teder gefluister uit de liefhebbende mond van een nog levende ouder.

De dood had zich nooit in al zijn gruwelijkheid aan de inwoners van Stepmouth getoond. Zoals aan hem op die avond dat Keith Glover als een wervelwind door het huis van Bills jeugd raasde. Toen hij als achttienjarige in het leger zat en zijn hysterische zusje van negen de naam van de dood door de telefoon geschreeuwd had.

Maar Emily Jones... In Emily Jones zag Bill iets anders. Niet alleen omdat ze uit Stepmouth weggegaan was en de wereld gezien had. Ook omdat ze getrouwd en gescheiden was. Omdat ze meer gezien en meegemaakt had dan de andere meisjes van Stepmouth bij elkaar.

193

Daarin school volgens hem de overeenkomst tussen hem en Emily: in hun anders-zijn.

Bespottelijk, dus? Ja. Maar ook onweerstaanbaar.

'Nog één keertje,' zei hij binnensmonds, alsof hij een gebedje prevelde, opzettelijk vergetend dat hij dat de laatste keer ook al gezegd had. (Om nog maar te zwijgen van de keer dáárvoor.)

Toen hij East Street indraaide zag hij haar: Emily Jones, die zorgeloos de straat over slenterde, alsof ze door een bloemenwei liep. Hij remde uit alle macht. Een paar centimeter voor haar kwam de auto met piepende banden tot stilstand. Hij had haar dood kunnen rijden, dacht hij, terwijl zij om de auto heen liep en door het raampje keek.

'Nee, maar,' zei ze, 'als dat Bill Vale niet is.'

Ze had, naar hij aannam, haar werkkleren aan: een wijde bruine broek, in oude bruine laarzen gepropt, een kaki bloes en een witte canvas schort. Net een oorlogsvrijwilligster, dacht hij, denkend aan de mooie Londense vrouwen die in de oorlog hadden helpen oogsten op de boerderijen rond Stepmouth. Als tieners waren Bill en zijn vrienden vaak de landweggetjes af gelopen en over greppels en hekken gesprongen om een glimp van hun blote schouders en benen op te vangen.

'Hallo,' zei hij stijfjes. Hij wilde haar een compliment maken, maar daar was het nu alweer te laat voor.

Ze glimlachte bij zichzelf terwijl ze de auto bekeek. 'Jij zit echt vol verrassingen, hè?'

Voor het eerst zag hij haar zonder make-up. Ze had net zo'n bleke huid als Rachel en nu er geen oogschaduw was om hun schittering te accentueren stonden haar grijze ogen net zo sluw en wijs als die van een kat.

'Ik bedoel, ik maar denken dat je een doodgewone kruidenier bent,' vervolgde ze, 'vertelt je zus me opeens dat je bouwkundige wilt worden. En dat je dozen vol tekeningen thuis hebt... van theaters... en bruggen... en andere dingen die je wilt bouwen...'

'Zei ze dat?'

'Absoluut,' zei Emily. 'Ze is heel trots op je. Ze zei dat je nu beroemd zou zijn als je niet naar huis had moeten komen om voor haar en je moeder te zorgen.'

194

Hij keek haar verbaasd aan, in verlegenheid gebracht door de onverwachte opschepperij van zijn zusje, maar ook opgetogen om te horen dat ze al die dingen over hem gezegd had. En tegen Emily nog wel.

'Ze is lang niet altijd zo complimenteus,' zei hij.

'Je moet iets met die tekeningen doen, weet je. Het is zonde om ambitie verloren te laten gaan. En kijk eens om je heen...' Ze wees naar het eind van East Street, waar de resten van een oud paviljoen over het strand uitkeken. 'We kunnen jouw talent hier wel gebruiken, misschien valt er nog wat van dit gat te maken.'

Voor het eerst sinds jaren zag Bill het lelijke vervallen gebouw – zág hij het echt, als iets anders dan achtergrond, als meer dan alleen maar een verwaarloosd herkenningspunt. Het dak was bijna helemaal ingestort, maar die muren, dacht hij, die stonden nog recht overeind, hoewel het gebouw al bijna twintig jaar niet meer gebruikt werd. Met een beetje inspanning, dacht hij, kon het echt nog iets worden.

'Ik dacht dat je een toerist was,' zei Emily.

'Wat?'

'Een toerist,' herhaalde ze.

Vanwege de Jupiter, raadde hij. Omdat je zulke auto's hier niet al te vaak zag.

'Ik maak een proefritje,' zei hij, om haar, volgens plan, het idee te geven dat hun ontmoeting puur toeval was.

'Net als de vorige vier keer, hè?'

'Pardon?'

'Net als de vorige vier keer dat je langs het café reed,' verduidelijkte ze.

O, jezus. Hij had het gevoel dat hij door de grond zakte.

'Het is allemaal één grote proefrit, zeker?' ging ze verder.

Hij staarde naar het walnotenhouten dashboard met zijn ingewikkelde verzameling chromen instrumenten en had zin om te kreunen. Ze had hem in de gaten gehouden... de hele tijd al. Hij voelde zich een jongetje van zeven dat door zijn moeder betrapt was op koekjes stelen in de bijkeuken, nadat ze hem eerst stap voor stap over de krakende planken had zien lopen.

'Precies,' zei hij.

Glimlachend keek ze toe terwijl hij ongemakkelijk over de leren bekleding van de autobank heen en weer schoof. Toen hij weer stilzat keek ze hem onschuldig in de ogen. En op dat moment kwam ze met de uitsmijter: 'Het was dus niet zo dat je mijn aandacht probeerde te trekken?'

'Nee,' zei hij automatisch.

Waarom loog hij? Dit wilde hij toch juist: met haar over hen praten – over een *mogelijk* hen praten – en niet over de hoeveelheid meel of bonen die ze nodig had? Maar zijn schaamte was zo groot dat hij zich er niet tegen kon verzetten.

'Jammer,' zei ze.

Hij fronste zijn voorhoofd. 'Jammer?'

'Nou ja, ik had me wel gevleid gevoeld. Als je wél mijn aandacht had proberen te trekken. Maar trek het je niet aan,' zei ze luchtig, 'mijn ijdelheid overleeft het wel weer.'

Zeg iets! schreeuwde een stem binnen in hem. *Zeg iets! Zeg iets! Zeg iets! Dit is misschien je enige kans!* Maar voor hij kon gehoorzamen, zei zij alweer iets.

'Weet je wat?' Ze kwam een beetje dichterbij.

'Wat?'

'Ik heb nog nooit in zo'n auto gezeten.'

'Nee?'

'Nee. Nog nooit. Zelfs niet in Amerika.' Ze roffelde met haar nagels op het portier. 'En er is zoveel plaats.'

'Ja.' Het was hem nooit eerder opgevallen dat ze zulke lange wimpers had.

'Zeker voor maar één persoon,' zei ze.

'Ja.' Of dat haar neusvleugels telkens een beetje opengingen bij het ademhalen.

'En ik wil wedden dat hij heerlijk rijdt,' vervolgde ze.

'O, ja.' Hij keek nu naar haar lippen, naar haar witte tanden in haar iets geopende mond.

Nu, zei hij bij zichzelf. Nu of nooit.

'Wil je...' hoorde hij zichzelf zeggen.

'Ja...' Ze lachte bemoedigend naar hem.

Hij slikte. Zijn hele lichaam spande zich, zette zich schrap voor de afwijzing. 'Wil je een keer met me mee uit rijden?'

'Ik dacht dat je het nooit zou vragen,' antwoordde ze.

Hij kwam niet eens op het idee zijn grijns te onderdrukken. 'Bijna had ik het ook nooit gedaan.'

'Het lijkt me enig,' zei ze.

'Zullen we zeggen...'

'Zaterdagavond?' stelde ze voor.

Toen zag hij mevrouw Carver voor de deur van het Sea Catch Café staan. Ze keek naar hen.

'Een vriendin van je?' vroeg Emily, die zijn blik volgde.

'Van mijn moeder,' zei Bill. 'Het is nogal een roddeltante.'

'Is dat zo?'

'Ik ben bang van wel.'

'In dat geval,' zei Emily, 'kunnen we haar maar beter iets te roddelen geven.'

Hij deed zijn mond open om antwoord te geven, maar voor hij een woord kon uitbrengen, legde ze haar handen op het opengeschoven raampje, stak haar hoofd in de auto en kuste hem zachtjes op zijn lippen. Toen ze zich terugtrok haalde ze langzaam haar handen door haar haar. Haar wangen waren roze.

'Ik moet weer eens aan het werk,' zei ze. Ze liep achteruit naar de deur van het café en struikelde bijna over een straatsteen. 'Zaterdag,' riep ze, en ze zwaaide naar hem. 'Zeven uur. Niet te laat komen!' Ze wendde zich tot mevrouw Carver, die met open mond stond toe te kijken. 'Wat is 'ie knap, hè?' zei ze, zo hard dat Bill het kon horen.

Bill zat als versteend in de auto. De herinnering aan haar kus lag nog op zijn lippen, alsof er een vlinder op neergestreken was. Toen hij eindelijk weer inademde, snoof hij de geur van rozemarijn en tijm op. De hele wereld rook wild en fris.

Hoewel het Rachels beurt was, had hun moeder gekookt. Ze had erop gestaan. En ze had er ook op gestaan dat Rachel en Bill om kwart voor zeven aan tafel kwamen, terwijl ze normaal gesproken op zaterdag om zes uur aten en nu al klaar geweest waren. En waarom? Je hoefde geen genie te zijn om dat te bedenken. Bills moeder had namelijk van Edith Carver gehoord dat hij elders verwacht werd – een elders dat haar goedkeuring absoluut niet kon wegdragen.

'*Bijzonder* vrijpostig,' zei ze zuinig.

Bill lette niet op Rachel, die scheel naar hem zat te grijnzen en met volle teugen van zijn verwarring genoot. Mechanisch kauwde hij op de vettige grauwe brij van lever, spek en aardappelen die zijn moeder net in zijn kom geschept had.

'En dan die toestand met die Amerikaanse man... toen ze nog maar een meisje was...'

Bill scheurde een stuk van het ronde brood dat midden op tafel lag. Hij haalde het door de bruine jus in zijn kom, waardoor even de blauw met witte bloemetjes op het aardewerk zichtbaar werden, voor de jus weer naar de bodem liep en de kleuren begraven werden als een archeologische vondst in de klei.

'Dat noem ik nog eens onbezonnen,' zei zijn moeder. 'Om zo het land uit te vluchten. Dat wijst op een laf karakter. Op zijn minst.'

'Ze ging naar Amerika om te trouwen,' wierp Bill tegen.

'En om te scheiden.'

'Dat was ze vast niet van plan toen ze vertrok. Ze is wel zeven jaar bij hem gebleven.'

Zijn moeder keek hem strak aan. 'Ik ben tot zijn dood bij je vader gebleven.'

Bill wierp haar een woedende blik toe; dat ze de dood van zijn vader zo tegen hem durfde te gebruiken. 'Dat betekent nog niet dat je haar relatie met haar man kan afdoen als een domme bevlieging van een schoolmeisje,' beet hij haar toe.

'Reden te meer om je niet met haar in te laten.'

'Wat?' vroeg hij. 'Denk je soms dat ze vies is doordat ze met een andere man samengewoond heeft?'

Haar ogen schitterden uitdagend.

'Ik vind haar hartstikke leuk,' zei Rachel opeens. Ze lachte niet en ze trok geen rare gezichten meer.

'Wat?' vroeg Bill, die dacht dat hij het niet goed verstaan had.

'Emily. Ik vind haar hartstikke leuk. En helemaal niet laf. Of vies. Of al die andere dingen die mama zegt.'

Bill kon amper geloven dat zijn zusje het openlijk voor hem opnam.

'Wat weet jij er nou van?' snauwde hun moeder. 'Een meisje van jouw leeftijd.'

Het was een vraag die Bill Rachel de laatste tijd ook vaak had willen stellen. Wat wist ze ervan? Van liefde? Van relaties? Meer dan vroeger, dat stond vast. Misschien meer dan een meisje van haar leeftijd hoorde te weten. Want het was hem opgevallen dat ze veranderd was. Ze had iets dromerigs over zich, waardoor haar ogen glansden en haar gezicht straalde. Hij had haar de laatste tijd een paar keer betrapt, met een ondoorgrondelijke glimlach op haar gezicht starend naar de meest alledaagse dingen in huis of in de winkel – een doos zeep of een gebarsten vloertegel. Hij herkende die blik. Richard Horner keek zo toen hij Rosie leerde kennen. En hijzelf, toen hij zich een halfuur geleden voor de spiegel stond te scheren voor zijn afspraakje met Emily Jones.

Hij vroeg zich af wie er verantwoordelijk was voor de gemoedstoestand van zijn zusje. Hij zou er snel genoeg achter komen, vermoedde hij. In Stepmouth bleef niets lang geheim.

'Hou je erbuiten en eet door,' zei mevrouw Vale tegen haar dochter.

Rachel deed haar mond open om iets terug te zeggen, maar bedacht zich en nam een hap eten.

'En ik dan, mam?' informeerde Bill. 'Ik ben ook verloofd geweest, weet je nog? Hoef ik nu ook geen tweede kans te krijgen?'

'Die waardeloze slet heeft jou aan de kant gezet, niet andersom.'

Waardeloze slet. Juist. Ze had het niet voor zich kunnen houden. Zo had ze dus altijd over Susan Castle gedacht, en zo dacht ze waarschijnlijk ook over Emily. Omdat ze van gedachten veranderd waren.

'Omdat ik bij haar wegging, mama. Omdat ik weer hier kwam wonen.'

Zijn stoel kraste hard over de vloer toen hij opstond. Hij haalde zijn colbert – het zwarte met de zijden voering, zijn enige goede jasje, gekocht voor de begrafenis van zijn vader – van de rugleuning van zijn stoel. Hij liep om de tafel heen en bleef naast zijn moeder staan. Toen hij zich bukte om haar een kus te geven, raakte ze zijn gezicht aan. Haar vingers roken naar de bittere ringen die ze van de uien afgepeld had.

'Ik wil alleen maar het beste voor je,' zei ze.

'Dat weet ik.' Hij wist ook hoeveel ze kwijtgeraakt was en hoe graag ze de rest van haar gezin wilde beschermen. Maar hij hoefde niet in bescherming genomen te worden. Niet tegen Emily Jones. En dat zou zijn moeder gewoon moeten leren.

Onderweg naar de buitendeur voelde hij de muren van de gang op zich afkomen. Hij haalde de bos veldbloemen – sneeuwklokjes en viooltjes en wilde hyacinten – uit de vaas naast de kapstok. Hij had ze die morgen naast de heg bij de moestuintjes geplukt en met een stukje touw bijeengebonden.

'Wacht,' zei Rachel, die achter hem opdook.

Ze koos een hyacint uit de bos en stak die in zijn knoopsgat. Glimlachend deed ze een stap achteruit.

'Je ziet er goed uit zo,' zei ze.

Hij glimlachte terug. 'Dank je,' zei hij. 'En bedankt dat je het voor me opnam. Ik zal het niet vergeten.'

In de steeg viste hij zijn sleutelbos uit zijn broekzak en keek naar het raam boven de deur, die net als de ramen van de winkel van tralies voorzien was. Sloten, sloten, sloten: per deur minstens drie. Dit huis had net zoveel sloten als een bank. Of een gevangenis. En terwijl hij de deur achter zich op slot draaide bekroop de gedachte hem dat sloten soms beide kanten op werkten: ze hielden mensen niet alleen buiten, soms hielden ze mensen ook binnen.

Voor het Sea Catch Café wachtte Bill met draaiende motor op Emily. Hij had haar net de bos bloemen gegeven.

Ze wilde ze in het water zetten, had ze gezegd, anders zouden ze verleppen. Ze was zo snel weer naar binnen gerend dat hij zich afvroeg of hij haar ongewild beledigd had; of de bloemen, die hem niets gekost hadden, een zuinige indruk op haar gemaakt hadden.

Hij keek naar het kleine hoekige handtasje van rood leer, dat ze naast hem op de stoel had laten liggen. Het leek hier niet op zijn plaats, iets wat niets met hem te maken had, een gevonden voorwerp dat hij ergens moest afleveren.

Opeens had hij het gevoel dat hij zich in te diep water gewaagd had, was hij doodsbang dat het een vergissing was geweest om haar mee uit te vragen. Of zich door haar mee uit te laten vragen (hij wist nog steeds niet hoe het eigenlijk zat). Hetzelfde gold voor die kus. Was die echt voor hem bedoeld geweest? Of voor mevrouw Carver? Had ze het alleen maar gedaan om een schandaal te veroorzaken?

In de felverlichte deuropening van het café verscheen een goedgevormde gestalte. Daar, bij het raadsel Emily Jones, moest hij zijn antwoord zoeken.

Ze zei iemand gedag, de deur viel met een klap dicht en ze haastte zich naar de auto, haar gewaagde knielange rok fladderend om haar benen. Hij wilde uitstappen om het portier voor haar open te houden, maar ze was hem voor. Ze gebaarde dat hij moest blijven zitten, stapte in en trok het portier met een bons dicht.

'En, waar gaan we heen?' vroeg ze buiten adem. Ze verschikte haar rode sjaaltje en keek hem aan.

Hij had de kaartjes voor het Barnstaple Plaza Dansfestijn al in zijn hand. Hij hield ze omhoog en hoopte maar dat ze haar goedkeuring konden wegdragen. Het was een idee van Rosie geweest. Ze had tegen Bill gezegd dat het helemaal goed was. Emily plukte ze uit zijn hand.

'Het Barnstaple Plaza Dansfestijn presenteert met trots: Dick Grewcock en zijn Bereisde Blazers,' las ze met een geamuseerde glimlach.

Opeens drong tot Bill door hoe verschillend Emily en Rosie waren. 'We hoeven er niet heen,' zei hij. 'Als je niet wilt.'

'Nee, het klinkt te gek...'

Hij zag dat ze haar blonde krullen had weten te temmen door ze met een witte speld als een rol op haar hoofd vast te zetten. Ze tikte met de kaartjes afwezig tegen haar zilveren ketting, die ze over het kraagje van haar bloes droeg.

'Je bent vast heel goed met je voeten, Bill,' zei ze, 'als je een meisje voor een eerste afspraakje mee uit dansen neemt. Ga je vaak dansen?'

Sinds 1948 niet meer. Niet sinds Susan Castle, had hij bijna geantwoord. Sinds hij de kaartjes bij de zaal had opgehaald en op de muur foto's had gezien van mannen en vrouwen die als acrobaten om elkaar heen draaiden, zag hij er eigenlijk vreselijk tegen op. Hij kon alleen nog maar denken dat zijn twee linkervoeten niets van Emily's schoenen heel zouden laten. Hij herinnerde zich hoe beschamend zijn laatste poging om tegen Emily te liegen afgelopen was en besloot de waarheid een kans te geven.

'Nee,' zei hij, 'ik kan er niets van.'

'Dan kunnen we elkaar een hand geven.'

Ze keken elkaar even aan en barstten toen in lachen uit.

'We kunnen gewoon naar de band gaan luisteren,' stelde hij voor.

'Zouden ze goed zijn?'

'Ik betwijfel het.'

'En *Dick Grewcock*? Hij klinkt in ieder geval *groots*...'

'Ik heb helemaal geen verstand van...' begon Bill, maar Emily moest zo hard lachen dat hij zijn mond hield. 'O,' zei hij, opeens ook lachend, 'die naam...'

Ze stak een sigaret tussen haar lippen. Hij gaf haar vuur met een lucifer. Rook en zwavel hingen tussen hen in.

'Ik weet iets,' zei ze. 'Laten we doen wat we eerst van plan waren: een eindje rijden. Gewoon, de stad uit. Ergens anders heen.'

'Waarheen dan? Het is donker.'

'En helder. En mooi. Ik weet een prima plekje.'

Hij nam de kaartjes van haar aan en scheurde ze zorgvuldig in tweeën. De stukjes fladderden als blaadjes in zijn schoot. Het was vreemd, maar nu al zijn voorbereidingen op niets uitgelopen waren, leken ze helemaal niet meer belangrijk. Niet nu zij naar hem lachte.

'Oké, dan,' zei hij, terwijl hij de auto van de handrem haalde.

Al pratend reden ze door de door straatlantaarns verlichte straten van Stepmouth, over South Bridge en de steile en inktzwarte Barnstaple Road. Bill stelde vragen en Emily gaf antwoord. Deze gang van zaken beviel hem prima: hij wilde haar nog miljoenen vragen stellen, over de miljoenen momenten in haar leven die hij tot nu toe gemist had.

Ze vertelde over haar relatie met Buck. Over de wilde meid die ze was toen ze hem in de oorlog op een dansfeest leerde kennen.

'Je kon toch niet dansen?' bracht Bill haar in herinnering.

'Als je weet tot hoeveel ellende het geleid heeft, begrijp je wel waarom ik het nooit meer doe,' antwoordde ze.

Ze vertelde hoe serieus ze zichzelf genomen had. 'Echt waar, Bill, als je had gezien hoe Buck en ik met elkaar omgingen, had je gedacht dat we de eerste verliefde mensen op aarde waren. We zetten onszelf zo onder druk. Wat er nu ook met me gebeurt, en met wie het ook gebeurt, ik wil dat het komt zoals het komt. Niet omdat er iets moet. Ik wil dat het leuk is en leuk blijft, snap je?'

Wat er ook gebeurt, met wie het ook gebeurt... Bill vroeg zich af of ze hem bedoelde.

Hij vroeg hoe het verder gegaan was en waarom ze uit Stepmouth weggegaan was. Ze herinnerde zich haar moeders afkeuring.

'Het kan me niet schelen hoeveel restaurants zijn familie bezit, Emily,' zei ze en ze maakte Bill aan het lachen met haar perfecte imitatie van haar moeder. 'Je bent veel te jong voor hem en daarmee uit.'

En ze vertelde dat Buck 'schatje' en 'pop' tegen haar zei, en dat hij boven Duitsland door Messerschmitts neergeschoten was.

'Ik liep weg om bij hem te kunnen zijn. In het militaire ziekenhuis in Kent. Maandenlang schreef ik mijn ouders dat alles goed ging, maar ik vertelde er nooit bij waar ik zat. Voor het geval ze me zouden komen halen. Wat ze verdomme nog gedaan hadden ook.'

Na de oorlog waren zij en Buck naar Amerika gevaren. 'Voor zijn ontslag waren we in het ziekenhuis in Kent al getrouwd. Zijn officier had het geregeld, zonder verder vragen te stellen.'

Emily was verliefd geworden op Amerika, maar haar liefde voor Buck was langzaam uitgedoofd. Ze vertelde over alle afzonderlijke redenen – de nachtelijke slemppartijen, zijn vriendinnetjes – die zich net zo lang tot één grote reden samengebald hadden tot ze eindelijk bij hem wegging.

Ze waren nu boven Stepmouth en reden richting westen, over de oude kustweg die langs de hei voerde.

'Ik had daar best willen blijven, weet je,' vertrouwde ze Bill toe.

'Maar het einde van mijn huwelijk met Buck... het wegvallen van de schoonfamilie... Daardoor verlangde ik naar mijn eigen familie. Daardoor wilde ik naar huis. Om opnieuw te beginnen.'

'Geen kinderen, dus?'

'Nee, dat was een gelukje, al dachten we er toen heel anders over.'

Hij voelde geen spoor van jaloezie bij al die verhalen over haar leven met Buck, al had hij dat wel verwacht. Maar zoals ze erover sprak, klonk het alsof het over iemand anders ging.

'En wil je nog terug? Naar Amerika, bedoel ik?'

'Ooit misschien wel. Het is een fantastisch land, weet je. Zoveel mogelijkheden. Met de juiste man zou ik er dolgraag heen gaan.'

Al die tijd waren ze nog geen andere auto tegengekomen, alsof ze de laatste mensen op de planeet waren.

'Hoe heb je je ouders zover gekregen dat ze je weer terugnamen?' vroeg Bill. 'Al die woede die je moeder voelde... al die verbittering... waar is het allemaal gebleven? Het kan toch niet zomaar verdwenen zijn...'

Ze lachte. 'Het geld dat ik van de scheiding overgehouden heb hielp wel. Vooral omdat mijn vader op zoek was naar iemand aan wie hij de zaak kon verkopen...' Ze zuchtte. 'Nee, even serieus. De tijd verstrijkt. Mensen vergeven elkaar. Zo gaat dat. En dat is maar goed ook, weet je? Dat houdt de wereld draaiende.'

'Ik ben blij dat je ouders en jij eruit gekomen zijn,' zei hij. 'Ik weet nog hoe zenuwachtig je was toen je die eerste dag in de winkel kwam. Duim maar voor me, zei je...'

'Weet je dat nog?' Ze klonk verbaasd.

'Een mooi meisje dat zomaar je winkel binnenloopt,' zei hij, 'dat vergeet je niet snel.'

'Je bent een lieverd, Bill Vale,' zei ze, en ze gaf hem een kusje op zijn wang. 'En je kunt goed luisteren. Dat mag ik wel in een man.'

Ze reden verder heuvelopwaarts. Ze waren al hoger dan de Summerglade Hill.

'De volgende links,' zei ze. 'Daar, bij die boom.'

In de duisternis doemde het silhouet van een enorme paardenkastanje op. Bill draaide het hobbelige pad op en reed langzaam verder, uit angst voor een lekke band. Toen ze onder de boom door reden, krabbelden de takken van de paardenkastanje als kattenklauwtjes over de voorruit en het dak van de Jupiter. Na anderhalve meter zette Bill de motor af. In de verte zagen ze de zee, glinsterend in het licht van de halvemaan en de sterren.

'Welkom in de Verlatenheid,' zei Emily.

'Wat?'

'Zo heet het hier. Ik heb het op een kaart gezien.'

Verlatenheid... zo voelde het helemaal niet, voor Bill niet in ieder geval. Hij had nog nooit zo'n mooi plekje gezien.

'Moet je die lucht zien,' zei ze, terwijl ze door de voorruit omhoog tuurde.

'Wil je een beter uitzicht?'

'Altijd.' Ze wilde al uitstappen.

'Nee,' zei hij, 'wacht even.'

Hij stapte uit en maakte het opvouwbare dak los. Hij trok het naar achteren, achter de stoelen. Hij ging weer naast haar zitten.

'Geweldig,' zei ze, omhoog turend. Hij voelde dat ze over de bank naar hem toe schoof. Ze legde haar hoofd op zijn schouder.

'Al die sterren,' zei Bill. 'Toen ik klein was zei mijn vader altijd dat het engelen waren. Dan wees hij naar boven' – Bill stak een arm in de lucht om het voor te doen – 'en zei dingen als: "Dat is mijn tante Ada en dat is Ivor, de broer van je grootvader, die een goed oog voor vrouwen had..."' Bill schraapte zijn keel en liet traag zijn arm zakken. 'Maar dan ga je naar school en leer je natuurlijk dat het gewoon sterren zijn en verder niets, en dan zie je ze nooit meer hetzelfde...'

'Het spijt me,' zei ze, 'van je vader. Sinds ik terug ben wil ik dat al tegen je zeggen. Maar ik heb nooit de kans gekregen. Of eigenlijk wel, maar dan waren er weer andere mensen bij...'

Bills lichaam spande zich als een veer. Hij vond het vreselijk om over zijn vader en wat er gebeurd was te praten.

'Mijn vader schreef me wat er gebeurd was toen ik al in Amerika woonde,' vervolgde ze. 'Toen het gebeurde zat ik namelijk in Kent, waar Buck in het ziekenhuis lag.' Ze legde een hand op Bills pols. 'Ik herinner me je vader van toen ik klein was. Het was een leuke, aardige man. Net zoals jij. Je mist hem vast heel erg.'

'Ja.'

Weer die spanning... alsof er een gewicht op hem drukte... opeens moest hij het kwijt. 'Ik wou dat je hem niet aangenomen had, die broer van Keith,' zei hij.

'Tony bedoel je.'

In de duisternis kon hij haar gezicht niet goed zien. 'Hij is gevaarlijk,' verklaarde Bill. 'Daarom is hij ook van school gestuurd... omdat hij vecht...'

'Vócht. Hij doet het niet meer.'

'Alleen maar omdat hij de laatste keer door Bernie Cunningham in elkaar geslagen is.'

'Die twee keer zo groot is als hij. Een dronkenlap en een treiterkop. Soms,' zei ze, 'verdienen mensen een tweede kans.'

'En soms ook niet.'

Ze keken elkaar aan.

'Heb je me daarom meegenomen?' vroeg ze uiteindelijk. 'Om ruzie met me te maken?'

Die vraag bracht hem uit zijn evenwicht. 'Nee.'

'Laten we dan een eind maken aan dit gesprek en bedenken waarom we hier wél zijn.'

'Maar...'

'Ik run het café zoals ik dat wil, Bill. En ik neem aan wie ik wil. Maar geloof me: als Tony ooit over de schreef gaat,' voegde ze eraan toe, 'dan gooi ik hem eruit, zoals ik dat met ieder ander ook zou doen.' Er lag een kalme, vastberaden uitdrukking in haar ogen.

'Zweer je dat?'

'Ja.'

Hij wist dat ze verder nooit zou gaan. 'We hebben het er niet meer over,' zei hij.

Hij wist niet of het goed was om niet langer op haar in te praten. Wat zou zijn moeder ervan zeggen? Dat was geen moeilijke vraag. Ze zou zeggen dat hij het fout had. En zijn vader? Zijn vader zou Emily gemogen hebben, wist hij; hij zou, net als hij, respect hebben gehad voor haar kracht. Maar zijn vader was er niet meer, zodat Bill alleen maar op zijn eigen instinct kon afgaan. En zijn instinct zei hem dat hij op Emily's beoordelingsvermogen moest vertrouwen. Keith Glover had hem al eens een meisje gekost. Hij was niet van plan de kans die hij misschien bij Emily maakte op te offeren aan een ruzie over zijn kleine broertje.

'Er zijn genoeg andere dingen om over te praten,' zei Emily.

'Dat is zo.'

'Fijne dingen,' zei ze. 'En het leven is veel leuker als je je daarop concentreert. Ik heb hier een goed gevoel over,' zei ze. Ze schoof dichter naar hem toe. Toen schonk ze hem zo'n warme glimlach dat hij de kou in zijn binnenste voelde smelten. 'We kunnen ook *niet* praten,' zei ze.

Het was de tweede keer dat ze hem op zijn mond kuste, maar het voelde als de eerste keer. Terwijl het die keer, met mevrouw Carver erbij, alweer over was voor het goed en wel begon, volgde er nu geen abrupt einde. Nu had hij de tijd om ervan te genieten: haar zachte lippen, hun trage uiteengaan, de warme, tintelende aanraking van haar tong. Haar warme adem beroerde zijn gezicht. Hij legde zijn armen om haar middel, haar handen streelden zijn haar.

Op dat moment werden ze overvallen door een ander soort drang, niet om zich van elkaar los te maken, maar juist om nog dichter bij elkaar te zijn. Terwijl zij achteruit schoof, richting portier, klauterde hij onbeholpen achter haar aan, waarbij zijn broekzak aan de handrem bleef haken en scheurde.

Beelden flitsten door zijn hoofd. De kerk morgenochtend. Zijn moeder en mevrouw Carver die de scheur opmerkten. Maar even later waren ze weg. Want het kon hem niet schelen. Want hij wilde meer.

Hij drukte zich dicht tegen Emily aan. Haar rok was omhooggeschoven, helemaal tot aan de rand van haar zwarte nylon kousen, maar ze deed geen poging hem naar beneden te trekken. In een flits zag hij haar witte onderbroek. Toen kusten ze elkaar alweer.

De leren bank onder hen kreunde bij elke beweging. Ze pakte zijn hand en drukte hem tegen haar borst. Hij voelde haar warme, soepele vlees onder haar dunne bloes. Toen boog ze zich naar voren, legde haar handen op zijn borst en liet ze met gespreide vingers in de mouwen van zijn overhemd glijden om het kledingstuk over zijn schouders te trekken.

Ze rilde toen hij haar bloes openknoopte. Eronder droeg ze een onderjurk die zo glad aanvoelde dat hij bijna wel van zijde moest zijn. Hij trok hem over haar hoofd en kuste haar in haar hals. Zuchtend duwde ze haar bekken tegen hem aan. Hij duwde hard terug.

Opeens kwam ze overeind, hield zich met één hand aan de voorruit vast. Ze schopte eerst haar ene schoen uit en toen de andere, waarna ze haar rok en onderbroek naar beneden schoof en eruit stapte. Vervolgens richtte ze zich ongeduldig op hem. Ze schoof koortsachtig zijn das opzij en knoopte zijn overhemd open. Twee seconden later had ze zijn broek losgeknoopt en liet ze haar hand naar binnen glijden.

Hijgend richtte hij zich op om zijn broek en onderbroek op zijn knieën te schuiven. Ze nam hem in haar hand en ging schrijlings op hem zitten. Ze snakte naar adem toen hij in haar kwam. Er trok een huivering door haar borsten, die in het maanlicht de kleur van melk hadden. Ze liet zich op hem zakken. Met haar dijen stevig om zijn middel begonnen ze te bewegen, samen één.

Ze hadden in een boot kunnen zitten. Op de uitgestrekte hei als een zwarte zee, met het dak van de Jupiter opengeklapt en de eindeloze hemel boven hen, hadden ze samen overal heen kunnen reizen. Waar ze maar wilden.

13

Mallorca, nu

In de straat die naar het piepkleine haventje leidde keek Laurie de taxi na tot hij de hoofdstraat weer in draaide en om de hoek verdween. Het was de dinsdagochtend na dat afschuwelijke etentje op Sa Costa. De dag die Sam en Laurie op bevel van Rachel samen op de *Flight* zouden doorbrengen. Het moest voor hen allebei een dag van – hoe had Rachel het ook alweer uitgedrukt? – 'rust en ontspanning' worden. Lekker ironisch, dacht ze, zenuwachtiger dan ooit.

Ze had een haven verwacht die wemelde van de chique restaurants en in designkleding gehulde vrouwen die in kleine boetiekjes inkopen deden, dus ze was verbaasd toen ze zag wat een rustiek hoekje het was. Op de hoek van de straat zaten drie oude vrouwen op een rijtje onder het zonnescherm van een bouwvallig huis, waarin een klein café gehuisvest was. Al kletsend zaten ze met fijne witte katoen te haken. Toen Laurie langsliep dreef de geur van paella door de open deur naar buiten, terwijl op een tv aan de muur een man in rap Spaans aan het spreken was en een studiopubliek in lachen uitbarstte.

Laurie vertraagde haar pas en bleef op de hoek van de straat staan. De moed zonk haar in de schoenen. Ze hoorde hier niet te zijn. Ze had niet moeten komen. Door hier te zijn overtrad ze alle regels die ze met zichzelf had afgesproken. Had ze nu maar harder haar best gedaan om onder de afspraak uit te komen. Ze had een miljoen smoezen kunnen verzinnen, dus waarom had ze dat niet gedaan? Ze had Sam dagen – desnoods uren – geleden moeten bellen om het af te zeggen... maar dat had ze niet gedaan.

Lauries benen leidden haar automatisch verder naar de haven, in de hitte vormde zich een dun laagje zweet op haar huid. Haar hart bonsde. Haar maag trok samen en ze werd misselijk. Dat kon alleen maar schuldgevoel zijn. Ze was immers een indringer. Ze wist dat ze haar nieuwe familie en het vertrouwen dat ze in haar stelden willens en wetens verraadde. En niet alleen haar nieuwe familie. Was het niet zo dat ze ook haar vriendinnen, James, zichzelf verraadde? Ze moest maken dat ze hier wegkwam.

Maar iets in haar was sterker dan haar gezond verstand. Haar morbide fascinatie voor alles wat met Sam te maken had, waardoor ze Rachels uitnodiging om naar Mallorca te komen aangenomen had, op Claires feestje terechtgekomen was en nu een afspraak met haar ex-minnaar had, was domweg zo groot dat ze er geen weerstand aan kon bieden.

Ze hield zichzelf voor dat ze geen keus had. Ze had Rachels aanbod wel moeten aannemen, want de villa was te mooi om waar te zijn. Ze had naar Claires feestje gemoeten, anders was ze al te bot overgekomen. En zo had ze ook voor Rachels wil moeten buigen toen die zei dat ze deze dag met Sam zou doorbrengen.

Ze had het gevoel dat ze ongewild in een Glover-maalstroom terechtgekomen was en dat ze zich er niet aan kon onttrekken zonder wantrouwen te wekken. Rachels villa was net een gigantisch spinnenweb waarin ze gevangen zat. Aan de ene kant wilde ze haar tante graag leren kennen, maar daar stond tegenover dat haar tante wilde dat ze deel uitmaakte van de familie. En bij de familie hoorden ook Sam en zijn vrouw en kind. Ze moest het spel meespelen en doen alsof er niets aan de hand was – ze had geen andere keus.

Maar misschien waren haar gevoelens juist wel zo sterk omdat ze moest doen alsof er niets aan de hand was, omdat ze moest spelen dat Sam niet meer was dan een kennis en ze haar gevoelens de hele tijd voor zich moest houden. En ze had de afgelopen maand te veel nachten niet geslapen om te blijven doen alsof ze niet om Sam gaf, alsof ze er diep in haar hart niet naar verlangde bij hem te zijn.

Diep in haar hart wist ze dat het heel, heel erg slecht was om op die manier aan hem te denken. Zo wist ze ook dat ze haar koffers had moeten pakken, zodra ze Claire die eerste dag op het strand gesproken had. Maar dom genoeg had ze gehoopt dat een ontmoeting met Sam, waarbij ze hem op zijn eigen feest negeerde en liet zien hoe onafhankelijk en onverschillig ze was, haar de voldoening zou schenken die ze zo hard nodig had. Ze had zichzelf voorgehouden dat het haar zou genezen van haar behoefte aan wraak en dat ze Sam en het verleden eindelijk zou kunnen laten rusten.

Maar haar plan was op spectaculaire wijze misgelopen. Sams verontschuldigende woorden, zijn haastig uitgesproken verklaring, de paniek die ze bij hem veroorzaakt had, hadden zich als een mes in haar hart omgedraaid en oude wonden opengereten die sindsdien niet meer wilden helen. Ze had helemaal geen genoegdoening gekregen; ze was juist weer helemaal in de ban geraakt van de man met wie ze ooit haar leven had willen delen. Als een drug had Sam zich in haar onderbewustzijn genesteld, zijn gezicht school in elke penseelstreek, zijn stem in elk ruisen van de zee.

Maar de feiten, bracht ze zichzelf in herinnering, bleven hetzelfde. Sam had zijn keus gemaakt, en zijn keus was niet op haar gevallen. En nu was hij getrouwd en had hij een kind, en waren zij onlosmakelijk met elkaar verbonden door een familie die kapot zou gaan als hun geheim ooit bekend werd. Daarom zou weglopen ook zo kinderachtig zijn. Het zou niets oplossen. Ze zou alleen maar een spoor van onbeantwoorde vragen achterlaten, dat Rachel net zo lang zou volgen tot ze de waarheid kende. Daarom moest ze vandaag ook gewoon doen wat er van haar verwacht werd.

Aan de waterkant kabbelden de golven zachtjes tegen de betonnen muur. Felgekleurde vissersbootjes dobberden op het water en een visser stond met een sigaret tussen zijn lippen een kleine trawler schoon te spuiten. In het smaragdgroene, ondiepe water zag ze kleine zwarte visjes heen en weer schieten, en verderop zat een groepje jongens met een plastic emmer en een stuk touw te vissen.

Aan één kant van de haven, waar de huisjes plaatsmaakten voor een verzameling oude schuren, stak een aanlegsteiger in het water, met aan weerszijden kleine witte jachten en motorboten.

De lucht was stralend blauw, alleen boven de havenmuur hing een dun waas van wolken, als een sluier.

Laurie liep langzaam langs de waterkant naar het begin van de aanlegsteiger en vroeg zich af welk van de boten de *Flight* was. Sam had op het antwoordapparaat in Rachels villa alleen bijzonder vage aanwijzingen ingesproken. Zou het niet wrang zijn, dacht ze, als na al haar gepieker Sam degene was die zijn snor drukte? Was het mogelijk, vroeg ze zich af, dat hij vandaag net zo zenuwachtig en onrustig was als zij?

Opeens zag ze hem. Hij stond aan de andere kant van de aanlegsteiger een zware zak op een boot te hijsen. Hij stond met één been op de voorsteven van de boot en met het andere op de betonnen aanlegsteiger. Hij had een kaki korte broek aan en droeg niets aan zijn bovenlijf. Hij stond op blote voeten. Zijn donkerblonde haar viel voor zijn gebruinde gezicht. Terwijl hij zo aan het werk was had hij iets onverwacht jongensachtigs, en ze wist onmiddellijk dat hij alleen was.

En toen gebeurde het. Precies waar ze al bang voor geweest was. Ze bleef staan om naar hem te kijken en binnen in haar draaide iets zich om, haar knieën werden week en haar keel werd droog. Verdomme! Waarom was hij nou zo godvergeten aantrekkelijk? Ze vervloekte het chemische proces waardoor haar lichaam zo op hem reageerde.

O god, dacht ze paniekerig. Ze mocht dit niet doorzetten. Sam had haar niet gezien, het was nog niet te laat om rechtsomkeert te maken. Dit was te gevaarlijk. Ze was niet sterk genoeg om alleen met hem te zijn.

Laurie dwong zichzelf om aan Claire te denken. Haar nicht. Familie. Goed, Laurie vond haar een beetje oppervlakkig en materialistisch en ze was een tikje jaloers omdat ze zo mooi was, maar Claire had haar sinds hun eerste ontmoeting alleen maar vertrouwen geschonken. Ze had alles gedaan om haar nieuwe nicht op haar gemak te stellen. Wat zou Claire denken als ze wist dat Laurie hier stond en dit soort gevoelens voor haar man koesterde? Ze zou diep geschokt zijn. Ze zou zich verraden voelen. Sam was de vader van haar kind, verdomme. Laurie sloot heel even haar ogen en haalde zich Archies gezicht voor de geest. Ze dacht aan het schattige jongetje wiens toekomst ze in een handomdraai zou kunnen verpesten. Maar haar hart bonsde nog steeds, want ze wist dat ze de hele dag bij Sam zou zijn.

Ze moest Archie en Claire en Sams huidige situatie in gedachten houden, zei ze bij zichzelf. Ze moest sterk zijn en haar gevoelens goed verborgen houden. Ze had deze hopeloze toestand aan zichzelf te wijten, ze moest zelf ook maar weer zien hoe ze erdoor kwam. Ze moest alles doen om haar geheim te bewaren, zodat niemand, en zeker Sam niet, ook maar zou vermoeden dat ze iets anders voor hem voelde dan vriendschap.

Ja, besloot ze, toen ze dichter bij de boot kwam. Ze zou een voorbeeld aan Sam nemen. Ze zou zich als een volwassen mens gedragen. Ze zou doen alsof ze, net als Claire en Rachel, geloofde dat dit de normaalste zaak van de wereld was. Twee mensen die elkaar nog niet zo lang kenden en nu samen even gingen zeilen. Niets meer, niets minder.

De jachten en motorboten aan weerszijden van de steiger waren verlaten. Waar was iedereen, dacht ze, terwijl ze over een zwarte kat heen stapte, die op het beton languit in de zon lag. Voor haar lag Sams boot.

Rachel had haar verteld dat de *Flight* een elf meter lange, klassieke schoener was, alsof haar dat iets zou zeggen. Op dat moment had Laurie niet zo goed geluisterd, maar nu begreep ze waarom Sam zo trots was op zijn boot.

De gestroomlijnde romp was nachtblauw geschilderd en glansde in het zonlicht. Op het prachtige, gelakte houten dek zag ze de trotse mast en giek en het ouderwetse houten stuurrad in de kuip. Het zag er allemaal veel romantischer uit dan ze verwacht had.

Op dat moment sprong Sam uit de kuip op het dek. Om zijn aandacht te trekken schraapte ze haar keel.

'Ben je er al?' vroeg hij geagiteerd, met een blik op zijn grote zilveren horloge. Hij liep naar de voorplecht, waar hij zijn overhemd van de reling griste. Hij trok het haastig aan en knoopte twee knoopjes dicht, zodat zijn gebruinde borst en blonde krulhaartjes niet meer te zien waren. Die blonde krulhaartjes had ze wel eens aangeraakt...

'Kom aan boord,' zei hij.

Laurie trok haar schoenen uit. Ze pakte Sams uitgestoken hand en zette in één grote stap een voet op het dek. Het was niet bepaald een elegante manier om aan boord te gaan, maar ze had absoluut geen zin om moeilijk te doen.

Sam hield haar vast tot ze haar evenwicht gevonden had en liet toen haar hand los. Hij keek haar niet aan en begroette haar ook niet. Hij zei niets. Geen 'Hoi Laurie, hoe gaat het', met twee beleefde zoenen op haar wangen. Niets.

Nou, best. Ze wilde ook geen kus van hem. Formeel was beter. En hij had haar eigenlijk al een hand gegeven toen hij haar aan boord hielp.

'Je vindt het toch niet erg als we meteen vertrekken?' vroeg hij, terwijl hij al wegliep. Hij ging de kuip in en liet zich door het luikgat in de kajuit zakken. Hij trok de grote zak in de kuip naar zich toe. 'Ik weet niet hoeveel wind er zal zijn,' zei hij. 'Dus als je helemaal naar de baai wilt, moeten we opschieten.'

Laurie voelde een lichte ergernis opkomen. Ze wílde helemaal niet naar de baai. Zij had hem niet gedwongen haar mee te nemen. Het was niet háár idee geweest.

Laurie sloeg nijdig haar armen over elkaar. Heel lang had ze proberen te bedenken hoe Sam zich tegenover haar zou gedragen, maar ze was niet op het idee gekomen dat hij onder vier ogen precies zo zou zijn als in gezelschap, een paar dagen geleden onder het eten. Het bracht haar van haar stuk.

Aan dek begon Sam haar opdrachten te geven en op kalme toon uit te leggen hoe de boot in elkaar zat. Ze leerde dat de twee zeilen een grootzeil en een voorzeil waren en dat het haar taak was om de schoot van het voorzeil te vieren als ze overstag gingen. Toen hij de veiligheid aan boord met haar doornam, dwong ze zichzelf geen lollig commentaar te leveren. Ze kon hem nu maar beter niet op de voor de hand liggende nooduitgangen wijzen; Sam was duidelijk niet in de stemming voor een geintje.

Zonder verdere plichtplegingen hielp ze hem de meertouwen los te maken, en voor ze het wist rolden ze de zeilen uit. Terwijl de boot moeiteloos door de golven sneed, keek zij naar Sam, die blijkbaar verdiept in de koers aan het roer stond. Ze voeren de open zee op, die bezaaid was met honderd witte zeilen. Ze had geen flauw idee waar hij aan dacht, want zijn ogen gingen schuil achter de donkere glazen van zijn zonnebril. Hij dacht in elk geval niet aan haar. Hij had haar tot nu toe nog geen blik waardig gekeurd.

'Goed. Daar komt de veerboot van Barcelona aan, dus we gaan overstag als je het goedvindt,' zei hij, draaiend aan het houten stuurrad, zodat ze achter het stalen gevaarte langs zouden varen. Het kwam met angstaanjagende snelheid op hen af. 'Wil je die schoot laten vieren, alsjeblieft?'

Laurie deed wat hij zei, maar haar irritatie groeide. Alsjeblieft! Als hij nog één keer alsjeblieft zei! Hij deed zo beleefd dat ze zin had om hem uit te schelden. Maar opeens kwam de wind in het voorzeil en de lijn schoot door haar handen, wat een brandende pijn veroorzaakte.

'Au!' riep ze, terwijl ze de lijn losliet.

'Aanhalen! Aanhalen!' schreeuwde Sam. Het zeil flapperde woest in de wind.

Laurie dook door de kuip naar de andere kant van de boot en haalde de schoot in, terwijl de boot keerde en het grootzeil opbolde in de wind.

Ze draaide aan de lier, maar vanuit haar gehurkte positie in de kuip kon ze er niet goed bij.

'Goed zo. Een beetje sneller, alsjeblieft,' riep Sam.

'Ik doe het zo snel als ik kan,' protesteerde Laurie, maar Sam duwde haar zachtjes opzij.

'Sorry, mag ik even?' vroeg hij, en hij draaide behendig aan de lier.

Laurie deed met pijn aan haar handen en pijn in haar hart een stap achteruit. De boot trok weer recht en ze voeren achter de veerboot langs.

'Geeft niet,' zei Sam. 'Voor je eerste keer heb je het heel goed gedaan.'

Hoe durfde hij zo neerbuigend te doen! Boven haar hoofd zag Laurie de vakantiegangers op het bovenste dek van de veerboot. Ze keek naar de stalen propellers, die het water omwoelden. Ze voeren dwars door het kielzog van de veerboot en Laurie moest

215

haar ogen dichtknijpen tegen het opspattende water. Terwijl het enorme schip zich steeds verder van hen verwijderde, werd ze zich meer dan ooit bewust van haar eigen nietigheid.

Er ging een kwartier voorbij, een halfuur, en intussen voeren ze verder naar een onbekende bestemming. Maar Sam sprak nog steeds geen woord. Hij vroeg haar alleen af en toe beleefd of ze een klein klusje voor hem wilde doen. En zelfs dat steeds minder. Hij leek door zijn gesprekstof heen te raken. Ze zag aan zijn gezicht dat hij deed alsof hij zich op het zeilen concentreerde, krampachtig grijnzend alsof hij nog nooit zoiets fijns had gedaan.

Was dit het? Zou Sam de hele dag de beleefde vage kennis uithangen? Nou, dat kon zij ook. Dat was ze toch ook al de hele tijd van plan geweest? Hij moest niet denken dat zij het ijs voor hem zou breken.

Maar naarmate de tijd verstreek leek de stilte zich op te blazen, tot hij zo ondoordringbaar was als een ballon. De stilte was zo tastbaar dat Laurie bang was hem met een knal lek te prikken. Ze hield zichzelf bezig door naar het water te turen en vroeg zich af hoe diep de blauwgroene zee eigenlijk was.

Ze liet haar arm over de rand van de boot bungelen, zodat haar vingertoppen net het water raakten, en bestudeerde de weerspiegeling van de golfjes op de glanzend blauwe romp van de boot. Hij was dus echt niet van plan zijn mond open te doen, besloot ze. Hij had op het feestje zijn excuses aangeboden, en dat was dat. Meer had hij niet te zeggen over hun relatie. Nu kon hij met een gerust hart doen alsof het nooit gebeurd was.

Wat was ze toch stom geweest, dacht ze, overmand door verbijstering en teleurstelling. Ze had de afgelopen weken zoveel energie aan Sam verspild. Ze had vannacht niet geslapen omdat ze zo over vandaag had liggen tobben, en Sam kon het gewoon geen moer schelen. Hij had haar niets meer te zeggen. Ze betekende niets voor hem.

Maar opeens gaf Sam een klap op het stuurrad. Ze was zo in gedachten verzonken dat ze met een schok in de werkelijkheid terugkeerde.

'Wat is er? Is er iets mis?' vroeg ze.

'We liggen in katzwijm.'

'Pardon?'

'De wind valt weg.' Sam keek geërgerd naar de zeilen.

Het grootzeil stond al een stuk minder bol, alsof iemand er steeds minder lucht in blies. Even later hing het helemaal slap. Sam trok de zeilen aan.

'En wat doen we nu?' vroeg ze.

'Wachten. De wind trekt zo wel weer aan. Op de motor varen doe ik niet. Dit gebeurt soms.'

Laurie tuurde naar haar voeten. De boot dobberde zachtjes op het water en alleen het kabbelen van de golven tegen de romp verbrak de stilte.

Nu wenste ze dat Sam nog steeds al zijn aandacht bij het zeilen had. Dan hadden ze tenminste een reden om niet te praten. Maar dit was ondraaglijk. Ze wilde niets liever dan ontsnappen, maar om haar heen was alleen maar zee en ze had weinig zin om te gaan zwemmen.

'En?' zei Sam uiteindelijk. 'Zin in iets te eten? Isabel, ons kindermeisje, heeft het een en ander meegegeven. We kunnen het net zo goed nu opeten.'

Hij sprong de drie treden af naar de kajuit. Even later zette hij een picknickmand in de kuip. Toen kwam hij de kajuit weer uit en bukte zich om de leren riempjes van de mand los te maken.

'Jezus. Champagne,' zei Sam voor hij de rest van de inhoud bekeek. Laurie schoof naar de rand van de kuip. Behalve de fles zag ze een brood, een worst, een stuk kaas, in vetvrij papier verpakte omelet, chips, zelfgemaakte amandelcakejes, bestek, borden en glazen in de mand. 'Zo te zien is er niets anders, dus dat wordt champagne,' zei Sam, die het zilverfolie losmaakte en vervolgens een blik op het etiket van de fles wierp. 'Het is nog goeie ook. Sorry.'

'Je hoeft je niet te verontschuldigen.'

'Het lijkt zo zonde, als er niets te vieren valt.'

Zo dicht waren ze vandaag nog niet bij de waarheid gekomen. Laurie zette zich schrap, benieuwd of Sam zo dapper – of zo stom – zou zijn om nog meer te zeggen.

'We kunnen een toost uitbrengen op ons nieuwe leven.' Het

was de bedoeling dat ze enthousiast klonk, alsof ze erg haar best deed, maar misschien dacht Sam dat ze sarcastisch deed. Ze keek toe terwijl hij de kurk ronddraaide en met een gedempt sissen uit de fles omhoog liet komen. Hij schonk een glas vol en reikte het haar aan.

Daarna schonk hij voor zichzelf een glas in en keek er lusteloos naar. Hij had duidelijk weinig zin in de toost die zij voorstelde. 'Nou, ik ben blij dat je gelukkig bent,' zei hij uiteindelijk.

'Ja, hoor.' Het kwam er vrolijker uit dan de bedoeling was. En op dat moment, toen Sam ging zitten en zijn ellebogen op zijn knieën liet rusten, wist ze dat ze die ballon ongewild kapot geprikt had. Hij zette zijn zonnebril af en wreef in zijn ogen.

Ze slikte moeizaam. Ze merkte dat ze hem gekwetst had, maar ze moest op het juiste spoor zien te blijven. Ze moest haar woorden kracht bijzetten... en snel. Ze had toch ook veel nieuwe dingen in haar leven waar ze blij mee kon zijn, zoveel dingen waarover ze tegenover Sam kon opscheppen: James, haar carrière; ze had zelfs Rachel en haar nieuwe familie om trots op te zijn.

Maar nu ze de verslagen uitdrukking op Sams gezicht zag, voelde ze zichzelf ondanks alles ook verslagen. Ze wilde iets zeggen, maar ze vond niets om zich aan vast te houden, geen mascotte die ze als bewijs voor haar geluk in de lucht kon steken. Ze wist niet meer wat ze moest doen. Ze herinnerde zichzelf aan de strategie die ze op de aanlegsteiger uitgedacht had. Ze moest zich op het heden concentreren. Ze moest aan Sams vrouw en kind denken.

'We zijn nu andere mensen,' zei ze filosofisch. 'Het leven gaat door, nietwaar? Er valt juist veel te vieren. Ik bedoel... Archie... je bent tegenwoordig vader, wat je wel heel veel... ik weet niet... voldoening moet schenken. En het gaat goed met mijn schilderwerk, wat ik altijd al zo graag wilde... en... nou ja...'

De champagne bleef onaangeroerd. Het bleef een hele tijd stil. Ze staarden allebei naar het dek, haar woorden waren als onzichtbare druppeltjes zuur tussen hen in gevallen. Als ze nog meer zei, zonken ze.

Na een hele tijd hief Sam zijn glas. Voor het eerst keek hij haar recht aan. Laurie voelde de vlinders fladderen in haar buik. De verdrietige blik in zijn ogen maakte haar bijna aan het huilen.

'Laten we op het verleden proosten. Op wie we waren. Dat kan geen kwaad, nu we toch heel andere mensen zijn.'

'Op wie we waren.' Ze dwong zich het te zeggen en nam haastig een slok champagne, hield de belletjes in haar mond. Ze wist dat ze haar geheim gemakkelijk kon verraden door nu in huilen uit te barsten, maar ze wilde sterk zijn. Ze wilde hem niet laten merken dat ze in de war was. Hij mocht niet in haar binnenste kijken, of denken dat ze op een of andere manier kwetsbaar was. Maar ze voelde haar vastberadenheid wankelen, ze voelde dat haar emoties haar begonnen te ontglippen.

Sam draaide zijn hoofd en keek naar het land. In de verte verrees de stad Palma als een trotse Spaanse danseres boven de van de hitte trillende lucht, de kathedraal met zijn zuiltjes een majestueus gezicht, de witte boten in de haven daaronder de ruches van haar rok. Ze volgde zijn blik en keek naar het tafereel waarvoor ze gekomen waren. Ze hoefde niets te zeggen over de ansichtkaart die hij haar gestuurd had, of over haar vinnige opmerking daarover onder het eten. Ze wist dat ze er allebei aan dachten.

'Zeggen dat het me spijt is niet genoeg.' Hij zei het alsof het een feit was, geen vraag. Hij keek haar niet aan. 'Je bent nog steeds kwaad, hè?'

'Niet kwaad. Ik ben eroverheen,' loog ze. Ze hield haar stem zo vlak mogelijk. 'Ik denk dat ik nu een beetje beter begrijp waarom je het deed. Maar je hebt het wel uit... je hebt er wel een punt achter gezet. Maar goed, het is al zo lang geleden.'

Sam knikte. Zodra ze het gezegd had, had ze meer dan ooit de behoefte zijn gezicht te strelen. Hoe moeilijk het voor haar ook geweest was, nu ze de kracht van Sams familie aan den lijve ondervond, wist ze dat hij het misschien, heel misschien, nog wel veel zwaarder had gehad.

'Goed...' zei ze, in een wanhopige poging gezellig te doen. Ze moesten het niet meer over het verleden hebben. Als ze dat wel deden, raakte ze volkomen uit haar evenwicht. 'Zeilen... dit is een fantastische boot, hè? Ik had geen idee dat het zo, eh...'

'Klote zou zijn? Beschamend, ondraaglijk, afschuwelijk?'

Hij zat daar met zijn champagneglas in zijn hand, zijn gezicht zo open en oprecht dat ze zich volkomen op het verkeerde been gezet voelde. Hij sloeg haar pogingen tot wellevendheid af als foute services.

'We hadden dit niet moeten doen,' zei hij met een zucht.

Laurie voelde haar hart bonzen toen ze hem aankeek. 'Waarom ben je dan gekomen?' vroeg ze.

'Omdat ik je wilde zien.'

Opnieuw vloerde hij haar met zijn eerlijkheid. Zijn opmerking hing in de lucht, als de echo van een kerkklok. Dit was te direct. Te pijnlijk. Te gevaarlijk. Ze bleef zwijgen, maar Sam liet zich niet uit het veld slaan.

'Ik denk dat hetzelfde voor jou gold, Laurie. Je bent gekomen omdat we geen keus hadden. En neutraler terrein dan dit vind je niet snel.' Hij gebaarde naar de zee om hen heen. Hij had gelijk.

Ze kon hem nog steeds niet aankijken. 'We kunnen niet...'

'Praten. We hoeven alleen maar te praten.'

Weer laaide de woede in haar op. Het irriteerde haar mateloos dat hij de volwassene uithing, terwijl zij zo'n lafaard was.

'Waar wil je precies over praten, Sam?' vroeg ze snibbig. Hij had haar al eerder gevraagd of ze konden praten en dat was ook op niets uitgelopen. Waarom zou ze het nog een keer proberen? Waarom moest hij steeds zijn zin krijgen?

Maar toen ze naar hem opkeek, leek zijn blik haar te doorboren.

'Wil je niet met me praten?'

Laurie voelde zich leeglopen. Ze kon zich niet tegen hem verzetten. Ze kon zich niet verzetten tegen hetgeen er nog steeds tussen hen was, wat dat dan ook mocht voorstellen. De verleiding was te groot.

Ze voelde dat hij naar haar keek.

'En? Hoe gaat het met je?' vroeg hij. Met zachte stem stelde hij haar de eenvoudigste en tegelijkertijd ingewikkeldste vraag die hij had kunnen bedenken.

Nu herinnerde ze zich weer dat dit precies was wat Sam anders maakte dan alle andere mensen die ze kende. Hij gaf haar het gevoel dat ze de enige mens ter wereld was die er iets toe deed.

Heel even overwoog Laurie te liegen, iets glads te zeggen en zo weer terug te keren tot haar oude tactiek, maar hoewel ze stil in het water lagen leken ze de afgelopen paar minuten hele oceanen afgelegd te hebben. Ze bevonden zich nu in een heel ander werelddeel.

'Eerlijk?' vroeg ze, al had ze helemaal geen andere keus. 'Niet zo best.'

'Met mij ook niet.'

Laurie lachte en legde haar hoofd in haar nek tegen de tranen, die het gevolg waren van een overweldigend gevoel van opluchting. Tegelijk had ze zin om hem te slaan, omdat hij haar als een oester opengewrikt had. Het voelde schrikbarend intiem. Het was schokkender dan wanneer hij haar lichaam aangeraakt had. 'O, jezus, Sam,' zei ze, toen ze het eindelijk opgaf. 'O, jezus. Goed. Dan doen we het.'

Het was alsof de afgelopen drie jaar helemaal niet meer bestonden. De sluizen gingen open en ze vertelde hem alles – over de dood van haar moeder, de ruzie met haar vader, over haar vriendinnen, de expositie, over Rachel en haar komst naar Mallorca.

'Ik wil je nieuwe werk heel graag een keertje zien,' zei Sam toen ze hem verteld had hoe heerlijk ze het vond om in het boothuis te werken. 'Ik weet nog dat je in Frankrijk altijd een schetsboek bij je had. Ik vond je tekeningen prachtig. Heb je dat boek nog?'

'Nee, kwijtgeraakt.' Ze zweeg even. Waarom loog ze? 'Dat is niet waar,' vervolgde ze. 'We zijn eerlijk tegen elkaar, toch?'

'Ik hoop het wel.'

'Ik heb het weggegooid. Ik kon het niet meer bewaren. Het was te... pijnlijk.' Met spijt herinnerde ze zich dat het schetsboek de mooiste schetsen en de beste ideeën van haar leven bevat had. Het was allemaal geïnspireerd door Sam en de plaatsen die ze samen met hem bezocht had. Nu besefte ze dat ze de afgelopen drie jaar haar best gedaan had om terug te keren tot die staat, om die spontane creativiteit opnieuw te ervaren.

Sam knikte en ze was blij dat ze hem de waarheid verteld had, ook al was het pijnlijk voor hen beiden. Aangemoedigd door haar eigen eerlijkheid haalde ze diep adem, en voor ze het wist vertelde ze hem tot in detail wat er met haar gebeurde toen ze zijn kaart kreeg.

En ze vertelde het zonder ook maar iets achter te houden. Ze vertelde over haar verwarring en haar boosheid en haar uiteindelijke berusting. En Sam luisterde zonder zich aangevallen te voelen. Al pratende realiseerde ze zich dat het niet meer belangrijk was. Dat het tot het verleden behoorde. Dat ze geen verbittering meer voelde. Ze spraken verder over haar leven nu, over deze laatste poging om iets met haar kunst te bereiken, over haar dakloosheid.

Het enige wat ze verzweeg was haar relatie met James. Waarom, vroeg ze zich af toen ze de gelegenheid voorbij had laten gaan en Sam begon te praten. Waarom? Ze wist het niet precies. Omdat ze het naar haar zin had? Omdat het fijn was om met Sam te praten? Omdat ze zichzelf en Sam nog heel even weg wilde houden van de echte wereld, met alle complicaties die daar weer op hen wachtten? Maar waarom zou ze zich er druk over maken? Het was niet belangrijk. Alleen het hier en nu was belangrijk.

Ze luisterde naar Sams verhalen over Tony, over Ararat. Hij vertelde over Claires zwangerschap en zijn overhaaste huwelijk. Hij vertelde hoe hij zich gevoeld had toen Archie geboren werd. Hij vertelde over zijn schuldgevoel, over zijn doodsangst toen hij haar op Tony's begrafenis terugzag, de schok die hij toen voelde.

Intussen dronken ze de champagne en aten ze wat van het eten. Uiteindelijk begon Laurie over het bezoek van haar vader. Ze vertelde Sam dat Rachel hem heel graag weer wilde zien en dat ze van plan waren hem ermee te overvallen.

'Ik voel me een beetje in de hoek gedreven,' bekende ze, blij dat ze het eindelijk aan iemand kwijt kon. 'Ik weet eigenlijk niet of ik dit wel moet doen. Rachel wil papa zo graag zien, en nu heb ik het idee dat ik er niet meer onderuit kan.'

Sam schudde lachend zijn hoofd. 'Typisch Rachel. Die krijgt meestal haar zin.'

'Ik weet dat ze het goed bedoelt, maar ik heb het gevoel dat ik mijn vader verraad. En hij voelt zich toch al zo verraden. Hij gaat door het lint als hij hoort dat ik de hele tijd al bij Rachel zit.'

'Je bent een goed mens, Laurie. Dat weet je vader vast ook wel. Hij weet dat je bedoelingen goed zijn.'

Laurie wist zelf helemaal niet meer wat haar bedoelingen waren, maar ze durfde nu wel haar angsten uit te spreken.

'Denk je?'

Sam glimlachte naar haar. Zijn gezicht stond zacht. 'Wat er ook voorgevallen is tussen Rachel en je vader, je moet het ze zelf laten oplossen. Je kunt hun leven niet leven, je kunt niet voorkomen dat ze gekwetst worden. Dat geldt voor kinderen, maar ook voor ouders.'

Een tijd later dobberden ze nog steeds zonder wind op het water, maar in plaats van vervloekt voelde Laurie zich nu gezegend. Ze had zich in Rachels huis verscholen om precies deze situatie te vermijden, maar nu het er toch van gekomen was, wenste ze dat ze zich die stress bespaard had. Nu ze naast Sam op haar rug naar de eindeloze blauwe lucht lag te kijken, was Laurie gelukkiger dan ze in jaren was geweest.

'Wat doen we als de wind niet aantrekt?' vroeg ze. 'Als je de motor nog steeds niet wilt gebruiken...'

'Nee, dat wil ik niet. Dat is vals spelen. Tenzij we door een veerboot, tanker of motorboot overvaren worden, kunnen we zo dagen blijven drijven, tot we op land stuiten.'

'Een onbewoond eiland, bedoel je?'

'Dat kan. Er zijn er vast wel een paar in de buurt.'

'En wat doen we dan?'

'Wachten tot we gered worden.'

Laurie glimlachte. 'Klinkt leuk.'

Sam richtte zich op een elleboog op, zodat hij op haar neerkeek. 'De boot geeft beschutting, en ik heb lucifers bij me, dus we kunnen vuur maken om warm te blijven.'

'Gaan we ons dan niet vervelen?'

'Ik weet wel een paar dingen om te doen. Tientallen dingen, zelfs.'

Ze draaide haar gezicht naar Sam toe, haar lange haren knisperden onder haar hoofd. Zijn ogen dansten. Met zijn gezicht vlak bij haar glimlachte hij naar haar. Ze zag de rij sproeten boven zijn linker wenkbrauw en vroeg zich verbaasd af hoe ze die ooit had kunnen vergeten.

'Liedjes zingen, bedoel je?'

'Liedjes zingen, ja. En knopen oefenen.'

'Knopen? Dat is toch iets voor matrozen?'

Zijn lippen waren zo dichtbij. Ze had het gevoel dat hij haar omsloot, alsof ze in hem wegzonk, in hem opging. Heel even, korter dan een ademtocht, maakte iets in hun ogen contact en de wereld kantelde. Hij zweeg. De glimlach verdween van zijn gezicht.

'Het probleem is alleen, sommige matrozen maken zulke ingewikkelde knopen dat ze niet meer weten hoe ze ze los moeten krijgen.'

Haar blik liet hem niet los. Ze hoefde haar hoofd maar een heel klein beetje te draaien en ze kon hem kussen. Binnen een tel kon ze hun hele leven voorgoed veranderen.

Maar toen zag Laurie haar gezicht weerspiegeld in Sams ogen. Ze zag wie ze was en wist weer waar ze was, en met wie. Wat voor knoop Sam ook in zijn leven gelegd had, zij was niet de oplossing. Sam was getrouwd. Hij had een zoon. Toegeven aan deze impuls was het gemakkelijkste wat er was, maar de familie waar hij en Laurie samen toe behoorden zou eraan kapotgaan.

Dit, besefte ze toen ze de verantwoordelijkheid zwaar op zich voelde drukken, was de grootste test van haar leven. Ze lag doodstil, zonder haar blik van hem af te wenden. Toen dwong ze zichzelf diep adem te halen.

'Ik denk dat ingewikkelde knopen in de loop van de tijd vaak nog ingewikkelder worden. En dat je ze dan gewoon moet laten zitten, anders maak je het nog erger.'

'Die krijg je dan nooit meer los?' vroeg hij.

'Nee.'

Hij raakte haar gezicht aan en heel even duwde ze haar wang tegen zijn handpalm. Het zachtste kussentje ter wereld. Ze sloot haar ogen.

'Niets zeggen,' fluisterde ze.

Ze voelde dat Sam heel licht haar haar aanraakte. 'We hebben het verprutst, hè, Laurie Vale?'

Ze knikte zwijgend. Hij wikkelde een pluk van Lauries haar om zijn vinger. 'Ik weet niet of het wat uitmaakt, maar ik zal er de rest van mijn leven spijt van hebben.'

Boven hun hoofd wapperde de gastenvlag en even later begon de wind het grootzeil bol te blazen.

Veel later, nadat Sam haar naar Palma terug had laten zeilen en haar onderweg voortdurend geplaagd had, was Laurie volkomen uitgeput, maar op een merkwaardige manier ook heel kalm. Toen Sam haar in zijn Porsche naar de villa reed, voelde ze zich gelouterd.

Nu de lucht geklaard was kletsten ze honderduit over Archie en Claire, die voorlopig nog niet thuis zouden komen. Sam maakte Laurie aan het lachen door Claires vriendinnen na te doen. Ook praatte hij met haar over Ararat en de uitdagingen waarvoor zijn werk hem stelde.

Pas toen ze vlak bij het dorp de heuvel naar Rachels huis op reden, nam Sam wat gas terug.

'Bedankt voor vandaag,' zei hij. 'Ik wist niet eens dat ik je zo gemist had. Om zo met je te praten, bedoel ik...'

Laurie draaide zich naar hem toe. Ze wilde zeggen dat het haar net zo verging. Maar ze had niet alleen hun gesprekken gemist. Nu ze bij hem was voelde ze zich bijgetankt, als een beker die heel lang leeggestaan had. Eén krankzinnige tel lang overwoog ze dat hardop tegen hem te zeggen, maar ze zou nooit in staat zijn hem duidelijk te maken hoe ze zich na deze dag voelde.

'Maar dat is toch goed, dat we nog steeds met elkaar kunnen praten? Dat we ondanks alles nog steeds vrienden zijn?'

Ze dacht dat hij iets ging zeggen, maar hij boog zich voor haar langs en haalde een elektronisch sleuteltje uit het handschoenenvakje, dat hij op het hek van Sa Costa richtte. Het hek zwaaide automatisch open en ze reden zwijgend de oprijlaan af. Een minuut later stonden ze stil. Laurie rommelde druk in haar tas, zenuwachtig over het naderende afscheid. Maar toen ze opkeek, zag ze dat Sam naar het huis zat te staren.

'De voordeur staat open. Heb jij hem opengelaten?'

'Nee, ik heb de sleutel. Rachel is terug naar Londen.'

Sam legde zijn hand op het portier. 'Jezus, hier ben ik altijd bang voor geweest. Rachel is zo slordig met de beveiliging. Ik hoop maar dat het geen inbreker is. Het gebeurt zo vaak de laatste tijd. Blijf hier, ik ga wel even kijken.'

Laurie zag Sam naar de voordeur rennen. Ze haalde diep adem, snoof zijn geur, zijn sfeer op.

Toen kwam ze weer bij haar positieven. Stel dat er echt een inbreker was? Wat als hij gewond raakte? En zij zat daar maar, als een sentimentele dwaas te wensen dat de dag nog lang niet voorbij was.

Ze sprong de auto uit en holde achter Sam aan. Pas bij de open terrasdeuren hoorde ze schreeuwen.

'Wie ben jij in godsnaam?' Sam hield een paraplu als een wapen voor zich uit.

'Hé!' James kwam onbeholpen van de ligstoel, met beide handen in de lucht, in de ene een biertje.

Laurie rende naar Sam toe. Haar wangen gloeiden. 'James! Wat doe jij hier in godsnaam?'

'Jullie kennen elkaar?' Sam trok een ongelovig gezicht. Hij liet de paraplu zakken.

James keek behoedzaam van Sam naar Laurie. 'James Cadogan. Aangenaam.'

Hij liet zijn handen zakken en deed voorzichtig een stap naar voren om Sam de hand te schudden. Laurie bekeek de twee mannen: Sam, die boven James uittorende, met zijn blonde haar stug en verwaaid van de hele dag op zee, James, tenger en gespierd in zijn zwembroek, zijn donkere haar nat van een duik in het zwembad, zijn trendy bril boven op zijn hoofd. Naast Sam zag hij eruit als een jongetje.

'We dachten dat je een inbreker was. Ik ben Sam Delamere,' zei Sam bruusk, terwijl hij James zo kort mogelijk de hand schudde. 'Laurie en ik zijn wezen zeilen.'

'Sam, natuurlijk! Ik heb een boel over je gehoord. Ik heb Rachel gesproken,' zei James. 'Ze dacht dat het een goed idee was als ik zomaar ineens voor de deur stond! Ze heeft Maria opdracht gegeven me binnen te laten.' James lachte en sloeg een arm om Lauries schouder. 'Zo te zien heb ik jullie inderdaad verrast. Hé, schoonheid,' zei hij, en hij drukte een kus op haar hoofd.

Er viel een stilte.

'Ik bracht Laurie alleen even naar huis,' zei Sam op zakelijke toon. 'Jullie hebben vast veel bij te praten.'

Voor Laurie was elk woord een klap in haar gezicht. Ze zag hoe hij James van top tot teen opnam. Toen schoot zijn blik naar haar. 'Dank je voor de fijne dag, Laurie,' zei hij.

'Sam?' riep Laurie hem na, maar hij deed of hij het niet hoorde. En even later was hij weg.

14

'Rotzak,' zei Arthur.

Pete gniffelde en Tony keek om. Arthur had het tegen een wilg achter hen. Bij het uitwerpen was de lijn van zijn hengel in de bladeren verstrikt geraakt en nu probeerde hij hem los te rukken.

De magere, fretachtige Pete en de grote, dikke Arthur leken zo weinig op elkaar als maar mogelijk was. Zij aan zij in hun regenjas en kaplaarzen zagen ze eruit als een komisch duo op zoek naar een optreden. Niet dat Tony in de stemming was om te lachen.

Het was zondagmiddag en ze waren met z'n drieën een dagje gaan vissen, goed voorzien van flesjes bier en boterhammen, waarmee ze het tot het avondeten moesten zien uit te zingen.

Achter hen verrees de Summerglade Hill, met daarboven een donkere lucht die wervelde en kolkte als een pan grauwe soep die bijna aan de kook was. Een paar minuten eerder hadden ze bliksemschichten gezien; drie tellen later was de donder door het dal gerold. Het noodweer was dus nog drie kilometer ver weg, maar hopelijk trok het gewoon langs.

Tony keek omhoog. Het was alweer donkerder geworden. Op dat moment zag hij ze: twee witte vormen, die als een pijl uit de boog door de lucht schoten.

'Allemachtig...' zei hij wijzend.

'Jezus christus,' hijgde Arthur. 'Dat lijken wel ruimteraketten...'

Pete lachte. 'Jij leest te veel stripverhalen, dikzak. Het zijn straalvliegtuigen, van de luchtmachtbasis.'

De vliegtuigen waren alweer uit het zicht verdwenen. Tony vroeg zich af hoe het zou zijn om in razende vaart van Stepmouth weg te vliegen, om te zien hoe het veranderde in een stipje in de diepte. Hij zwaaide de rieten hengel van zijn opa over zijn schouder en de lijn zwiepte als een slang over de gezwollen Step.

'Mooie worp,' merkte Pete op, terwijl Tony de druipende lijn kalm begon in te halen, voorzichtig voelend hoeveel spanning erop stond, geduldig wachtend op een trilling of een schok die erop wees dat hij beet had.

'Dank je.'

Tony's antwoord kwam eruit als een soort blaf, zoals alles wat hij tot nu toe gezegd had. Hij had namelijk helemaal geen zin om met Pete te praten. Hij wilde met Rachel praten. Maar dat kon niet. Ze mocht de deur niet uit van haar moeder, omdat ze moest leren voor haar examens, die over twee weken begonnen.

Tony had haar al twee dagen niet gesproken. De laatste keer hadden ze vijf kostbare minuten gestolen toen Bill haar naar het Sea Catch Café gestuurd had. Met boodschappen en een brief aan Emily, zoals Tony gezien had. Zijn bazin had die brief blozend gelezen.

'Een afspraakje,' had Emily voor haar doen kortaf gezegd toen hij haar ernaar vroeg. 'Gewoon, voor de lol...'

Dat wilde Tony ook wel. Maar hij moest het doen met een paar gestolen minuten hier en daar. En met Rachels brieven natuurlijk. Sinds hun eerste afspraakje twee maanden geleden had ze er elke zondag een in de vaas op het kerkhof gestopt.

Die brieven hadden hem veel over haar geleerd. Kleine dingen in haar leven namen in zijn hoofd een grote plaats in: dat haar favoriete dichteres Christina Rossetti was, de Franse werkwoorden die ze op school geleerd had, dat ze graag naar de radio luisterde maar eigenlijk het liefst een televisie wilde, en dat ze elke avond als ze naar bed ging door het zolderraam keek en wenste dat hij plotseling voor haar zou staan...

Maar de brief die nu in zijn broekzak zat en zijn slechte humeur aanwakkerde was een heel ander soort brief. Hij was van zijn broer Keith en Pete had hem bezorgd. (Keith adresseerde zijn brieven altijd aan Pete Booth, want als hij ze direct naar Tony zou sturen, zou zijn moeder ze verscheuren.)

Tot nu toe had Tony met Keith geleefd door niet te denken

aan wat hij gedaan had. De moord was niet meer geweest dan een woord. Hij had nooit geprobeerd zich voor te stellen wat er die avond in Vale Supplies precies gebeurd was. Hij had de Keith van de moord losgekoppeld van zijn broer die in de gevangenis zat – net zoals hij vroeger de dronken Keith die hem sloeg los had kunnen zien van de nuchtere Keith, zijn vriend.

Maar nu maakte Tony zich grote zorgen om Keiths vrijlating. In de brief in Tony's zak schreef Keith dat zijn advocaat opnieuw in beroep wilde gaan.

En als hij vrijkwam, wat dan? Hoe moest hij Keith inpassen in zijn nieuwe leven met Rachel? Hoe moest hij dan nog doen alsof Keith niets gedaan had?

Het antwoord was dat dat dan niet meer kon. Tony hield van zijn broer, maar hij koesterde nu ook gevoelens voor Rachel. En hij zou haar beschermen. Niet tegen de gewelddadige Keith, want Tony was ervan overtuigd dat die niet meer bestond. Maar tegen de herinneringen aan een verleden dat Keith belichaamde.

Hij wist dat hij Keith moest schrijven om hem dit uit te leggen, om hem te zeggen dat hun wegen zich scheidden, maar hij had geen idee hoe.

'Wat is het er eigenlijk voor eentje, dat geheimzinnige vriendinnetje van je?' vroeg Pete opeens.

Tony ging op het omgekeerde houten bierkrat zitten. Hij draaide nog steeds aan de haspel van zijn hengel en keek intussen met een onbewogen gezicht naar de beboste oever aan de overkant.

Pete krabde in zijn rossige haar en schraapte zijn keel. 'Ik vroeg...'

'Ik heb het wel gehoord,' viel Tony hem in de rede. 'Het is alleen zo'n stompzinnige vraag dat ik er geen antwoord op kan geven.'

In werkelijkheid had Petes vraag Tony van zijn stuk gebracht. Behalve Emily had hij met niemand over Rachel Vale gesproken.

'Nou, je brengt de laatste tijd veel tijd met iemand door,' hield Pete vol, 'en wij zijn het in ieder geval niet.'

'Ik werk, voor het geval je het nog niet wist,' antwoordde Tony. 'Dat kunnen we van jullie niet zeggen, stelletje...'

Tony wist het woord *schoolkinderen* nog net op tijd in te slikken. Maar hij dacht het wel. Ze waren toch ook anders dan hij? Zij zaten op school, hij werkte. Zij woonden bij hun ouders, hij zorgde voor zichzelf. Zij wilden aan meisjes voelen, hij wilde weten wat Rachel voor hem voelde.

'Ik ken je langer dan vandaag, ik weet best dat er meer aan de hand is,' zei Pete misprijzend.

Je kent me veel te lang, dacht Tony. Al die keren dat hij met Pete met katapults melkflessen van muren geschoten had, het leek alsof het iemand anders geweest was. Net zoals de rivier aan zijn voeten was zijn leven doorgegaan.

'Ze is zeker wel mooi?' plaagde Pete. 'Ze kan er zeker wel wat van?'

Een paar maanden geleden zou Tony alles in geuren en kleuren verteld hebben. Hij was als eerste van de vrienden zijn maagdelijkheid kwijtgeraakt, anderhalf jaar geleden nu, aan een sikkeneurige Australische toeriste die twee keer zo oud was als hij. Daarna waren er andere meisjes geweest en hij had altijd alles aan zijn vrienden verteld.

Maar met Rachel Vale was het anders. Het was eenvoudig ondenkbaar dat hij met Pete en Arthur over hun seksuele relatie zou praten. Niet alleen omdat het, zoals alles aan zijn verhouding met Rachel, geheim moest blijven, maar ook omdat Pete en Arthur er niets van zouden begrijpen.

Vier weken geleden waren Rachel en hij voor het eerst met elkaar naar bed geweest. Ze hadden wat liggen flikflooien op het stoffige vouwbed in de schuur van zijn opa, toen Rachel een kapotje te voorschijn toverde, dat ze uit de spreekkamer van Pearls vader gepikt had.

Het was vreemd, maar van de fysieke seks – het uitkleden, het onbeholpen zoeken en proberen tot ze elkaar uiteindelijk vonden – wist hij bijna niets meer. Het had maar kort geduurd en het was ongemakkelijk en, voor haar, pijnlijk geweest. Zo pijnlijk zelfs dat ze er halverwege mee gestopt waren.

Wat hij zich wél herinnerde was wat hij voelde toen ze naast elkaar op de rommelige dekens lagen. Een fris briesje waaide door het raam naar binnen en streelde zijn blote, bezwete huid.

Hij voelde naast zich en zij nam zijn hand in de hare. Toen hun vingertoppen elkaar raakten, maakte zich een kalmte van hem meester die hij nooit eerder gekend had. Het leek op het gevoel dat hem als kind een keer overvallen had, toen hij helemaal alleen in St Hilda's naar het gewelfde plafond had staan turen. Zo, maar dan duizend keer sterker. Het was alsof hij doodging, zozeer was hij zich bewust van het leven, van zijn omgeving, alsof hij nog maar seconden te leven had.

'Voel jij het ook?' had ze gevraagd.

'Ja.'

Ze had hem stevig in zijn hand geknepen.

Nu staarde hij naar het water dat onder hem door gleed, schijnbaar traag en solide als een stroom afkoelende lava.

'Aan de andere kant, misschien is ze helemaal niet mooi,' mijmerde Pete hardop. 'Niet zo mooi als Margo Mitchell.' Hij knipoogde naar Arthur, die de wenk onmiddellijk begreep.

'Een meisje met titanische tieten,' zeiden ze in koor.

Tony lachte flauwtjes om die oude grap. Hij stond op en wierp opnieuw zijn dobber uit.

'En niet zoals Alice Banks met haar lustige lippen en op- en neergaande onderbroek,' vervolgde Pete. 'Ik wil er zelfs een wedje om leggen dat Tony's nieuwe vlam een vogelverschrikker is, en dat dát de reden is dat hij haar voor zichzelf houdt.' Hij gniffelde. 'Ja, een kop als een varken en een kont als een varken, denk ik zo...'

Arthur barstte in lachen uit.

'Zit het zo, Tony?' informeerde Pete. 'Trek je een zak over haar hoofd voor je hem erin stopt?'

'Weet je wat?' antwoordde Tony.

'Wat?'

'Als je wilt vissen, vis dan op iets wat je kunt vangen.' Hij duwde Pete zijn hengel in handen. 'En hou verder gewoon je kop, ja?'

'Wat ben je toch een chagrijnige klootzak, Tony Glover,' zei Pete. 'En wie ze ook is, ze maakt je in ieder geval niet gelukkiger.'

Tony dronk zijn flesje Guinness leeg en gooide het in de rivier. Het verdween onder water, om een paar meter verderop weer boven te komen.

Tony was ziek van al het geheimzinnige gedoe. Hij was het zat om zijn gevoelens te moeten verbergen. Hij schaamde zich niet voor Rachel. Hij was juist trots op haar. En dat vond hij nog het ergste. Hij wilde helemaal niet over haar liegen tegen zijn vrienden. Of doen alsof ze niet bestond. Hij zou wel van de daken willen schreeuwen dat ze bij hem hoorde.

Hij voelde zich opeens doodmoe. En alleen. Want de enige die begreep hoe hij zich voelde was Rachel, en met haar kon hij nu juist niet praten.

'Sorry,' zei hij tegen Pete.

Als Pete al iets terugzei, hoorde Tony het niet, want op dat moment braken de wolken open en de regen striemde op hen neer, zo hard dat de druppels wel van staal leken.

Ze zetten het op een lopen, sleepten hun tassen en hengels achter zich aan, struikelden over elkaar, klauterden en glibberden de steile heuvel op, naar de beuken die nog enige beschutting boden.

Terwijl ze daar stonden te lachen en te hijgen, alle drie met hun rug tegen dezelfde boom, kon Tony zich voor het eerst in dagen weer ontspannen. Hij nam het bierflesje dat Arthur voor hem opengemaakt had aan en dronk het met zijn hoofd in zijn nek leeg, terwijl hij langs de stam van de boom omhoog keek.

Zijn glimlach veranderde in een grijns toen hij een manier bedacht om zichzelf nog blijer te maken.

Om tien uur op maandagavond waren de straten van Stepmouth uitgestorven. Tony stond al vijf minuten in de schaduw van de oude eik naast Vale Supplies.

Aan de takken hingen nog de vlaggetjes van de kroning van koningin Elizabeth, twee weken eerder. Ze hadden hier een straatfeest gehouden, waar Tony niet naartoe gegaan was. Rachel had die dag met haar familie doorgebracht en hij had geen zin gehad om het met iemand anders te vieren. Hij nam een laatste trek van zijn sigaret en schoot de peuk in de goot, waar hij op het natte wegdek sissend uitdoofde.

De regen was de hele dag met bakken uit de lucht gekomen. De enige keer dat het de afgelopen week níet had geregend, was voor zover Tony zich kon herinneren vlak voor die wolkbreuk van gisteren geweest, toen hij, Arthur en Pete hadden staan vissen.

Het betekende slecht nieuws voor het Sea Catch Café. De stroom gasten van buiten waar Emily met haar nieuwe menukaart op mikte, was helemaal opgedroogd. Elke middag plakte ze over het woord Café op het uithangbord boven de deur een handbeschilderd bordje met het woord Bistro erop, in een poging een avontuurlijkere cliëntèle te lokken. Maar elke avond haalde ze het weer weg, zonder dat het ook maar iets uitgehaald had. De soepen en sauzen en pasteien waaraan ze zo hard werkten, verdwenen stuk voor stuk in de vuilnisbak.

Tony had met haar te doen. Eerlijk en oprecht. Ze was goed voor hem en hij gunde haar het succes. Hij had zoveel tijd in het café gestoken dat het hem ook persoonlijk raakte. Nu haar ouders eindelijk naar Pembrokeshire verhuisd waren, lag de toekomst van het café in handen van hem en Emily. Desondanks was hij blij dat er vanavond niemand gekomen was, want daardoor had hij vroeg vrij gekregen.

'We hoeven hier niet allebei te gaan staan wachten tot er niemand komt,' had Emily verklaard. Ze had aangeboden hem met het busje van haar vader naar de oude schuur bij Brookford te brengen, maar dat wilde hij niet. Een stukje fietsen zou hem goeddoen, had hij gezegd, terwijl hij zijn zwarte oliejas van de haak bij de deur pakte.

Ze had niet geprobeerd hem op andere gedachten te brengen. Een paar weken geleden had ze aangeboden hem te helpen een kamer te zoeken, maar ook dat aanbod had hij afgeslagen. Hij had gezegd dat hij zich in zijn eentje best redde, een antwoord dat ze zonder meer geaccepteerd had. Onafhankelijkheid. Ze was er zelf rijk mee gezegend. Nu had het ook in hem wortel geschoten.

Hij stapte uit de schaduw van de eik en keek nog één keer op naar de lange takken, die zich als een enorme paraplu tot aan de rand van het dak van Vale Supplies uitstrekten. Nog één keer schatte hij de afstand tussen de dichtstbijzijnde tak en het dak, en nog één keer vroeg hij zich af of die tak stevig genoeg was om zijn gewicht te dragen.

Het was riskant, gevaarlijk en dom, hield hij zichzelf voor, terwijl hij in zijn jaszak aan het opgevouwen velletje papier voelde, denkend aan de woorden die hij vandaag in zijn lunchpauze in de bibliotheek uit een bloemlezing overgeschreven had.

'Je moet altijd zo romantisch blijven.'

Dat zei Rachel toen ze elkaar die eerste keer op het kerkhof kusten. En daarom was hij nu hier: om haar te bewijzen dat hij altijd zo zou blijven.

Die gedachte gaf hem moed. Hij dook weer onder de boom en greep een tak. Hij trok zich op, zwaaide een been over de tak, draaide zich om en richtte zich op. Daar stond hij dan, met zijn armen en benen wijd tussen de takken van de boom, als een vlieg in een web.

Vlug baande hij zich een weg door het dichte gebladerte. Takken zwiepten en ruisten. Water druppelde naar beneden. Hij beeldde zich in dat de hele boom stond te schudden. Zijn hart bonsde. Bill of zijn moeder hoefde maar één blik uit dat raam op de eerste verdieping te werpen en hij was er geweest. Er hoefde maar één iemand op weg naar huis door de straat te komen en...

Vlug dan. Sneller, sneller, zo snel als hij kon. Hij zweette, hij had het bloedheet, maar hij was nu boven in de boom, ter hoogte van het dak. Centimeter voor centimeter schoof hij zijwaarts, bij de stam vandaan, in de richting van het huis. De tak onder zijn voeten werd steeds dunner. De tak boven zijn hoofd begon door te buigen. Maar hij hield zich stevig vast en verdeelde zijn gewicht zorgvuldig, balancerend als een koorddanser.

Toen hij naar beneden keek zag hij het: de overlopende goot, de rand van het dak, de glimmende zwarte dakpannen en de gele rechthoek van Rachels zolderraam.

Het was er allemaal, binnen handbereik...

Toen hij sprong, bedacht hij niet dat het ook mis kon gaan. Had hij dat wel gedaan, dan had hij geaarzeld en was hij gevallen. Dan hadden ze hem morgenochtend met een gebroken rug en een geknakte nek op de harde straat gevonden.

Tony kende echter geen vrees. Hij liet de tak boven zijn hoofd los, en terwijl de tak onder hem vervaarlijk begon te wiebelen, sprong hij als een kat naar voren. Zijn zelfvertrouwen droeg hem, trok aan hem, duwde hem, bracht hem naar Rachel.

Hij kwam met een klap op het dak terecht en gleed van het schuine gedeelte. Het gaf een geweldige herrie. Het dak kraakte onheilspellend. Het klonk alsof het hele huis op instorten stond. Hij dook naar de sponningen van het zolderraam en greep zich vast. Met een laatste inspanning trok hij zich op, en toen keek hij door de ruit naar Rachel, die hem met grote, gloeiende ogen aankeek. Een dakpan kraste onder zijn voet en ratelde met veel kabaal over de dakgoot. Even bleef het stil en toen – kletter – viel hij stuk op de straatstenen.

Rachel had het raam in een tel open. Hij klauterde naar binnen. Bedwelming, euforie... hij voelde zich dronken worden, opeens, terwijl hij net nog nuchter was.

Hij had het gered.

In het zwakke schijnsel van haar bureaulamp leek haar huid doorzichtig, alsof al het bloed uit haar gevloeid was. Haar lange witte nachtjapon versterkte het spookachtige beeld.

'Je bent gek,' fluisterde ze ongelovig.

Hij stak zijn armen naar haar uit.

'Rachel!' Van beneden kwam een mannenstem: Bill, dat kon niet anders. Tony's maag keerde zich om. Rachel dook opzij, alsof iemand op haar geschoten had. Ze stak een hand uit naar het dakraam en trok het dicht.

'Shit!' hijgde ze. 'Shit, shit, shit!' Ze keek om zich heen.

'Rachel!' riep Bill weer, dichterbij nu.

Op de trap klonken haastige voetstappen.

Tony keek naar het kastje in de hoek van de kamer. Het was zo klein dat een muis zich er niet eens in kon verstoppen.

'Alles in orde!' riep Rachel naar beneden. 'Niets om je...'

De voetstappen kwamen nog steeds dichterbij.

Op dat moment zag Tony het luikgat in de vloer. Bill kon nu elk moment zijn hoofd erdoor steken.

Rachel zag het ook. Ze wilde het luik al dichtklappen, maar Tony pakte haar pols en schudde zijn hoofd.

'Hij krijgt het toch wel open,' zei hij bijna zonder geluid te maken.

Want zo was het. Tony wist het gewoon. Na al die herrie zou

Bill vast wel een manier weten te vinden om binnen te komen. En dan was alles voorbij. Bill zou hem hier vinden en onmiddellijk begrijpen hoe de vork in de steel zat. Daarna zou hij het aan zijn moeder vertellen. Ze zouden woest zijn. Samen zouden ze hem en Rachel uit elkaar halen.

'Wat gebeurt hier allemaal?' Een vrouwenstem: Rachels moeder.

Toen Bills stem weer, hard blaffend: 'Ik kom naar boven!'

De ladder kraakte onder het gewicht van negentig kilo spieren en bot. De angst in Rachels ogen. Tony kreunde. Hij had niet moeten komen. Hij had geduld moeten hebben. Kon hij maar onzichtbaar worden... En toen wist hij wat hij moest doen...

'De storm,' siste hij in Rachels oor, terwijl hij zich op de grond liet zakken en geruisloos over de houten planken schoof.

Daar lag hij dan: in het donker, onder het bed, met zijn gezicht tegen de muur. Hij hield zijn adem in en bad.

Gehijg, voetstappen en Bill stond in de kamer.

'Is alles in orde? Wat is er gebeurd? Wat was dat voor lawaai?'

'De storm. Buiten.' Dat was Rachel. Ze had begrepen wat Tony bedoelde. 'De storm,' herhaalde ze. 'Het dak. Het was de wind, denk ik.'

Tony voelde aan alle kanten stof. Het hechtte zich aan hem vast en kroop in zijn neusgaten, zodat hij bijna moest niezen. Hij kneep zijn ogen stijf dicht en dwong zichzelf geen enkel geluid te maken.

'Dat moet dan een behoorlijke windvlaag zijn geweest...' hoorde hij Bill zeggen. 'Het klonk alsof het hele huis instortte...'

Er kroop iets in Tony's nek, traag en zachtjes... een spin? Hij rilde onwillekeurig, maar hield zich stil.

De vloer begon te kraken. Bill ijsbeerde door de kamer. Tony stelde zich voor dat hij omhoog keek, omlaag, links, rechts, speurend naar een verklaring voor wat hij gehoord had. Kon hij hem zien? Kon hij Tony daar zien liggen? Had hij hem misschien al gezien? Was hij hem nu alleen maar aan het vernederen?

'Kijk, water,' zei Bill. 'Daar.'

Tony deed zijn ogen dicht en probeerde rustig adem te halen. In, één, twee. Uit, drie, vier. Wat voor water? Waar? Wees Bill op de vloer? Had Tony natte voetstappen gemaakt? Leidde er soms een spoor naar het bed? Tony's voeten kriebelden. Trilden ze? Kon Bill zijn schoenen zien? Staken ze uit, glimmend van de regen? Hij wachtte op een strenge hand om zijn enkel, de ruk waarmee hij onder het bed uit getrokken zou worden. In, één, twee. Uit, drie, vier.

Rachel: 'Ik deed het raam open. Vanwege die herrie. De regen kwam naar binnen. Het kan een tak geweest zijn,' voegde ze er snel aan toe, 'die op het dak viel. Of een losse dakpan... of...'

Tony hoorde de klik van het raam dat openging, het ruisen van de wind buiten... Bills aftershave... Tony kon het ruiken, net als wanneer Bill bij Emily langs geweest was. Op klaarlichte dag. Zo maakte Bill Emily het hof. Als een normale man. Niet zoals Tony. Niet zo, als een dief in de nacht, een bang dier dat zich in het donker verschuilde.

Nog een klik, en de wind werd weer een vaag gekreun. Opeens wilde Tony gevonden worden. Opeens verlangde hij naar de confrontatie. Hij was geen kind meer. Zo wilde hij niet leven.

'Als jou maar niets mankeert,' zei Bill.

'Nee,' zei Rachel.

'Ik kan er morgen pas naar kijken.'

'Ja.'

'Het is nu veel te gevaarlijk om het dak op te gaan.'

'Ja. Morgen. Dan is het vast wel opgeklaard.'

'Wat is er allemaal aan de hand?' riep hun moeder weer van beneden.

'Ga maar weer slapen, mam,' schreeuwde Bill terug. 'Er is niets aan de hand. Jij moest er ook maar eens in duiken,' zei hij tegen Rachel.

'Ja, inderdaad. Welterusten.'

'Welterusten.'

Tony hoorde hoe Bill met veel gekraak de kamer verliet en de ladder afdaalde. Pas toen durfde hij zijn hoofd te draaien en de kamer in te kijken. Hij veegde de spin van zijn kaak en zag hem over de vloer rennen en een hoek in schieten. Hij hoorde hoe Rachel het luik dichtdeed en vergrendelde. Toen rolde hij onder het bed vandaan en stond op.

Zodra ze zich naar hem omgedraaid had, haalde ze met haar vlakke hand naar hem uit. Maar de adrenaline gierde nog steeds door zijn lijf en hij pakte haar pols voor ze hem kon raken.

'Wat?' Hij begreep het niet.

'Je had niet moeten komen,' siste ze.

'Maar ik wilde je verrassen,' begon hij. 'Ik wilde romantisch zijn... Ik dacht dat je...'

'Je had wel dood kunnen zijn.'

'Zo gevaarlijk was het nou ook weer niet,' fluisterde hij terug. 'Toen ik eenmaal boven in die boom zat was het...'

'Nee, stomkop,' zei ze. 'Ik bedoel dat Bill je wel had kunnen vermoorden. Hij had een mes.'

'Een mes. Waarom?'

Ze kneep haar ogen tot spleetjes. 'Hoe kon je zo stom zijn, verdomme?'

Dat woord had hij uit haar mond nog nooit gehoord. Ze liet zich op het bed zakken en sloeg haar handen voor haar gezicht, maar hij kon nog net haar tranen zien.

'O, god.' Opeens begon hem te dagen waar ze het over had.

Het was niet eens in zijn hoofd opgekomen. Hoe kón hij zo stom zijn? Een dief in de nacht: hij had niet eens beseft hoe dicht dat bij de waarheid kwam. Hij was in hun huis ingebroken. In Rachels huis. In Bills huis. Dít huis. In het holst van de nacht. Na wat hier gebeurd was. Na wat zijn broer gedaan had...

Hij knielde voor haar neer en haalde haar handen voor haar gezicht weg. Ze trilde. Ze kon hem niet aankijken. Haar ogen bleven stijf dicht, als oesters. Hij drukte kleine kusjes op haar handen.

'Het spijt me,' zei hij. 'Ik dacht er niet bij na... het spijt me zo...'

'Jezus,' kreunde ze, 'het wordt allemaal zo'n zootje.'

Hij hield haar vast en geleidelijk nam haar snikken af. Ze boog zich naar voren en kuste hem zachtjes. Haar gezicht was nat van tranen. Ze haalde zijn pet van zijn hoofd en aaide over zijn met Brylcreem achterovergekamde haar.

Hij wist dat ze hem vergeven had, maar zijn schuldgevoel bleef. 'Moet je ons zien,' zei hij. 'Zo kunnen we toch niet doorgaan. Ik word er gek van. En je hebt gelijk... nu begin ik me ook al zo te gedragen...'

'Het geeft niet,' fluisterde ze. 'Het is alweer goed. Alles komt goed.'

'Nee,' zei hij, 'het is niet goed. En zo komt het ook nooit goed. We moeten het ze vertellen. We moeten zorgen dat ze het begrijpen.'

'Ze zullen het nooit begrijpen.' Hij voelde de spanning in haar handen. 'O, Tony, wat moeten we doen?'

Ik weet het niet, had hij bijna geantwoord. Toen herinnerde hij zich het velletje papier in zijn jaszak en op slag kreeg hij zijn vertrouwen in hen terug. 'We moeten in elkaar blijven geloven,' zei hij.

Hij stak een hand in zijn zak en haalde het papiertje eruit.

'Wat is dat?' vroeg ze.

'Een gedicht. Van Christina Rossetti. Luister maar. Het gaat over jou. Het gaat over jou en hoe ik me voel, dankzij jou.'

De eerste vier regels luidden:

Mijn hart is zoals een zingende vogel
wiens hart overloopt van vreugde:
Mijn hart is zoals een appelboom
wiens takken buigen door het rijpe fruit;

Hij liet het papiertje zakken, want hij merkte dat hij het niet meer nodig had. Het was alsof de woorden een deel van hem geworden waren en door ze hardop voor te dragen maakte hij ze ook een deel van haar. Hij citeerde de volgende vier regels:

Mijn hart is zoals een regenboogschelp
die dobbert op een vredige zee;
Mijn hart is zo gelukkig en fier,
want mijn lief kwam, mijn lief is hier.

Maar toen zag hij dat ze niet naar hem lachte, zoals hij zo wanhopig graag gewild had. Want daar was het allemaal om begonnen; deze hele krankzinnige avond was bedoeld om haar te laten zien dat hij van haar hield, om het haar met daden te bewijzen en met woorden te vertellen. Daarom had hij dit gedicht uitgekozen. Omdat hij dacht dat het van zijn liefde getuigde.

'Wat is er?' vroeg hij. 'Heb ik iets verkeerd gedaan?' Vroeger dacht hij alles van vrouwen te weten. Nu had hij het gevoel dat hij van Rachel in ieder geval niets afwist, terwijl hij juist zo graag alles van haar wilde weten.

'Nee,' zei ze, terwijl ze hem tegen zich aan drukte en steviger vasthield dan hij ooit vastgehouden was. 'Je hebt het precies goed gedaan.'

'Ik hou van je,' zei hij.

Ze leek leeg te lopen in zijn armen. 'En ik hou van jou,' fluisterde ze.

Toen ze hem weer aankeek was alle spanning van haar gezicht geweken. In haar ogen gloeide de hoop. Ze sprak snel, alsof wat ze zei een feit was, geen veronderstelling.

'Als we achttien zijn doet dit er allemaal niet meer toe. Als ik achttien ben kan ik doen wat ik wil. Dan kan niemand me ervan weerhouden om bij jou te zijn.'

'Maar nu dan? Vanavond dan? En morgen?'

'We zullen moeten wachten,' zei ze. 'Wil je wachten? Kun je dat? Kun je tot die tijd blijven geloven?'

'Dat weet je best.'

'Dan doen we dat.'

Hij lachte. Ze lachten allebei. Tegelijkertijd. Alsof ze één waren.

'En als je achttien wordt?' Hij kon amper geloven dat hij het durfde te vragen. Ze keken elkaar zonder met de ogen te knipperen aan. Ze wist precies wat hij haar zojuist gevraagd had.

'Dan trouwen we,' zei ze.

'Dan trouwen we,' herhaalde hij.

'En we verhuizen,' zei ze, en ze kuste hem. 'Naar een grote stad. Dan heb ik mijn diploma... en jij bent een nog betere kok... en ik kan een baantje zoeken als serveerster terwijl jij in het leger zit... en 's avonds kan ik voor boekhouder leren... en als jij dan uit het leger komt, kunnen we samen een restaurant of een hotel beginnen... en... en we kunnen reizen maken en mensen ontmoeten en allemaal dingen doen die we nooit hebben kunnen dromen...'

Ze keek lachend, met grote ogen om zich heen, alsof ze het allemaal voor zich zag, alsof haar woorden het weefsel van hun wereld veranderd hadden. Ze stond op van het bed en trok haar nachtjapon over haar hoofd. Naakt stond ze voor hem.

Hij kwam overeind en ze hielp hem uit zijn kleren, intussen traag om hem heen lopend, tot ze recht voor hem stond. Hij nam haar kleine borsten in zijn handen en aaide ze met zijn duimen. Toen zij haar hand tussen zijn benen stak, stak hij zijn hand tussen de hare. Zachtjes streelde hij haar donzige haar. Ze drukte haar neus tegen de zijne en trok hem mee op het bed. Kreunend duwde hij zijn smalle heupen tegen haar aan. Ze hadden het nog nooit in een echt bed gedaan. Hij wilde het zo graag. Het was een voorproefje van wat er allemaal nog zou komen, een kijkje op de toekomst die op een dag hun wereld zou zijn, als ze samen hun plek gevonden hadden.

'Heb je er een?' vroeg ze. 'Een kapotje?'

Een condoom, bedoelde ze. Vanaf de allereerste keer stond ze erop dat hij er een gebruikte. Een meisje bij Rachel op school was vorig jaar in verwachting geraakt en had van school gemoeten. Ze was naar familie gestuurd en sindsdien had niemand haar meer gezien. Tony had er bij de kapper in East Street een paar gekocht, maar stom genoeg had hij ze nu niet bij zich.

'Nee,' bekende hij.

Hij wilde zo graag doorgaan. Zijn vingers kropen vragend over de zachte huid van haar dijen.

'Toe,' zei hij. 'Het gaat wel goed.'

Hij drukte zich smekend tegen haar aan. Hij kon nu niet meer ophouden. Hij wist nu al dat het deze keer anders – trager, sensueler – zou gaan, want nu al bewogen ze zich anders. Hij mocht dit moment niet voorbij laten gaan.

Toen knikte ze. Ze kuste hem, draaide zich op haar rug en trok hem tegen zich aan.

15

Mallorca, nu

Sam zat naast Archie boven aan de zandstenen trap die naar de verweerde kantelen van het Sant-Bartholomewklooster leidde. In de mirtestruiken beneden tjilpten de krekels. De zon brandde aan de hemel en Sams voorhoofd glinsterde van het zweet. Aan de voet van de steile berg waarop de benedictijnse monniken lang geleden hun toevluchtsoord gebouwd hadden, liep het eiland af naar de saffierblauwe Middellandse Zee.

Met zijn baseballpet diep over zijn ogen snoof Sam de geur van lavendel en wilde knoflook op, die uit de gebarsten en stoffige aarde oprees als het aroma van soep uit een pan. Hij vond het heerlijk om hier met Archie te zitten, lekker met z'n tweetjes. Hij had niet genoeg tijd voor zijn zoon, wist hij, maar de tijd die hij had bracht hij zo veel mogelijk met hem door. Vandaag was het zondag en bij het wakker worden had hij Claire zachtjes snurkend in bed laten liggen.

Het was niet moeilijk geweest om haar niet wakker te maken. Ze hadden elk aan een kant van het matras gelegen, als magneten die elkaar 's nachts afgestoten hadden. Toen Sam en Archie een uur later vertrokken, sliep ze nog steeds.

'En daar in de verte,' zei Sam nu tegen Archie, 'kun je Palma zien liggen.' Hij wees naar het oosten, waar tien kilometer verderop de witte flatgebouwen van de stad als een bolwerk uit de aarde oprezen. 'En wie woont er in Palma?' vroeg hij.

'Papa en mama?'

'Ja. En weet je nog iemand?'

Archie fronste zijn voorhoofd. Hij keek nadenkend naar zijn t-shirt, een cadeautje van Rachel, met daarop de tekst: *Ik hou het meest van mijn oma.* 'Kweenie,' zei hij uiteindelijk.

'Archie! Archie woont in Palma.'

'Archie!' riep Archie uit, grijnzend alsof hij het antwoord best wist maar om te plagen gedaan had alsof hij geen idee had. 'Archie en papa en mama. Familie,' voegde hij er schrander aan toe.

Familie... Sam keek zijn zoon in de ogen. Hij had hem dat woord nooit eerder goed horen gebruiken. Vaag vroeg hij zich af waar hij het begrip vandaan had. Leerde hij dat op de crèche of van Isabel, het kindermeisje? Hij kon het ook van de televisie hebben, of zelfs van Rachel. Dat hij het van Claire of hem geleerd had, was in ieder geval uitgesloten.

'Heel goed,' antwoordde Sam op geforceerd trotse toon. 'Jouw familie.'

'Ik heb dorst, papa,' klaagde Archie en hij gaf een ruk aan het canvas tasje tussen Sams bruine, in sandalen gestoken voeten.

Sam zocht tussen de luiers, babydoekjes, koekjes en doosjes rozijnen die hij die ochtend in de tas gestopt had. Hij haalde er een flesje vers sinaasappelsap uit en gaf het aan Archie. 'Alsjeblieft, voor jou,' zei hij.

Vanaf de top van de berg leek het eiland meer op een landkaart dan op een echte plek waar mensen woonden. Sam had gehoopt dat het uitzicht hem zijn gevoel voor verhoudingen terug zou geven, zijn objectiviteit zelfs. Dat was een van de redenen dat hij voor zijn zondagse uitje met Archie het klooster uitgekozen had: hij moest oog krijgen voor het grote geheel, zoals hij in zijn werk ook altijd had. Hij zocht een uitweg uit de doolhof, en de doolhof was zijn leven.

En toch liet hij zich weer verleiden door de gedachte aan Laurie Vale. Daar ergens was ze, op het eiland, alleen of met hem, James Cadogan, de man die haar gekust had en schoonheid noemde. Maar James verdween al snel uit zijn gedachten en alleen Laurie bleef over.

Er was geen ontsnappen aan: Sam had zich opnieuw door haar laten betoveren. Haar gezicht achtervolgde hem, niet alleen 's nachts maar ook overdag: tijdens vergaderingen, halverwege een zin, als hij onder de douche stond of een flesje bier openmaakte. Als het beeld van iets felverlichts waar hij te lang naar had zitten staren bleef ze op zijn netvlies staan.

Hoe kon ze hem zo veel laten voelen door zo weinig te doen? Dat kon hij maar niet begrijpen. Op de *Flight*, toen ze stil in de baai lagen, had hij haar willen kussen. Het verlangen was als een golf over hem heen geslagen. Als hij ook maar het kleinste signaal van haar had gekregen, had hij aan de verleiding toegegeven. Hij herinnerde zich dat hij haar diep in de ogen gekeken had, in de hoop dat ze ze dicht zou doen. Hij had gewenst dat de wind voor eeuwig bleef liggen. Dat onbewoonde eiland waarover ze grapjes gemaakt hadden; hij had er vurig naar verlangd.

Archie slaakte een tevreden zucht. 'Op.' Hij stak het lege flesje in de lucht, als bewijs van zijn prestatie. 'Ik heb het warm, papa.'

'Ik ook.' Sam stond op en tilde Archie op zijn schouders. Hij pakte de tas, keerde het uitzicht de rug toe en beklom de laatste paar treden naar de binnenplaats van het klooster. 'Wat zou ik zonder jou moeten beginnen, Archie?' vroeg hij.

Hij zou verloren zijn, was het antwoord dat Sam allang kende. Net zoals hij de afgelopen drie jaar zonder Laurie verloren was geweest, begreep hij nu, en zoals hij zonder haar opnieuw verloren zou zijn. Zonder Archie en zonder Laurie ging er een stukje van hem dood. Maar hij kon niet bij allebei tegelijk zijn.

Of wel? Hij zette Archie neer en liet hem vooruit rennen naar de gietijzeren hekken van de binnenplaats. Hij beeldde zich een andere plek in, ver hiervandaan. Een koeler klimaat. Een wandeling op het Engelse platteland, Archie die over een bevroren pad rende. Ararat niet meer dan een herinnering. Lauries hand in de zijne. Een andere wereld met andere ambities. Was het echt zo moeilijk voor te stellen?

Hij liep door het hek. Platanen hulden de binnenplaats in schaduw. Klimop kroop over de koele stenen muren en een oude man in een met verf bespatte overall en afgetrapte sportschoenen veegde met een bezem aarde en verdorde bladeren bij elkaar. Sam wenste hem goedemorgen en de oude man grijnsde naar hem voor hij verderging met zijn werk.

'Papa, papa, papa,' zei Archie, die ongeduldig aan Sams arm trok.

De zwart verkleurde kerkdeur stond open en Sam liep achter Archie aan onder de lage stenen latei door. Binnen was het zo koud als in een onderaardse kelder. Achter het doffe eikenhouten altaar hing aan de witte muur een eenvoudige crucifix van ebbenhout. Licht stroomde door een glas-in-loodraam, dat de houten kerkbanken in kleur onderdompelde.

Archie klom op een van de banken en begon te neuriën. Sam keek naar het raam en bewonderde het vakmanschap waarmee de doornenkroon op Christus' hoofd en de nagels in zijn handen en voeten waren weergegeven.

Christus, God, het hiernamaals, hemel en hel: het waren concepten waarmee Sam als scholier en student wel een tijdje geflirt had, maar diep in zijn hart had hij niet het vertrouwen dat nodig was om in die dingen te geloven. Je leefde, je ging dood en dat was dat. Je moest proberen om in je leven geluk en bevrediging te vinden. En je moest ook andere mensen gelukkig maken, als je kon. Tot die conclusies was hij uiteindelijk gekomen.

Maar nu werd hij door twijfel gekweld. Hoe gelukkig mocht hij worden? Hoeveel bevrediging mocht hij zoeken? Vergooiden Claire en hij hun leven niet door semi-gelukkig bij elkaar te blijven? Hij dacht weer aan de jonge man met wie hij haar in Palma had zien lunchen en die hij later hun gebouw uit had zien komen, de man met wie Claire, zoals hij heel zeker wist, een verhouding had... En ontnamen Sam en Claire door genoegen te nemen met elkaar niet ook andere mensen – de mensen met wie ze opnieuw zouden kunnen beginnen – de kans op een gelukkiger bestaan? Stel dat deze keten van matige relaties zich over de hele wereld uitstrekte en dat het aan Sam en Claire was om het patroon te doorbreken?

In Frankrijk had Laurie hem destijds zo veel geleerd... over kunst, over geschiedenis en hoe het voelde om jong te zijn. Gezien door haar ogen was de wereld veel diverser en interessanter geworden. Claire daarentegen had hem, voor een deel doordat ze nog zo jong was toen ze elkaar leerden kennen en voor een deel doordat ze altijd meer in de roddels van haar vriendinnen geïnteresseerd was dan in kranten en boeken, nog nooit iets geleerd.

'Wat zijn dat?' informeerde Archie.

Sam keek naar de in kaarslicht badende tafel die Archie aanwees. Toen keek hij naar zijn zoon. En Archie? Was het wel zo goed om voor Archie bij Claire te blijven? Liet Sams toewijding aan zijn huwelijk niet duidelijk te wensen over? Was de opleving van zijn gevoelens voor Laurie niet het bewijs? Was het niet onvermijdelijk dat dit huwelijk zou ontaarden in een spiraal van verbittering en verwijt? Was dat de erfenis die hij wilde voor zijn zoon?

Een rukje aan zijn overhemd. 'Papa, wat...'

'Kaarsjes,' antwoordde Sam.

'Kaasjas?' giechelde Archie; hij wist niet zeker of zijn vader woorden verzon of een grapje maakte.

Sam pakte Archies handje, dat nog steeds precies in zijn hand paste, en liep met hem rond de tafel, waarop talloze kaarsjes in kleine glazen houdertjes stonden.

'Goede mensen steken die kaarsjes aan,' legde hij uit. 'Voor de mensen van wie ze houden.'

'Goede mensen?'

'Ja.'

Archie trok zich los en rende naar het altaar, legde zijn hand erop en begon eromheen te lopen.

Goed? Slecht? Sam wist niet eens meer wat die woorden betekenden. Was hij een slecht mens, omdat hij dacht wat hij dacht? Was de juiste keus voor hem de verkeerde keus voor alle anderen? Hij wist het niet. Hij wist alleen maar dat hij ongelukkig was, ongelukkig met Claire en ongelukkig zonder Laurie.

Toen Sam en Archie thuiskwamen stonden de openslaande deuren in de zitkamer open. Door de opwaaiende blauwe gordijnen zag Sam Claire op het ruime balkon zitten. Ze zat aan de telefoon te lachen en te kletsen.

Archie moest haar ook gezien hebben, maar toen Sam hem neerzette rende hij niet naar haar toe, maar naar de keukendeur, waar Isabel hem met uitgestoken armen opwachtte. Archie gilde van plezier toen ze hem hoog de lucht in tilde.

'Ik heb kaasjas gezien! Kaasjas!' begon hij opgewonden te vertellen, terwijl Isabel hem meenam naar de keuken.

Sam liep het balkon op en dacht aan de zonovergoten landschappen die Laurie hem in Frankrijk had laten zien. Hij had er alles voor over om haar huidige werk te zien. Hij zag haar voor zich, schilderend in het boothuis aan het strand. Warmte, dat wilde hij. Geen steriliteit. Warmte, leven, creativiteit, dat had hem zo in haar aangetrokken.

Claire kocht, Laurie dééd. Dat was het kenmerkende verschil tussen die twee. Claire was de consument, Laurie de kunstenaar. Laurie gaf, Claire nam.

Al dat gepraat van Claire over binnenhuisarchitectuur... hij wist nu wat het te betekenen had: het was een creatief rookgordijn waarachter ze een verder leeg leven verborg, voer voor een interessant gesprek, een excuus om uit winkelen te gaan...

'O, daar ben je, Sam,' zei Claire met een plichtmatig lachje. Ze was klaar met bellen. 'Ik begon al te denken dat je niet meer terug zou komen. Leuk uitstapje? Archie blij?'

Het was net alsof ze dingen afvinkte op een boodschappenlijstje. Hij knikte bij wijze van antwoord.

Ze had een zwarte string aan en een Diesel-zonnebril op, maar verder was ze naakt. Haar schouders glommen van de zonnebrandolie en haar haar, dat ze zorgvuldig uit haar gezicht gekamd had, viel soepel op haar rug. Haar smiley-tattoo keek hem vanaf haar enkel grijnzend aan. Ze kon een fotomodel zijn, dacht Sam, afgebeeld op een van die grote reclameborden boven de weg in Palma. Ze had een volmaakt lijf. En toch liet ze hem koud.

'Hier,' zei ze, 'neem een slokje.' In de ene hand had ze een half opgerookte sigaret en in de andere een longdrinkglas. Koolzuurbelletjes dreven omhoog door een mengsel van heldere vloeistof, schaafijs en muntbladeren.

'Nee, dank je,' antwoordde hij. Hij wierp een blik op de witte zeilen op de baai voor hij zich naar haar omdraaide en met zijn rug tegen de balustrade ging staan.

'Het leek me leuk om cocktails te serveren,' zei ze.

'Wanneer?'

'Als ze komen.'

'Wie?' Hij zag haar roodleren agenda op het tafeltje naast haar liggen, tussen haar pakje Marlboro en haar telefoon.

'Sean en Iris. Greta en Sabina. En de kliek van de club.' Ze zag iets aan zijn gezicht. 'O, Sam,' kreunde ze. 'Zeg nou niet dat je het niet meer weet.'

'Wat niet meer weet? Ik ken die mensen niet eens,' antwoordde hij kortaf.

'Het feestje.'

'Welk feestje?'

'Het feestje dat we vandaag geven. Ik heb je er twee keer over gemaild,' zei ze verwijtend. 'Twee keer, want ik wist dat je het zou vergeten.'

'Waarom heb je het niet gewoon gezegd?'

'Omdat ik het druk had.'

'Waarmee?' De vraag kwam er ruwer uit dan hij bedoeld had.

'Met het feestje organiseren, natuurlijk. Dat gaat niet vanzelf, weet je. Je moet beslissingen nemen over het eten, de drankjes, de gastenlijst. Ik heb Paula trouwens ook gevraagd... en Antonia en Xevi, van dat nieuwe beautycenter in Soller,' vervolgde ze, terwijl ze haar sigaret uitmaakte en onmiddellijk een nieuwe opstak. 'Eigenlijk kwam ik op het idee om ze uit te nodigen toen jij zei...'

Maar Sam luisterde al niet meer. Wanneer was hij voor het laatst echt gelukkig geweest? Dat vroeg hij zich af terwijl zij doorpraatte. Helemaal gelukkig, niet een beetje, niet alleen met zijn werk of met Archie, maar met zijn leven als geheel? Toen hij met Laurie op de *Flight* zat. En daarvoor? Toen hij met haar in Frankrijk was. Toen hij besloten had bij Claire weg te gaan. Voor hij wist van Archie...

'...en Alain Tricard, die jij misschien wel zult willen spreken. Hij werkt namelijk niet meer voor Zones en ik weet dat jij iemand zoekt die...'

Alles wat Sam sinds de breuk met Laurie opgebouwd had, was gebaseerd op een leugen: de leugen die hij zichzelf drie jaar geleden op de mouw gespeld had, namelijk dat hij niet meer van haar hield. Maar eigenlijk had hij zijn gevoelens voor haar alleen maar weggestopt. Ze hadden er al die tijd gezeten, als de fundering van alles wat er met hem gebeurd was. Maar nu werden de scheuren zichtbaar. Hoe langer hij het zo liet, besefte hij, hoe waarschijnlijker het werd dat het hele bouwwerk van zijn leven in duigen zou vallen.

'...veertig mensen in totaal, en ik weet dat het proppen wordt, maar...'

Wat moest hij doen? Hij wist het niet. Hij wist wat hij wilde, maar dat was niet hetzelfde. Hij wilde naar Laurie toe gaan en... en kijken wat er dan gebeurde... hij wilde hier zo snel mogelijk vandaan...

Claire schoof haar zonnebril op haar voorhoofd en keek hem nieuwsgierig aan. 'Alles goed met je?'

'Nee,' zei hij.

'Je ziet er weer zo gestrest uit.' Ze zei het alsof ze dacht dat hij het expres deed.

'Nee, ik...'

'Ik heb vorige week met Kayla geluncht, en je weet toch hoe down die vorig jaar was, toen ze het met Andy uitgemaakt had? Nou, haar dokter raadde haar aan naar een psychiater te gaan. Ik weet dat het een beetje extreem klinkt, maar tegenwoordig is het eigenlijk heel gewoon. Allerlei mensen...'

Sam stak een hand op.

'O, god,' zei ze geschrokken, 'je vindt het toch niet erg dat ik het er met haar over gehad heb, hè? Ik dacht alleen...'

'Nee,' zei Sam snel, 'ik vind het niet erg. Maar nee, ik ben niet gestrest.' Het was waar; sinds hij die avond in de stuurhut van de *Angel* met Laurie gesproken had, had hij geen last meer gehad van paniekaanvallen, alsof hij door te aanvaarden dat ze er was en dat ze samen een verleden hadden de druk van de ketel had gehaald.

Claire nam een trekje van haar sigaret. 'Wat is er dan?'

'Ik kan niet op het feestje zijn.' Hij zei het zonder erover na te denken. Zijn excuus rolde al net zo gemakkelijk uit zijn mond: 'Ik moet iemand spreken.'

Het verbaasde hem zelf hoe soepel het liegen hem afging, net als toen hij Laurie net kende en Claire opgebeld had om te zeggen dat hij langer in Frankrijk moest blijven dan hij gedacht had.

Claires telefoon begon te trillen en danste over de tafel. 'Maar het is zondag,' protesteerde ze, zonder op te nemen.

'Weet ik.'

'Nou, kan het dan niet wachten? Kun je het niet afzeggen? Alsjeblieft?' smeekte ze.

'Nee.'

'Hoe laat kun je dan terug zijn?' informeerde ze.

'Weet ik niet.'

En dat was ook zo. Hij had geen flauw idee.

De telefoon viel van het tafeltje en kletterde op de grond. Het trillen hield op.

Claire gromde. Ze nam nog een trek van haar sigaret, en nog een. Toen ontplofte ze. 'Dat flik je me nou godverdomme altijd,' riep ze, terwijl ze opsprong. 'Je bent mijn man. Wat moeten ze wel niet van me denken, als ik in m'n eentje een feestje geef?'

Haar agressie maakte hem alleen maar onbuigzamer. 'Niets aan te doen.'

'Val dood, Sam,' zei ze, en ze wapperde met haar hand alsof ze een wesp wegsloeg. 'Val jij dan maar lekker dood.'

'Hallo?'

Het was niet Sam of Claire die sprak.

'Hallo?' zei het dunne stemmetje nogmaals.

Tegelijk keken ze naar de gevallen telefoon, de bron van de stem.

'Hallo? Claire, ben je daar?'

Met een boze blik op Sam raapte Claire de telefoon op en keek op het display wie er belde. 'Leonie, wijffie,' kirde ze, met haar rug naar Sam toe, 'ik wist wel dat je er was. Vond je het een goeie grap? Dat we deden alsof we ruzie hadden?'

Binnen een uur was Sam op Sa Costa. Hij parkeerde zijn fourwheeldrive bij de voordeur. Hoewel de airconditioning aanstond, had hij het bloedheet. Hij rukte zijn das los en smeet hem op zijn colbertje, dat verkreukeld naast hem op de andere stoel lag.

Moet je dit nou allemaal zien, dacht hij: de Porsche, het leren attachékoffertje, het Londense maatpak en de stropdas van Cartier, de laatste drie alleen maar bedoeld om zijn vertrek in Claires ogen geloofwaardig te maken. Dit was het dan, zijn gedroomde toekomst, het snelle, dure leven waarover hij gefantaseerd had toen hij vanuit Londen hiernaartoe gekomen was. Maar wat was

het in werkelijkheid? Belachelijk, dat was het. Allemaal. Een afleidingsmanoeuvre. Was het ooit meer geweest dan een rookgordijn
waarachter hij zijn ellende verborg? Rijkdom... macht... succes...
zonder geluk was het allemaal niets waard.

En toch wist hij dat het gekkenwerk was om hier te komen. Hij
was gek. Dit was geen rationele zet. Hij had niet genoeg informatie om een goede beslissing te nemen. Het plan dat hij bedacht
had, dat hij zelfs al aan het uitvoeren was – hij wist niet eens
waartoe het zou leiden.

Hij moest Laurie spreken, dat was alles wat hij wist. Als hij
haar sprak zou alles duidelijk worden. En erger dan het was kon
het toch al niet meer worden.

Hij liet het sleuteltje in het contact zitten en stapte uit. Zonder
het portier dicht te doen beende hij naar de voordeur. Hij rukte
aan de deurkruk, maar de deur zat op slot. Hij belde aan. Hij
vroeg zich af wie er open zou doen. Laurie? Of hij? James Cadogan. Haar vriend. Zou hij er nog zijn? Misschien zat hij nu wel
met haar bij het zwembad, dook hij van de duikplank terwijl zij
in haar handen klapte en hem een tien gaf. Misschien lag hij boven met haar tussen de lakens of stond hij met haar onder de
douche, zijn mond op haar geurige huid gedrukt.

Sam werd overmand door jaloezie, net als toen hij die andere
man voor het eerst zag, op het moment dat hij besefte dat James
en Laurie bij elkaar hoorden. Het was niet eens bij hem opgekomen dat er wel eens iemand anders zou kunnen zijn. Maar nu
stond hij versteld van zijn eigen arrogantie. Wat? Dacht hij nou
echt dat er thuis niemand op Laurie wachtte, alleen maar omdat
ze hier was komen werken? Dat Sam haar niet had kunnen loslaten, betekende niet dat zij hém niet losgelaten had.

Maar hij liet zich door James niet van de wijs brengen. Hij wist
niet hoe serieus de relatie tussen die twee was, maar hij wist ook
niet hoe serieus die níet was. Laurie had toch niets over James
gezegd? Bij hun laatste gesprek had ze zo'n groot deel van haar
leven voor hem ingekleurd, maar dat stukje doek had ze overge-
slagen. Dat kon twee dingen betekenen: óf James betekende zo
veel voor haar dat ze Sam erbuiten wilde houden, óf hij was zo
onbelangrijk dat hij niet eens ter sprake was gekomen.

Sam belde nog een keer aan: er werd nog steeds niet opengedaan. Hij holde naar de zijkant van het huis en de met dennennaalden bezaaide trap naar het laagstgelegen terras. Er was niemand in het zwembad; het lag er spiegelglad bij. Een tuinsproeier siste op het gazon en toverde regenbogen in de lucht. Dante stond op een gammele ladder de kersenboom aan de andere kant van het zwembad te knotten. Toen hij Sam aan hoorde komen, draaide hij zich om en zwaaide naar hem.

Sam rende naar hem toe en gaf hem een hand voor hij hem in rad Spaans begon te ondervragen. Laurie zat in het boothuis, vertelde hij. En James? Die Engelsman? Die was gisteren naar huis gevlogen.

Sam begon snel richting strand te lopen. James was weg. Hoop, dus... Sam had nog steeds hoop om zich aan vast te houden. Maar daar kwamen de twijfels alweer opzetten. Dat James weg was, betekende niet dat hij vergeten was. En al was hij dat wel... misschien wilde Laurie alleen vriendschap van Sam. Als hij geluk had. In het slechtste geval had ze het verleden afgesloten en was ze klaar met hem.

Hagedissen schoten voor hem langs terwijl hij het hobbelige pad af liep. Zeevogels krijsten somber boven zijn hoofd. De zee schitterde blauw tussen het kreupelhout en toen het pad een bocht maakte zag hij het strand aan zijn voeten liggen.

Daar, aan het eind, vlijde het boothuis zich tegen een uitstekende rots. Sam holde over het verzengende zand. Bij elke stap werden zijn benen zwaarder, alsof hij een moeras in getrokken werd. Maar hij bleef niet staan. Als hij nu bleef staan zou hij omkeren, wist hij.

Hij gooide de deur open. Ze stond aan de andere kant van de houten roeiboot, gekleed in een verbleekte korte broek en een oud grijs t-shirt. Ze draaide zich geschrokken naar hem om, met haar kwast nog in haar hand. Haar rode haar zat in een knotje en werd met een potlood op zijn plaats gehouden. Haar benen zaten onder de verfspatten: grijs, zwart en blauw. Ze zag er niet uit. Ze was de mooiste vrouw die hij ooit gezien had.

Achter haar stond het schilderij waaraan ze had staan werken, een groot doek met loodgrijze Atlantische golven. Een beeld uit haar geest, dus, met die van regen verzadigde lucht, zo anders dan het uitzicht buiten. Een fles met een kurk erin glinsterde op de kam van een olieachtige golf.

'Sam... je jaagt me de stuipen op het lijf.'

Hoe mooi het schilderij ook was, het was niets vergeleken bij haar. Het was alsof hij een dier stoorde in zijn natuurlijke omgeving. Haar wangen kleurden eerst wit, toen roze, toen rood. Het was zo intiem, zo persoonlijk, deze reactie op zijn aanwezigheid... het was alsof hij haar met zijn vingertoppen aangeraakt had.

'Wat doe jij hier?' vroeg ze.

Hield hij van haar? Ja. Dat had hij inmiddels aanvaard. Hij verzette zich er niet meer tegen, zoals toen op dat feest op de *Angel*, zoals onder het eten op Sa Costa, zoals hij sinds Claires zwangerschap elke dag van zijn leven gedaan had.

Was het echte liefde? Dat zei hem niets. Er waren zoveel soorten liefde, voor zoveel soorten mensen. Je had bijvoorbeeld de liefde die hij voor Archie voelde, voor Rachel, voor zijn ouders en, ja, ook voor Claire. Het was allemaal verschillend, allemaal echt.

Zijn liefde voor Laurie was een impuls, zoals het begin van een lach of het verlangen vastgehouden te worden. Het had niets met plicht, verantwoordelijkheid of trots te maken. Zijn liefde voor haar was een danser, die verleidelijk voor hem zweefde en hem uitnodigde mee te doen. Het was een explosie van leven en mogelijkheden, een belofte van hoop. Het was vanzelfsprekend, instinctief en zuiver.

'Wat wil je?' vroeg ze.

Hij liep op haar af en keek haar in de ogen. Hij rook de verf aan haar kleren en voelde de hitte op zijn huid. Het bedwelmde hem.

'Jou,' zei hij, en hij kuste haar.

16

Onder het werken ademde Bill diep in en genoot van het pompen van zijn bloed in zijn spieren. Hij draaide de hooivork rond in de doorweekte veenachtige aarde. Het was zwaar werk en de bijna zwarte klei plakte als nat cement aan zijn laarzen. Maar hij mocht niet klagen, vond hij. Nadat hij zo veel dagen binnen had gezeten en de regen langs de getraliede ramen had zien lopen, was het goed om weer buiten te zijn.

Hoeveel maanden geleden had hij de moestuin onkruidvrij gemaakt? Vier? Vijf? Het was in maart geweest, op de dag dat Emily de winkel binnengekomen was op zoek naar een cadeautje. Het had ook jaren geleden kunnen zijn, zoveel was er intussen veranderd. Die ochtend had hij de aarde plantrijp gemaakt. Het voorjaar had plaatsgemaakt voor de zomer en nu plukte hij de vruchten van zijn harde werken. Hij haalde aardappelen en wortelen en bieten uit de grond en slingerde ze op modderige bergjes achter hem. Groei, dat hadden de afgelopen maanden hem gebracht, groei en vooruitgang.

Hij had geluk, wist hij, dat de regen niet zijn hele oogst vernietigd had. Tot drie uur geleden, toen de zon eindelijk door de grijze wolken brak en de lucht blauw kleurde, had het een week lang pijpenstelen geregend. Het was een nog slechtere maand geweest dan mei, en dat had niemand voor mogelijk gehouden.

In Stepmouth hadden de druipende 'kamers vrij'-bordjes van de pensions in de wind heen en weer gezwiept. Alleen de bank, die als een gier op kwijnende bedrijfjes aasde, had het druk. Vale Supplies had meer geluk dan andere winkels en was ook minder afhankelijk van toeristen, maar ook zij hadden hun omzet zien dalen. De mensen hoopten dat augustus de zomer zou redden.

Maar wie wist wat augustus nog voor hen in petto had?

'Zoiets heb ik nog nooit meegemaakt,' had zijn moeder die ochtend na de kerk geklaagd, toen hij haar rolstoel door de natte straten duwde.

De dominee had een preek gehouden over Noach en de zondvloed. Over de losbandigheid en goddeloosheid van de mensen en de toorn van God. Over straf en verlossing en het wegwassen van de zonden.

Maar Bill had niet opgelet. Hij had aan de avond ervoor gedacht, toen hij naakt in Emily's bed lag, met de kolen smeulend in de kachel, en niets liever wilde dan zondigen, telkens opnieuw.

Hij liet de hooivork op de grond vallen en vulde de tinnen emmer met de gerooide aardappelen. Met het geluid van een roffelende trommel rolden ze uit de emmer op het bergje aardappelen naast het pad tussen de tuintjes. Hij dronk wat water uit de fles die hij daar had neergezet. Hij trok zijn ruwe katoenen hemd uit zijn broek, pakte het bij de zoom en wuifde zich koelte toe.

De wind stak plotseling op als het lachen van een kind, en hij keek naar de plek waar vroeger de frambozenstruiken stonden, denkend aan die zomerdag lang geleden, toen zijn vader en zusje elkaar rond die struiken achternazaten.

Maar toen hoorde hij Emily roepen. Ze kwam uit haar eigen tuintje, waar ze geprobeerd had de pronkbonen te redden die ze vlak nadat ze verliefd geworden waren geplant had. ('Denk je eens in hoeveel geld je bespaart als je de groenten voor je café hier verbouwt,' had hij gezegd, al wisten ze allebei heel goed dat hij alleen maar een excuus zocht om haar nog vaker te zien.)

Ze droeg haar bruinleren werkschoenen, een wijde zwarte broek en een lichtoranje bloes met opgerolde mouwen. Ze haalde haar handen door haar glanzende blonde krullen, die ze een week eerder in de badkamer boven het Sea Catch Café modieus kort geknipt had, terwijl Bill vanuit het warme bad toekeek.

'Wat was je aan het doen?' vroeg ze, nu ze voor hem stond.

Hij keek haar niet-begrijpend aan.

'Je stond zo te staren,' verduidelijkte ze. Ze wees naar haar bonenveldje. 'Ik stond als een gek te zwaaien... maar het was net alsof je dwars door me heen keek. Alsof ik een geest was.'

Geest. Ze sloeg de spijker op zijn kop.

Het was tijd om afstand te nemen. Dat zag hij nu wel in. Het was tijd dat hij het verleden de rug toekeerde. Al die schuldgevoelens omdat hij niet in staat was geweest zijn vader te redden, zijn wrok omdat hij terug had gemoeten naar Stepmouth... had het hem niet alleen maar meer verdriet gedaan? Geesten en herinneringen... zijn moeder leefde er al acht jaar mee, maar wat hem betreft was het afgelopen.

'Ik geloof niet in geesten,' zei hij tegen Emily. 'Niet meer.' En zo was het ook. Hij had het gevoel dat zijn leven net begonnen was. Hij wilde zijn moeder helpen het ook zo te zien. Ze moesten verder. Het hele gezin. Met z'n allen.

Emily glimlachte, bij haar grijze ogen verschenen kleine rimpeltjes. 'Ik hoopte al dat je dat zou zeggen.'

Als hij Emily kuste had hij het gevoel dat zij hem nieuw leven inblies. Vóór haar komst was zijn leven een verduisterde kamer geweest. Hij trok haar naar zich toe en kuste haar.

'Kijk!' zei ze, en ze liet hem los. Ze keek omhoog. 'Daar zijn ze weer.'

Bill draaide zich om en zag twee vliegtuigen laag en hard over de hei scheren voor ze aan de horizon in een wolkenbank verdwenen. Het gebulder van hun straalmotoren rommelde door het dal.

'Denk jij dat het waar is?' vroeg ze. 'Wat ze zeggen?'

Bill hoefde niet te vragen wat ze bedoelde. Al weken gonsde het van de geruchten over de gevechtsvliegtuigen die plotseling boven de heide verschenen waren, en het slechte weer van de laatste tijd had dat alleen maar versterkt. Grondpersoneel van de nabijgelegen luchtmachtbasis ging in het weekend in Stepmouth naar de kroeg; net als in de oorlog vloeiden de geheimen net zo rijkelijk als het bier.

'Regenmakers.' Dat was de term die de dronken man van de luchtmachtbasis had laten vallen. Ze hadden een manier gevonden om regen te maken. Door chemische stoffen in de wolken te schieten. Om ze open te laten barsten. Om de hemel open te breken en het water eruit te laten stromen. Ze wilden dit nieuwe wapen inzetten tegen de communisten, om hun dammen te laten overstromen en hun steden weg te spoelen.

'Volgens mij is het allemaal onzin,' zei Bill. Hij dacht terug aan zijn tijd in het leger, aan de aftandse uniformen en wapens die ze gebruikt hadden. 'Ook al hebben ze de techniek, wat ik betwijfel, waarom zouden ze het dan hier uitproberen?' voegde hij eraan toe. Nog maar twee jaar geleden had hij in de bioscoop beelden gezien van de woestijn in Arizona, waar proeven met de atoombom de aarde hadden doen schudden. 'Waarom niet ver buiten de bewoonde wereld, waar niemand er last van heeft?'

'Misschien willen ze juist dat we er last van hebben. Misschien is het dan pas een goede proef. Dat zegt mijn vader tenminste. Ik had hem gisteravond aan de telefoon.'

Bill snoof. 'En dit zegt de man die denkt dat er op een dag mensen op de maan zullen lopen,' plaagde hij. Dat had Alun Jones beweerd toen Bill twee weken geleden een biertje met hem had gedronken. Hij en Mavis waren uit Wales gekomen om te kijken hoe het met Emily ging.

'En die het prima vindt dat ik met jou omga,' gaf Emily terug, en ze porde hem in zijn ribben.

'Dat is ook weer waar,' gaf hij lachend toe, 'misschien is hij toch niet zo gek als ik dacht.' Met Emily in zijn armen keek hij naar de lucht. 'Maar volgens mij is dat gerucht echt onzin. Die luchtmachtjongens willen met hun stoere praatjes gewoon indruk maken op de meisjes.'

'Wil je weten hoe je indruk op dít meisje kunt maken?' vroeg Emily. Voor hij antwoord kon geven pakte ze zijn hand en trok ze hem mee de heuvel op, waar het houten tuinschuurtje stond.

De vuile ruitjes in de kromgetrokken deur zaten onder de spinnenwebben. Emily schopte haar schoenen uit en ging naar binnen.

'Wat doe je?' vroeg hij.

'Waar lijkt het op?' antwoordde ze giechelend, terwijl ze met snelle bewegingen haar broek uittrok. Ze maakte er een kussen van en ging er met haar hoofd op liggen. Toen stak ze haar armen naar hem uit. 'Vlug,' zei ze rillend, 'maak indruk op me. Nu.'

Hij stapte naar binnen en deed de deur achter zich dicht.

Ze vreeën op de vloer, terwijl het zonlicht door de gaten in de wanden van de schuur viel en hun huid deed glinsteren als een school vissen onder water. Naderhand lag ze schuin over hem heen, hijgend, met haar mond in zijn nek. Door hun inspanningen opgewaaide stofjes dansten als vuurvliegjes in de lucht.

'Jezus, wat is het heerlijk om met jou te neuken,' zei ze.

Het woord stoorde hem niet. Niet als zij het zei. Ze legde er zoveel vreugde in dat het niet grof meer was.

'Met jou ook,' zei hij. Als hij dacht aan hoe hij met Susan Castle in bed gelegen had, verbaasde hij zich met terugwerkende kracht over zijn onbeholpenheid. *In bed:* dat zei eigenlijk alles. Ze hadden het nooit ergens anders gedaan. En nooit met het licht aan, alsof hun naakte lichamen het op een of andere manier minder romantisch gemaakt zouden hebben.

O ja, dat verbaasde hem, maar wat hem nog veel meer verbaasde was dat er tussen Susans vertrek en Emily's komst zoveel jaren verstreken waren. Hoe had hij het uitgehouden? Hij begreep er niets meer van. Hoe had hij het overleefd zonder Emily's gezelschap, zonder haar lach en haar openheid, haar eerlijkheid en vastberadenheid? Kortom, hoe had hij zonder haar overleefd?

Een blij gevoel sprong op in zijn binnenste. Hij wilde haar al de hele dag iets vertellen. Hij had alleen op het goede moment gewacht. Dit was het moment, wist hij.

'Ik wil je iets...' begonnen ze tegelijk. Ze barstten in lachen uit en rolden van elkaar af.

'Jij eerst,' zei hij.

'Nee, jij.'

'Ik wil je iets laten zien.'

'En ik wil jou iets geven,' antwoordde ze.

'Wat dan?'

'Dit,' zei ze, en ze kuste hem lang en traag. 'Dat was de mijne,' zei ze uiteindelijk. 'Nu wil ik de jouwe zien.'

'Je moet je eerst aankleden...'

Ze keek hem wantrouwig aan. 'Waarom? Waar gaan we heen?'

Hij raapte haar onderbroek op en wierp hem in haar schoot. 'Dat zul je wel zien.'

'William?'

Het was Bills moeder, die hem vanuit de zitkamer riep. Bill en Emily waren net van de tuintjes naar huis gereden en Emily zat in de auto op Bill te wachten. Bill wierp een geïrriteerde blik op de krakende traptree, die zijn poging om ongemerkt naar zijn slaapkamer te sluipen gedwarsboomd had.

In de zitkamer trof hij zijn moeder aan in gezelschap van Edith Carver, nog steeds gekleed in haar zwarte zondagse jurk, en Giles Weatherly, de ijzerhandelaar die aan de andere kant van de steeg woonde. Edith zat aan tafel thee in te schenken en Giles stond bij het open raam een pijp te roken. De zoete geur van kersentabak vulde de kamer.

'Edith,' zei Bill, die genoot van het zenuwtrekje in haar gezicht, het gevolg van zijn al te familiaire begroeting. 'Giles.'

'William,' zei Giles, terwijl hij met een duim over zijn dikke zwarte snor streek.

Bill mocht Giles graag. Hij was weduwnaar, had geen kinderen en was een paar jaar ouder dan Bills moeder. Zijn vrouw was voor de oorlog aan tuberculose overleden. Hij was een goede vriend van Bills vader geweest en was op de avond van de inbraak meteen toen hij de schoten hoorde naar de winkel gerend. Bij het proces had hij tegen Keith Glover getuigd.

Bill zag dat zijn moeder het witte zijden sjaaltje droeg dat Rachel en hij haar voor kerst gegeven hadden.

'Wat zie je er mooi uit, mam,' zei hij.

'Zo is dat,' zei Giles instemmend.

Mevrouw Vale bloosde. Toen Bill zijn blik van haar naar Giles liet glijden, schoot de absurde gedachte hem te binnen dat ze op een dag misschien meer dan alleen vrienden zouden zijn. Meteen erachteraan kwam de minder absurde gedachte dat zijn vader gewild zou hebben dat zijn moeder haar leven weer oppikte, net zoals Bill dat nu zelf probeerde te doen. Waarom niet, dacht hij. Er gebeurden wel vreemdere dingen. En alles leek mogelijk, vooral nu hij zich zo gelukkig voelde.

'Weet je wat, Giles?' zei hij. 'Waarom kom je niet eens bij ons eten? Ik denk dat ik Emily wel kan overhalen een keer voor jou en mama te koken. Dat zou leuk zijn.'

Edith Carver schraapte haar keel en keek met priemende ogen naar Giles en mevrouw Vale. Rook ze een roddel? Liet ze haar afkeuring blijken? Bill wist het niet en het kon hem niet schelen ook.

'Ik denk niet...' begon zijn moeder afwerend.

'Wat een goed idee,' zei Giles. 'Ik heb in geen tijden een behoorlijke maaltijd gehad.' Hij wendde zich vragend tot mevrouw Vale. De koperen horlogeketting aan zijn bruine wollen vest glansde. 'Laurel?'

'Ja, goed,' zei ze verlegen, 'ik denk niet dat het kwaad kan om...'

'Mooi, dat is dan geregeld. Je zult niet weten wat je overkomt,' zei Bill op vertrouwelijke toon tegen Giles. 'Emily is een fantastische kok.' Hij wendde zich tot zijn moeder. 'Nietwaar, mam?'

Bill liep naar haar toe en gaf haar een kus op haar voorhoofd. Hij wist dat ze zich opwond omdat hij het er waar Edith Carver bij was zo dik bovenop legde dat de losbandige Emily Jones tegenwoordig gewoon bij hen thuis kwam. Maar Emily was niet losbandig. Niet in Bills ogen. En in de ogen van zijn moeder ook niet meer, dacht hij, nu Emily zo haar best gedaan had haar voor zich te winnen. Hoe sneller iedereen het wist, hoe beter.

'Je moet ook eens bij het Sea Catch Café gaan eten, weet je, Giles,' vervolgde hij. 'Heel Stepmouth zou trouwens bij het Sea Catch Café moeten gaan eten. Het is het beste wat we hebben.'

Giles lachte. 'Er gaat niets boven een partijdig oordeel, vind je ook niet?'

Die opmerking was voor Bills moeder bedoeld, maar Edith Carver antwoordde op ijzige toon: 'Ze hebben het er anders niet echt druk.'

'Alleen maar omdat bepaalde kleingeestige mensen het vanwege hun merkwaardige, om niet te zeggen *onchristelijke* vooroordelen geen kans willen geven,' kaatste Bill terug.

'Nee, maar,' zei Edith Carver verontwaardigd. Ze keek naar Bills moeder en trok een boos gezicht. 'Nog afgezien van het onfatsoenlijke gedrag van die Emily,' vervolgde ze, 'je kunt toch niet om het feit heen dat ze die rotjongen van Glover nog steeds niet ontslagen heeft en...'

261

'Wie ze wel of niet ontslaat gaat jou niets aan,' zei Bill bruusk. Zijn moeder keek hem doordringend aan. Tot nu toe had hij het vermeden om het met haar over Tony Glover te hebben en hij zou niet toestaan dat Edith Carver olie op het vuur gooide. 'En niemand anders ook, trouwens,' voegde hij er nadrukkelijk aan toe, 'mij ook niet.'

Zijn moeder keek zwijgend naar de klok. Hij wist dat hij haar teleurstelde, maar de haat die hij vroeger jegens Tony Glover gevoeld had kon hij nu simpelweg niet meer opbrengen. Hij bewaarde nog wel een flinke dosis haat voor Keith. Maar niet voor Tony. Hij moest Tony's aanwezigheid verdragen, hij hoefde er niet onder te lijden, had hij besloten. Emily was belangrijker. Hij wist dat zijn moeder dit nooit zou begrijpen.

Giles verbrak de onbehaaglijke stilte. 'Het verbaast me je te zien,' zei hij. 'Je moeder zei dat je de hele middag weg was.'

'Ik was iets vergeten,' antwoordde Bill. 'Waar is Rachel?' vroeg hij vervolgens, om op een ander onderwerp over te gaan.

Het gezicht van zijn moeder was ondoorgrondelijk, zo uitdrukkingsloos als dat van een wassen pop. Ze dacht aan Tony Glover. Of aan Keith. Die gedachte had haar als een lampje uitgeknipt. En dat kwam allemaal door Edith Carver en haar grote mond.

'Bij Anne thuis,' antwoordde ze uiteindelijk, nog steeds zonder hem aan te kijken.

'O ja,' zei hij. 'Ik moet weer gaan. Emily zit in de auto op me te wachten.'

Hij rende opgewonden met twee, drie treden tegelijk de trap op naar zijn kamer.

Bills slaapkamer leek meer op een werkplaats dan op een plek waar iemand dagdroomde en sliep. Op de dag dat hij Emily voor het eerst mee uit had gevraagd, had hij zijn bed tegen een van de muren geschoven, onder het raam boven de Step. Nu stond midden in zijn kamer zijn tekenbord.

Hij had al zijn oude tekeningen van de universiteit tevoorschijn gehaald, zoals Emily voorgesteld had. Aan de muur hingen nu de bruggen en galeries en fantastische huizen die hij in zijn vrije tijd ontworpen had. Architectuur, daar had hij van ge-

droomd toen hij nog bouwkunde studeerde. En architectuur om-
ringde hem nu als hij sliep.

Aan de muur boven zijn bed hingen twee foto's. De ene was
van Emily, gemaakt op hun tweede afspraak, toen hij haar voor
de lunch meegenomen had naar een café aan zee. Hij haalde hem
van de muur en stopte hem in zijn portefeuille, want opeens wilde hij die foto dicht bij zich hebben. De andere was een foto van
het strandpaviljoen, het vervallen gebouw dat Emily hem in mei
aangewezen had, toen ze zei dat ambitie nooit verloren mocht
gaan.

Op zijn nachtkastje lagen keurig naast elkaar zijn tekenspullen.
Op het tekenbord zat wat hij nu kwam halen. Hij had er de afgelopen weken aan gewerkt. Het was nog niet klaar, maar het begon erop te lijken en hij kon niet langer wachten. Volgens hem
was dit het goede moment. Hij wilde het nu aan Emily laten zien.

Hij stak de opgerolde tekening onder zijn arm en rende de
trap af. Zijn zenuwen ranselden hem bij elke stap die hij deed.

'Hé, moet je horen,' zei hij toen hij weer naast Emily in de Jupiter zat. 'Rachel zit weer bij Anne.' Het was een terugkerende
grap. Rachel had een geheimzinnig vriendje. Ze had het aan Emily verteld en die had het weer aan Bill verteld. Ze gebruikte Anne
als excuus om het huis uit te komen. Bill wilde weten wie het
was, maar tot nu toe had Emily hem ervan weerhouden zich ermee te bemoeien. Maar Rachel kon het niet eeuwig geheimhou-
den, en wie het ook was, hij deed er verstandig aan in de tussentijd goed voor zijn zusje te zorgen. En Rachel kon zich ook maar
beter gedragen.

'En, heeft ze al verteld wie het is?' voeg hij.

Emily keek naar de rol papier in zijn hand. 'Nee, en ik heb het
niet gevraagd. Doe jij dat ook maar liever niet,' waarschuwde ze.
'Meisjes van haar leeftijd doen graag een beetje geheimzinnig
over dit soort zaken. Dat deed ik vroeger ook.'

'Precies,' plaagde hij, terwijl hij de auto startte, 'en we weten
allemaal wat er van jou geworden is.'

'Genoeg tijdgerekt,' zei ze, en ze griste de rol papier uit zijn
hand. 'Waar gaan we heen en wat is dit?' Ze begon het papier af
te rollen.

'Niet doen,' zei hij, en hij legde even een hand op haar hand. 'Alsjeblieft. Ik beloof je: het is het wachten waard.' Hij hoopte maar dat het waar was. Hij bad dat het waar was.

Ze legde de rol op haar schoot en ze reden door de hoofdstraat in de richting van de haven.

Aan het eind van de hoofdstraat sloegen ze rechtsaf naar Harbour Bridge, die naar de oostkant van Stepmouth leidde. Maar in plaats van door East Street naar het Sea Catch Café te rijden, zoals Emily (aan de verbaasde uitdrukking op haar gezicht te zien) verwacht had, stopte Bill voor het strandpaviljoen.

'Wat doen we hier?' vroeg Emily.

'Dat zal ik je laten zien.'

Hij pakte de rol papier van haar schoot en stapte uit.

Het vervallen bouwwerk was rechthoekig van vorm, veertig meter lang en dertien meter diep. Het was rond de eeuwwisseling gebouwd als kleed- en wasruimte voor de preutse badgasten, waar ze zich ongezien konden omkleden voor ze in hun gestreepte badpak de zee in liepen. Bij de grote storm van 1933 was het dak eraf geblazen en het interieur half ingestort. Maar eigenlijk had het verval daarvóór al ingezet. De mensen hadden minder behoefte aan zo'n extreme vorm van privacy. Het raakte uit de mode en er kwam geen geld om het gebouw te herstellen.

Emily liep om een roestig olievat dat half voor de ingang stond en volgde Bill naar binnen.

Roestige pijpen hingen aan de muren als lianen in het oerwoud, kreunend in de wind als de spanten van een schip op zee. Emily liet haar hand in die van Bill glijden.

'Ik krijg de kriebels van dit gebouw,' zei ze.

'Je went er wel aan,' antwoordde hij.

Ze liepen verder onder de druipende, beschimmelde dakbalken, die de lucht erboven in vierkanten verdeelden.

'Het is toch zo zonde,' merkte Emily op.

Ze baanden zich een weg door de kapotte dakpannen, glasscherven en bergen oude kranten. In de gang die achter de deurloze kleedhokjes langs liep bleef Bill staan.

Hij liet Emily's hand los, zakte door zijn knieën en rolde het papier uit, waarna hij er stukken baksteen op legde om het op zijn plaats te houden. Het was een tekening op schaal van het gebouw zoals het er na een grondige verbouwing uit zou kunnen zien. Tot in de kleinste details had Bill zijn plan met inkt aan het papier toevertrouwd.

Hij wist dat Emily achter hem stond en over zijn schouder meekeek. Om zijn zenuwen te kalmeren haalde hij diep adem.

'Het is maar een idee,' zei hij. Hij durfde haar niet aan te kijken. 'En het klinkt misschien dom, om nog een lening te nemen terwijl het café nog niet eens winst maakt. Maar dat komt door het weer. En slecht weer gaat ook een keer voorbij, toch? Vroeg of laat.'

Hij praatte steeds sneller, bang voor haar zwijgen, bang voor wat dat kon betekenen.

'En dit gebouw kost niet veel,' vervolgde hij. 'Echt niet. Zelfs niet als je ziet wat er allemaal aan moet gebeuren. Ik heb prijzen vergeleken. In badplaatsen die half zo druk zijn als Stepmouth betaal je gemakkelijk het dubbele voor een gebouw van deze afmetingen en zo dicht bij zee...'

Eindelijk hield hij op met praten, en hij bad dat ze eindelijk iets zou zeggen. Maar ze zei niets. Hij durfde haar nog steeds niet aan te kijken. Hij wees naar zijn tekening.

'Wat we kunnen doen is dit hier allemaal weghalen,' zei hij met een weids gebaar, doelend op de hele kleedruimte, 'en dan een nieuwe indeling maken. We kunnen hier een muur neerzetten,' vervolgde hij snel, eerst op de tekening en vervolgens op een denkbeeldige lijn in de ruimte wijzend, 'met de keuken daarachter...'

'Keuken?' Eindelijk zei ze iets.

'Ja, op die manier blijft de voorkant helemaal vrij en hebben we dus meer tafeltjes met uitzicht op zee...'

'Bill,' zei ze. Hij voelde haar hand op zijn schouder. Ze sprak met vaste stem. 'Kalm aan. Wacht even.'

'Maar...'

'Je wilt dat ik dit koop? Bedoel je dat?'

'Ja. Nee.' Eindelijk draaide hij zich naar haar om. Hij keek haar verbaasd aan. Had hij het niet duidelijk genoeg gezegd? 'Jij niet. Wij. Ik dacht dat je het begreep. Ik dacht dat we...'

Als een meteoriet suisde zijn bezieling terug naar de aarde en begon af te koelen. Hij was te ver gegaan. Te snel. Hij zag het in haar ogen.

Ze hurkte naast hem en keek eerst naar de tekening en toen naar hem.

'Het spijt me,' zei hij dof, verslagen. Hij sloot zijn ogen.

'Nee,' hoorde hij haar zeggen, 'dat hoeft niet.' Ze kuste hem, bedekte zijn gezicht met kleine kusjes. 'Dat hoeft niet, heerlijke, heerlijke man die je bent.'

17

Laurie kon haar ogen nog niet opendoen. Het gevoel dat haar overspoelde was zo anders dan alles wat ze tot nu toe gekend had dat ze een paar keer bij zichzelf moest zeggen wat het gevoel veroorzaakt had voor ze kon geloven dat het echt gebeurd was: Sam Delamere had zojuist de liefde met haar bedreven.

Ze lag op haar rug in de oude boot, met de kussens ongemakkelijk om haar heen. Sam lag boven op haar en hield haar handen boven haar hoofd. Ze zweetten en hijgden na op het ritme van de golven die buiten op het strand sloegen.

Langzaam deed ze haar ogen open. Sam keek recht in haar gezicht. Hij zat nog binnen in haar, maar hij verroerde zich niet. Ze voelde zich met hem verbonden, alsof zijn naakte lichaam – tegelijk zo vertrouwd en zo nieuw – met het hare versmolten was. Ze besefte dat ze haar benen om hem heen geslagen had en dat haar hielen hard in zijn onderrug drukten. Haar hart bonsde nog van de climax die haar hevig door elkaar geschud had en had doen schreeuwen van genot.

Voorzichtig voelde ze haar lichaam. Haar gezicht was verhit, haar lippen tintelden van hun heftige kussen, haar haar zat in haar gezicht geplakt en haar rug deed pijn van het schuren over de bodem van de houten boot.

Die eerste woordeloze kus van Sam was een lucifer die een oncontroleerbare brand had aangestoken. Nu voelde ze zich een overlevende, die hem door de rook heen aankeek.

Alsof hij haar gedachten kon lezen liet Sam haar handen los, zodat hij teder het haar uit haar gezicht kon strijken. Zijn ogen leken reusachtig. Ze leken haar hele blikveld te vullen en verjoegen al haar gedachten.

Langzaam liet ze haar benen van zijn rug glijden. Toen hij zich uit haar terugtrok voelde het alsof ze van elkaar losgerukt werden. Ze ging rechtop zitten en schoof bibberig in de hoek van de boot, waar een ordeloze stapel kussens lag. Ook Sam kwam overeind, zich vasthoudend aan de rand van de boot alsof hij steun nodig had. Met hun benen over elkaar heen zaten ze tegenover elkaar. De geur van seks, het geluid van de golven hing zwaar in de hete, vochtige lucht. Laurie rilde over haar hele lichaam.

Sam pakte haar handen, alsof hij haar van de verdrinkingsdood moest redden. Toen kneep hij erin alsof zij zijn reddingsboei was.

'Is dit echt gebeurd?' vroeg ze. Het was moeilijk om te praten. Ze had een droge keel en was nog steeds buiten adem. 'Zeg me dat het niet waar is. Dat we niet... Ik dacht...'

Ze dacht wat? Ze wist het niet. Ze wist niet of dit het begin van iets nieuws of het eind van iets ouds was. Ze wist alleen maar dat het echt waar was en dat het nú gebeurde. In haar hoofd vormden zich honderden vragen, maar niet één wilde haar helder voor de geest komen. Ze keek hem aan, in de hoop dat hij uit zichzelf antwoorden zou geven.

'Laurie, we moeten samen zijn,' zei Sam. 'Ik kan niet leven als jij niet bij mij bent.'

'Maar...'

'Ik ben niet alleen hiervoor gekomen, geloof me.'

Hij trok haar naar zich toe en haar lichaam vlijde zich opnieuw gewillig tegen hem aan. Haar geest werkte op volle toeren, maar ze had niet het gevoel dat het ergens toe leidde. Het was alsof ze niet genoeg weerstand had, zoals wanneer je probeert te trappen op een fiets die te hard een heuvel af suist.

Waarom was het zo heerlijk om naakt bij hem te liggen? Waarom voelde het zo natuurlijk en zo goed? Ze waren allebei hun partner ontrouw geweest. Niet alleen fysiek, maar emotioneel, spiritueel, helemaal. In elk opzicht. Waarom voelde ze zich dan helemaal niet schuldig? Misschien werd ze nog steeds gedragen door een golf van endorfine. Misschien over een paar minuten...

Maar ze wilde niet over de toekomst nadenken. Met haar ogen dicht legde ze haar wang op het vochtige haar op Sams borst. Ze ademde zijn geur in, hoorde zijn hart kloppen. Alleen het nu was belangrijk. Het gevoel dat Sam haar gaf, het gevoel dat ze thuis was.

Sam kuste haar telkens opnieuw, drukte vederlichte kusjes op haar hoofd, haar gezicht, zijn lippen dwaalden over elke centimeter huid, alsof hij haar oogleden, haar slapen, haar neus begroette en voor zich opeiste.

'Ik kan het gewoon niet geloven,' zei ze.

Ze keken elkaar met grote ogen aan, grijnzend als gekken.

'Oké. We moeten een duik nemen,' zei hij en ze lachte, want ze waren allebei kletsnat van het zweet.

Sam hielp haar uit de boot en toen haar voeten de grond raakten knikten haar knieën. Sam raapte zijn boxershort op.

'O, laat ook maar,' zei hij, en hij gooide hem weer op de grond. 'Kom mee.'

Hij gaf haar een hand en ze renden het boothuis uit, het warme zand op. Het was nog steeds bloedheet, de kalme zee was lauw van de zon. Laurie bleef rennen en Sams hand vasthouden tot ze in het water waren en gelijktijdig een duik namen.

Sam greep haar vast toen ze weer bovenkwam. Lachend gingen ze staan.

'Het is net een droom,' zuchtte ze.

Laurie omhelsde hem en kuste de straaltjes water op zijn gebruinde schouders. Nu pas voelde ze hoe graag ze hem had willen aanraken, toen ze samen op zijn boot zaten. Eindelijk was dat pijnlijke ontkennen afgelopen. Ze kon wel schreeuwen van blijdschap, zo vrij voelde ze zich. Ze kuste hem zonder ophouden, alsof hij een innerlijke dorst leste die ze maar niet kon bevredigen. Al snel sloeg ze haar benen weer om zijn middel en hij hield haar vast.

Hij boog zich een beetje naar achteren zodat hij haar kon aankijken.

'Je bent zo mooi,' zei hij. 'Dat heb ik je niet vaak genoeg gezegd. Je bent de mooiste vrouw die ik ooit gezien heb.'

Ze lachte. Ze voelde zich mooi als hij haar aankeek. Sam legde een vinger op haar lippen, zodat ze geen antwoord kon geven.

'Ik hou van je, Laurie.'

En toen de woorden die ze zo lang zo graag had willen horen haar eindelijk bereikten, wist ze dat ze niet meer belangrijk waren. Het was alsof ze de bevestigingsbrief kreeg voor een baan die ze al aangenomen had. Hij hoefde haar niet met woorden te bewijzen dat hij van haar hield, ze had zijn liefde gevoeld zodra ze zich omgedraaid had en hem in de deuropening van het boothuis had zien staan.

'Maar... maar hoe moet het dan...?' Haar hoofd vulde zich met twijfels, angsten. Ze zocht ze ook in zijn gezicht. 'Je hebt een gezin, Sam. Claire...'

'James,' vulde Sam aan.

Laurie schudde haar hoofd. Er was een wereld van verschil tussen haar gevoelens voor James en wat er nu door haar heen ging.

'Ik wil James niet,' fluisterde ze. 'Ik hou van jou. Ik heb altijd van je gehouden. De hele tijd.'

Sam legde zijn voorhoofd tegen het hare. 'We komen er samen wel uit.'

Ze voelde zijn hardheid in het water tegen haar aan. En terwijl hij zachtjes bij haar naar binnen ging, streelden de golven hun naakte huid. In Sams armen voelde ze zich volkomen gewichtloos, maar ze had meer dan ooit het gevoel dat ze leefde, alsof ze wakker geworden was na heel lang te hebben geslapen en de tijd zonder hem alleen maar een nare droom was geweest. Terwijl ze in de zee de liefde bedreven, bleef ze Sam de hele tijd recht aankijken, en ze wist dat hij meende wat hij zei. Ze wist dat dit het meest intense moment van haar leven was. Ze wist dat dit moment het begin van haar toekomst was, wat er ook zou gebeuren.

Pas later, toen ze hun verkreukelde kleren van de zanderige vloer van het boothuis opraapten, bedacht Laurie dat iedereen hen had kunnen zien. Dat iedereen had kunnen zien wat ze in zee deden en dat het haar niet had kunnen schelen.

Maar toen ze naar de villa terug slenterden kon het Laurie opeens wel schelen. Heel even sloot ze haar ogen, in een wanhopige poging de magie van deze middag vast te houden, dat gevoel van compleet in elkaar opgaan terwijl ze elkaar kusten en de liefde bedreven.

Toen ze boven aan de helling stonden ging haar hart als een razende tekeer, niet alleen van de inspannende klim, maar ook van schrik, omdat ze zo roekeloos was geweest. Bij de eucalyptus bleef ze even staan, terwijl Sam doorliep. Dante stond met zijn rug naar hen toe op een ladder een boom te snoeien. Hij had haar van de week al met James gezien. Wat zou hij denken als hij haar nu weer met Sam zag?

Waarom maakte ze zich nu opeens zorgen over de indruk die ze op de tuinman maakte? Waarom kreeg ze opeens last van haar geweten? Daar was het nu wel een beetje laat voor.

Sam gaf haar een snelle kus, alsof hij de middag wilde bezegelen, maar ze voelde dat er ook bij hem iets veranderd was. Op dat moment wist Laurie dat de overgave die ze op het strand ervaren hadden hierboven niet kon bestaan.

Bij de trap naar het terras bleef Laurie staan. 'Hoe gaat het nu verder, Sam?'

'Kijk niet zo,' zei hij. 'Je kijkt alsof je bang bent.'

'Ik ben ook bang. Ik ben nog nooit van mijn leven zo gelukkig geweest, en nog nooit zo bang.'

'Ik ook niet, maar het komt allemaal best...' Hij zweeg en ze keken elkaar aan. 'We redden het wel.'

Ze knikte, te emotioneel om iets te zeggen. Zwijgend liepen ze het huis in. Alles zag er nog net zo perfect uit als toen ze vanochtend vertrokken was – de keuken nog net zo smetteloos, de salontafel netjes gewreven. En toch voelde het anders aan, alsof de vertrouwde woonkamer niets meer met haar te maken had, maar wel geladen was met emotie.

Ze liep naar de twee grote witte banken en zag de ingelijste foto van Tony aan de muur hangen. Hij hield lachend een vis in de lucht. Laurie wendde zich af van de man die ze nooit ontmoet had. Ze had het gevoel dat ze hem in zijn eigen huis verraden had. Als zij het al zo voelde, hoe moest het dan wel voor Sam zijn?

'Je weet toch dat Rachel morgen komt?' zei ze.

'Je hebt dus toch je vader uitgenodigd?' raadde hij. 'Zonder erbij te zeggen van wie dit huis is?'

Ze knikte. Haar hart kromp ineen van angst bij de gedachte

aan haar vader, hier in dit huis. Wat had ze in godsnaam gedaan?

'O, jezus. Wat een puinhoop allemaal.'

'Kun je je vader niet afbellen?' vroeg Sam.

'Maar Rachel dan? Ik mag haar best een plezier doen voordat... voordat...'

Ze kon niet eens bedenken voordat wat. Voordat ze Rachels wereld liet instorten. Voordat ze haar argeloze vader pijn deed. Voordat ze het vertrouwen van haar hele familie verspeelde.

'Laat me nou niet in de steek, Laurie. Niet na vandaag.'

'Dat doe ik ook niet! Het is alleen... ik weet niet...'

'We zullen het ze moeten vertellen,' zei Sam. 'We kunnen er niet voor weglopen.'

'Dat weet ik wel.'

'Misschien is het wel het beste dat Rachel hier is. Dan doen we het meteen goed. We wachten tot ze het met je vader uitgepraat heeft en dan... dan... Dat is beter voor Claire. Ik kan het haar vanavond niet vertellen, want ze heeft een of ander stom feestje. Ja, ik kan het haar veel beter morgen vertellen, want dan is Rachel er om... om...'

Om de rotzooi op te ruimen, dacht Laurie. De gedachte aan Claire benam haar de adem. Er waren zoveel mensen bij betrokken. Zoveel mensen die ze zouden kwetsen. Die prijs leek haar veel te hoog. Ze had nooit geweten dat het veel ingewikkelder en pijnlijker was om aan jezelf te denken dan om jezelf weg te cijferen.

Ze had het gevoel dat ze op een kei in een wassende rivier stond en nu niet meer wist of ze moest doorlopen of omkeren.

'Wat gaat er nu gebeuren? Op dit moment bedoel ik?' vroeg ze.

Ze zag haar eigen angst in zijn ogen weerspiegeld. Het was een ondraaglijk idee dat deze middag nu al ten einde was.

'Ik moet gaan. Heel even maar. Ik moet een paar dingen doen voor... voor... Ik moet me even voorbereiden.'

Ze wisten allebei dat hij waarschijnlijk alles waarvoor hij zo hard gewerkt had achter zou moeten laten. Als hij bij Claire wegging, zou Rachel hem natuurlijk nooit laten blijven.

Sam schraapte zijn keel. 'En ik moet ook aan Archie denken.'

De plotselinge onzekerheid in zijn stem joeg haar angst aan.

'Sam, je moet in ons geloven,' zei ze. Hij liep naar haar toe en nam haar zonder nog iets te zeggen in zijn armen, alsof hij haar met de kracht van zijn omhelzing wilde bewijzen dat hij dat ook deed. En toch voelde ze zijn hart door de dunne stof van zijn overhemd net zo hard kloppen als het hare.

Sam zette haar af bij de terrassen aan de boulevard in Soller en zei dat hij de volgende dag naar Sa Costa zou komen. Het was een ongemakkelijk afscheid, beladen met de spanning van een onzekere toekomst. Ze hadden afgesproken dat hij het Claire zo snel mogelijk zou vertellen, en dat hij daarna meteen naar Laurie toe zou komen.

Maar nu ze in haar eentje over de boulevard slenterde, de terrassen volstroomden met toeristen die van de vroege avondzon kwamen genieten en de obers schone tafelkleedjes op de tafeltjes legden, had Laurie het gevoel dat ze met elastiek aan Sam vastzat. Alsof de band tussen hen uitgerekt werd. Het liefst zou ze opspringen en naar hem terugveren.

Vanmiddag in zee had ze zich zo veilig gevoeld. Alles was op zijn plek gevallen, eindelijk had ze vrede met zichzelf gehad. Ze had zich licht en gelukkig en vrij gevoeld. Maar toen ze een internetcafé in liep, drukte de ernst van hun besluit zwaar op haar schouders. Hun plannen leken opeens zo onbezonnen en ze wilde dat ze er langer over nagedacht hadden. Sams belofte, om het ergens in de komende vierentwintig uur aan Claire te vertellen, leek te veel zwakke plekken te hebben, te weinig garanties te bieden.

Ze kocht een flesje Cola Light en ging in een hokje zitten, rillend in de koelte van de airconditioning. Ze wilde dat ze thuis achter de computer zat. Rachel had gezegd dat ze hem mocht gebruiken, maar misschien moest ze maar vertrouwen op haar eerste ingeving, namelijk dat het beter was om dit op neutraal terrein te doen.

Ze had besloten James meteen te schrijven. Eerlijk zijn tegen James en een einde maken aan hun relatie was de eerste stap op weg naar een toekomst voor haar en Sam.

Ze checkte haar e-mail en was verbaasd over het aantal berichten. Ze wist dat haar vriendinnen het niet leuk vonden dat ze zo'n kluizenaar geworden was, maar ze kon zich er niet toe zetten hun berichten te lezen. Ze voelde zich te onwerkelijk en te schuldig. Haar leven stond op zijn kop. Het zou bijna onmogelijk zijn om Heather of Roz uit te leggen wat er sinds haar aankomst op Mallorca allemaal gebeurd was.

Maar met James moest ze het proberen. Ze klikte op de knop voor een nieuw bericht en staarde een hele tijd naar de cursor. Er was niets aan te doen. Ze moest hem de waarheid vertellen.

Nu ze zichzelf dwong aan James te denken, stelde ze geschokt vast dat ze nog maar een paar dagen geleden uit elkaar waren gegaan. Ze was zo in de war geweest toen ze hem naast Rachels zwembad had zien staan, ze had zich zo schuldig gevoeld toen Sam eenmaal vertrokken was dat ze hem bijna gezegd had dat hij maar weer moest gaan. Maar hij had haar geen gelegenheid gegeven.

Hij had meteen opgenoemd waar hij allemaal heen wilde in die paar dagen dat hij op het eiland zou zijn: naar die bar in Palma waar ze volgens zijn vrienden zulke lekkere cocktails maakten, het restaurant in Pollença, de chique sauna in het exclusieve vakantiedorp in Deià en, alleen voor de lol, het nudistenstrand...

Ze had het wel best gevonden. Ze had tenslotte zelf nog amper iets van het eiland gezien en het was leuk geweest om samen met James de toerist uit te hangen. Ze hadden allebei gekregen wat ze wilden: James had zo veel mogelijk lol gemaakt en zij had zo min mogelijk aan Sam gedacht.

En ze kon niet ontkennen dat het leuk geweest was. Dat kwam voor een deel door het feit dat ze in die drie avonden meer gedronken had dan in de rest van de zomer bij elkaar. Ze hadden tot diep in de nacht gefeest, om uiteindelijk uit een taxi hun bed in te rollen. Ze hadden het een paar keer met elkaar gedaan, maar Laurie was te dronken geweest om zich er erg druk over te maken of al te lang bij haar gevoelens stil te staan.

Pas op de laatste dag was het een beetje lastiger geworden. Het was tien uur 's ochtends en ze hadden boodschappen gedaan op de markt van Inca. Laurie had een zak rijpe perziken gekocht en ze waren op de gladgesleten trap van een oude kerk gaan zitten om ze op te eten.

'Ik heb je gemist,' zei James plotseling. 'In Londen, bedoel ik. Dat had ik je nog niet verteld, maar het is wel zo. Ik heb je gemist.'

'Welnee,' zei Laurie plagerig.

'Echt waar. Ik zweer het. Het was zo vreemd. Ik heb eigenlijk nog nooit iemand gemist, dus eerst dacht ik dat ik honger had. Je weet wel, zo'n wee gevoel in je maag. Toen besefte ik opeens dat ik jouw gezelschap miste.'

Laurie lachte. 'Mooi. Ik ben blij dat dat alles was. Ik zou niet willen dat je dik werd.'

'Nu zal ik je nog meer missen.'

Ze trok een gezicht, in een poging zijn eerste echte liefdesverklaring met een grapje af te doen.

'Het komt helemaal niet door mij. Je vindt het gewoon lekker om op vakantie te zijn.'

Maar toen James niet met een grap reageerde en Laurie hem aankeek, besefte ze dat hij het meende. Hij zou haar echt missen.

Ze keek de andere kant op. Het was niet de afspraak dat James voor haar viel. James was de man die nooit voor iemand viel. Dat hadden zijn vrienden duidelijk tegen haar gezegd. Ze zag nu in dat dit tenminste voor een deel de reden was dat ze met hem omging – omdat hij het niet serieus nam. Omdat ze de indruk had dat hij het ook nooit serieus zou nemen.

James brak de spanning door met zijn knie tegen de hare te duwen. 'Ik kom nog een keer,' zei hij.

'O, ja?'

'Ik bel Rachel en vraag of het goed is.'

'Jullie zijn wel dikke maatjes,' zei ze, en om zijn vraag te ontwijken nam ze nog een hap van haar perzik.

'Ik moet een beetje met je familie slijmen, dat is belangrijk.'

Ze deinsde terug voor dit gesprek en tegelijk nam ze dat zichzelf kwalijk. Ze wilde hem aanmoedigen, hem zeggen dat ze graag wilde dat hij nog een keer kwam, dat het voor haar zeker belangrijk was dat hij probeerde met haar familie op te schieten. Maar iets weerhield haar ervan.

Sam weer. Ze hadden elkaar op de boot toch heel goed duidelijk gemaakt dat er niets tussen hen kon zijn? Ze hadden het verleden begraven. Sam speelde geen rol meer in haar leven, behalve dan als de man van haar nicht. Ze moest hem uit haar hoofd zetten.

'We hebben het leuk gehad samen, hè? Ik ben blij dat je gekomen bent,' wist ze uiteindelijk op luchtige toon uit te brengen.

James zweeg. Hij zette zijn zonnebril af en zijn groenblauwe ogen straalden in het licht van de zon. 'Weet je, ik heb zitten denken... Als je straks geen huis meer hebt, kun je altijd nog bij mij intrekken.'

'Wil je dat ik bij je kom wonen?'

'Waarom niet? We zijn drie dagen samen geweest en dat ging toch heel goed?'

'Was dit een test? Kwam je kijken of ik een goede huisgenoot zou zijn?'

'Nee. Ik kwam omdat ik je leuk vind en omdat ik je miste, zoals ik al zei. En ik wil niet dat je hier blijft zitten alleen omdat je thuis geen dak boven je hoofd hebt. Ik wil liever dat we bij elkaar zijn.'

Deze keer haalde de perzik Lauries mond niet. Deze keer kon ze zijn woorden niet met een bijdehante opmerking afdoen. Ze draaide zich half om en keek naar James, alsof ze hem nu voor het eerst zag. Ze had hem altijd als een jongetje behandeld, hem expres niet serieus genomen, alleen maar omdat hij een paar jaar jonger was dan zij. Maar nu hij eindelijk zijn gevoelens uitte, schaamde ze zich ervoor dat ze zijn emoties zo gemakkelijk aan de kant geschoven had.

Wat was ze naïef geweest. Doordat zij niet echt in James geïnteresseerd was, was hij nu juist zonder dat ze het wilde wél echt in haar geïnteresseerd geraakt. Hij was verdorie voor háár naar Mallorca gekomen. Hij had haar drie dagen lang een leuke tijd bezorgd, alleen maar om haar te laten merken hoeveel hij niét om haar gaf. Maar nu begreep ze dat hij het niet ironisch bedoelde toen hij in dat restaurant van een zigeuner een roos voor haar kocht. Hij maakte geen grap toen hij op het balkon van de cocktailbar met die romantische aria meezong. En nu ze hier zo op de koele trap van de kerk zat en het perzikvocht langs haar kin droop, besefte ze dat dit net zo'n romantisch moment was als al die romantische momenten die ze niet herkend had.

Ze was sprakeloos. Ze voelde zich hopeloos klemgezet. Wat mankeerde haar? James bood haar een serieuze relatie en een oplossing voor al haar problemen. Waarom gilde ze niet van blijdschap en dankbaarheid? Waarom zette ze haar handtekening niet op de stippellijn? James was alles wat ze zich maar kon wensen. Thuis was iedereen dol op hem – zijn vrienden en die van haar. Dus waarom bleef ze zo aan het verleden kleven? Sam had haar alleen maar verdriet gedaan.

Doe het, zei ze bij zichzelf, alsof ze bang was dat de juiste woorden niet uit haar mond zouden komen. Dit kon zo niet langer duren. Ze moest iets zeggen, of iets doen. In paniek glimlachte ze naar hem en besloot hem te kussen. Ze boog zich naar hem toe en drukte haar perziklippen op de zijne.

Weer in Rachels huis raakte ze nog dieper in de problemen. Ze had James bij de kerk niet zo gulzig moeten kussen, besefte ze, terwijl hij haar langzaam uitkleedde. En toen ze voor het eerst sinds James' komst aan een nuchtere vrijpartij begonnen, wist ze dat hij er geen geintje van maakte, zoals hij normaal gesproken gedaan zou hebben.

Naderhand bleef hij zonder iets te zeggen naast haar liggen, alsof hij zich koesterde in een gelukzalig moment, maar Laurie staarde als verlamd naar de balken boven het bed en kon zich niet aan de indruk onttrekken dat Sam op een of andere manier naar haar keek. Ze probeerde zich voor te stellen dat Sam met Claire in bed lag, in dít bed lag, maar dat maakte het alleen maar erger.

Toen James haar met een zucht wilde kussen, draaide ze zich van hem af riep ze dat hij zijn vlucht niet mocht missen.

Nu, in het internetcafé, waar ze nog steeds naar de knipperende cursor op het lege scherm zat te staren, zag ze maar al te duidelijk dat ze zichzelf voor de gek had gehouden. Ze was de hele tijd al verliefd op Sam. Ze had het geweten op het moment dat ze hem en James, na dat dagje zeilen, bij het zwembad tegenover elkaar zag staan.

Lieve James, tikte ze. Ze zuchtte en wreef in haar ogen. Ze zag James' lachende gezicht voor zich. Hij was zo knap. Voor een andere vrouw zou hij zo goed zijn. *Het valt me niet makkelijk om dit te schrijven...*

Later, in Rachels huis, wachtte Laurie nerveus ijsberend op Sams telefoontje. Ze zette telkens opnieuw haar handen tegen elkaar en strekte haar vingers alsof ze na die e-mail aan James van schuldbesef dreigden te verkrampen. Ze had hem het hele verhaal van haar verhouding met Sam verteld, en ook hoe ze hem weer tegen het lijf gelopen was. Ze was onbarmhartig eerlijk geweest, in de hoop dat de heftigheid van haar gevoelens voor Sam haar op een of andere manier zou vrijpleiten.

Maar wachtend op bericht van Sam lukte het haar niet een excuus voor zichzelf te vinden of te geloven dat ze als fatsoenlijk mens uit deze hele toestand te voorschijn kon komen. Ze had vanaf het begin eerlijk tegen James moeten zijn. Ze had hem de waarheid over Sam moeten vertellen zodra hij aangekomen was. In plaats daarvan had ze hem aan het lijntje gehouden en hem laten denken dat ze straks in Londen bij hem in zou trekken. Ze had hem als een kind behandeld, hem in de maling genomen, en ze wist dat haar e-mail hem woedend zou maken – en terecht. Ze kromp in elkaar als ze eraan dacht.

En toen schoot haar iets anders te binnen. Stel dat James Rachel belde. Stel dat hij zo kwaad was dat hij Rachel alles over Lauries verhouding met Sam vertelde. Ze wist dat Rachel het toch te horen zou krijgen, maar van James? Ze moest er niet aan denken.

Tegen tien uur die avond werd Laurie helemaal gek. Ze had Sam nooit uit het oog moeten verliezen. Ze had met hem mee moeten gaan. Hoe moest zij in haar eentje voor hun toekomst knokken? Ze had zich zo schuldig gevoeld over Rachel en haar vader dat ze niet helder kon denken toen Sam zei dat ze tot de volgende dag moesten wachten.

Maar dat betekende dat hij nog een hele nacht bij zijn gezin zou zijn. Uren en uren waarin tot hem door zou dringen hoeveel pijn hij Archie en Claire zou doen. Uren en uren waarin hij zich misschien zou realiseren wat hij kwijt zou raken.

En wat als het allemaal weer van voor af aan begon, net als drie jaar geleden? Wat als Sam op het laatste moment terugkrabbelde en het niet aan Claire vertelde?

In paniek draaide Laurie Roz' nummer.

'Laat me eerst uitpraten voor je iets zegt,' smeekte ze toen Roz opnam. Ze wist dat Roz aan haar stem kon horen dat het een noodgeval was; als ze er in één keer uitgooide hoe ze zich voelde, zou Roz niet de kans krijgen boos op haar te worden omdat ze zo lang niets van zich had laten horen.

'Oké,' stemde Roz in, 'maar wat is er in godsnaam aan de hand? Je klinkt vreselijk.'

'O, Roz,' begon Laurie met een van tranen verstikte stem. 'Ik weet niet wat ik moet doen.'

'Vertel me alles maar,' zei haar vriendin troostend. 'Bij het begin beginnen.'

Maar vijf minuten later, toen Laurie haar van de laatste ontwikkelingen op de hoogte gesteld had, sprak Roz niet de geruststellende woorden die ze zo graag wilde horen. Roz was woedend.

'Stomme trut die je bent,' tierde ze.

'Roz, alsjeblieft, begrijp het nou,' smeekte Laurie. 'Ik hou van hem.'

'Heb je enig idee hoe zielig dat klinkt?'

'Maar...'

'Eén keer was erg genoeg, maar je laat je toch niet twéé keer door die slang bijten? Je lijkt wel levensmoe.'

'Het is niet... Hij houdt ook van mij.'

'Waar is die vent van je nu dan? Waarom bel je mij als hij zo fantastisch is?'

'Hij is... weg. Hij is naar Claire.'

'Gaat hij het haar vertellen?'

'Nee, ze... ze geeft een feestje.'

'Een feestje! Natuurlijk!' Het sarcasme in haar stem ging Laurie door merg en been. 'Jij trekt de haren uit je kop, en hij is naar een of ander pokkenfeest? Niet te geloven, je hebt het weer voor elkaar, Laurie. Ik dacht dat je klaar met hem was.'

'Dat dacht ik ook.'

'Hoor eens, waarom kom je niet gewoon naar huis, meid?' zei Roz, vriendelijker nu. 'Je hebt hier zoveel vrienden. Een heel leven. Je carrière. Trek gewoon de deur achter je dicht.'

'Dat kan ik niet.' Laurie had Roz nog niet eens verteld dat haar vader morgen aankwam. Ze legde haar hoofd in haar handen, maar hoe harder ze haar best deed om de situatie uit te leggen, hoe minder ze er zelf van begreep.

Toen ze eindelijk ophing was ze op van de zenuwen. Roz had gelijk, besloot ze. Waarom moest zij zich zo voelen? Was een feest zo belangrijk, terwijl hun hele leven op z'n kop stond? Waarom rekte Sam tijd met zo'n slap excuus? Laurie stelde zich voor hoe hij op dit moment samen met Claire hun vrienden in hun huis verwelkomde, alsof er niets aan de hand was.

Je moet in ons geloven, had ze eerder die dag tegen hem gezegd. Zij geloofde er wel in. Ze had het uitgemaakt met James. James, die had laten zien dat hij emotioneel veel volwassener was dan zij dacht. James, die samen met haar een toekomst had willen op-bouwen. En ze had hem aan de kant geschoven. Ze had hem kei-hard gedumpt – per e-mail. En zoals Roz onomwonden gezegd had, dat verdiende niemand. En James al helemaal niet. En wat had Sam intussen gedaan?

Laurie belde zijn mobiele nummer.

'Hallo?' Claire klonk zo lijzig dat Laurie onmiddellijk wist dat Sam met geen woord over het gebeurde gerept had. Ze was dron-ken en aan het lawaai op de achtergrond te horen was het feest nog in volle gang.

'Is Sam thuis?' vroeg Laurie, die deed alsof ze Claires stem niet herkende.

'Laurie, ben jij dat?'

'Eh, ja. O hoi, Claire.' Laurie trok een grimas. Ze was een waardeloze toneelspeelster.

'Wacht even, ik loop even verder. Sam verstopt zich in de bad-kamer. Hij staat onder de douche,' schreeuwde Claire boven de herrie uit. 'Hij is echt niet te geloven, hoor. Hij is de hele dag niet op zijn eigen feestje komen opdagen en nu klaagt hij dat we te dronken zijn om nog een normaal gesprek te voeren!'

De herrie van het feestje nam af en even later hoorde Laurie het geluid van stromend water. Sam was naakt, op een paar me-ter afstand van Claire, die met haar aan de telefoon zat. Zij zat zich in haar eentje op te vreten over hun toekomst en hij stond *onder de douche?*

'Dat is beter,' zei Claire, duidelijk doelend op het lawaai. 'Ik ben zo blij dat ik je nu even spreek. Vertel, vertel, is die goddelijke vriend van je er nog?'

'Nee... nee. Die is naar huis,' mompelde Laurie met bonzend hart. Haar hoofdhuid tintelde en ze kreeg bijna geen lucht.

'Jammer. Ik had zo gehoopt dat we een keertje met z'n vieren konden eten. Rachel zei dat hij om te smullen was. Zij had toch geregeld dat hij kwam? Bij wijze van verrassing? Ze vond het zo spannend, maar ze was ook zo zenuwachtig. Was het fijn? Geen wonder dat we zo weinig van je gehoord hebben! Ik popelde om me voor te komen stellen, maar ik heb me ingehouden.'

'We zijn... druk geweest.' Het was niet meer dan een gefluister, maar Claire leek het niet op te merken.

'Dat zal best!' Laurie hoorde hoe ze een sigaret opstak. 'Je bent toch niet beledigd vanwege het feest, Laurie? Ik wilde je wel uitnodigen...'

'Nee, nee, maak je niet druk.'

'Argh! Sam staat altijd uren onder de douche. Waar had je hem voor nodig?'

Voor de rest van mijn leven, had Laurie willen zeggen, maar ze had het nog niet gedacht of het schuldgevoel sloeg weer toe. Zonder dat ze het gemerkt had stroomden er opeens hete, geluidloze tranen over haar wangen. 'O nee, ik wil hem niet storen, Claire. Het is al laat en hij heeft vast wel iets beters te doen... vooral met dat feestje...'

'Nee, vertel nou... wat is het probleem?'

Wat was het probleem? Hoe moest Claire de omvang van het probleem ooit begrijpen!

'Het is het elektronische hek,' improviseerde ze. Ze kon zo snel niets anders verzinnen. Het kostte haar de grootste moeite de emotie uit haar stem te bannen. 'Ik krijg het niet meer open. Ik vroeg me af of... of Sam Fabio's nummer heeft?'

'O, ik dacht dat je iets spannends had! Bel Fabio maar niet wakker. Ik roep Sam wel even.'

'Nee, laat maar. Je moet vast weer... het kan wel wachten...'

Maar het was al te laat.

'Liefje?' hoorde ze Claire zeggen, en ze klopte op de deur.

Liefje. Laurie hoorde de douche op de achtergrond. Ze dacht aan Sam, die haar geur van zich afspoelde. Ze was misselijk.

'Hij geeft geen antwoord. Hij denkt vast dat er iemand met 'm wil neuken. Ik zeg wel dat je gebeld hebt. Maak je niet druk om dat hek. Morgen komt er wel iemand om het te maken. Nu ga ik je hangen, ik heb gasten.'

En weg was Claire. Laurie drukte op het rode knopje, en met een woedende schreeuw smeet ze de telefoon tegen de muur.

18

Zelfs op een dag als deze, wanneer de regen de winkelruiten striemde en woedende diagonale strepen op het glas achterliet, was Emily Jones zo vrolijk en zonnig als de zomerdag die het had moeten zijn. Rachel stond in de donkere hoek van de winkel achter de toonbank een stapel nieuwe gele stofdoeken op te vouwen, maar haar aandacht was bij Emily, die als een lichtgevende vlinder door de winkel fladderde.

Rachel had altijd een merkwaardige mengeling van jaloezie, trots en verlangen gevoeld als ze Emily zag, en vandaag verging het haar niet anders. Ze had iets unieks over zich. Sinds ze maanden geleden weer in Stepmouth was komen wonen, was ze haar moderne stijl onvoorwaardelijk trouw gebleven. Er was geen meisje in de stad dat niet net zo wilde zijn als zij.

Vandaag droeg ze een vilten pet, die zwierig schuin op haar blonde krullen stond, en een regenjas met polkadots die bij haar paraplu paste. Om haar hals had ze een zijden sjaaltje met bloemetjesmotief. Ze had haar gezicht opgemaakt met een stralende roze rouge en in de muffe lucht hing de geur van haar parfum, die zelfs sterker was dan die van de doos met schoensmeer op de toonbank. Het was alsof Emily overal haar persoonlijke stempel op drukte, zodat iedereen om haar heen wel vrolijk móést zijn. Geen wonder dat Bill zich als een verliefde puber gedroeg.

Rachel zag hoe Emily met een glimlach een groot koekblik over de toonbank naar mevrouw Vale schoof.

'Je hoeft ons echt niet de hele tijd taart te brengen,' zei Rachels moeder, tegelijk afkeurend en op een gereserveerde manier dankbaar. 'Ik heb het je al eens vaker gezegd, maar ik ben heel goed in staat zelf te bakken, mochten we ons te buiten willen gaan...'

'Ik probeerde vanmorgen alleen maar te bedenken wie me uit de brand zou kunnen helpen,' onderbrak Emily haar, 'en toen dacht ik dat een intelligente vrouw zoals u, die het vreselijk vindt om eten weg te gooien, toch iets voor me moest kunnen doen. Ziet u, met dit weer krijg ik bijna geen gasten binnen. Die taart verdwijnt toch in de vuilnisbak. En er zit verse room in en...'

'Chocola,' zei Rachels moeder, die voorzichtig het deksel optilde en in het blik gluurde. Ze zei het alsof de taart met rattengif overdekt was.

'Mevrouw Vale, wat zou het leven zijn als we onszelf niet zo af en toe een beetje verwennen?'

'Ik wil je ervoor betalen.'

'Nee, nee, het is een cadeautje. En als jullie hem niet opeten, kunt u toch proberen hem te verkopen? Dan verdienen we er nog wat aan. Wij zakenvrouwen moeten elkaar helpen, nietwaar?'

Emily knipoogde naar Rachel en verborg haar glimlach. Emily's tactiek, die inhield dat ze haar moeder met een onverwoestbaar enthousiasme voor zich probeerde te winnen, begon eindelijk vruchten af te werpen. Ze had een doelbewuste campagne op touw gezet om haar goedkeuring te krijgen. Ze kwam de laatste tijd regelmatig met kleine cadeautjes naar de winkel en liet geen gelegenheid voorbijgaan om op de overeenkomsten tussen haar en mevrouw Vale te wijzen, alsof er tussen hen helemaal geen verschillen bestonden.

Persoonlijk kon Rachel geen twee mensen opnoemen die zo sterk van elkaar verschilden als Emily en haar moeder. Maar Emily speelde het spel behendig. Ze doorspekte hun gesprekken met beleefde, eerbiedige complimenten aan het adres van mevrouw Vale, die ze al dankbaar in ontvangst genomen had voor ze zich realiseerde dat Emily haar probeerde te vleien. Het resultaat was dat Laurel Vale de laatste tijd anders tegen de vriendin van haar geliefde zoon aankeek; in ieder geval deed ze niet langer alsof ze niet bestond.

'Goed, ik neem hem wel. Maar alleen om je te helpen, en geen cadeautjes meer,' sprak haar moeder dreigend, maar haar ogen lachten.

'Heel erg bedankt,' zei Emily, toen mevrouw Vale het blik op haar schoot zette en de winkel uit reed om het in de keuken te zetten.

'Je komt er wel,' zei Rachel, die achter de toonbank langs op Emily af liep.

Emily keek Rachels moeder na. 'Op een dag zal die ouwe heks me aardig vinden!' Ze zei het bijna tegen zichzelf. 'O, hemel! Moet je mij horen. Ik wilde niet... het is je moeder...'

Rachel giechelde. Het was zo verfrissend dat Emily zo gewoon was, dat ze altijd zei wat ze dacht.

'Heb het lef niet om tegen je broer te zeggen dat ik dat gezegd heb,' waarschuwde Emily, maar ze glimlachte erbij.

'Nee hoor. Hij is er trouwens toch niet.'

'Weet ik. Ik kwam ook voor jou.'

'Voor mij?' vroeg Rachel gevleid, maar op dat moment kwamen er twee kinderen binnen. De bel klingelde luid en Emily deed een stapje opzij, zodat Rachel haar klanten kon helpen. Ze wilden drop en stonden op hun tenen voor de toonbank over hun geld te kibbelen. Normaal gesproken zou Rachel rustig afgewacht hebben, hun misschien achter haar moeders rug om een snoepje gegeven hebben, maar vandaag was ze niet in de stemming. Ze wilde dat ze weggingen, zodat ze ongestoord met Emily kon praten.

Toen de deur met veel belgerinkel weer achter hen dichtgevallen was, kwam Emily naar de toonbank.

'En?' zei Rachel.

Emily kwam nog een stapje dichterbij en haalde diep adem voor ze begon: 'O, Rachel, dit is zo moeilijk.' Haar stem was nauwelijks meer dan een dringend gefluister.

'Wat is moeilijk?' vroeg Rachel geschrokken. Ze kon zich niet voorstellen dat Emily ooit iets moeilijk vond.

'Het punt is... je zult Bill over jou en Tony moeten vertellen.'

Rachels wangen gloeiden van schaamte en schrik. Dit was wel het laatste wat ze verwacht had. Ze wierp een nerveuze blik op de deur, maar Emily leek haar angst aan te voelen. Ze legde een hand op die van Rachel. Haar nagels waren felrood gelakt.

'Je kunt het niet langer voor hem geheim houden. Ik wil het hem niet vertellen. Maar ik zal wel moeten...'

Rachel hief met een ruk haar hoofd op en keek recht in Emily's zachtaardige ogen. 'Alsjeblieft niet! O, Emily...'

'Het wordt steeds lastiger. Met Bill, bedoel ik. Ik lieg niet tegen hem, maar ik zeg hem ook niet bepaald de waarheid. Hij hoort het te weten. Ik vind het vreselijk om zijn vriendin te zijn en te weten dat hij om de tuin geleid wordt. Jij bent de enige die het hem kan vertellen.'

'Dat kan ik niet, dat weet je best. Hij wordt gek als ik het hem vertel.'

'Bill is veranderd. Geloof me. Misschien wordt hij wel een beetje gek, maar niet zo gek als jij denkt. Hij is je broer. Het is heus niet zo dat hij je nooit meer aan zal kijken.'

Emily glimlachte, maar Rachel lachte niet terug. Ze voelde zich in de steek gelaten. Ze had gedacht dat Emily haar en Tony begreep, maar nu wist ze dat Emily's loyaliteit verschoven was zonder dat zij het gemerkt had. Bill had haar voor zich opgeëist en ze stond niet meer aan de kant van haar en Tony.

Rachel huiverde. Emily kende Bill niet zoals zij hem kende. Emily zag de lieve, romantische Bill, de Bill die de hele tijd indruk op haar probeerde te maken. De Bill die haar als een godin aanbad. Emily wist niet hoe haar broer in het echt was. Als Bill ooit ontdekte wat Rachel en Tony met elkaar hadden en wat ze met hun toekomst wilden, dan zou hij er alles aan doen om hun plannen te dwarsbomen. Dat besefte Emily niet.

Emily zuchtte. 'Ik weet dat het moeilijk is, maar denk erover na, voor mij, meer vraag ik niet van je. Nu moet ik weg.'

Toen Emily de regen in stapte kwam er een onheilspellend gevoel over Rachel dat ze niet meer van zich af kon schudden. Maar stel dat Emily gelijk had, bedacht ze, terwijl ze de theedoeken begon op te vouwen. Stel dat Bill echt veranderd was? Als hij nu eens echt snapte dat Tony niets met Keith te maken had? Als hij dankzij Emily eindelijk het vermogen had om te vergeven?

Rachel voelde een vage hoop, maar op dat moment ging de deur naar de gang open en kwam haar moeder binnen. En dat was het moment waarop Rachels hoop vervloog. Ze kon Bill niet vertrouwen. Als hij het ontdekte van Tony, dan zou hij het onmiddellijk aan hun moeder vertellen en ze wist heel zeker dat er in dit huis nooit begrip zou zijn.

Pearls moeder kwam uit een rijke familie. Na haar huwelijk met dokter Glaister was ze naar Stepmouth verhuisd. Ze woonden in een negentiende-eeuws herenhuis aan de haven en hun voortuin liep door tot aan de zeemuur. De kille, sobere spreekkamer was op de begane grond, en aan de afbladderende, mosterdkleurige muren hingen gescheurde afbeeldingen van skeletten en advertenties voor medicijnen. Net als alle andere inwoners van Stepmouth was Rachel al haar hele leven vertrouwd met de houten banken in de wachtkamer, de geur van desinfecterende middelen en de matglazen schuifdeur van de spreekkamer, met de raadselachtige schimmen daarachter.

Maar in tegenstelling tot de andere mensen van de stad, kende Rachel ook de extravagante smaak van Pearls moeder, die voor geen mens af te lezen viel aan de bedompte praktijkruimte beneden. Aan het hoge plafond op de overloop hing een ouderwetse kroonluchter, een familiestuk. Het hele huis stond vol met tierelantijntjes en dure spullen en voor de ramen hingen bloemengordijnen met lambrekijnen erboven.

Pearls ruime slaapkamer keek uit op de havenmuur en de riviermonding met zijn voortdurend ronkende vissersboten, maar ondanks de nabijheid van het water was het er altijd warm en gezellig. Rachel had als klein meisje al in die kamer gespeeld en kende elke pop en knuffelbeer op de planken aan de muur.

Later die avond, toen ze achter Pearl voor haar met ruches afgezette kaptafel stond, gaf de vertrouwde omgeving haar een gevoel van geborgenheid dat ze de laatste tijd thuis helemaal niet meer had. Ze keken samen in de hoge spiegel. Pearl zat in een gewatteerde ochtendjas op haar kruk, met haar fijne blonde haar in de nieuwe roze krullers. Rachel had ze zo strak opgewonden dat de bleke huid van haar voorhoofd en wangen naar achteren getrokken werd.

'Emily zei dat ze een paar tijdschriften uit Amerika laat komen,' zei Rachel, die wist dat dit indruk op Pearl zou maken. Ze had Emily's outfit van vandaag al in geuren en kleuren beschreven. 'Misschien kunnen wij nieuwe patronen bestellen. Ik kan het haar in ieder geval vragen.'

'Zou je dat willen doen? Voor mij ook, bedoel ik?'

Rachel knikte en richtte haar aandacht weer op Pearls kapsel, blij dat ze een manier gevonden had om zich bij haar vriendin geliefd te maken. Ze voelde zich schuldig omdat ze Tony al de hele tijd voor Pearl verborgen hield. En ze verlangde naar de vertrouwelijkheid van vroeger. Terwijl ze allebei tevreden zwegen, vatte Rachel moed om haar vriendin om raad te vragen over iets wat haar al dagen dwarszat.

'Weet je, ik ken een meisje,' begon Rachel zonder Pearl aan te kijken, terwijl ze het haar in haar nek om de roze kruller wond. Pearl zat neuriënd met een poederdons te spelen. Nog steeds zonder haar aan te kijken vervolgde Rachel: 'Ze komt wel eens in de winkel. Ze is niet van hier, maar ze moet ongeveer zo oud zijn als wij. Jonger nog. Laatst kwam ze weer, en ze zag er afschuwelijk uit. Iemand vertelde me dat ze misschien wel... je weet wel, met jong geschopt is.'

Rachel wist zoveel afschuw in haar stem te leggen dat Pearls aandacht getrokken was. Ze keek haar in de spiegel aan. Er zat een dot wit poeder op Pearls wang, alsof iemand een sneeuwbal in haar gezicht gegooid had.

'Is ze zwanger?' riep Pearl uit. 'En ze is net zo oud als wij? Wat vreselijk. Dan is ze zeker niet van hier.'

'Nee, nee. Ik bedoel, ze is niet zoals je denkt. Ze komt uit een keurige familie en zo. Net als wij. Maar ze is niet getrouwd, of verloofd. Dat moet toch gruwelijk zijn, of niet? Ik zou het niet eens weten, jij wel? Als we het gedaan hadden, bedoel ik, wat natuurlijk niet zo is,' vervolgde Rachel snel. 'Maar stel dat je het wel gedaan had, hoe moet je dan weten of je... zwanger bent?'

'Je wordt niet meer ongesteld en 's ochtends ben je misselijk en zo, zegt mijn vader.'

'Wat zou jij doen als je zwanger was? In theorie, dan?'

'Ik? Ik zou mezelf van kant maken,' zei Pearl. 'Kun je je voorstellen wat mijn ouders zouden zeggen? Ik ga liever dood dan dat ik ze dat moet vertellen.'

Rachel glimlachte opgelaten. Ze kende Pearls ouders al haar

hele leven. Ze kon zich heel goed voorstellen dat ze er een hele-boel over te zeggen zouden hebben, en niets aardigs of opbeu-rends ook.

'Ik zou hier niet kunnen blijven wonen als zoiets gebeurde,' vervolgde Pearl, die lol in het onderwerp begon te krijgen. 'Ik bedoel, iedereen zou het weten, toch? Zoiets kun je niet geheim-houden. En mijn ouders zouden zich doodschamen. Overal waar ze kwamen zouden de mensen achter hun rug fluisteren.'

'Niet als je zou trouwen.'

'Maar je kunt pas trouwen als je achttien bent. En wie trouwt er nou met je als je al een kind hebt?'

'En de man die je zwanger gemaakt heeft dan?' vroeg Rachel.

'Denk nou even na. Je kunt toch niet naar hem toe gaan? Niet als je eenmaal in verwachting bent. Dat zou weinig zin hebben. Geen enkele man, en zeker geen aardige man, blijft bij een meisje dat al voor het huwelijk met hem naar bed is geweest.'

Rachel zei niets. Het liefst zou ze Pearl alles over Tony vertel-len. Ze had het er al vaak bijna uitgeflapt, maar nu wist ze waar-om ze dat niet gedaan had. Pearl zou het niet begrijpen. Ze was net zoals Anne.

'Een paar jaar geleden was er een meisje zwanger geworden op de basis,' zei Pearl, met een elleboog op de toilettafel geleund. 'Ik weet nog dat ze op een avond bij mijn vader kwam. Tegen nie-mand zeggen, ik mag het eigenlijk helemaal niet vertellen.'

'Wat was er dan?'

'Ze had zelf geprobeerd de baby weg te halen.'

'Kan dat dan?'

'Ze had geprobeerd het er met een kleerhanger uit te halen!'

Rachel werd misselijk.

'Het was een vreselijke puinhoop. Het bloed zat overal. Ze bloedde zo bij ons op de keukenvloer. Ik hoorde mijn vader tegen mijn moeder zeggen dat dat meisje naar een dokter in Exeter wil-de om het weg te laten halen, maar mijn vader zei dat die lui geen echte dokters zijn en dat ze je eerder doodmaken dan helpen.'

'O,' zei Rachel. Ze had niet verwacht dat Pearl zo praatgraag zou zijn, of dat ze zoveel weerzinwekkende bijzonderheden zou opdissen.

'Moet je je voorstellen,' ging Pearl verder. 'Ik bedoel, je kunt jezelf toch alleen maar van kant maken? Of je moet weggaan en nooit meer terugkomen. Zeker als je alleen bent.'

Rachel knikte woordeloos. Ze wist niet wat ze moest zeggen. 'Maar als je nou geen geld hebt...' zei ze uiteindelijk, '... als je verder nergens mensen kent... en je hebt ook nergens familie?'

Pearl pakte een tijdschrift van haar toilettafel en begon erin te bladeren. 'Dan sterf je dus van de honger of je gaat naar een of andere grote stad en eindigt als hoer. Vind je dat ik mijn haar moet verven, Rach? Als ik nou eens net zulk rood haar had als jij? Of zou Emily's stijl iets voor mij zijn?'

Die avond roffelde de regen op het zolderraam in Rachels kamer. Het was zo'n ritmisch, slaapverwekkend geluid dat Rachel normaal gesproken binnen een paar minuten vertrokken zou zijn, maar toen de nacht plaats maakte voor de dag lag ze nog steeds wakker, starend naar de schaduw van de tak van de oude eikenboom, die over haar plafond heen en weer zwaaide.

Ze hunkerde naar Tony. Ze was tien brieven aan hem begonnen en had ze allemaal weer verscheurd. Ze dacht aan Tony in zijn schuur en vroeg zich bezorgd af of hij het daar wel droog hield. Ze zag hem bij het flikkerende licht van zijn kachel op zijn vouwbed liggen. Er klopte helemaal niets van. Tony verdiende zo veel meer.

Konden ze toch maar op een of andere manier bij elkaar zijn. Maar hoe langer ze over haar laatste gesprek met Emily nadacht, hoe meer ze ervan overtuigd raakte dat die mogelijkheid zich steeds verder van haar verwijderde.

Het was een kwelling, dit stiekeme gedoe. Rachel voelde zich zo in leugens verstrikt dat ze nauwelijks nog met mensen durfde te praten, bang als ze was haar mond voorbij te praten. Alleen Tony zou het begrijpen, dacht ze. Maar dat joeg haar nog het meeste angst aan. Als ze Tony zag, als ze naar hem toe ging of met hem praatte, dan zou hij merken dat er iets mis was.

En er was iets mis. Heel erg mis. Ze hoefde maar aan de mogelijkheid te denken en ze kreeg het gevoel dat ze een teen in bloedheet water stak. Ze had gedacht dat het zou helpen om met Pearl te praten, maar nu wist ze zeker dat haar symptomen maar één ding konden betekenen. En dat ze zichzelf niet langer voor de gek kon houden.

Starend naar het plafond, met de koude dekens tot vlak onder haar kin, zag ze de waarheid eindelijk onder ogen. Ze verwachtte Tony's kind. Ze voelde het in haar botten, alsof een parasiet al haar kracht opslurpte.

Rachel huilde zachtjes. Als Pearl nu eens gelijk had? Als Tony haar in de maling genomen had? Als hij tegen haar gezegd had dat hij met haar zou trouwen, alleen maar omdat hij wilde dat ze zich aan hem gaf? Als hij dat al tien keer eerder aan een meisje beloofd had?

Maar Tony hield van haar. Dat wist ze. Hij had het zelf gezegd. Hij wilde toch voor altijd bij haar zijn?

Maar hoe ze zich ook vastklampte aan het beeld van Tony die haar in zijn armen hield, ze wist dat alles veranderd was. Stel dat ze hem over de baby vertelde en hij vervolgens een hekel aan haar kreeg? Hij zou immers nu nog geen kind willen, of wel? Op zijn leeftijd... hij had nog een heel leven voor zich. Hij was jong, hij had goede vooruitzichten. En als hij erachter kwam, zou hij beseffen dat hij van zijn toekomst beroofd was.

Je kunt jezelf toch alleen maar van kant maken? Dat had Pearl gezegd. Ze werd koud van angst als ze over haar dilemma nadacht. Ze kwam overeind en pakte de po die naast het bed stond. Het moet al ochtend zijn, dacht ze, in de wetenschap dat de misselijkheid voorlopig niet voorbij zou gaan.

Op dat moment hoorde ze beneden een deur kraken. Bill was eindelijk thuis. Rachel jammerde zachtjes. Ze wist dat Bill zijn best deed om zonder hun moeder wakker te maken in bed te kruipen, nadat hij de hele nacht bij Emily geweest was. Ze kon zich de dromerige blik in zijn ogen voorstellen, en ze haatte hem hartgrondig.

Het is niet eerlijk, dacht ze, terwijl ze geluidloos overgaf in de po. Waarom mocht Bill wel in het holst van de nacht rondsluipen, terwijl ze heel goed wist wat hij met Emily uitspookte, en zat Rachel hier in haar eentje opgesloten?

Een uur later had Rachel nog steeds geen rust gevonden. Ze

sloop de trap af om buiten in de wc de po leeg te gooien voor Bill of haar moeder zouden ruiken dat ze overgegeven had. Ze doopte een vinger in de pot met tandpastapoeder en stak hem in haar mond, zodat het spul op haar tong plakte. Ze moest bijna weer kokhalzen, maar als ze straks met haar moeder en broer aan het ontbijt zat mocht haar adem niet meer zo zuur ruiken.

Bill was als eerste beneden. Met zijn bretels nog los stond hij zich in de keuken fluitend te scheren. Hij leek helemaal niet moe, hoewel hij maar een paar uur geslapen had.

Rachel daarentegen, die eieren met spek bakte en haar best moest doen om niet weer over te geven, was nog nooit zo uitgeput geweest. Toen ze eenmaal alle drie aan tafel zaten, merkte ze dat haar moeder en Bill elkaar bezorgd aankeken.

'Is alles goed met je, Rachel?' vroeg Bill. 'Je ziet zo bleek.'

'Ja hoor, prima,' antwoordde ze. Ze durfde niet op te kijken. Ze dwong zichzelf nog een hap brood te nemen. 'Zet je dat ding even op de weersvoorspelling?' vroeg ze, met een hoofdknikje naar de radio. 'Het gaat alleen maar harder regenen.'

Haar afleidingsmanoeuvre leek te werken. Toch kon ze zich er amper toe zetten Bill te groeten toen hij wegging, nadat ze eerst lusteloos toegestemd had in nog een dag in de winkel. Nu ze examen gedaan had, verwachtte hij van haar dat ze in plaats van minder nog meer ging werken. Het was niet eerlijk, maar ze had geen energie om tegen hem in te gaan.

Toen haar moeder achter hem aan de gang in reed, greep Rachel haar kans en rende zo zachtjes mogelijk naar de gootsteen in de keuken, waar ze haar ontbijt weer uitspuugde.

Snel draaide ze de kraan open. Ze zag het bewijsmateriaal wegspoelen, terwijl de kraan rammelde en tikte en het water woest in de gootsteen spoot. Zachtjes kreunend duwde ze de stukjes eten door het afvoerputje.

'Rachel?'

Met haar handen op de gootsteen draaide Rachel zich om. Haar moeder stond in de deuropening tussen de keuken en de zitkamer. Ze sloot de deur zachtjes achter zich, waarna ze tot Rachels schrik de grote sleutelring van het koord om haar middel haalde en de deur op slot draaide.

'Wat doe je, mam?'

'Je hebt overgegeven, hè?' Haar moeder reed van de schuine plank de keuken in. Rachel deinsde achteruit.

'Nietwaar.'

'Lieg niet tegen me.'

Vechtend tegen de misselijkheid en de angst die haar moeders stem haar inboezemde, staarde Rachel naar haar voeten.

'Ik heb op je gelet,' zei haar moeder.

Rachel keerde haar de rug toe en deed alsof ze aan het afwassen was. Maar toen haar moeder weer begon te praten, verstijfde ze.

'Ik weet het, Rachel.'

'Wat?' Rachel leunde op de rand van de gootsteen en kon nauwelijks een woord uitbrengen.

'Ik weet wat er met je aan de hand is.'

Rachels ogen vulden zich met tranen. Nee, zei ze bij zichzelf. Ze mocht niet huilen. Niet waar haar moeder bij was. Als ze begon te huilen, wist haar moeder dat ze het bij het rechte eind had. Maar het kind in haar was te sterk. Haar moeder moest het begrijpen. Haar moeder moest haar in haar armen nemen. Haar moeder moest tegen haar zeggen dat het allemaal wel weer goed zou komen.

'Kijk me aan!' viel haar moeder uit. Rachel begon te trillen. 'Kijk me aan!'

Rachel dacht dat ze de meeste dingen goed voor haar moeder verborgen wist te houden, maar ze wist dat het deze keer mislukt was. Haar geheim was geen geheim meer. Toen ze zich omdraaide slaakte haar moeder een diepe zucht. Al had ze er de energie voor gehad, ze wist dat het geen zin had om nog langer te doen alsof.

'Het is anders dan je denkt,' jammerde Rachel.

'Je bent zwanger,' siste haar moeder. 'Dat ziet elke idioot. Dacht je dat ik je vanmorgen niet gehoord had? En gistermorgen? En de dag daarvoor? Denk je dat ik achterlijk ben? Dat ik niet weet wat er met mijn eigen dochter aan de hand is?'

Rachel voelde de tranen over haar wangen lopen. Ze wilde alleen maar begrip van haar moeder, en nu ze besefte dat haar moeder getuige was geweest van haar ellende en alleen maar minachting voor haar voelde, werd ze nog wanhopiger dan ze al was.

Haar moeder kwam met haar rolstoel een stukje dichterbij. 'Wie heeft dit met je gedaan? Vertel op. Nu.'

'Dat kan ik niet zeggen.'

Haar moeder greep Rachels arm en trok haar hard omlaag, zodat ze naast de rolstoel op haar knieën viel en haar moeder recht aankeek. Rachel gaf een gilletje van pijn. Ze dacht dat haar moeder haar een klap zou geven, maar ze leek zich nog net op tijd in te houden. Mevrouw Vale zuchtte diep. Rachel merkte dat ze haar uiterste best moest doen om zich te beheersen. Ze hoorde haar een kort gebedje prevelen.

Het bleef een hele tijd stil. Rachel droogde haar tranen en zette zich schrap tegen het geweld van haar moeders razernij. Maar haar moeder stak een hand uit en streek het haar uit haar gezicht.

'O, arme schat van me. Ik moet niet boos op je zijn. Het spijt me. Het spijt me,' zuchtte ze, en ze streelde Rachels wang. Rachel begon zich een beetje te ontspannen. Haar moeder hield toch van haar. Ze begreep het.

'O mam, ik ben zo bang.'

'Heeft hij je gedwongen?' vroeg haar moeder.

'Wie?'

'De jongen die dit met je gedaan heeft.'

Rachel verstijfde en haalde haar neus op. 'Het is anders dan je denkt. Ik hou van hem...'

'Je houdt van hem!' De meelevende toon was op slag uit haar moeders stem verdwenen. 'Wat weet jij nou van liefde?'

'Zat,' antwoordde Rachel, die haar kracht voelde terugkeren. 'Tony en ik...'

Toen ze besefte dat ze zijn naam genoemd had, zweeg ze. In de ogen van haar moeder sloop een woede die ze nooit eerder gezien had. Rachel wilde verder spreken, haar moeder de waarheid vertellen, maar ze was te bang.

'Tony? Je bedoelt toch niet dat joch van Glover? Wil je... Wil je beweren dat hij dit gedaan heeft?'

Rachel had al die tijd op haar knieën gezeten, maar nu verplaatste ze haar gewicht naar haar voeten om overeind te komen. 'Niet expres. Het is niet zijn schuld. We hebben het samen gedaan. We houden van elkaar.'

Op het moment dat Rachel opstond sloeg haar moeder haar onverwacht zo hard in haar gezicht dat ze haar evenwicht verloor en met haar schouder tegen het gasfornuis viel. Ze bleef ineengedoken tegen de koude ovendeur liggen, te geschokt om zich te verroeren. Haar moeder had haar nog nooit geslagen. Rachels lip klopte. Bloed druppelde op de vloer.

'Je laat het weghalen!' Haar moeder schreeuwde niet, haar stem klonk dodelijk kalm.

'Nee,' huilde Rachel.

'Je gaat dit kind niet krijgen. Heb je me gehoord?'

'Nee, mam, nee! We gaan trouwen en...'

'Over mijn lijk!' siste haar moeder. Ze boog zich voorover in haar stoel en pakte Rachel bij haar schouder. Haar vingers priemden in haar vlees. 'Hoe kon je dit doen, Rachel? Hoe kon je je vader en mij dit aandoen? Je familie?'

'Het spijt me.' Rachel hield haar handen beschermend voor haar gezicht. Ze snikte nu zo heftig dat de lage jammerklacht van haar moeder nauwelijks tot haar doordrong.

Ze wist niet hoe lang de stilte tussen hen duurde, maar toen ze voorzichtig opkeek zag ze tranen op haar moeders wangen. Toen hun blikken elkaar kruisten, nam ze Rachel opeens in een wurgende greep.

'Je mag dit nooit aan iemand vertellen. Niet aan Bill, en niet aan die vervloekte knul. Het is ons geheim, Rachel, begrijp je dat?' Rachel kromp ineen toen ze, nog voor haar moeder het hardop uitsprak, begreep wat ze wilde zeggen. 'Niemand hoeft het te weten. We laten het weghalen. Ik regel het wel, en voor je het weet is het allemaal voorbij.'

'Mam, nee, alsjeblieft, nee.'

Rachel probeerde zich los te rukken, haar verdriet ging over in een kille angst. Maar haar moeder hoorde haar niet. Ze hield haar in een ijzeren greep en dwong Rachel haar hoofd op haar knie te leggen.

'Meisje toch. Stil maar, stil maar. Je blijft altijd mijn meisje. Het is jouw schuld niet. Het komt allemaal weer goed. Je zult het zien.'

Zodra haar moeder haar alleen liet om de winkel open te doen, vloog Rachel naar de achterdeur. Haar enige gedachte was dat ze zo snel mogelijk naar Tony toe moest. Ze gunde zich niet de tijd om een jas aan te trekken, maar rende zonder iets te zien de regen in.

Toen Rachel aankwam stond Tony voor zijn schuur het water van het betonnen plat te vegen. Klappertandend en met haar kleren aan haar lijf geplakt stortte ze zich in zijn armen.

'Wat is er gebeurd?' vroeg hij met paniek in zijn stem, terwijl hij haar bij haar schouders pakte. Hij bestudeerde haar gezicht en voelde behoedzaam aan haar gebarsten lip. 'Wie heeft dat gedaan?'

'Ze weet het,' snikte Rachel. 'Ze weet het.'

'Wie? Wie weet het?'

'Mijn moeder.' Bij de gedachte aan haar moeder die haar sloeg, barstte Rachel opnieuw in tranen uit. 'Ik haat haar. Ik heb zo vreselijk de pest aan haar! Ik wou dat ze dood was.'

'Ze weet het van ons? Hoe kan dat nou? Van wie weet ze dat?'

Rachel veegde haar tranen weg. Ze moest dapper zijn. Alleen Tony zou het begrijpen. Dat moest wel. Hij was haar enige kans. O, god. Als hij nu eens bij haar wegging? Straks wilde hij geen... en wat dan?

Ze voelde zijn handen op haar schouders en ze dwong zichzelf naar hem op te kijken. Ze kon nergens anders heen. Hij was haar laatste kans.

'O, Tony, het is nog erger. Veel erger dan je denkt.'

'Hoe bedoel je?'

'Ze weet het van de baby.'

Tony leek op te houden met ademhalen. Hij liet haar schouders niet los.

'Onze baby? Bedoel je dat je...?'

Rachel knikte. Ze stond te trillen op haar benen. 'Ze wil dat ik het weg laat halen. Ze zei dat ik het nooit aan jou mocht vertellen. Ze heeft me geslagen. Ze, ze...' Rachel barstte opnieuw in snikken uit.

Tony nam haar in zijn armen en drukte haar gezicht tegen zijn borst. 'Zei ze dat?' vroeg hij.

'O, Tony. Het was niet mijn bedoeling dat je er zo achter zou komen.'

'Sst. Niet huilen. Alsjeblieft niet huilen. Laat het maar aan mij over,' zei hij. 'Laat het allemaal maar aan mij over.'

19

Palma, nu

Laurie reed in haar rode huurauto door de doolhof van wegen rond het vliegveld van Palma. Ze was er met een taxi naartoe gereden en was van plan geweest samen met haar vader ook weer een taxi terug te nemen, maar ze had zich bedacht. Het zou dom zijn om juist vandaag geen eigen vervoer te hebben. Dus deze auto, een onvoorstelbaar goedkope Fiësta, zou haar vluchtauto zijn – als het zover kwam.

Het was pas tien uur 's ochtends, maar volgens het personeel van het autoverhuurbedrijf zou het een van de heetste dagen van de zomer worden. De zon was nu al onbarmhartig, wat haar zenuwachtig maakte en een droge keel bezorgde, alsof ze in de schijnwerpers stond. Ze keek op de thermometer op het dashboard en zag dat het al meer dan veertig graden was.

Buiten leken alleen de palmbomen roerloos onder de strakblauwe hemel. Al het andere, van het wegdek tot de bussen op het parkeerterrein, trilde in de hete lucht. Verderop zag Laurie groepen toeristen uit de koele aankomsthal komen. Als gedesoriënteerde insecten bleven ze aarzelend en opeens futloos staan.

Laurie wist precies hoe ze zich voelden, maar vandaag moest ze scherp blijven. Ze nam een kortere route langs een verboden in te rijden-bord en parkeerde de auto op de parkeerplaats. Ze zette de motor af en schold op de hitte, vocht ertegen. Ze transpireerde over haar hele lichaam en haar benen voelden aan alsof ze met de zwarte autostoel versmolten waren. Ze pakte haar rieten tas en haalde er een zakdoek uit om haar gezicht en hals mee af te vegen. Hoe sneller ze binnen was, hoe beter.

Maar de koelte in de terminal kalmeerde haar zenuwen niet. Ze bestudeerde de aankomsttijden op het tv-scherm en zag dat de vlucht van haar vader over veertig minuten zou landen. Veertig minuten! Veertig minuten was niets. Nog maar zo weinig tijd voordat...

Opeens drong de ernst van de situatie in volle omvang tot Laurie door, en heel even dacht ze dat ze flauw zou vallen. Ze viste de waterfles uit haar tas en nam een slok van het lauwe vocht, maar de angst die in haar aderen bonsde werd er niet minder door. Haar gevoel zei haar dat ze een kolossale fout beging.

Achter de glazen wand waren de ronddraaiende bagagebanden omringd door grote groepen gestreste passagiers, die elkaar opzij duwden om bij hun koffers te komen. De enigen die een ontspannen indruk maakten waren de mensen van de luchthaven, die in hun uniform kalm tussen de mensen door liepen, volkomen onaangedaan door het geduw en getrek om hen heen en de dringende boodschappen die in het Spaans uit de intercom knalden.

Laurie voelde zich gevangen. Het was te laat om te vluchten. Hoe had ze zich in 's hemelsnaam zo in de nesten gewerkt? Wat was er in 's hemelsnaam in haar hoofd omgegaan? Haar vader zou een hele week blijven en verkeerde in de veronderstelling dat ze samen een beetje vakantie zouden vieren. Toen ze hem een paar dagen geleden sprak, had ze geen woord gezegd over de verrassing die ze voor hem in petto had. Wel had zij hém horen zeggen dat vliegen zo duur was en dat dit sinds de dood van haar moeder zijn eerste buitenlandse reis was, twee mededelingen die haar ineen hadden doen krimpen.

Maar nu? Nu was het nog een miljoen keer erger. Inmiddels was Rachel aangekomen, door het dolle heen omdat ze met haar broer herenigd zou worden, en was tussen Sam en haar alles veranderd. Laurie had haar tante nauwelijks gesproken voor ze die ochtend de deur uitging. Ze had haar niet eens recht in de ogen kunnen kijken. Want de kans was groot dat Rachel over een paar uur gloeiend de pest aan haar zou hebben.

Net als haar vader.

Laurie had zin om te huilen. Waarom had ze zich door Rachel over laten halen? Was er een slechter moment denkbaar? Dacht Rachel echt dat Bill maar een blik op haar zou hoeven werpen om alles wat tussen hen voorgevallen was te vergeten? En in het onwaarschijnlijke geval dat ze het wél goedmaakten, wat zouden ze dan zeggen als ze hoorden wat er tussen haar en Sam aan de hand was? Zou dat hen niet opnieuw uit elkaar drijven?

Dit was allemaal haar eigen schuld, dacht Laurie paniekerig. Ze had Rachel het idee van een verzoening meteen vanaf het begin uit haar hoofd moeten praten. Ze had haar geen hoop moeten geven. Nu herinnerde ze zich met een verblindende helderheid hoe haar vader gereageerd had toen Laurie over zijn zuster begon. Hij zou Rachel nooit vergeven, want hij haatte haar. Zo was het, en niet anders.

En nu ze hier in de aankomsthal stond wist ze ook dat Bill zijn bedekte dreigement weleens zou kunnen uitvoeren. Misschien zou hij ook met haar het contact verbreken. Goed, ze wist best dat haar vader van haar hield, maar ze had ook ontdekt dat ze verder bar weinig van hem wist. Hij was immers koppig genoeg geweest om zijn familie vijftig jaar lang geheim te houden. Als hij zo koppig was, kreeg hij het vast ook voor elkaar om nooit van zijn leven meer een woord tegen zijn enige dochter te zeggen.

Ze dacht terug aan hun eerste ruzie, nadat Rachel op die zondag naar het huis van haar vader gebeld had. Het leek zo lang geleden. Maar eindelijk begreep ze waarom haar vader toen zo kwaad geweest was. Hij had jaren geleden besloten het contact met zijn familie te verbreken, hij was bij zijn besluit gebleven en had een eigen gezin gesticht. Precies wat zij nu met Sam wilde.

Sam. Lauries maag maakte een sprongetje als ze aan hem dacht. Zou haar vader, of Rachel, zich ooit kunnen inleven in de allesoverheersende liefde die zij voor hem voelde? Haar vader was geen hartstochtelijk man. Hij had nooit, zoals zij, een grote liefde verloren. Hoe zou hij dus ooit moeten begrijpen dat ze bereid was alles, zelfs haar eigen familie, op het spel te zetten? En Rachel? Laurie moest er niet aan denken wat Rachel hiervan zou zeggen.

'Sam, Sam, waar ben je toch?' mompelde ze zachtjes. Ze had hem sinds ze gisteren uit elkaar gegaan waren niet meer gesproken en ze verlangde wanhopig naar zijn stem, zijn geruststellende woorden. Maar ze had niets van hem gehoord. Geen woord, zelfs niet na haar gesprek met Claire. En dat was ongetwijfeld ook haar eigen schuld, want in haar radeloosheid had ze de telefoon tegen de muur stuk gesmeten. Nu schrok ze van de emotionele achtbaan waarin ze terechtgekomen was.

Als Sam meteen na haar telefoontje naar haar toe gekomen was, had Laurie hem vast en zeker in elkaar geslagen. Ze voelde zich verraden, verscheurd door jaloezie en schuldbesef. Ze kon het beeld van Sam die naakt naast Claire stond niet van zich afschudden. En na alles wat Roz gezegd had, was Laurie ervan overtuigd geraakt dat Sam opnieuw haar hart zou breken.

Maar in de loop van de avond had haar woede plaats gemaakt voor bezorgdheid. Denkend aan Sam, thuis bij Claire, begon ze medelijden met hem te krijgen. Ze had geprobeerd zich in hem te verplaatsen en stelde zich voor dat hij een verschrikkelijke avond had. Misschien stond hij nu wel met onuitstaanbare mensen over koetjes en kalfjes te babbelen. Misschien voelde hij zich opgesloten in zijn eigen huis. Misschien maakte Claire het met alles wat ze zei alleen maar erger.

Er waren zoveel misschienen dat Lauries hoofd aanvoelde alsof het op hol geslagen was, als een computer die onbegrijpelijke informatie te verwerken krijgt. Ze had zichzelf gedwongen niet in paniek te raken en de zaak praktisch te bekijken. Ze moest bedenken wat haar te doen stond. En dat was zorgen dat ze klaarstond om te vertrekken – heel snel, als het nodig was.

Daarom had ze haar kleren ingepakt en de rest van haar spullen bij elkaar gezocht en was ze bij het ochtendgloren naar het boothuis gegaan om haar geïmproviseerde atelier te ontmantelen. Ze moest hier weg. Samen met Sam of in haar eentje, ze moest hier weg en ergens anders opnieuw beginnen.

Maar terwijl Laurie in het schemerige licht in het boothuis haar doeken op elkaar stapelde, realiseerde ze zich ook dat ze een verhuizing in haar eentje niet aan zou kunnen. Ze hield van Sam. Ze had hem nodig en moest dicht bij hem zijn. Ze liet een hand over de rand van de boot glijden en dacht aan hun vrijpartij van de dag ervoor, aan zijn aanraking, zijn geur, het geluid van zijn ademhaling. Op dat moment beloofde ze zichzelf plechtig al haar twijfels uit te bannen. Twijfels maakten de kans dat ze ooit samen zouden zijn alleen maar kleiner.

Maar er bleef iets aan haar knagen. Sam moest ook aan Archie denken. Op het moment dat hij dat tegen haar had gezegd, was hij plotseling onzeker geworden. Zou Sam hem echt achterlaten? Zou hij zo'n groot offer voor haar willen brengen? En belangrijker nog, mocht ze dat wel van hem vragen?

Als ze hardvochtig wilde zijn kon ze zichzelf best van de feiten overtuigen. Kinderen waren flexibel. Ze herstelden zich meestal snel na een scheiding. Na een tijdje zou het met Archie weer helemaal goed gaan. Maar toen dacht ze aan Archie alleen met zijn moeder op Mallorca, en ze wist hoe afgewezen hij zich zou voelen. En toen ze zich voorstelde dat Sam afscheid zou nemen van zijn zoon, kreeg ze tranen in haar ogen. Archie had Sam nodig, dat stond als een paal boven water. In de ochtendschemering keek Laurie nog één keer over zee uit. De hemel werd lichter, de sterren boven de horizon verbleekten. Ze zag de kleur van de zee en de hemel van grijsblauw overgaan in bleekoranje. De belofte van een hete dag hing in de lucht.

Ze was hier zo gelukkig geweest, als een kluizenaar werkend aan haar schilderijen. Maar nu was ze klaar om te vertrekken. De zonsopkomsten en -ondergangen die ze geschilderd had, waren in haar ogen nu meer momenten in de tijd dan de uitdrukking van een creatieve gedachte. Ze had het gevoel dat ze al die tijd ergens op gewacht had.

En nu wist ze ook waarop ze gewacht had. Nu ze Sam teruggevonden had, begon Rachels huis op een gevangenis te lijken en ze verlangde ernaar weer vrij te zijn. Ze wilde de Laurie zijn die ze was als ze bij Sam was, en ze wist dat dit binnen de context van haar familie onmogelijk zou zijn.

Ze voelde de behoefte om te ontsnappen tot in haar botten, alsof ze werd voortgedreven door een innerlijke kracht. Ze verbaasde zich over de draai die ze gemaakt had. Haar hele leven had ze een grote familie om zich heen gewild, en toen ze Rachel vond was het alsof er in haar een diepgevoelde behoefte bevredigd werd. Maar nu zag ze in dat ze eigenlijk alleen maar iemand voor zichzelf wilde. En dat was iets heel anders. Rachels familie bracht zelfs meer complicaties en verplichtingen met zich mee dan ze ooit had kunnen dromen, en op het moment wilde ze niets liever dan haar oude leventje. Met Sam. En met Archie, als het niet anders kon.

Ze was zo stom geweest! In de dampige hartstocht van die middag was er zoveel ongezegd gebleven. Zo veel belangrijke dingen. Ze had niet tegen Sam gezegd dat ze bereid was Archie in hun plannen te betrekken. Dat ze haar best zou doen om van hem te houden als van een eigen kind, als Sam en zij daardoor bij elkaar konden zijn.

Wegdromend zag ze voor zich hoe ze Archie zijn schooluniform aantrok en samen met hem naar school liep. Ze zag voor zich hoe ze zijn kamer inrichtte en hem een geborgen en veilig gevoel gaf. En ze stelde zich voor dat ze zelf kinderen kreeg, samen met Sam. Dat ze broertjes en zusjes voor Archie maakten.

Wie probeerde ze eigenlijk voor de gek te houden, dacht ze toen ze weer met beide benen op de grond stond. Ze had zelfs nog nooit een luier verschoond! Haar getrouwde vriendinnen plaagden haar omdat ze nooit wist wat ze moest zeggen als hun kinderen in de buurt waren. Ze was nog nooit gevraagd om peettante te zijn en werd door geen van de ouders die ze kende geduldig genoeg gevonden om een avondje op hun kinderen te passen. Dus hoe kwam ze erbij dat ze zomaar de moederrol op zich kon nemen? Claire had haar tekortkomingen, maar bij Laurie vergeleken was ze een heilige. En belangrijker nog, Claire was Archies moeder. Archie was haar kind. Ze zou hem net zomin willen missen als Sam. Hoe ze het ook bekeek, ze kwam er niet uit.

Toen Laurie naar het huis terugliep, had ze nog steeds geen oplossingen, maar diep in haar hart wist ze één ding zeker. Ze hield van Sam. Dat was het belangrijkste. En als ze in hem bleef geloven, kon ze alles aan wat het leven hun nog zou brengen.

Maar nu, een paar uur later, begon Lauries vertrouwen te wankelen. Haar hart sloeg een slag over toen ze door de glazen wand in de aankomsthal naar de paspoortcontrole keek en haar vader daar in de rij zag staan. Hij droeg een nieuwe strooien hoed en een wit overhemd, met nette omslagen in de korte mouwen gestreken. Zijn paspoort stak uit zijn borstzak en de zonneklep van zijn bril stond omhoog geklapt terwijl hij zijn reisgidsje van Mallorca raadpleegde. Ze wist dat hij bij de paspoortcontrole precies de goede zin wilde zeggen, zo goed kende ze hem wel.

Alle andere mensen zagen in hem gewoon een vakantieganger, een gepensioneerde man, maar zij zag haar dierbare vader en besefte nu pas hoezeer ze hem gemist had. De tranen prikten in haar ogen. Ze stond op het punt hem verschrikkelijk veel pijn te doen. Ze zou zijn vertrouwen in haar voorgoed kapotmaken. Kon ze dit echt wel?

'Papa,' zei ze toen de glazen deuren een paar minuten later opengingen en ze hem kon omhelzen. Ze vroeg zich af of hij kon merken hoe gespannen ze was. Ze had het gevoel dat ze op de zoveelste dodenbocht in de achtbaan af raasde. 'Je bent er.'

'Laurie,' zei hij, en hij gaf haar een zoen op haar wang. 'Je bent bruin geworden.'

Ze nam een van zijn koffers van hem aan en rolde hem over de gladde vloer. Ze had zo ontzettend tegen dit moment opgezien, maar toen hij begon te praten over de bewonersvereniging en buren die ze amper kende en de aardbeien die het in deze recordzomer zo goed deden, stond ze versteld van het normale van zijn aanwezigheid. Het maakte dit bezoek zo pijnlijk echt.

'Hoe gaat het met je werk?' vroeg hij toen hij haar helemaal bijgepraat had.

'O, tja. Goed hoor. Ik heb de afgelopen maanden ongeveer vijftien schilderijen gemaakt.'

'Dat is een flinke verzameling. Ik ben benieuwd.'

Bij de draaideuren aarzelde Laurie. Ze keek hem aan en bad inwendig dat hij de angst in haar ogen zou lezen en alles in orde zou maken. Maar hij vatte haar zwijgen op als een teken dat het tijd was voor excuses. Hij zette zijn bril af. Het viel haar op hoeveel rimpels hij rond zijn ogen had.

'Laten we voor we verdergaan eerst de lucht maar eens klaren,' zei hij met een zucht, alsof ze hem uitgedaagd had. 'Ik weet dat ik een beetje overdreven reageerde toen we elkaar de laatste keer zagen, maar ik was zo bang dat je je met Rachel in zou laten.

Maar je bent zoals altijd verstandig geweest, en hier kun je natuurlijk prima afstand nemen van die hele toestand.'

'Pap, ik...'

'Ik weet dat het je spijt, Laurie, dat hoef je niet te zeggen. Dat je me uitgenodigd hebt is al genoeg. We hadden geen ruzie moeten maken. Ik vond het verschrikkelijk. Maar die dingen gebeuren. En nu ben ik hier en kunnen we samen heerlijk een weekje vakantie houden.'

Laurie deed haar mond open om iets te zeggen, maar ze kon de woorden niet vinden.

'Kom op,' vervolgde hij, terwijl hij haar even in haar arm kneep. 'Laten we er verder over ophouden. Laat me dat huis maar eens zien waar je zo wild van bent.'

En met die woorden duwde hij haar de verzengende hitte in.

20

Tony tuurde door de striemende regen, maar van Rachel was nog steeds geen spoor te bekennen. Hij stond tegen de afbladderende houten deuren van de garage in Lydgate Lane gedrukt, schuilend onder de uitstekende rand van het golfplatendak.

Het water spatte over de rand op de neuzen van zijn beste zwarte schoenen. De wind joeg in vlagen langs hem heen en huilde als een wolf in de smalle straat. Hij trok zijn pet diep over zijn ogen.

Het was al zo'n krankzinnige dag geweest en nu was Tony bang dat het alleen maar erger werd. Hij was niet bijgelovig, maar zelfs hij moest toegeven dat er iets niet klopte. De lucht voelde verkeerd aan: dicht, zwaar. Zijn slapen bonsden al uren en nu begonnen zijn oren ook nog pijn te doen.

'Hoogst merkwaardig,' had Emily twee uur geleden voor hij afscheid van haar nam gezegd. 'Hoe eerder deze dag voorbij is, hoe beter.'

Bij het afscheid had hij haar een zoen op haar wang gegeven, iets wat hij nooit eerder gedaan had. Ze had hem bevreemd aangekeken, maar als ze al iets vermoedde, had ze er niets over gezegd. Ze was een goede vriendin voor hem geweest. Bijna had hij haar alles verteld.

Hoogst merkwaardig... Daar had ze in ieder geval gelijk in gehad. Om tien uur die ochtend was de lucht eerst grijs en vervolgens zwart geworden. Tegen het middaguur was het zo donker dat ze binnen de lichten hadden aangestoken. Daarna hadden hij en Emily bij het keukenraam verbaasd naar de lucht staan kijken, waar een enorme donderwolk met een paars-lila onderkant zich boven het stadje uitgestrekt had. De wolk had de vorm van een hamer, die elk moment naar beneden kon suizen.

Tony keek op. Als die hamerwolk er nog was, ging hij schuil achter een kolkende massa grijs. Hij huiverde. Hoe sneller Rachel kwam, hoe beter het zou zijn.

De spanning in zijn binnenste verdichtte zich tot angst. Stel dat er iets gebeurd was? Stel dat ze nog thuis was, met haar moeder en Bill? Stel dat ze haar niet wilden laten gaan? Of misschien was ze van gedachten veranderd. Tony wreef in zijn verkleumde handen. Hoe lang moest hij haar nog geven? Nog vijf minuten? Minder? En wat dan? Erheen gaan? Naar Vale Supplies? Haar daar gaan halen?

Het was bijna alsof ze zijn spervuur van vragen gehoord had, want opeens was ze daar, in een glanzende groene regenjas en met een gele zuidwester op die hij wel eens in haar kamer had zien liggen. Ze liep scheef onder het gewicht van haar rode reistas.

Hij zwaaide naar haar en rende door de plassen op haar af. Nadat hij de tas van haar overgenomen had trok hij haar mee naar de garage met zijn overstekende dak. Hij sloeg zijn armen om haar heen en kuste haar natte gezicht, drukte zijn rillende lijf tegen haar aan.

'Heeft niemand je gezien?' vroeg hij.

'Ik ben bang.'

Ik ook, wilde hij zeggen. Hij was ook bang – banger dan ooit, als de dood voor het gapende gat dat hun toekomst opeens geworden was. Maar waarom zou hij dat tegen haar zeggen? Dat zou het voor haar alleen maar erger maken. Als hij liet zien dat hij twijfelde, was de kans groot dat ze allebei in paniek raakten. Hij moest doen alsof hij sterk was. Voor hen allebei. Voor hen alle drie, dacht hij toen hij haar buik tegen de zijne voelde en zich scherp bewust werd van wat daarin zat. Ze waren nu een gezin en ze verkeerden in gevaar.

'Heb je ze?' vroeg hij.

Ze knikte. 'Ik weet niet of dit wel zo'n goed idee is...'

'We hebben geen keus.'

Het was waar. Hij had vannacht geen oog dichtgedaan. Hij had zijn hersens gepijnigd op zoek naar een alternatief voor hun plan, dat ze gesmeed hadden nadat ze hem verteld had dat ze een kind verwachtte. Maar geen enkel ander plan zou werken. Rachels moeder zou nooit van gedachten veranderen. Over Tony en de baby. Ze liet hun geen keus. Rachel had niet de keus om haar school af te maken. Tony had niet de keus om bij Emily te blijven werken. Ze hadden geen andere keus dan ervandoor te gaan. Rachel hurkte en trok de rits van de reistas open. Na even rommelen haalde ze een sleutelbos te voorschijn.

'Oké, daar gaan we dan,' zei ze.

Zelfs in het schemerduister zag hij haar ogen schitteren. Wat ze deden was eng, maar ook spannend. Hij keek naar beide kanten de straat in, maar zag alleen de vage gestalte van een man die vijftig meter verderop van het ene afdak naar het andere holde. Tony draaide zich om en stak een van de sleutels in het hangslot aan de zware garagedeur. Even later stonden ze binnen.

Daar stond hij, midden in de ruimte, glimmend als een pasgeslagen munt; de Jowett Jupiter. Bill Vale's trots. Maar niet lang meer, dacht Tony. Hij snoof de geur van olie op en holde naar de auto.

Hij maakte het portier open en zwaaide hun tassen naar binnen, waarna hij achter het stuur ging zitten en naar het dashboard keek. Het zag er niet zo anders uit dan dat van de Vauxhall van zijn stiefvader, waarin hij had leren rijden. Hij draaide het sleuteltje om en de motor startte meteen.

'Als hij erachter komt, vermoordt hij ons, weet je,' zei Rachel, die naast hem ging zitten.

'Dan moet hij ons eerst zien te vinden.' Tony zette de koplampen aan.

'We kunnen ook de bus nemen...' Rachels stem trilde nu van angst. 'Er gaat er een om...'

'Nee. Zodra ze erachter komen dat we weggelopen zijn, denken ze dat we op de bus gestapt zijn en laten ze ons zo door de politie oppakken.'

'Maar...'

Hij pakte haar hand en kneep er stevig in. 'We nemen de stille weggetjes over de hei. Laat ze die bussen maar uitkammen. Bill ontdekt morgenochtend pas dat de auto weg is en dan zijn wij al lang en breed gevlogen.'

Ze haalde diep adem. 'Zeg nou, Tony: alles komt toch wel weer goed, of niet?'

Hij knikte en zette de auto in wat hij dacht dat de achteruit was. Hij keek over zijn schouder en liet langzaam de koppeling opkomen. De auto sprong naar voren en de motor sloeg af.

Ze keken allebei naar de versnellingspook en toen naar elkaar. Voor het eerst sinds Rachels ruzie met haar moeder, een dag eerder, barstten ze allebei in lachen uit.

'Dat is alvast een goed begin,' zei hij grinnikend, terwijl hij de auto nu echt in zijn achteruit zette en langzaam de garage uit reed.

Het leek nu alleen maar harder te regenen en ze moesten schreeuwen om zich boven het geroffel op het dak uit verstaanbaar te maken.

'Hoe lang duurt het voor we er zijn?' vroeg Rachel.

In Schotland, bedoelde ze natuurlijk. In Gretna Green. Want daar was hij naartoe op weg. Naar de enige plaats in heel Groot-Brittannië waar hij, zodra hij op twee september achttien werd, zonder toestemming van haar ouders met de zeventienjarige Rachel Vale kon trouwen. Hij schaakte haar dus. Zodat hun en de baby niets kon overkomen. Dit plan hadden ze samen bedacht. En daarna? Misschien konden ze de auto verkopen. En hij had geld gespaard toen hij bij Emily werkte; daarmee konden ze het wel een tijdje uitzingen. Daarna zouden ze wel zien. Hij zou zorgen dat het goed kwam. Hij zou voor zijn vrouw en kind zorgen zoals geen man ooit gedaan had.

'Ik weet het niet,' antwoordde hij, turend naar het pad van licht tussen de wervelende, ondoorzichtige muren van regen. Tony en Rachel waren allebei nog nooit de provincie uit geweest, laat staan dat ze helemaal in Schotland geweest waren. Hij had alleen nog maar bedacht dat hij de auto zou pikken en, om achtervolgers op een dwaalspoor te brengen, over de hei in westelijke richting zou rijden, om vervolgens een wijde bocht te maken en koers te zetten richting Bristol en het oosten. 'Een paar dagen,' schatte hij. 'We moeten onderweg alleen een keer een kaart kopen.'

Ze reden langzaam, want er zat niets anders op. Het regende

zo hard dat de ruitenwissers het niet aankonden. Aan het eind van Lydgate Lane sloegen ze rechtsaf. De straten waren verlaten, net als een jaar geleden, toen de zendmast aan de andere kant van het Bristol Channel in bedrijf was genomen en de mensen van Stepmouth hun eerste televisieuitzending konden bekijken. Hij wist nog dat hij die avond met nog een paar honderd andere mensen in het stadhuis had gezeten, vol ontzag voor het wonder. Die avond had hij gedacht dat de wereld voorgoed veranderd was. Maar het was niets vergeleken met wat er nu gebeurde.

Liever had hij natuurlijk flink hard gereden om Stepmouth zo snel mogelijk ver achter zich te laten. Maar ze kropen langs de witte houten huisjes aan Granville Road, die evenwijdig liep aan de hoofdstraat, en misschien was dat ook maar beter. Op deze manier trokken ze in ieder geval minder aandacht, wat betekende dat er minder kans was dat iemand hen zag en de politie belde. Hij deed tenslotte iets onwettigs door als minderjarige weg te lopen. Als ze hem te pakken kregen, zouden ze hem aanklagen. Door de regen leek het stadje één vage vlek, als op een uitgewreven houtskooltekening. Alsof het in de mist verdween.

Hij maakte de bovenste knoop van zijn oude vissersjas los, die hij nog geen uur geleden bij zijn moeder thuis had opgehaald.

Toen hij de keukendeur opendeed, stond ze over het gasfornuis gebogen in een steelpan te roeren. Hij rook de dikke Schotse soep waarmee hij opgegroeid was.

'Zo te zien kun je wel een kommetje gebruiken,' zei ze toen hij zijn keel schraapte en ze hem in de deuropening zag staan. 'Don zei dat je goed voor jezelf zorgde, maar ik vind je maar mager.'

'Ik kom afscheid nemen,' antwoordde hij.

'Is dat niet een beetje laat? Je bent al vijf maanden weg.'

'Voorgoed, bedoel ik.'

'Weer problemen?' vroeg ze op verwijtende toon.

'Niet zoals jij denkt. Nee.' Toen had hij het ook maar gewoon gezegd: 'Ik word vader.'

Alle kleur was uit haar gezicht verdwenen. Met open mond had ze hem aangestaard. 'Wie is het?' vroeg ze uiteindelijk.

'Dat kan ik je nog niet vertellen.' Dat had hij van tevoren al besloten. Het zou tot een boel gepraat leiden en daar had hij geen tijd voor. 'Maar dat komt wel,' beloofde hij. 'Ik schrijf je zo snel mogelijk.'

Haar ogen vulden zich met tranen. 'Maar je bent nog maar een kind.'

'Nee, mam, ik word vader en ik ben van plan een goede vader te zijn. Het spijt me...' zei hij. 'Het spijt me dat het niet gelopen is zoals jij wilde...'

Zodra hij het woord 'spijt' uitgesproken had, zakten haar mondhoeken als rubber naar beneden. Ze had haar handen voor haar gezicht geslagen en hij had haar vastgehouden zoals een ouder een kind vasthoudt. Ze had gehuild in zijn armen.

Nu volgde hij de bocht in de weg die leidde naar het kruispunt aan het eind van de hoofdstraat. Tot zover ging alles goed; ze hadden nog geen auto gezien, laat staan mensen. Links lag de hoofdstraat, met zijn rechte rij huizen en winkels aan de Step en helemaal aan het begin Harbour Bridge.

Het tweede gebouw in de hoofdstraat was Vale Supplies. Zwijgend keken ze naar de schaars verlichte, van regen drijfnatte ramen.

Tony legde een hand op Rachels been. Ze trilde.

'Rij door,' zei ze.

Recht tegenover het kruispunt lag de hoge stenen bochel van South Bridge, die naar de oostkant van de stad leidde. Maar Tony sloeg rechtsaf en reed de steile Barnstaple Road in.

Ze zeiden niets meer tot ze de top van de Summerglade Hill bereikten. Over de weg lag een dun laagje water dat glinsterde als olie. Tony keek in zijn achteruitkijkspiegeltje. Anderhalve kilometer achter hen, driehonderd meter lager, lag Stepmouth, de huizen dicht opeen in de oprukkende duisternis en wurgende regen. Hij vroeg zich af of hij het ooit terug zou zien.

Hij dacht aan de tweeling, verderop aan de weg in Brookford. Zijn moeder zou ze inmiddels veilig in bed gestopt hebben. Misschien had ze hun wel verteld dat hij wegging. Ze waren met Don op pad geweest toen hij langskwam. Hij zou ze schrijven zodra hij de kans kreeg. Hij zou het hele gezin laten weten dat hij gelukkig was en dat alles goed ging.

Hij dacht aan Keith en aan de brief die hij hém zou schrijven.

Hij moest hem over Rachel vertellen. En hij moest hem laten weten dat hij uit de buurt moest blijven. Ze kregen een kind, en Tony zou zijn kind nooit kunnen vertellen wat zijn broer op zijn geweten had.

Hij draaide de kustweg aan de rand van de hei op.

'Nog steeds bang?' vroeg hij aan Rachel.

'Ja.'

Ze reden vijftig kilometer per uur, in het midden van de hobbelige weg. Hier zouden ze vast geen andere auto's tegenkomen, dacht Tony. De wind – hier boven op dit open terrein plotseling stormachtig – schudde de auto heen en weer.

'Hoeft niet,' zei hij, terwijl er een groot gevoel van vrijheid over hem kwam. Hij wierp een blik op haar in schaduw gehulde gedaante. 'Dit is geen einde,' hield hij haar voor. 'Het is juist het be...'

Ze maakte een zacht geluidje, het was eigenlijk helemaal geen gil. Meer een verbaasde kreet. Automatisch trapte hij op de rem.

Wat Rachel ook gezien had op de weg, toen ze het raakten wist Tony alleen nog maar dat hij wild door elkaar geschud werd. Toen werd alles donker om hem heen.

21

Mallorca, nu

Op Sa Costa stond Rachel onder de draaiende houten plafond-ventilator in haar slaapkamer en ze voelde zich weer helemaal een tiener. Ze was niet meer zo ziek van de zenuwen geweest sinds... ja, sinds de avond van de overstroming. Als ze dacht aan wat er te gebeuren stond, kreeg ze bijna geen lucht. Laurie haalde Bill op van het vliegveld en bracht hem naar haar. Intussen liep zij met haar ziel onder de arm.

Ze had haar dunste zomerkleren aangetrokken – de witte mousselinen broek en hes die ze in Marokko had laten maken en leren teenslippers – maar toch had ze het onaangenaam warm. En ze hield nog wel zo van warmte. Ze hield de hes aan de voorkant een stukje van haar lijf en wapperde ermee. Het hangertje aan haar ketting rinkelde, samen met de bedelarmband die ze omge-daan had omdat hij geluk bracht. Ze stopte een pluk haar, die door de blazende ventilator losgeraakt was, terug onder de grote schildpadspeld in haar nek.

Weer kon ze het niet laten om de houten jaloezieën voor haar raam open te draaien en een blik op de oprijlaan te werpen, maar er was nog steeds niets te zien. Het was doodstil, in de bomen klonk geen zuchtje wind. Zelfs de vogels leken een ongebruikelijk stille siësta te houden. Het was alsof het hele huis en alles erom-heen zijn adem inhield. Het enige geluid kwam van de sproeiers, die overuren maakten in de tuin. Ze zag dat er ook water op het glanzende asfalt terechtkwam, waar het onmiddellijk verdampte, als voetstappen in nat zand.

Rachel keerde zich van het raam af. De jaloezieën verdeelden de kamer in diagonalen van licht en donker. Ze liep naar het in Frankrijk gemaakte hardhouten bed. De dunne sprei van rode zijde was teruggeslagen en eronder lag een van initialen voorzien linnen laken, bezaaid met ingelijste foto's, die Rachel van beneden gehaald had.

Laurie had haar aangeraden dat te doen, zodat Bill bij binnenkomst niet onmiddellijk zou zien dat het Rachels huis was; Laurie wilde de kans hebben het hem uit te leggen. Rachel pakte een van de foto's uit de keuken en veegde met haar hand het stof eraf. Ze kon zich niet herinneren wie de foto gemaakt had, maar het moest Christopher of Nick zijn geweest. Het was een kiekje van haar en Tony, een paar jaar geleden hier op Sa Costa gemaakt. Hij had zijn arm om Rachel heen geslagen en haar dicht tegen zich aan gedrukt en ze lachten samen in de camera. Ze waren allebei diepbruin. Ze zagen eruit als jonge geliefden, helemaal niet als een stel grootouders. Ze had toen nooit kunnen denken dat ze al zo snel alleen achter zou blijven.

Rachel raakte Tony's lachende mond aan. Deed ze er echt wel goed aan, vroeg ze zich opeens weifelend af. Tony was wat zijn verleden betreft altijd zo onvermurwbaar geweest. Hij had zich helemaal op zijn gemak gevoeld met zijn beslissing om de deur naar dat deel van hun leven dicht te gooien en vooruit te kijken. Een beslissing waar hij, voor zover zij wist, nooit een moment aan getwijfeld had. Zij was degene die altijd stiekem even door het sleutelgat geloerd had.

Ze wist dat Tony razend zou zijn als hij wist dat ze na al die tijd nog iets probeerde te bewijzen, maar ze wist ook dat ze Tony niet langer zijn zin kon geven, daarvoor was het te belangrijk. Want ook al had het Tony bij leven niets kunnen schelen, zij vond het belangrijk dat Bill zag dat Tony iets van zijn leven gemaakt had. Ze wilde Bill bewijzen dat Tony anders was dan zijn broer.

Wat haarzelf betrof, wilde ze dat Bill zag wat ze met Ararat bereikt had. De adembenemende erfenis die ze Sam had nagelaten. Waarom eigenlijk, vroeg ze zich af. Waarom hechtte ze na al die jaren nog zoveel waarde aan het oordeel van haar broer? Waarom had ze zijn goedkeuring nodig, terwijl ze haar succes elke dag bevestigd zag?

Omdat ze trots was, bekende ze zichzelf, alvast oefenend op de speech die ze zou afsteken. Ze was trots op haar kinderen. Ze wilde dat Bill hen leerde kennen. Ze wilde dat hij zag hoe evenwichtig en zelfverzekerd ze waren. Ze wilde hem bewijzen dat ze niet zo heerszuchtig en hyperkritisch was als hun moeder, dat ze met iedereen in haar gezin een speciale band had en dat ze het fijn vonden dat zij deel van hun leven uitmaakte.

En ze wilde Bill vooral laten weten dat hij ook bij haar gelukkige, liefhebbende, open gezin kon... *zou* horen – hij hoefde het maar te zeggen. Net zoals zij van Laurie was gaan houden, zo kon Bill misschien liefde en respect voor haar gezin leren opbrengen. Zij en haar broer werden er tenslotte niet jonger op. Het was een fijne gedachte dat ze in de herfst van hun leven die oude band weer zouden voelen, dat ze elkaar terug zouden vinden.

De leegte die Tony in haar leven had achtergelaten, was nooit zo groot geweest als deze laatste weken. Ze had zoveel onzekerheid gevoeld, zoveel pijn, zoveel verdriet. Zou ze zich beter voelen als Bill bij haar was, vroeg ze zich af. Al was het maar een heel klein beetje? Want ook een heel klein beetje zou al heel wat zijn.

Rachel zette de foto op het nachtkastje en spitste haar oren. In de verte klonk het geluid van een auto. Maar de auto reed het hek voorbij en Rachel merkte dat ze haar adem ingehouden had. Dit was geen goed idee, besloot ze. Dit wachten was funest voor haar bloeddruk. Het had geen zin om voor het raam te gaan staan wachten tot hij kwam. Het voelde ook veel te raar. Alsof ze op een verloren geliefde stond te wachten.

Van haar vorige bezoek wist Rachel dat Laurie de zolderkamer als haar domein gekozen had, dus toen ze op een laatste inspectieronde de deur openduwde, verwachtte ze Lauries kleren en spullen daar aan te treffen. Maar in plaats daarvan zag ze Lauries koffers en tassen bij de deur staan, haar doeken netjes tegen de kast aan. Rachel bleef in de deuropening staan.

Wat was er aan de hand? Ze had haar niet vanochtend maar heel even gezien, maar Laurie had niet gezegd dat ze haar koffers gepakt had. Was er iets niet in orde?

Nee, er was vast een logische verklaring, dacht ze toen ze naar haar eigen kamer terugliep. Misschien was Laurie gewoon attent, zoals altijd. Misschien vond ze het beter dat Rachel en Bill een tijdje met z'n tweeën waren. Laurie had immers ook nog een eigen leven. Ze wilde vast graag weer naar James. Dat was het natuurlijk, dacht Rachel opgelucht. Ze verlangde naar James. Maar toch zou het bespottelijk zijn als Laurie nu vertrok, vooral omdat Rachel een verrassing voor haar in petto had. Ze had Anton, de kunsthandelaar met wie Tony en zij altijd zaken gedaan hadden, gevraagd om in de loop van de week naar Lauries werk te komen kijken. Dat was wel het minste wat ze voor Laurie kon doen, als je bedacht wat haar nicht allemaal voor haar gedaan had.

Op dat moment hoorde ze een auto de oprijlaan op rijden. Ze rende naar het raam. Ze zag Laurie uitstappen. Het was geen taxi; Bill zou wel een auto gehuurd hebben.

Toen ging het portier aan de andere kant open en Rachel zag een oudere man, die zich bij het uitstappen aan het portier vasthield. Toen hij zijn hoed afzette en opkeek naar het huis, moest ze een hand voor haar mond slaan om niet hardop zijn naam te roepen.

Het was een schok om hem na al die jaren weer te zien. Wanneer ze zich in gedachten tot hem gericht had, geoefend had wat ze zou gaan zeggen, had ze zijn zesentwintigjarige gezicht voor zich gezien. Maar hij was oud geworden, besefte ze nu ze hem daar zag staan, terwijl hij zich met zijn strooien hoed koelte toewuifde. Ze herkende zijn trekken, maar het gewicht van de tijd drukte zo zwaar dat ze onwillekeurig begon te huilen.

Ze drukte zich tegen de koele baksteen van de slaapkamermuur, uit het zicht van het raam. Ze wist niet wat ze moest doen. Waarom deed ze zo kinderachtig? Het was alsof Bill weer de baas was in haar huis.

Maar zo had Laurie het gewild. Laurie had erop gestaan eerst met haar vader te praten en het hem naar de zin te maken vóór ze hem vertelde dat Rachel er ook was.

Maar nu ze Lauries gepakte koffers had gezien, was Rachel haar vertrouwen kwijt. Als het nu eens veel moeilijker zou blijken om Bill over te halen het verleden te begraven dan ze gedacht had? Als hij nu eens liever koppig bleef en volhield dat hij haar nooit meer wilde zien of spreken, zoals hij ooit verklaard had?

Ze wierp een blik op de toilettafel naast de deur. Daar lagen alle brieven die ze Bill in de loop van de jaren geschreven had en die hij onveranderlijk teruggestuurd had. Ze had ze meegenomen van Dreycott Manor. Ze liep er op haar tenen naartoe en pakte de stapel brieven en krantenknipsels op.

Ze bekeek zichzelf in de manshoge spiegel, streek voor de vijftigste keer haar haar glad en werkte haar make-up bij. Nu ze Bill eenmaal gezien had, vroeg ze zich af hoe hij haar zou zien. Ze had jarenlang haar best gedaan jeugdig te blijven, maar ze wist dat ook zij niet aan de tijd ontsnapt was. Ze zag het in haar gezicht. Ze dacht aan alle tragedies die ze in haar leven meegemaakt had: haar vader, de overstroming, haar moeder, Anna en nu Tony. Het ene gebroken hart na het andere. Het was een wonder dat ze het overleefd had. En nu probeerde ze dat allemaal onder make-up te verstoppen. Het was lachwekkend.

En zinloos. Een heel leven van hoogte- en dieptepunten had haar gemaakt tot wie ze was. En ze was er altijd weer doorheen gekomen, omdat ze nooit de hoop had opgegeven. Ze had zichzelf er altijd van weten te overtuigen dat hoe erg het ook was, de toekomst op een of andere manier mooier zou zijn.

Rachel haalde diep adem en sprak haar laatste restje hoop aan. Bill was er. En dat betekende dat ze eindelijk rust zou vinden en de geesten van het verleden kon begraven.

Ze keek naar de krantenknipsels in haar hand. Ze dacht aan de eerste keer dat ze de feiten van de overstroming zwart op wit zag, de eerste keer dat ze de lijst van doden in deze knipsels onder ogen kreeg. Het had zo'n pijn gedaan, maar nu, na al die tijd, kon ze zich de helft van de mensen die in de krant genoemd werden niet eens meer herinneren.

In de tussentijd waren generaties gekomen en gegaan. De kranten die zij bewaard en gekoesterd had, waren bij duizenden andere mensen op de composthoop terechtgekomen, waren in honderden konijnenhokken op de vloer gelegd.

Maar het raakte haar nog steeds. Het was nog steeds even echt als toen. Natuurlijk had ze er niet elke dag aan gedacht, maar op de achtergrond was het altijd aanwezig geweest: de tragedie waaraan ze ontsnapt was.

Dat was het, dacht ze, en ze rechtte haar rug. Dat zou de toon van haar verzoening met Bill bepalen. Ze zou beginnen met hem te bedanken. Ze zou hoffelijk en edelmoedig zijn. Om te beginnen zou ze erkennen dat hij haar leven gered had. Was het te laat om hem te bedanken? Was vijftig jaar te lang?

Vijftig jaar. Was het echt al zo lang geleden? Ze sloot even haar ogen, luisterend naar het zoeven van de ventilator, een geluid dat een levendige herinnering opriep aan die afschuwelijke avond, toen ze op de hei in Bills auto zat.

22

Het was aardedonker, inktzwart, zo zwart als de nachtelijke zee.
De regen roffelde als duizend drumstokjes op muren en ramen
en dak en overstemde het trage tikken van de klok. Over het gasfornuis gebogen voelde Bill met een vinger aan de kop van de
lucifer en haalde hem langs de zijkant van de doos. Een fosfores-
cerende vlam hulde de keuken in een nerveus flikkerend geel
licht. Schaduwen dansten op de muren.

'Heb je ze gevonden?' riep mevrouw Vale van boven.

Bill rook de lamsstoofpot die nog over was van het eten. 'Ja,'
riep hij terug.

Hij haalde een handvol kaarsen uit de tafella, samen met een
legerzaklamp op batterijen, die hij even testte en vervolgens in
zijn zak stak. Hij stak de kaarsen aan, hield een vlammetje bij de
onderkant en zette ze op schoteltjes. De schaduwen trokken zich
in de hoeken terug. De lucht vulde zich met de geur van lont en
was.

Op de gang bekeek Bill de stoppenkast onder de trap, maar die
was zo te zien in orde. Stepmouth kreeg zijn elektriciteit van de
krachtcentrale bij Watersbind, verderop in de vallei. Al dat water
en puin dat die turbines te verwerken kregen, dacht Bill, misschien was dat het probleem.

Mevrouw Vale zat boven voor de toilettafel in haar slaapkamer
op hem te wachten, met haar nachtjapon aan en een zwarte ge-
haakte sjaal om haar schouders geslagen. Ze had net op het punt
gestaan in bad te gaan toen de elektriciteit uitviel.

'Zet maar op de vensterbank, wil je?' vroeg ze, terwijl ze haar
rolstoel naar het raam draaide. Ze glimlachte naar Bill, gerustgesteld door de warme gloed van de kaars in zijn hand. 'Ik haat het
donker.'

Bill deed wat ze gevraagd had en mevrouw Vale reed naar het raam en keek naar buiten. De hoofdstraat lag in duisternis zo dicht als wol. Kaarsen en olielampen gloeiden als kooltjes voor de ramen van de huizen aan de overkant. De stroom was dus in heel Stepmouth uitgevallen.

'Wat een akelige avond,' klaagde zijn moeder.

'De natste zomer sinds mensenheugenis,' zei hij. Dat had hij die middag op de radio gehoord. Alleen al in de afgelopen twee weken was er zeventien centimeter regen gevallen. De oogsten in dit deel van het land waren voor de helft mislukt, had de nieuwslezer gemeld. In Moxborough Valley was de rivier buiten zijn oevers getreden, waarbij zes zeldzame gevlekte pony's verdronken waren.

'Het lijkt me een goed idee om Rachel bij Pearl op te gaan halen,' zei zijn moeder. 'Dat weer bevalt me niks. En het wordt vast nog erger.'

'Ik ga meteen even,' antwoordde hij, terwijl hij de zaklamp te voorschijn haalde en aandeed.

Hij was al op buiten gekleed: hij had zijn laarzen aan en zijn regenjas goed dichtgeritst. Hij was van plan geweest om even bij Emily te kijken of alles goed was. Hij had geprobeerd haar te bellen, maar hij kreeg geen verbinding, de telefooncentrale was uitgevallen.

De hele dag lette hij al op de stand van de Step, die tussen hun huizen stroomde. De hele middag was het peil in de snelstromende en gezwollen rivier gestaag gestegen. Er was nog geen reden voor paniek, dacht hij, hoewel het water, zwaar van het veen, steeds zwarter werd. Maar als het nog een paar uur zo bleef regenen, bestond het gevaar dat de rivier buiten zijn oevers trad en zowel zijn als Emily's achtertuin overstroomde.

Bill had nog een partij zandzakken over uit de schuilkelder die hij in de oorlog met zijn vader gebouwd had. Hij had er voor de zekerheid al twee voor de achterdeur gelegd. Als ze zelf nog geen maatregelen getroffen had, zou hij er met de kruiwagen ook een paar naar Emily brengen.

Bill huiverde toen hij een olielamp aan de ladder naar Rachels kamer hing. Hij dacht aan de waterschade die hij als kind in het nabijgelegen Castleton had gezien, na het noodweer van 1933. Met zijn vader was hij met de oude kar naar het dorp gereden om dekens te brengen, nadat de gezwollen Lox de mensen, die hun doorweekte spullen hadden moeten achterlaten, uit hun huizen verdreven had. Hij moest er niet aan denken dat al Emily's werk aan het Sea Catch Café voor niets was geweest, alleen maar omdat ze niet voorbereid was.

Beneden pakte hij net zijn sleutels om de deur naar de steeg van het slot te halen toen er aan de buitenkant iemand hard op de deur begon te bonzen. Bill verstijfde. Het lawaai hield even op, maar begon toen opnieuw.

Snel deed Bill de deur open. Hij scheen met zijn zaklamp naar buiten. Wat hij zag deed zijn hart overslaan. Een man – eerst zag hij niet wie het was – hing slap tegen de deurpost en klampte zich eraan vast alsof hij elk moment in elkaar kon zakken. Zijn hoofd was diep gebogen. Hij had smerige nagels en zijn zwarte haar was doorweekt. Toen de man opkeek zag Bill dat zijn lip opengebarsten was en er een klodder half gestold bloed als een obscene parasiet aan zijn kin hing. De man was buiten adem. Hij zag eruit alsof hij gevochten had.

'Als je om hulp komt vragen: dat kun je wel vergeten,' zei Bill zodra hij de man herkende.

De man toonde zich niet verbaasd over Bills reactie. Maar hij verroerde zich niet. Hij deed zijn mond open om iets te zeggen, maar hij kreeg zo weinig lucht dat zijn woorden er als een onverstaanbaar gepiep uitkwamen.

'Hoepel op,' zei Bill, die de deur alweer dicht wilde doen.

'Nee,' zei de man ademloos, terwijl hij naar voren kwam en zijn voet onvast in de deuropening plantte, 'je moet met me meekomen.'

'Ben je nou helemaal be...' Maar toen zag Bill dat er niet alleen regen over het gezicht van de man stroomde, maar ook tranen.

'Het is Rachel,' zei de man. 'Er is een ongeluk gebeurd.'

Bill Vale keek Tony Glover ongelovig aan.

'Wie is daar?' riep mevrouw Vale van boven. 'Wat is er aan de hand, Bill? Wat gebeurt daar allemaal?'

Bill greep Glover bij de schouders, draaide hem om en duwde

hem ruw tegen de drijfnatte muur. Zijn stem klonk kil en scherp. 'Wat heb je gedaan, zeg op.'

Glovers oogleden zakten dicht, alsof hij op het punt stond flauw te vallen. Hij stonk naar benzine. Om hen heen waren de regenpijpen veranderd in watervallen. 'We wilden weglopen,' zei Tony met krakende stem. 'We zaten in de auto...'

Weglopen. Bills mond viel open. Glover... weglopen met Rachel? Maar dat was toch niet...

'Een baby... we krijgen een baby...'

Bill ramde de zaklamp onder Glovers kin. 'Waar is ze?'

Zijn woeste toon leek Glover te ontnuchteren. 'Op de hei,' zei hij. 'Ik heb haar daar achtergelaten om hulp te halen. Jij was het dichtstbij...' Terwijl Glover Bill recht in de ogen keek, leek hij zijn kracht terug te krijgen. Hij probeerde zich uit Bills greep los te maken. 'Snap je het dan niet?' grauwde hij, en hij wierp zijn armen in de lucht. 'We zijn ergens tegenaan gereden. *Ik* ben ergens tegenaan gereden. Ze is buiten bewustzijn. Er moet een dokter komen. Nu.'

Dat laatste woord brulde hij.

Nu.

Glover had gelijk. Ze moesten in actie komen. Denk aan Rachel, hield Bill zichzelf voor. Alleen aan haar. Vergeet wat je verder nog gehoord hebt.

Rachel... buiten bewustzijn... op de hei... hij begon de mogelijkheden na te lopen. Hij kon onderweg dokter Glaister, Pearls vader, ophalen. Maar de dokter was naar een conferentie... dat had Pearl die middag verteld toen ze Rachel kwam opzoeken... Dan was er nog dokter Barnard, die drie kilometer ten oosten van Stepmouth in een klein dorp woonde. Maar omdat de telefoon het niet meer deed, kon hij er niet achter komen of hij thuis was... misschien was hij bij een patiënt... En ze hadden al kostbare tijd verloren. En als Rachel meer nodig had dan een dorpsdokter? Dan moest hij haar zo snel mogelijk naar het ziekenhuis in Barnstaple brengen...

Meteen naar Rachel gaan, besloot Bill. Zo snel mogelijk naar Rachel gaan. Als hij wist hoe ze eraantoe was, kon hij bedenken wat hij zou doen: haar terugbrengen naar Stepmouth en de dokter zoeken, of zo snel mogelijk met haar naar Barnstaple gaan...

'Bid maar dat ze niks mankeert,' zei hij tegen Glover.

Glover knikte zwijgend.

'Mijn auto staat in Lydgate Lane,' zei Bill, terwijl hij zich omdraaide om boven de sleutels te gaan halen.

Glover schudde zijn hoofd. 'Nee. Die hebben wij meegenomen. Het was jouw auto.'

Bill zei niets. De auto kon hem niets schelen. De gedachte aan Rachel overheerste elke andere gedachte.

'Geef antwoord, Bill!' riep mevrouw Vale weer. 'Wat is er aan de hand?'

Ze klonk dichterbij, alsof ze met haar rolstoel tot boven aan de trap was gereden. Bill draaide zich niet om. Ze zou zich doodongerust maken als hij haar vertelde wat Glover zojuist tegen hem gezegd had. Het was beter om tegen haar te liegen tot hij wist hoe erg Rachel eraantoe was. Hij keek de steeg in, en toen wist hij opeens wat hij moest doen.

'Het is Giles,' riep hij naar zijn moeder. 'Hij gaat naar Lewis Cook, om hun nieuwe televisie te bekijken. Hij geeft me een lift naar Pearl, dan haal ik Rachel even op.'

Zonder op een reactie te wachten rende Bill de winkel in en griste de EHBO-kist onder de toonbank vandaan.

'Opschieten,' zei hij tegen Glover toen hij weer buiten stond en de deur achter zich dichttrok.

'Maar hoe... als we geen auto hebben...'

De Norton was te instabiel om Rachel mee op te halen, maar voor de motor stond een witte bestelwagen geparkeerd, eigendom van Giles Weatherly. De ijzerhandelaar, die Bill inderdaad een uur geleden te voet naar Lewis Cook had zien vertrekken, vond het goed dat Bill voor grote bestellingen zijn bestelwagen gebruikte en Bill wist dat er onder het spatbord boven het rechtervoorwiel een reservesleuteltje zat.

Bill dacht aan Emily. Het Sea Catch Café stond naast het huis van Lewis Cooks. Opeens wilde hij haar dicht bij zich hebben.

'Instappen,' beval hij Glover, terwijl hij het portier openmaakte en zelf instapte.

Toen Bill de steeg uit en de hoofdstraat in reed, kwam de stroom in Stepmouth haperend weer op gang. Het felle licht van de straatlantaarns bracht de realiteit van deze laatste krankzinnige minuten plotseling een stuk dichterbij. Bill hoopte maar dat zijn moeder niet net naar beneden keek, en anders dat de oude eikenboom het haar onmogelijk maakte om te zien dat Tony Glover naast hem zat. Pas op dat moment realiseerde hij zich dat hij voor het eerst sinds de moord op zijn vader weggegaan was zonder de deur op slot te draaien. Hij greep het stuur stevig vast. Glovers bloed kleefde aan zijn handen.

'Lap je gezicht een beetje op,' zei hij tegen Glover, terwijl hij hem de EHBO-kist voorhield. Maar Glover verroerde geen vin. Bill liet de kist in zijn schoot vallen.

'Dat is niet belangrijk,' antwoordde Glover. 'Rij nou maar naar Rachel.'

Toen hij over het kruispunt reed, keek Bill even naar South Bridge aan zijn linkerhand. Een ogenblik lang dacht hij dat de brug blank stond. Het wegdek glom als stroop onder de straatlantaarns, alsof de rivier er al overheen kroop en elk moment de straten in kon stromen. Maar dat kon toch niet? Het was vast gezichtsbedrog. Zo snel kon de rivier niet gestegen zijn.

Terwijl de bestelbus tegen de wind en regen in de Summerglade Hill op zwoegde, dacht Bill aan zijn moeder, die nu alleen thuiszat. Toen dacht hij aan Emily, alleen in het Sea Catch Café. Was hij nu toch maar naar haar toe gegaan om te kijken of alles in orde was. Maar de zandzakken konden wachten. Rachel was nu het belangrijkste.

De motor van het busje protesteerde gierend terwijl Stepmouth onder hen uit het zicht verdween. Bills hoofd tolde. Een baby. Een baby. Zijn baby. Glovers baby. De gedachte ontglipte hem steeds. Hij kon er gewoon niet bij. Glover en zijn zusje. Een baby. Hún baby. Rachel wilde ervandoor met Glover? Glover was de jongen met wie ze al die tijd al verkering had? Had Emily dat geweten? Had ze hem daarom niet willen zeggen wie het was? Had ze soms ook van hun weglooplannen geweten?

Op de top van de heuvel draaiden ze rechtsaf de weg op die over de hei liep, dezelfde weg die Bill op die warme zomerse

324

avond samen met Emily genomen had. Hij wierp een blik op Glover, op het bloed op zijn gezicht, en toen op het bloed aan zijn eigen handen. Hij stelde zich voor hoe Glover naar de stad teruggerend was, tot het uiterste gegaan was om er te komen, om hulp te halen. Hij dacht aan Rachel, kleine Rachel. Hij wilde haar bloed niet zien. Hij wilde alles doen als zij maar... als zij maar veilig was...

Opeens kon het hem niet meer schelen dat Glover naast hem zat. Het maakte hem geen moer uit als Rachel met hem wilde trouwen, zijn kind wilde krijgen, wat dan ook. Ze deed maar waar ze zin in had. Als ze maar in orde was. Als er maar niets... als ze nog maar niet...

'Daar,' schreeuwde Glover, recht vooruit wijzend.

'Jezus christus,' fluisterde Bill. Een enorme paardenkastanje lag dwars over de weg. De Jowett Jupiter, waar Bill en Richard Horner zo lang aan gewerkt hadden, stond er gebutst, gedeukt, in elkaar gedrukt tegenaan.

Verlatenheid... zelfs bij dit weer herkende Bill de plek waar Emily hem die avond mee naartoe genomen had.

Nog voor het bestelbusje tot stilstand gekomen was, sprong Glover er met de EHBO-kist onder zijn arm uit. Bill trapte hard op de rem en rende door de storm en de suizende regen achter Glover aan. Drie meter naast het autowrak lag Rachel onderuit-gezakt tegen de bebladerde takken van de boom. Naast haar lag een rode tas, waarvan de inhoud – trui en broeken en hemden – slordig over haar heen gegooid was in een hopeloze poging haar tegen de regen te beschermen.

Glover zat op zijn knieën in de modder over haar heen gebo-gen, kuste haar gezicht, fluisterde haar naam. Bill stond achter hem op hen neer te kijken. Zijn zusje lag er roerloos bij. Hij hoorde Glover wanhopig, smartelijk snikken. Bill haalde de zak-lamp uit zijn zak. De lichtbundel zwaaide over Glovers rug naar Rachels gezicht. Ze had een snee in haar oor en de rechterkant van haar gezicht was bont en blauw. Nog steeds geen beweging: niets. Bill duwde Glover opzij.

Maar toen bleef hij stokstijf staan. Want Rachel bewoog zich. Haar lippen gingen van elkaar.

'Tony,' was het eerste wat ze zei.

Bill staarde naar hen. Deze twee mensen samen. Deze eenheid. Godzijdank, ze was ongedeerd.

'Kun je je bewegen?' vroeg Glover aan Rachel. 'Kun je je benen bewegen?'

'Ja. Mijn hoofd doet alleen zeer... mijn ribben...' Haar stem schoot in paniek de hoogte in. 'Ik werd wakker en je was er niet... Ik liep naar de auto om je te zoeken...'

'Ik ben hulp gaan halen... je broer...'

'Bill?'

Bill veegde de tranen uit zijn ogen en boog zich voorover, zodat ze hem kon zien. Hij legde zijn hand op haar ijskoude wang.

'O Bill,' zei ze, en ze pakte zijn hand en kuste hem.

'We brengen je naar Barnstaple,' zei hij.

'Nee.' Ze probeerde op te staan. Samen hielpen Bill en Tony haar overeind. 'Ik wil naar huis.' Ze keek naar de weg, naar de stormachtige lucht. Met angst in haar ogen draaide ze zich weer naar hen om. 'Het is hier veel te gevaarlijk.'

Bill keek naar de blauwe plekken in haar gezicht. Het was niet al te ernstig. Misschien had ze een hersenschudding, maar daar zou dokter Barnard wel raad mee weten. Rachel had gelijk wat betreft de wegen. Als er hier een boom op de weg lag, wie kon dan zeggen of ze Barnstaple ooit zouden halen?

'Goed, naar huis,' zei hij instemmend. Als hij haar eenmaal bij hun moeder afgeleverd had, kon hij op zoek naar dokter Barnard. 'Waar je hoort.' Hij keek Glover aan. 'We gaan allemaal samen naar huis.'

23

Mallorca, nu

'Thuis,' verkondigde Archie in zijn stoeltje op de achterbank van de fourwheeldrive. Sam zette de motor af.

'Heb je een leuke dag gehad?' vroeg hij, omkijkend naar zijn zoon. 'Had je het naar je zin?'

'Ja, papa. Ik heb vissen geziet.'

'Gezien,' corrigeerde Sam.

'Ik heb vissen gezient...'

'Nee,' begon Sam opnieuw, voor zijn gezicht van vermoeidheid vertrok. 'Ja,' zei hij toen, 'zo is dat, Archie. Je hebt vissen gezient.'

Ze stonden in de parkeergarage onder het appartementengebouw en kwamen net terug van een uitstapje naar het *Reserva Africana* in de buurt van Portocristo. Sam zette de knetterende radio uit en staarde door de met insecten bezaaide voorruit naar de B-2-blokken in de muur voor hem. Zijn hart klopte gejaagd, fladderde als een gekooide vogel in zijn borstkas.

Met opzet – om hem aan haar te herinneren – had hij dezelfde kleren aangetrokken als hij de dag ervoor gedragen had, toen hij bij Laurie was. Zijn overhemd rook vaag naar haar parfum. Als hij zijn ogen dichtdeed – zoals nu – kon hij zich voorstellen dat ze naast hem zat. Het vervulde hem van verlangen. Zelfs zoiets simpels als samen in een auto zitten leek hem op dit moment een wonder, want er moest nog zo veel gebeuren voor het zover was.

Hij wist dat ze gek zou worden van onzekerheid. Hij wilde haar wel bellen, maar hij kon het niet. Niet voordat hij met Claire gepraat had. Niet voordat hij iets concreets te zeggen had.

En Claire was vanmorgen niet in staat geweest om een gesprek te voeren. Daarom had hij tot nu moeten wachten. Inmiddels was hij letterlijk ziek van de zenuwen.

'Papa...'

'Goed,' zei hij, terwijl hij zijn ogen weer opendeed en zijn hand op het portier legde, 'laten we het dan maar doen.'

Hij tilde Archie uit de auto en samen liepen ze in het neonlicht door de garage naar de lift. Hij telde de met gele verf op het wegdek geschilderde nummers van de appartementen af en luisterde naar het zoemen van de lift, die meteen naar beneden kwam. Onder het wachten schraapte Archie met zijn schoenen over het beton. De kleine rode lichtjes in de zool sprongen aan en uit.

Deze beelden en geluiden... ze voelden nu al aan als een herinnering. Was dat wat dit gebouw uiteindelijk zou zijn?

In de lift naar boven liet Sam de dag met zijn zoon nog eens aan zich voorbijtrekken. Om aan het feest te ontsnappen had hij de nacht op de bank in Archies kamer doorgebracht. Toen Archie en hij wakker werden, was Claire net op weg naar bed.

'Ik moet straks met je praten,' had hij gezegd.

'Best hoor,' antwoordde ze voor ze in haar kamer verdween.

De woonkamer had blauw gestaan van de rook en hij had Isabel geholpen de flessen en asbakken naar de keuken te brengen.

'Ga maar,' had ze gezegd. 'Ga met Archie maar ergens heen.'

En dat had hij dus gedaan. Het Reserva Africana was het eerste wat in zijn hoofd opgekomen was en Archie was er nog nooit geweest. Sam was langzaam door het safaripark gereden, met Archie staand op zijn schoot, opgetogen schreeuwend als er weer een aap uit de bomen op de auto sprong. Daarna hadden ze op het strand een ijsje gegeten en met stokken die ze tussen de rotsen gevonden hadden, hadden ze zebra's en antilopes en gnoes in het zand getekend.

Allemaal herinneringen. Allemaal even mooi. Al was er geen seconde voorbijgegaan zonder dat Sam aan Laurie dacht, en aan wat ze gedaan hadden en hoe dat alles veranderd had.

Archie en Laurie... Laurie en Archie... geen van beiden mocht een herinnering worden. Hij wilde ze allebei. Voor altijd. Hij wilde ze niet opgeven, geen van beiden.

Hij was dus weer terug bij af: verscheurd tussen zijn gezin en de vrouw van wie hij hield.

Claire... hij voelde zich schuldig omdat hij bij haar weg wilde. Maar zou het echt zo erg voor haar zijn als hij vertrok? Hij kon zichzelf er niet van overtuigen. Hij zag haar voor zich op het feest, en vanmorgen vroeg toen ze naar bed ging op het moment dat hij opstond. Waren ze niet al een hele tijd uit elkaar aan het groeien?

Hij herinnerde zich nog hoe vastberaden hij was toen hij drie jaar geleden van Frankrijk terugvloog naar Mallorca. Toen was hij bereid geweest alles weg te gooien, als hij maar bij Laurie kon zijn. Hij had Claire van hem willen verlossen, en zichzelf van haar. Hij was bereid geweest het vertrouwen van Tony en Rachel te beschamen, de toekomst die zij voor hem in gedachten hadden op te geven. Hij had het ze allemaal in het gezicht willen smijten om samen met Laurie op eigen benen te kunnen staan.

En toch had zijn vastberadenheid hem in de steek gelaten op het moment dat hij het nieuws over Archie hoorde. En zijn vastberadenheid liet hem nu weer in de steek, want Archie was inmiddels veel meer dan een naamloos klompje cellen in Claires buik. Hij liep en praatte en hield Sams hand vast. En Sam wilde hem niet loslaten.

In het venstertje boven de deur flitsten de nummers van de verdiepingen voorbij. Hij kneep in Archies hand.

Maar wie zei dat hij Archie kwijtraakte als hij bij Claire wegging? Kon hij hem niet gewoon meenemen? Hij had het er nog niet met Laurie over gehad – laat staan met Claire – maar wie zei dat zij niet ook een ouder voor Archie wilde zijn? Als ze van Sam hield, kon ze vast ook van zijn zoon leren houden.

Maar tegelijk wist hij dat het onmogelijk was. Als hij probeerde Archie van Claire af te nemen, zou ze harder vechten dan ze ooit in haar leven gevochten had. Niet alleen vanwege Archie – hoewel Sam wist dat ze op haar manier veel van hem hield – maar vanwege Sam. Omdat hij haar verliet. Omdat hij haar afwees. En omdat Claire dus voor het eerst van haar leven niet haar zin kreeg.

En Rachel... fantastische, wijze en begripvolle Rachel. Sam

hield van haar en zij van hem. Ze had hem met open armen in haar gezin en haar bedrijf opgenomen. Zodra ze zag dat haar gezin in gevaar verkeerde, zou ze zich tegen hem keren. Ze zou hem zien als een koekoeksjong. Een koekoeksjong dat ze in haar nest gelaten had. Een koekoeksjong dat probeerde haar achterkleinzoon in te pikken en dat vijf procent van de aandelen in haar familiebedrijf bezat.

Sam zuchtte. Wat haalde hij zich in zijn hoofd? Laurie als moeder voor Archie? Claire die hem tot het bittere eind bestreed? Rachel die haar terzijde stond? Kalm aan, hield hij zichzelf voor. Hij liep weer eens veel te hard van stapel. Hij had nog niet eens de moed opgebracht om Claire te vertellen dat hij wegging. Hij wist niet eens of hij die moed wel in zich had.

De liftdeuren gingen sissend open en Archie liep de hal in. Het appartement van Sam en Claire was het enige op deze verdieping. Sam staarde naar de witte deur van zijn huis.

'Archie,' zei hij, terwijl hij voor zijn zoon knielde en hem bij de schouders pakte.

Archie begon zich lachend los te wurmen, in de veronderstelling dat dit een spelletje was.

'Nee,' zei Sam, 'je moet even naar me luisteren.'

Archie zag iets in Sams ogen en fronste zwijgend zijn voorhoofd.

'Als papa nou eens een tijdje weg moest...' begon Sam.

'Weg?'

'Ja. Weg, zoals wanneer je op vakantie gaat, of...'

'Vakantie?' Archie lachte breed.

'Nee, jij niet,' zei Sam. Oké, hij zou het op een andere manier uitleggen. 'Soms,' zei hij, 'als grote mensen van elkaar houden... soms gaan papa's en mama's...'

'Ik wil *Shrek*,' zei Archie.

Sam liet zijn zoon los en zag hem naar de voordeur lopen. Het was hopeloos. Archie was te jong om het te begrijpen. En als hij te jong was om Sams uitleg over zijn vertrek te begrijpen, hoe moest hij het dan ooit begrijpen als hij daadwerkelijk vertrok? Of moest hij het anders bekijken en juist troost putten uit Archies onvermogen het te begrijpen? Als hij te jong was om het te begrijpen, betekende dat dan misschien ook dat hij te jong was om het zich later te herinneren? En daarmee ook te jong om iemand de schuld te geven?

'Mama!' riep Archie, opgewonden op de deur bonzend.

Sam richtte zich op. Te jong om het zich te herinneren? Met Rachel en Claire in de buurt om het hem te vertellen? Hoe groot was die kans nu helemaal?

Isabel deed de deur open.

'*Nemo!*' riep Archie naar haar.

'Nee,' zei Sam.

'Nee?' vroeg Isabel.

'Nee, ik wil dat je hem even mee naar buiten neemt, ga maar taartjes eten, maakt niet uit. Neem een telefoon mee, dan bel ik je als je terug kunt komen. Nu meteen, als je het niet erg vindt. Zo snel mogelijk.'

Isabel pakte haar tas van het tafeltje naast de deur. Opgelaten, waarschijnlijk in de veronderstelling dat dit iets te maken had met de puinhoop die Claires vrienden achtergelaten hadden, liep ze zonder Sam aan te kijken langs hem en drukte op het knopje van de lift.

'Ik hou van je,' zei Sam, terwijl hij Archie optilde en knuffelde. Sam kon hem niet aankijken.

'Ik hou ook van jou, papa,' antwoordde Archie voor hij naar Isabel toe rende. 'Taart!' riep hij toen de liftdeur openging.

In de zitkamer keek Sam om zich heen. Midden in de kamer stond een zwartleren Robin Day-bank, die Claire uit Londen had laten komen, een 'Bob'-zitzak van David Design en een glazen Merrow Associates-salontafel. Aan het plafond hing de 'Ball'-kroonluchter van Tom Dixon die ze een jaar eerder op de meubelbeurs in Milaan gekocht had en rechts tegen de muur stond de op maat gemaakte bar met de vier Azumi-barkrukken van roestvrijstaal en walnotenhout.

Hij kende de namen van al die ontwerpers niet omdat hij net als Claire dol was op modieuze retro-meubels, maar omdat hij haar er zo vaak tegen haar vrienden over had horen opscheppen.

Hij liet zijn blik door de kamer dwalen, op zoek naar iets wat hij zelf gekocht had, een bijdrage van hem aan het gezicht van hun huis. Hij zag er geen.

Zijn spullen, Archies spullen... ze waren hier niet te vinden. Net zomin als een foto van vader en zoon, of van Sams ouders en broer. Zijn moeder had er bij haar laatste bezoek (bijna een jaar geleden) een opmerking over gemaakt. 'Ik hou niet van zo'n volle kamer,' antwoordde Claire, die heel goed wist dat de zitkamer van Sams moeder een galerie van familiefoto's was. Met hetzelfde excuus hield Claire haar zitkamer speelgoedvrij: 'Dit is een ruimte voor volwassenen. Dat wil ik graag zo houden.'

Sams spullen, Archies spullen... ze werden allemaal gescheiden gehouden: die van Sam in zijn werkkamer, die van Archie in zijn slaapkamer. Gescheiden. In hokjes ondergebracht. Was dat nu wat er van hun gezin was geworden?

Sams blik bleef hangen aan het olieverfschilderij van Santo Bartholomew, het klooster waar hij een dag eerder geweest was. Het was een werk uit de late negentiende eeuw, dat in de kamer volkomen uit de toon viel. Tony had het Claire cadeau gegeven. Het was hetzelfde schilderij waar Sam negen jaar geleden in Claires oude appartement naar had liggen staren, nadat hij voor het eerst met haar naar bed was geweest.

Wie wist, had Sam toen vol verwondering gedacht, hoe anders en fantastisch zijn leven er over een paar jaar zou uitzien? Nou, nu wist hij het. Hij was als een blok voor Claires leven gevallen en er een deel van geworden, een deel van het familiecircus van de geweldige Glovers. Ingekapseld. Sam Delamere, de individualist, de dromer, was in deze kamer net zo'n anachronisme als dat schilderij. Sam Delamere, de zakenman die zichzelf met elke beslissing die hij nam gevangenhield: die Sam woonde hier.

'Jezus, wat voel ik me beroerd,' verkondigde Claire. Ze stond in de deuropening van de grote slaapkamer, gekleed in een kimono van groene zijde met een patroon van draken erop. Haar haar was nog nat van het douchen.

'Dat verbaast me niks.'

'O, hou op, Sam,' zei ze. 'Ik ben niet in de stemming. O,' zei ze opeens.

'Wat?'

'Dat vergat ik nog te vertellen: Laurie belde gisteravond, toen je onder de douche stond...'

Heel even voelde hij paniek opkomen. Als Laurie zich nu eens bedacht had? Maar hij wist zich ertegen te verzetten. Hij hield van haar. Hij had altijd van haar gehouden. En zij was nooit opgehouden van hem te houden. Nu hoefde hij alleen nog maar te laten zien dat hij haar liefde waard was. 'Waarover?'

'Iets met het hek dat het niet deed. Ik weet het niet meer precies.' Ze keek om zich heen. 'Isabel!' riep ze. 'Er is alweer geen conditioner,' klaagde ze tegen Sam. 'Isabel!' riep ze opnieuw, harder nu.

'Ze is er niet,' zei Sam. Zweet parelde op zijn voorhoofd. Zijn hart sloeg een paar slagen over. Hij probeerde niet aan de aanvallen te denken... die aanvallen waarvan hij er op Tony's begrafenis een had gehad... en toen hij met Claire in bed lag...

'Hoezo niet?'

Sam probeerde zijn ademhaling onder controle te krijgen en telde eenentwintig, tweeëntwintig... Die andere aanvallen had hij gekregen omdat hij zichzelf voor de gek hield met Laurie. Ze waren opgehouden zodra hij die avond op de *Angel* met haar gesproken had.

'Hoezo niet?' vroeg Claire nog een keer.

Maar nu hield hij zichzelf niet meer voor de gek. Hij deed niet langer alsof hij niet van haar hield. Of wel soms? Kwam het daardoor? Stond hij op het punt haar weer te laten vallen? 'Omdat ik haar met Archie naar buiten gestuurd heb,' antwoordde hij.

'Waarom?'

Zijn hart dreunde in zijn borstkas. Archie... zijn ventje... 'Omdat we moeten praten.'

'Hoor eens,' zei ze, 'als het over die barst in de tafel gaat, dat heeft Toby gedaan. Maar ik laat het wel weer maken, dus maak je geen zorgen.'

'Dat is het niet.'

Ze keek alsof ze hem niet geloofde. 'Prima,' zei ze. 'Maar ik ga me eerst even aankleden.'

'Prima.'

Op het terras nam Sam een sigaret uit een pakje Marlboro dat iemand op de tafel had laten liggen. Sinds de dag dat Claire hem vertelde dat ze zwanger was had hij niet meer gerookt. Hij stak de sigaret aan en nam een flinke trek. Toen hij naar beneden keek zag hij dat zijn vingers trilden, en hij merkte dat zijn ademhaling weer te snel ging.

24

Tony voelde Rachels adem in zijn hals. Hij hield haar zo stevig vast dat hij kramp in zijn armen kreeg, maar hij liet haar niet los. Ze leefde. Ze was niet doodgegaan. Hij had haar niet gedood toen hij de auto tegen die boom reed. Daar was hij zo vreselijk bang voor geweest.

Ze zaten voor in het bestelbusje van Giles Weatherly, halverwege de Summerglade Hill. Tussen het zwiepen van de ruitenwissers door sloeg de regen in vlagen tegen de voorruit. Bill zat zwijgend achter het stuur, geconcentreerd op de weg voor hem. Wat hij ook dacht, hij hield het voor zich. Boven bij de boom had hij een deken achter uit de auto gehaald, die ze als een keurslijf zo strak om Rachel heen geslagen hadden.

Tony's spieren deden pijn alsof ze in een bankschroef hadden gezeten, zo lang had hij moeten rennen om op tijd bij Bill te komen. Zijn gezicht voelde rauw aan, geschuurd door wind en regen. De snee in zijn kin klopte op het ritme van zijn hartslag. Maar toen verscheen het beeld van Rachels moeder voor zijn geestesoog. Ze zat op haar zoon en dochter te wachten. En als ze thuiskwamen... ze zou natuurlijk de politie bellen... en dan...

Tony legde voorzichtig een hand op Rachels buik. Laat ze maar doen wat ze niet laten kunnen, dacht hij. Hij werd vader. Vader. Dat had hem de kracht gegeven om te doen wat hij deed voor het noodweer zijn plannen in de war stuurde. En dat zou hem ook nu verder helpen. Hij zou deze avond en alles wat die voor hem in petto had met open vizier tegemoet treden. En hij zou als winnaar uit de bus komen.

De auto kwam langzaam tot stilstand.

'Wat is er?' vroeg Tony.

Zonder antwoord te geven trok Bill de handrem aan en stapte uit.

'Bill?' riep Rachel, maar ook zij kreeg geen antwoord.

Rachel kreunde van de pijn aan haar gekneusde ribben toen ze zich naar voren boog om te zien wat Bill aan het doen was. Voor hen schemerden de lichtjes van Stepmouth door de stortregen, als een vloot vissersbootjes op een stormachtige zee.

'Ik ga wel even kijken,' zei Tony.

Behalve de gemeen snijdende wind was het eerste wat hij voelde toen hij uit de auto stapte de ijzige kou aan zijn voeten. Toen hij omlaag keek zag hij waardoor dat kwam: hij stond bijna tot aan zijn enkels in het water, dat voor hem sneller en sneller de heuvel af stroomde, richting Stepmouth.

Bill stond aan de andere kant van het busje, roerloos als een jachthond die een prooi in het oog heeft. Tony volgde zijn blik en bleef al even sprakeloos voor zich uit staan staren.

Vanaf de plek waar ze stonden liep de weg nog zo'n twintig meter steil naar beneden, tot aan het kruispunt dat de grens van Stepmouth markeerde. Tony was deze weg zo vaak op- en afgereden dat hij hem kende als zijn broekzak.

Maar het kruispunt was verdwenen. Het was in elk geval niet meer zichtbaar. Het had plaats gemaakt voor een rivier, een wassende, snelstromende rivier.

Eerst dacht Tony dat het dezelfde stroom was die ook de heuvel af kwam, maar toen gleed zijn blik naar rechts. South Bridge was er nog, maar stond half onder water en leek nu niet alleen als brug maar ook als dam te fungeren.

Het kanaal eronder moest op een of andere manier geblokkeerd zijn. En het water had gedaan wat water altijd doet: het had een andere route gekozen, was over de oevers geslagen als bloed dat uit een gescheurde ader stroomt, zoekend naar de weg van de minste weerstand. Zodat de Step nu als een dikke zwarte slang door de hoofdstraat kronkelde, begerig aan de muren en deuren van de huizen likte en de mensen die er woonden bedreigde.

'Wacht hier,' schreeuwde Bill.

Tony zag hem naar het busje terugrennen en instappen. Hij zette hem met veel kabaal in een andere versnelling. Toen reed het busje achteruit de heuvel op, steeds verder bij Tony vandaan. Met een hand voor zijn ogen tegen het felle schijnsel van de koplampen keek Tony hem na: tien meter, twintig meter, nog verder... Hij wachtte: niets. Dertig seconden gingen voorbij, vijfenveertig... toen doofden de koplampen... hij hoorde een portier dichtslaan... en zag iemand door het duister spetterend op hem af komen.

'Mijn moeder en Emily,' zei Bill. 'We moeten ze daar weg zien te krijgen.'

Tony was zo moe dat hij ter plekke in slaap had kunnen vallen. Hij ging nergens heen. Hij wilde dicht bij Rachel blijven, wat er ook gebeurde. 'Maar waarom?' vroeg hij. 'Waarom wachten we niet tot morgenochtend? We kunnen ze dan toch halen? Binnen zitten ze veilig. Wij staan hier te bevriezen in dit...'

'Omdat ik denk dat het daar beneden nog erger wordt. Veel erger.'

De mannen keken elkaar aan. Tony wierp een blik op de hoofdstraat. Wat bedoelde Bill, het werd nog veel erger? Hoeveel erger kon het nou helemaal worden? Waarschijnlijk stonden de benedenverdiepingen van de huizen in de hoofdstraat allang onder water. En waarom zou Tony zich druk maken om die mensen? Wat kon het hem schelen dat hun tafels en stoelen nat werden?

'Vergeet het maar,' wilde hij al zeggen.

Maar Bill luisterde niet. Hij hield een hand boven zijn ogen tegen de regen en wees met de andere naar South Bridge. 'Al die regen,' schreeuwde hij, 'moet allerlei troep mee naar beneden gevoerd hebben... takken, bladeren, omgevallen bomen, keien zelfs... daardoor is de brug geblokkeerd geraakt... Het water dat de hoofdstraat in loopt,' vervolgde hij, terwijl hij zich omdraaide en recht vooruit wees, 'staat nu al zestig centimeter hoog en ik ben bang dat er straks zoveel water doorheen stroomt dat de funderingen onder de huizen vandaan geslagen worden... Ze zijn niet zo degelijk gebouwd... Ik woon mijn hele leven al in zo'n huis en ik heb bouwkunde gestudeerd, ik weet waar ik het over heb...' Hij wees weer naar de brug. 'En daar,' zei hij. 'Aan de andere kant stroomt de rivier ook over, wat betekent dat het door

East Street loopt en Emily's café hetzelfde gevaar loopt...'

Hij had gelijk: vanaf deze hoogte zag Tony in het licht van de straatlantaarns aan de andere kant van de brug duidelijk een tweede rivier de stad in stromen. 'Maar Emily is vast al weg,' zei hij.

'Waarom zou ze? Zij ziet niet wat wij hierboven zien. Nee, ik moet gaan kijken.'

'En Rachel dan?' vroeg Tony. 'We kunnen haar hier niet alleen laten.'

'De rivier vormt het grootste gevaar, niet het water dat hier naar beneden loopt.'

Tony aarzelde. Hier was het dus veilig. Waarom dan niet hier blijven? Waarom zou hij mevrouw Vale te hulp schieten? En Emily – Tony mocht haar graag, maar zijn plaats was bij Rachel, niet bij haar. Hij deed zijn mond open om te protesteren.

Maar Bill was hem voor: 'Rachel wil het ook zo.'

Tony kende Rachel goed genoeg, hij wist dat Bill gelijk had. Hij wist ook dat ze zelf zou komen helpen als ze er de kracht voor had.

Hij keek Bill berustend aan. 'Wat wil je dat ik doe?'

'We gaan allebei een kant op,' antwoordde Bill. 'Dan gaat het sneller. Ik heb geen idee hoeveel tijd we hebben.'

'Oké,' zei Tony. Van de twee routes die Bill voorstelde, leek de route naar Emily's huis, dat het verste weg was, de lastigste. 'Ik ga Emily wel halen,' bood hij aan, niet omdat hij Bill iets wilde bewijzen, maar omdat mevrouw Vale wel de laatste was die hij nu wilde zien en hij dus veel liever een zware tocht aflegde.

Bill zei niets. Hij sloot zijn ogen, alsof hij een moeilijke beslissing moest nemen. Uiteindelijk knikte hij, alsof hij een einde maakte aan een discussie met zichzelf.

'Nee. Je bent niet sterk genoeg om de brug over te steken,' zei hij, 'niet na alles wat je vanavond al gedaan hebt... En dat zal ik nooit vergeten, Tony, echt nooit...'

Wat bedoelde hij, vroeg Tony zich af. Vergaf hij hem? Of waarschuwde hij juist dat hij al het andere niet vergeten was? Waren ze nu bondgenoten? Of waren ze nog steeds vijanden? Hij had geen tijd om het te vragen.

'Ik zal die brug over moeten,' besloot Bill.

'Maar je moeder dan? Ze kan niet lopen. Hoe moet ik...'

'Haal hulp. Haal de buren uit hun huizen. Waarschuw ze. Zij kunnen je met mijn moeder helpen. Vertel ze wat er met de brug gebeurd is. Zeg ze dat ze als de sodemieter naar hoger terrein moeten.'

Tony draaide zich om en zwaaide naar het busje. Hij kon Rachel niet zien, maar hij wist dat ze naar hem keek. Hij vond het vreselijk om haar daar achter te laten. Na alles wat ze al meegemaakt hadden. En tegelijk besefte hij dat hij misschien alleen door mevrouw Vale te redden nog kans maakte door haar geaccepteerd te worden. Hij zou het doen, niet voor die oude vrouw die hem haatte, maar ondanks haar. Hij zou het voor zichzelf doen, voor Rachel, voor het gezin dat ze straks zouden zijn. Hij zou de kans grijpen om Bill en mevrouw Vale, en al die anderen die dachten dat hij niet deugde, te laten zien dat ze het bij het verkeerde eind hadden.

Samen met Bill liep hij de laatste twintig meter de Summerglade Hill af. Hoe dichter ze bij het stadje kwamen, hoe meer tekenen van leven ze zagen: de contouren van mensen die uit hun raam stonden te kijken, een hond die wanhopig tegen de stroom in probeerde te zwemmen voor hij begon rond te tollen en jankend uit het zicht verdween. Ze hoorden ook allerlei geluiden: rollende donder en knetterende bliksem; het bulderen van het water dat over de brug sloeg. In de verte, aan de kant van de haven, ving Tony een glimp op van iets wat op een luchtballon leek, maar even later was het weg.

Bij het kruispunt gekomen liepen Bill en Tony zonder hun pas te vertragen het ijskoude water in.

'Hoe laat is het?' riep Tony naar Bill.

'Vijf voor halfnegen,' schreeuwde Bill terug.

Om kwart voor negen, beloofde Tony zichzelf, zou hij met Rachels moeder aan zijn zijde op een veilige, droge plek zitten. Dan zou het allemaal voorbij zijn.

'Om kwart voor is ze veilig,' riep hij naar Bill, alsof hij het mogelijk kon maken door het hardop te beloven. 'Dat zweer ik je. Ik zie je straks op de heuvel. Veel succes.'

'Jij ook.'

Toen gingen ze uit elkaar. Bill waadde tegen de stroom in door het water dat van rechts kwam, Tony stak het kruispunt over naar de hoofdstraat.

De verborgen straat onder zijn voeten was zo glibberig als de schubben van een vis. Tony stak als een koorddanser zijn armen uit. Al glijdend en struikelend had hij het gevoel dat hij voor het eerst op rolschaatsen stond. Een boomtak sloeg tegen zijn heup.

Aan de andere kant van het kruispunt hield Tony zich even vast aan de muur van het huis op de hoek van Granville Road en de hoofdstraat. Verderop zwiepten de opzichtige uithangborden van de Channel Arms en de Smuggler's Rest heen en weer in de wind, net als altijd uitnodigend oplichtend onder hun lampen. Boven zijn hoofd riep iemand zijn naam. Tony keek op en zag meneer Tyler, de onderwijzer die hem had leren lezen, uit een raam op de bovenverdieping hangen.

'De brug,' schreeuwde Tony omhoog, 'hij is geblokkeerd. Ga zo snel mogelijk met uw gezin de heuvel op. Bill Vale... hij zegt dat het te gevaarlijk is om hier te blijven.'

Tony hoorde niet wat meneer Tyler terugriep. Een ontzagwekkende windvlaag gilde in zijn oren. Zich aan de muur vastklampend schuifelde Tony om de hoek de hoofdstraat in en zo verder naar het volgende huis. Hij bonkte op de voordeur, telkens en telkens weer.

'Wie is daar?' riep uiteindelijk iemand door de brievenbus.

Tony zakte door zijn knieën; hij stond nu tot aan zijn middel in het water. Een paar doodsbange ogen keken hem aan.

'Tony Glover,' schreeuwde de stem boven het huilen van de wind uit, 'ben jij dat?'

Godzijdank. Het was Wilfred Lee. Tony's moeder kende hem nog van school. Gehaast gaf Tony Bills waarschuwing over de brug door, waarna hij uitlegde wat hij hier deed: hij kwam mevrouw Vale halen. Zonder dat hij het hoefde te vragen, bood Wilfred aan te helpen dragen.

'Ik trek snel wat aan,' zei hij. 'Maak haar klaar om te vertrekken, dan zie ik je daar.'

Tony richtte zich op en keek om zich heen. Het water leek al

340

hoger te staan. Het kwam nu bijna tot aan zijn dijen.

Aan de overkant van de straat zat Vale Supplies, met rechts daarvan de ijzerhandel van Giles Weatherly. Voor de steeg tussen beide huizen stond de oude eik waar Tony in juni in geklommen was om bij Rachel te kunnen zijn.

Nu bood de stevige stam hem troost, al zag hij dat de boom omringd was door water en dat de steeg ook al blank stond.

Bij de ijzerhandelaar brandde geen licht. Maar achter het verlichte raam boven Vale Supplies zag Tony opeens de contouren van een hoofd. Dat moest mevrouw Vale zijn. Had zij hem ook gezien? Hij stak zijn hand op, maar voor hij naar haar kon zwaaien ging de straatlantaarn boven zijn hoofd sputterend uit. Vonken regenden op hem neer.

Toen Tony zijn ogen weer opendeed bleek de stad in duisternis gehuld. Het bezorgde hem een afschuwelijk gevoel van verlatenheid, alsof het gesprek dat hij zojuist met Wilfred Lee gevoerd had alleen maar verbeelding was geweest. Alsof hij echt helemaal alleen op de wereld was.

Eerst was het net alsof hij door olie heen probeerde te kijken. Maar bij het schaarse licht van de avondlucht, waarin de wolken woest achter elkaar aan jaagden, kon hij al snel weer vormen onderscheiden – huizen, deuren, ramen. Even later was alleen het water waarin hij stond nog inktzwart.

De stroom was uitgevallen. Hij dacht aan Don. Had hij nachtdienst in de centrale? Tony hoopte van niet. Hij hoopte dat hij in veiligheid was. Hij dacht aan zijn moeder... en de tweeling... en Rachel... aan iedereen van wie hij hield...

Toen zag hij achter het raam boven Vale Supplies kaarsen oplichten en herinnerde hij zich waarvoor hij hier was. Alles viel weer op zijn plaats. Hoe lang geleden had hij afscheid van Bill genomen? Vijf minuten? Tien, hooguit. Hij wilde het zo snel mogelijk achter de rug hebben.

Hij zou het kaarslicht als baken gebruiken. Dat zou hem naar het huis leiden. Hij rechtte zijn rug en liep de straat op. Onmiddellijk merkte hij dat er iets veranderd was: het water stond nu tot aan zijn middel, het stroomde sneller en dreigde hem mee te sleuren.

Met zijn schouders naar voren en zijn hoofd gebogen stak hij, dacht hij, in een rechte lijn de straat over. Maar bij elke stap duwde het water hem verder de straat in, zodat hij uiteindelijk met kleine stapjes en half vallend schuin naar de overkant strompelde. Een meter... drie... vijf... Halverwege de straat was hij al twee huizen van Vale Supplies afgedwaald.

Hier stroomde het water het snelst. Het wierp hem bijna omver. Heel even kwamen allebei zijn voeten los van de straat. Maar op een of andere manier wist hij zijn evenwicht te bewaren en weer een voet aan de grond te krijgen. En toen de andere. Hij zette zich schrap tegen het geweld. Verder maar weer. Een stap... twee stappen... nog eentje en hij was...

In de duisternis doemde iets voor hem op en hij wierp zich ertegenaan. Hij voelde metaal, iets stevigs en greep zich met beide handen vast. Hij trok zich overeind en probeerde op adem te komen.

Nu hij aan de goede kant van de straat stond, kon hij de kaars bij Vale Supplies niet meer zien. Zijn baken van hoop was weg en de moed zonk hem in de schoenen.

Hij tuurde in het donker om zich heen tot hij zag waar hij was: bij de bushalte voor de kerk, waar hij in maart nog met Bernie Cunningham op de vuist was gegaan en in elkaar geslagen was. Filmposters hingen scheef aan de wanden van de bushalte en likten als dorstige tongen aan het langsstromende water.

Tony keek naar de luifel van de visboer aan de overkant, die als een vleugel klapwiekte op de wind. Door de deuren te tellen bepaalde hij waar hij net met Wilfred Lee had staan praten. Paniek. Hoe zou Wilfred hem nu nog kunnen helpen? Ook al haalde hij de overkant, hoe moesten ze mevrouw Vale ooit stroomopwaarts in veiligheid brengen?

Hij had niet moeten komen.

Maar hij was er nu eenmaal. Nu moest hij ook doorzetten en kijken wat hij kon doen. Stroomopwaarts. Stroomopwaarts en dan naar Vale Supplies. Hij stak een hand uit en greep zich vast aan de deurkruk van de kerk. Traag begon hij langs de twee huizen te schuifelen die hem nog van Rachels huis scheidden. Hij bonsde op elke deur en elk raam dat hij tegenkwam, maar hij kreeg geen reactie.

Eindelijk stond hij voor de deur van Vale Supplies. Hij sloeg erop, rammelde eraan, schreeuwde omhoog naar het raam. Niets. Het water bleef aan hem trekken en zijn krachten begonnen af te nemen. Maar hij gaf het niet op. Hij dacht aan de hond die meegesleurd werd. Die was natuurlijk allang verdronken, over de kade aan het eind van de straat gespoeld en als afval in de haven gesmeten. Tony was niet van plan op die manier aan zijn einde te komen.

Terwijl hij nog een laatste keer aan de deur rammelde, herinnerde hij zich nog iets anders: die enorme sleutelbos die Rachel hem in de bus had laten zien. Sleutels voor de ramen, sleutels voor de voordeur en de achterdeur en de deur naar de steeg.

Natuurlijk: de deur naar de steeg. Had Bill die op slot gedaan toen hij wegging? Tony wist het niet zeker, maar het viel te proberen.

Twee minuten later was hij er.

De deur stond wijdopen. Op de begane grond van het huis stond het water net zo hoog als in de steeg. Hij waadde naar binnen.

In de griezelige stilte was het huis net een gezonken schip, zoals het scheepswrak in een film die Tony een keer gezien had, waarin Robinson Crusoë in het wrak op zoek ging naar spullen die hij kon gebruiken. Water drupte. Op de houten trappost stond een schoteltje met een flakkerende kaars. Anderhalve centimeter daaronder dreven twee rieten placemats en de omslag van een tijdschrift met het doorweekte gelaat van Marilyn Monroe erop.

Boven aan de trap scheen een gelig licht. Tony hees zich uit het water en beklom soppend de nog droog gebleven treden.

Op de overloop zag hij dat het gele schijnsel van een oude olielamp kwam, die aan de houten ladder hing die waarschijnlijk naar Rachels kamer leidde. 'Mevrouw Vale?' riep hij.

Geen reactie.

'Mevrouw Vale?' riep hij nogmaals.

Hij wilde al de kamer links van hem in lopen: de kamer aan de voorkant waar mevrouw Vale naar buiten had zitten kijken. Maar iets anders trok zijn aandacht, een zwak lichtschijnsel, in de kamer rechts. Daar zat iemand, weggedoken in het duister, met een hand voor de flakkerende kaars.

'Mevrouw Vale?' vroeg hij op vriendelijke toon, om haar niet bang te maken. Hij liep de kamer in. Het raam achter haar, dat op het kanaal moest uitkijken, was een inktzwarte rechthoek. 'Ik ben het: Tony Glover,' begon hij.

'Blijf uit mijn buurt.'

Zelfs na wat hij zojuist doorstaan had – misschien wel omdát hij dat allemaal doorstaan had – trof de haat in haar stem hem als een klap in zijn gezicht. Het was de eerste keer dat ze het woord tot hem richtte. Maar wat had hij dan verwacht? Kalm blijven, zei hij bij zichzelf.

'De huizen zijn niet veilig. We moeten hier weg. Bill heeft me gestuurd om u te halen.'

'Leugenaar.' Hij zag nu dat ze naast een tekentafel zat. De kaars in haar hand flakkerde even fel op en verlichtte een ogenblik lang een tekening van wat zo te zien het oude strandpaviljoen was.

'Ik zweer het, mevrouw Vale,' hield hij vol. 'Wilfred Lee van de overkant. Hij probeert hier...'

Iets viel uit haar hand rinkelend op de grond. Een klein zilveren kruisje aan een zilveren ketting. Toen ging de kaars uit, en het enige licht dat nog over was kwam van de overloop achter hem. Zijn schaduw viel over haar heen.

'Wegwezen.' Ze schreeuwde het uit. 'Denk je dat ik niet weet wat je komt doen?' De paniek zwol aan in haar stem. 'Je komt vanwege Rachel. Je komt om...'

'Ja,' zei hij, 'vanwege Rachel. Omdat ze mijn kind krijgt. Omdat ik van haar hou en zij van u houdt.'

'Om me het zwijgen op te leggen. Omdat je weet dat ik het nooit goed zal vinden. Dat kind. Nooit.'

Hij probeerde zich doof te houden voor wat ze zei. Hij was al zo ver gekomen, hij zou Rachel nu niet laten vallen. 'U gaat met me mee,' zei hij tegen mevrouw Vale, 'of u het nu leuk vindt of niet.'

344

Hij moest haar die kamer uit zien te krijgen. Hij zou haar dragen, als het moest. Naar dat raam aan de voorkant. En dan kijken of er iemand kon helpen. Misschien kwam er wel iemand. Die luchtballon die hij gezien dacht te hebben? Die voer misschien nu wel door de hoofdstraat om mensen uit hun huis te halen en in veiligheid te brengen...

'Je komt me vermoorden, net als je broer,' zei ze toen hij op haar af liep.

'Nee,' zei Tony, 'dat is niet...' Maar de heftigheid van haar haat liet hem niet onberoerd en opeens vervloekte hij zijn eigen zwakheid. Hij had nooit naar Bill moeten luisteren. Hij had bij Rachel moeten blijven, wat ze ook gezegd had. Hij had zich om haar moeten bekommeren en die andere Vales aan hun lot moeten overlaten.

'Nou, het is hem niet gelukt,' beet ze hem toe, 'en jou zal het ook niet lukken.'

Hij zag de kachelpook pas toen hij langs zijn hoofd zwiepte en op een haar na zijn gezicht miste. Hij struikelde en viel achterover in de gang. Ze duwde haar rolstoel achter hem aan en hief de pook op. Ze waren nu beiden boven aan de trap. Terwijl Tony overeind probeerde te komen, haalde ze opnieuw naar hem uit. Maar deze keer was hij haar te snel af en pakte haar pols vast. Hij sloot zijn andere hand om de hare, zodat ze nu allebei de pook vasthielden.

Ze was sterker dan hij voor mogelijk had gehouden. Hij moest alles op alles zetten om te voorkomen dat ze de pook uit zijn handen rukte. Ze ontblootte haar tanden en vocht en blies als een kat. Hij schoof zijn handen over de schacht van de pook en gaf er uit alle macht een ruk aan.

Op het moment dat het ding uit haar handen schoot, tuimelde mevrouw Vale met rolstoel en al de trap af. Ze sloeg over de kop en viel met een smak tegen de trappaal. Haar voet haakte tussen twee spijlen, zodat ze ondersteboven bleef hangen. Maar haar hoofd lag in een vreemde hoek. Roerloos keek ze naar hem op, met ogen als natte kiezelsteentjes.

Op dat moment hoorde Tony het geluid: rommelend, aanzwellend, steeds dichterbij. Net een trein, dacht hij. Een goederentrein die door de nacht op hem af denderde. De vloer begon te trillen en Tony zag met afgrijzen hoe de voet van mevrouw Vale losschoot en zij met haar rolstoel in het zwarte water onder aan de trap viel.

25

Mallorca, nu

Laurie deed de grote koelkast in Rachels keuken open en haalde de kan met gefilterd water eruit. Met trillende handen pakte ze twee glazen, schonk ze vol met water en ijs en zette ze op het werkblad. Ze wist dat Rachel boven was. Ze voelde haar aanwezigheid, alsof die door de vloer sijpelde.

Haar vader legde zijn hoed neer en keek vanuit Rachels keuken naar de ruime woonkamer. Hoe was het mogelijk dat haar vader haar zo veel stress bezorgde, terwijl ze zo veel van hem hield? Er was niets meer over van de nostalgische genegenheid die ze voor hem koesterde toen hij nog achter de kogelvrije, geluidswerende glaswand op het vliegveld stond. In plaats daarvan voelde ze nu alleen nog maar frustratie. Het was alsof ze in zijn buurt niet zichzelf kon zijn, alleen maar een versie van zichzelf die ze allang ontgroeid was.

Nu bezorgde alles aan hem, van zijn onbekommerde opmerkingen over het gevaar van contacten met de plaatselijke bevolking tot zijn oorlogszuchtige houding tegenover de 'helse hitte', haar een barstende hoofdpijn. En dan had ze het nog niet eens over zijn commentaar op haar manier van autorijden! Het liefst zou ze haar vingers in haar oren stoppen en het als een klein kind op een krijsen zetten.

Ze nam een flinke slok water en genoot van de koelte in haar uitgedroogde keel. Ze moest haar geduld bewaren en kalm blijven, zei ze streng tegen zichzelf. Ze mocht haar zelfbeheersing nu niet verliezen. Het kwam door haar slechte geweten dat ze zich zo voelde, het had niets met haar vader te maken.

Laurie waste haar handen in de gootsteen en liet het koele, heldere water over haar polsen lopen in een poging een beetje af te koelen. Het hielp niet. Terwijl ze haar handen afdroogde zag ze dat Rachel, zoals ze gevraagd had, de foto's van Tony weggehaald had, maar dat maakte het niet eenvoudiger. Ze had gedacht dat ze haar vader wel aan zou kunnen en dat ze best een geschikt moment zou kunnen vinden om haar vader over Rachel te vertellen. Maar het was moeilijker dan ze zich ooit had kunnen voorstellen.

Ze stonden samen in Rachels huis – alleen dat al was bijna ondraaglijk. Ze voelde zich een vreselijke verrader. Sinds zijn aankomst op het vliegveld kreeg alles wat hij zei, zelfs de onnozelste opmerking, door haar bedrog een pijnlijke lading.

'Lieve hemel, je bent op je pootjes terechtgekomen.' Haar vader floot goedkeurend terwijl hij een glas ijskoud water van Laurie aannam. Ze hoorde de ijsklontjes tingelen in zijn glas. 'Nu snap ik waarom je zo'n kluizenaar bent geworden. Dit is wel een heel bijzonder huis, hè?'

'Hoor eens, papa, ik moet je iets vertellen.' Laurie legde haar handen op het werkblad en keek haar vader aan. Maar tot haar ergernis pikte hij de serieuze toon in haar stem niet op; hij begon zelfs te lachen. Het was dat ik-wist-het-wel-lachje van hem, waarmee hij haar altijd tegen de haren in streek.

'O,' zei hij. 'O... dat dacht ik al. Ik dacht al dat je er anders uitzag. Je hebt iemand ontmoet, hè? Moest ik daarom komen, om je nieuwe vriendje goed te keuren? Ik ben misschien niet zo piep meer, maar dit heb ik toch nog wel door.'

Laurie wist amper wat ze moest zeggen.

'Ligt het er zo dik bovenop?' vroeg ze met een geforceerde glimlach.

Haar vader gaf een klap op het werkblad, helemaal ingenomen met zichzelf. 'Ik vroeg me al af waarom je niets van je liet horen, maar nu weet ik het. Ik heb je nog nooit zo nerveus gezien.'

Laurie gebaarde naar het terras. Ze kon het binnen niet over Sam hebben, niet nu Rachel elk moment naar beneden kon komen om mee te luisteren.

Buiten wist ze haar vader nog even af te leiden met een rondleiding door de tuin, maar toen ze eenmaal in de schaduw aan tafel zaten, kon ze het gesprek niet langer uitstellen.

'En, waar is de gelukkige nu?' vroeg haar vader, nippend van zijn water. Zijn enthousiasme maakte haar kopschuw. Hij had duidelijk heel lang op dit gesprek gewacht. Opeens vroeg ze zich af of hij het met zijn vrienden over haar vrijgezelle status had, of zijn buren bij hem naar haar liefdesleven informeerden. Ze werd er defensief van, ze kon er niets aan doen. Ze had hem nooit over James verteld, laat staan over Sam. Had haar vader soms al die tijd gedacht dat ze een hopeloze oude vrijster was?

Dit was de reden dat ze haar ouders nooit iets persoonlijks verteld had, herinnerde ze zich. Omdat ze niet wist hoe ze met hun enthousiasme moest omgaan, of met hun teleurstelling, of met de manier waarop ze over haar oordeelden door verschrikkelijk hun best te doen om juist niet te oordelen. Bovendien vond ze het gênant om over intieme dingen te praten, vooral met haar vader. Leefde haar moeder nu nog maar.

Ze besefte dat ze haar vader al haar hele leven een gecensureerde en opgepoetste versie van de waarheid voorschotelde. Door nu open over Sam te zijn, leek ze alle regels die er tussen hen bestonden met voeten te treden. Ze zou haar vaders illusies wreed verstoren als ze zich opeens als volwassen vrouw ontpopte. Ze begaf zich op onbekend terrein, waar het wemelde van de gevaren. Aan het begin van deze moeizame tocht had ze al het gevoel dat ze in drijfzand beland was. Ze kon dit alleen maar overleven als ze er zo snel mogelijk een einde aan maakte.

'Waar is hij nu?' herhaalde ze, alsof ze weer met Roz aan de telefoon zat. Maar ze wist dat ze sterk moest zijn. Dit was te belangrijk om over te liegen. 'Nou, op dit moment... is hij... Sam... hij zou graag hier zijn en hij wil je zo snel mogelijk ontmoeten, maar de waarheid is dat hij bij zijn... dat hij bij zijn vrouw is.'

'O...' Het gezicht van haar vader betrok. Hij staarde naar zijn glas.

'Het is niet zo erg als het klinkt.'

'Maar... je had iedereen kunnen krijgen...'

Ze had geweten dat het moeilijk zou zijn het aan haar vader duidelijk te maken, maar nu leek het haar onmogelijk.

'Maar hij gaat bij zijn vrouw weg. Dat probeer ik je uit te leggen.'

'Ik keur het anders niet goed dat je iemands huwelijk kapot-maakt,' gaf haar vader terug. 'Daar ben jij toch veel te goed voor.'

Ze las de teleurstelling in zijn ogen. Dit ging helemaal fout. Ze wilde niets liever dan dat hij Sam aardig vond, hem accepteerde, en nu had ze het alweer verpest.

Ze schudde haar hoofd en boog zich grommend van frustratie naar haar vader over. 'Je snapt het niet. Ik zeg het helemaal verkeerd. Zie je, we kenden elkaar al. Ik bedoel, we hebben al eerder iets met elkaar gehad. Drie jaar geleden, voordat mama stierf. Weet je nog dat ik jullie een kaart stuurde, dat ik verliefd was? Nou, dat was Sam. Dezelfde man.'

'En was hij toen ook al getrouwd?'

'Nee, nee, helemaal niet. Toen niet. We zouden gaan samenwonen, maar toen hoorde hij dat zijn vriendin zwanger was...'

'O, het wordt steeds mooier,' riep haar vader uit. 'Laurie, waar ben je toch mee bezig? Is dit wat je de hele zomer gedaan hebt? Rommelen met de man van iemand anders? Ik weet dat het me niets aangaat, maar volgens mij heb je je aardig in de nesten gewerkt.'

Hij had gelijk. Ze zat in de nesten. Zoals hij het zei klonk het allemaal zo platvloers. En nu ze hem de bijzonderheden zat te vertellen voelde ze zich onzekerder dan ooit. 'Maar... zie je... ik dacht dat ik eroverheen was,' zei Laurie, vastbesloten alles te vertellen voor de twijfel bezit van haar nam. 'Echt waar. Ik had een nieuwe vriend en toen... toen kwam ik Sam een paar maanden geleden weer tegen en ik besefte – wij beseften – dat het helemaal niet voorbij was. Het is juist zo dat hij, Sam, het verkeerd gedaan heeft met haar... met Claire. Hij had niet met haar moeten trouwen, maar hij vond dat hij er niet onderuit kon... vanwege de baby...'

'Maar nu kan hij dat wel?'

'O papa, je hoeft het niet te begrijpen, maar Sam en ik houden van elkaar. We horen bij elkaar. Het is iets bijzonders. Meer dan bijzonder. Met deze man wil ik de rest van mijn leven samen zijn.'

Bill haalde zijn zakdoek uit zijn zak en sloeg hem uit voor hij zijn gezicht ermee afveegde. 'Weet je wel wat je doet? Weet je zeker dat hij er net zo over denkt? Ik bedoel, je weet niet precies hoe hun huwelijk eruitziet, of wel? Het huwelijk is heilig, Laurie. Ze hebben de gelofte afgelegd. En trouwens, gaat die Sam echt bij zijn vrouw weg nu er een kind bij betrokken is?'

'Ik denk... ik hoop van wel.'

'Je hóópt van wel?'

'Hij doet het echt. Ik weet het zeker. Hij doet het denk ik... op dit moment.'

Haar vaders ontzette reactie op haar netelige positie gaf haar het gevoel dat al haar zekerheden uit haar vingers glipten.

'Ik hou van hem, papa. En hij houdt van mij.'

Tranen welden in haar op, zodat ze niet verder kon praten. Ze nam zich voor om niet te huilen. Ze wist dat haar vader er niet tegen kon als ze op die manier haar gevoelens liet zien. Ze maakte een afwerend gebaar.

'O hemel,' zei hij. Hij keek de andere kant op tot ze zichzelf weer in de hand had.

Ze nam een slokje water.

'En dit huis?' vroeg hij, 'is dat van Sam?'

Ze zag dat hij probeerde zich met de informatie die ze hem gegeven had een beeld te vormen. Het liefst had ze alles uitgewist, het op een andere manier uitgelegd. Ze moest hem nog zoveel vertellen. Zijn jovialiteit van vanochtend was nu helemaal verdwenen en had plaats gemaakt voor wantrouwen. Hij keek om zich heen alsof hij de tuin opeens met andere ogen zag.

'Nee,' zei ze. Ze kon het beter maar meteen doen. Ze haalde diep adem. 'Beloof me dat je niet kwaad wordt...'

Haar vader fronste zijn wenkbrauwen. 'Er is nog meer, bedoel je?'

'Ja, weet je,' begon ze. Jezus, wat was dit moeilijk. 'Het is van Rachel... en Tony... dit huis. Ik logeer bij Rachel. En Sam is...'

'Dit huis is van Rachel?' zei haar vader heftig. 'Mijn zus? Is dat wat je zegt? Maar volgens jou was het van een vriendin. Je zei... je... je hebt me helemaal hierheen laten komen om...'

'Pap, begrijp het alsjeblieft,' smeekte Laurie.

Maar haar vader luisterde niet. Hij zette met een klap zijn glas op tafel, stond abrupt op en beende over het terras. Laurie rende achter hem aan en haalde hem in bij het zwembad. Hij keek lijk-bleek voor zich uit.

'Ik dacht... ik wilde je niet van streek maken.' Ze voelde zich hopeloos onhandig. Haar vader was zo zelden echt kwaad op haar geweest dat ze niet wist hoe ze ermee om moest gaan.

'Van streek? Van streek?' zei haar vader met van woede verstik-te stem. 'Hoe heb je dit kunnen doen? Me zo in de maling ne-men? En ik dacht nog wel dat je...'

'Ik heb het voor Rachel gedaan,' zei Laurie snel. 'Ze dacht...'

'Dan heeft ze mooi verkeerd gedacht,' blafte haar vader.

'Maar papa, wat er tussen jullie ook misgegaan is, het kan vast wel...'

'Je weet niet wat je zegt, Laurie, wat je overhoophaalt. Heb je enig idee wie hij was?'

'Wie?'

'Tony Glover. Hij heeft alles kapotgemaakt. Die familie van hem...'

'Wat?' Ze zag hoe haar vader in zijn gezicht wreef. Ze had na-tuurlijk wel een reactie van hem verwacht, maar niet deze. Hij keek alsof hij ging huilen. 'Wat het ook is, je bent er nu toch wel overheen?' vervolgde ze dapper. 'Het is vijftig jaar geleden. Wordt het geen tijd om het verleden te laten rusten? Tony is dood.'

'Dat maakt niets uit,' zei hij met verstikte stem.

Waarom nam hij het zo slecht op? Rachel had hun problemen verbloemd, had gedaan alsof de breuk tussen haar en Bill op een dom misverstand berustte, dat inmiddels geen enkele betekenis meer had. Maar wat voor gevoelens ze ook bij haar vader losge-maakt had, voor hem waren ze duidelijk nog net zo pijnlijk als vroeger.

Maar toch, het werd tijd dat hij zich eens als een volwassene ging gedragen. Oké, ze had hem met leugens hierheen gelokt, maar dat was niets vergeleken bij alle leugens die hij háár haar hele leven op de mouw gespeld had. Over Rachel. En dus blijk-baar ook over de aard van hun ruzie.

'Waarom niet?' vroeg ze. 'Wat is er dan zo erg, pap?'

'Ik had nooit gedacht dat ik je dit nog eens zou vertellen,' zei hij.

'Wat dan?'

'Keith Glover heeft mijn vader – jouw opa – doodgeschoten,' zei hij.

Laurie schudde haar hoofd. 'Keith?'

'Tony's broer. Hij wilde de winkel beroven en schoot mijn vader dood. En toen schoot hij op mijn moeder. Daarom was ze verlamd. Daarom kon ze niet wegkomen toen het water kwam. Omdat ze in een rolstoel zat. Dankzij Keith Glover. Hij heeft ons kapotgemaakt.'

'Maar je zei altijd dat opa in de oorlog gesneuveld was. Je hebt tegen me gelogen.'

'Ik wilde het je alleen maar besparen.' Zijn stem brak. Laurie keek hem verbijsterd aan terwijl hij in korte, kwaaie zinnen schetste hoe het leven van zijn moeder kapotgemaakt was. Hoe ze zonder haar man een pijnlijk, eenzaam halfleven geleid had – en dat allemaal door Keith.

Laurie dwong zichzelf haar hoofd erbij te houden. Er moest toch een uitweg zijn. Maar waar? Wat haar familie meegemaakt had, was zo afschuwelijk. Ze zag alleen nog maar de pijn bij haar vader, en alles wat ze wilde was die pijn wegnemen.

Maar er klopte iets niet. 'Maar je kunt Tony toch niet verwijten wat zijn broer gedaan heeft?'

'O Laurie,' zei hij, terwijl hij haar met betraande ogen aankeek. 'Je zult het nooit begrijpen. Het was niet alleen...' Hij zweeg even, tot hij zijn emoties weer de baas was. 'Het gaat ook om mijn moeder... Tony...'

Toen hij niet verder sprak, schudde ze verward haar hoofd. Het was duidelijk dat er nog veel meer aan de hand was. 'Wat bedoel je? Wat heeft Tony met je moeder te maken?'

Maar haar vader kreeg plotseling een ijskoude blik in zijn ogen. Hij leek zich af te sluiten. 'Het doet er niet toe,' zei hij onvriendelijk, terwijl hij boos in zijn ogen wreef. Toen hij haar weer aankeek, waren de tranen weg. In hun plaats kwam een ongenaakbare frons. 'Rachel heeft voor Tony gekozen, meer hoef je niet te weten. Ze vond hem belangrijker dan haar eigen familie.'

Die heftige gevoelens die al die jaren binnen in hem gesluimerd hadden... ze had haar vader altijd zo normaal gevonden, zo rechtdoorzee, maar nu zag ze dat ze het helemaal bij het verkeerde eind had gehad. Ze had nooit vermoed dat hij zo verbitterd was.

'Maar je kunt niet kiezen op wie je verliefd wordt, pap. Volgens mij waren Rachel en Tony heel gelukkig samen. Hij was een goed mens.'

Maar de logica van haar woorden was aan haar vader niet besteed.

'Rachel en Glover hebben iets van me afgenomen. Iets wat ik nooit meer teruggekregen heb. Pas toen ik je moeder leerde kennen had ik weer een beetje het gevoel dat ik leefde.'

Met een draaierig gevoel zette Laurie haar handen in haar zij. Haar hoofd tolde van alles wat ze gehoord had. Bovendien was het bloedheet. In de brandende zon waren de emotionele raadsels van haar vader moeilijk te ontcijferen.

'En je bent niet van plan Rachel een kans te geven?'

Haar vader zweeg een hele tijd. Met toegeknepen ogen tuurde hij naar de horizon.

'Wat heb ik verkeerd gedaan?' vroeg hij opeens.

Weer zette hij haar op het verkeerde been. 'Hoe bedoel je?'

'Had je niet genoeg aan je moeder en mij?'

'Natuurlijk wel.'

'Waarom vond je het dan nodig om Rachel op te zoeken? Waarom?'

'Ik weet het niet,' mompelde Laurie, die geen duidelijk antwoord kon verzinnen.

'We hebben je alles gegeven wat we hadden.'

Laurie keek in het azuurblauwe water van het zwembad. Ze zag de schaduwen van haarzelf en haar vader op de bodem, alsof ze aan het verdrinken waren. Wazig. Zo stond haar leven haar opeens voor ogen. Alles wat ze altijd over iedereen gedacht had te weten, was haar uit handen geslagen.

'Hoor eens papa, ik had het je nog niet gezegd, maar Rachel zit binnen,' zei ze opeens. Het had geen zin de waarheid nog langer voor hem verborgen te houden. Ze had gedacht dat ze de verhouding tussen hem en Rachel naar haar hand kon zetten, maar nu voelde ze zich volkomen machteloos. Er was zoveel wat ze niet wist. Zoveel wat niemand haar verteld had. 'Ze is boven, ze wil met je praten. Waarom praat je dit niet met haar uit?'

Deze mededeling leek haar vader diep te schokken. Hij draaide zich met open mond naar haar om.

'O nee, o nee,' zei hij. 'Zo werkt het niet, Laurie. Je kunt mensen niet bij elkaar vegen en er een gelukkige familie van maken, alsof je een puzzel in elkaar zet. Dit is echt iets voor jou. Jij denkt altijd dat het leven zo eenvoudig is. Jij denkt altijd dat je mensen alleen maar aan het praten hoeft te krijgen en dat alles dan vanzelf op z'n pootjes terechtkomt. Maar zo eenvoudig is het niet, en je bent intussen oud genoeg om dat te beseffen. Alles wat je doet heeft gevolgen. Dat geldt voor iedereen. En soms kunnen woorden daar niets meer aan veranderen.'

Laurie wist dat hij zich op haar afreageerde, en hoewel zijn woorden pijn deden, besloot ze stand te houden en nog een keer een beroep op hem te doen. 'Geef Rachel een paar minuten de tijd,' zei ze. 'Ze is Tony kwijtgeraakt en nu heeft ze alleen jou nog.'

'Ze heeft dit toch allemaal?' protesteerde hij met een weids armgebaar. 'En ze heeft jou.'

'Ze heeft mij niet, pap. Ik ben niet voor of tegen iemand.'

'Ja, dat ben je wel.'

'O papa, toe nou.' Eindelijk verloor ze haar geduld.

'Ik wil dat mens niet zien, laat staan vergeven.'

'Dan niet,' zuchtte Laurie berustend. Ze had haar best gedaan. 'Ik heb mijn spullen al gepakt, we stappen in de auto en laten Rachel hier achter. Als dat is wat je wilt, pap. Ik sta aan jouw kant. We gaan gewoon. Samen. Dat beloof ik.'

Laurie raakte zijn arm aan, maar hij reageerde niet. Binnen ging de telefoon en haar maag keerde zich om. Was dat Sam? Ze keek nog één keer naar haar vader voor ze naar het terras begon te lopen.

'Laurie! Wacht.'

Ze bleef staan en draaide zich om. Met een vastberaden blik in zijn ogen kwam haar vader op haar af. Zonder iets te zeggen of haar zelfs maar aan te kijken liep hij langs haar.

Binnen hield de telefoon op met rinkelen.

26

Op het kruispunt waadde Bill het ijskoude water in. Boven de stortbui uit hoorde hij vaag geschreeuw, maar hij kon niet bepalen van welke kant het kwam. De ondergelopen hoofdstraat zag er verlaten uit. Er liep niemand in paniek de straat op. Behalve Tony Glover was er geen mens te zien.

Reageerde hij zelf misschien te paniekerig? Stuurde hij Glover voor niks het water in? Riskeerde hij voor niks ook zijn eigen leven? Baseerde hij zich te veel op zijn beperkte bouwkundige kennis en was zijn reactie overtrokken? Bracht hij zijn moeder en Emily nu misschien juist in gevaar?

Het was mogelijk, maar hij moest nu niet gaan twijfelen. Hij moest blijven denken aan de angst, de kille doodsangst die hem bevangen had op het moment dat hij uit het busje stapte en het koude water aan zijn voeten voelde.

Wat hij tegen Tony gezegd had – over de zwakke fundering van de huizen – was slechts één reden voor zijn bezorgdheid. Hij had zich onmiddellijk gerealiseerd dat er alleen maar zoveel water van de Summerglade Hill kon komen als de veengrond daarboven verzadigd was. Maar waarom, had hij zich afgevraagd, werd het overtollige water niet zoals gewoonlijk door de East Step en de West Step afgevoerd?

Omdat die al niet meer water aankonden, luidde het angstaanjagende antwoord.

Ze konden het niet aan, maar het water bleef komen. Het noodweer werd erger. Donderslagen roffelden als kanonschoten door het dal. De regen kwam met bakken uit de lucht. Nog meer water dat nergens heen kon.

Toen hij South Bridge zag, had Bill besloten zijn moeder en

Emily te gaan halen. Dat de brug geblokkeerd was – of in ieder geval ten dele geblokkeerd – was duidelijk, maar Bill kon zich geen voorwerp voorstellen dat groot genoeg was om een brug van die afmetingen af te sluiten. Alleen meerdere voorwerpen, tientallen voorwerpen... De verzadigde East en West Step moesten onderweg naar beneden elke boom die ze tegenkwamen ontwortelen en meesleuren.

En als dat het probleem was met South Bridge, hoe was het dan gesteld met Watersbind Bridge verderop in het dal, en met het natuurlijke stuwmeer daarachter, waar de twee rivieren samenkwamen? (Om nog maar te zwijgen van de andere zestien bruggen en bruggetjes die tussen Stepmouth en de top van de heuvel over de East en West Step lagen.) Was Watersbind Bridge ook afgesloten? Was het opgehoopte water daarachter al op zoek naar een uitweg?

Bill bad dat het antwoord nee was. Want als hij gelijk had en de druk op Watersbind Bridge nam toe, dan zou het water straks niet alleen over en om de brug heen lopen, maar de hele brug wegslaan.

En als dat gebeurde... tussen de zee en de monsterlijke muur van water die dan naar beneden zou komen lag maar één obstakel: het stadje Stepmouth.

'Hoe laat is het?' riep Tony Glover.

Bill keek op zijn horloge, het verzilverde uurwerk dat vroeger van zijn vader was geweest. De straatlantaarns gaven zo weinig licht dat hij de wijzers niet kon onderscheiden. Bill haalde zijn zaklamp uit zijn jaszak – blij dat hij het ding bij zich had gestoken voor het water het te pakken kon krijgen – en richtte de lichtbundel op het gebarsten glas. Kapotgemaakt door Keith Glover, dacht hij er automatisch bij. Kapotgemaakt op de dag dat hij Bills vader vermoordde.

'Vijf voor halfnegen,' riep hij terug.

'Om kwart voor is ze veilig, dat zweer ik je,' riep Tony Glover, die op weg was naar de hoofdstraat. 'Ik zie je straks op de heuvel. Veel succes.'

Bill moest Tony één ding nageven: hij had wel lef. Dat was wel gebleken toen hij terug was komen rennen om hulp te halen voor

Rachel. En het bleek nu weer.

'Jij ook,' schreeuwde Bill zo bemoedigend mogelijk.

Maar weer twijfelde hij aan zijn eigen beoordelingsvermogen. Hij moest er niet aan denken hoe zijn moeder zou reageren als Glover opeens voor haar neus stond. Maar wat moest hij anders? Glover was hondsmoe en Bill zou behalve een wonder al al zijn kracht nodig hebben om South Bridge over te steken. Glover liep stroomafwaarts; dat ging natuurlijk veel gemakkelijker. In de hoofdstraat zou hij wel snel iemand vinden die hem kon helpen. Misschien had hij die niet eens nodig, dacht Bill hoopvol, want Giles Weatherly was vast allang weer thuis. Als dat zo was, had hij het gevaar natuurlijk gezien en zijn moeder in veiligheid gebracht.

Emily was een heel ander verhaal, dacht Bill toen hij zich omdraaide en stroomopwaarts naar South Bridge begon te waden. Emily was te zeer aan het Sea Catch Café gehecht om zomaar haar boeltje te pakken, alleen maar omdat de rivier buiten zijn oevers was getreden. Daarvoor was ze veel te koppig en had ze te veel vertrouwen in haar eigen kunnen. Hij was ervan overtuigd dat ze op dit moment de deur aan het barricaderen was, fanatiek met een steelpan water stond te scheppen en het met haar blote handen tegen de rivier opnam.

Hij zette de zaklamp weer uit en hield hem hoog boven zijn hoofd. Hij zou hem misschien nog nodig hebben. Dichter bij de brug begon het water gestaag tegen zijn benen te duwen. Hij trok zijn doorweekte jas uit en dook ineen als een hond die een slee voorttrekt, zodat zijn zwaartepunt lager kwam te liggen. Hij stelde zich voor dat hij zo standvastig was als een rots in de branding.

Maar hoe dichter hij bij de brug kwam, hoe sneller het water dat zich langs de zijkant een weg zocht om hem heen kolkte. Totdat hij en de rivier, op zo'n vijf meter van de brug, elkaar uiteindelijk in evenwicht hielden. Hij mat zijn krachten met de uitdagend bulderende rivier, duwde uit alle macht tegen het water aan, maar hij kwam geen centimeter vooruit.

Opzij dan maar. Als hij er niet doorheen kon, moest hij er maar omheen. Met moeite deed hij een paar stappen naar rechts, in de richting van de rotsige voet van de Summerglade Hill. Met elke stap daalde het waterpeil. Eerst kwam zijn middel weer boven water uit, toen zijn dijen, tot hij er uiteindelijk nog tot zijn knieën in stond.

Hij strompelde het water uit, door de bosjes verder de heuvel op. Hijgend bleef hij staan, terwijl de wind door zijn drijfnatte kleren sneed en zijn lichaam gevoelloos maakte.

Hij bedacht een nieuw plan. De brug oversteken kon hij wel vergeten. De stroming was er te sterk. Het was stom dat hij het geprobeerd had. Hij zou verder het dal in lopen, weg van het stadje, en stroomopwaarts de rivier proberen over te steken.

Met de zaklamp in zijn hand baande hij zich een weg door de inktzwarte nacht, om de voet van de heuvel heen, voortstrompelend over stenen en modder en gras, voor hij met een boog heuvelafwaarts rende, op de plek waar het land weer vlakker werd. Uiteindelijk kwam hij zo'n vijfentwintig meter stroomopwaarts van de brug uit het struikgewas te voorschijn.

Normaal gesproken zou de Step zeker een meter onder de plek waar Bill stond langs gestroomd zijn, maar nu kwam het water bijna tot aan zijn voeten. In het donker zag het er net zo roerloos uit als een bosmeertje. Pas toen hij er zijn zaklamp op richtte, zag Bill hoe snel het stroomde. Er dreef van alles voorbij... stokken die uit het water staken als de handen van drenkelingen. En takken, met de bladeren er nog aan... de resten van gezonde bomen die van de rivieroevers gerukt waren...

Stroomafwaarts lag South Bridge er spookachtig bij, met zijn Victoriaanse straatlantaarns die regenbogen in de lucht toverden. Hiervandaan zag Bill dat de brug slechts gedeeltelijk door bomen geblokkeerd was en dat er nog steeds water onderdoor stroomde. De watermassa die van Watersbind naar beneden kwam zorgde ervoor dat het water zich een weg langs de brug zocht en aan weerszijden twee nieuwe rivieren vormde.

Het meer bij Watersbind stond zo vol dat het begon te overstromen. Wat betekende dat – als de brug daar het begaf – deze het ook kon begeven.

Bill gunde zich geen tijd er verder over na te denken. Hij liet de zaklamp op de grond vallen, trok zijn trui en overhemd uit en wierp zich in het ijskoude water.

Hijgend kwam hij weer boven. Het water was zo koud dat het pijn deed. Hij zwom met krachtige slagen naar de overkant, terwijl de rivier gestaag verder richting South Bridge stroomde en hem met zich meevoerde.

Als hij niet op tijd aan de overkant kwam, wist hij, zou hij als een vlieg in het web van takken onder de brug belanden: verpletterd, verslagen, verdronken. Of hij zou door de stroom onder de brug door geduwd worden, om op de keien in het kanaal erachter te pletter te slaan.

Er ging weer een seconde voorbij. Bij de brug bulderde het water als de donder. Maar Bill had de oever bereikt. Hij stak zijn armen uit, op zoek naar iets – wat dan ook – om zich aan vast te klampen. Maar hij werd nog steeds stroomafwaarts gesleurd. Zijn handen schampten over stenen en modder. De pijn vlamde door zijn arm toen zijn rechterduim verdraaide en brak. Toen kreeg hij iets te pakken, en zijn hand sloot zich er als een bankschroef omheen.

Het water spatte in zijn gezicht, in zijn mond, ogen en oren, de rivier draaide hem om en probeerde hem los te rukken. Zijn rechterarm boog zo ver door dat hij bijna brak. Maar hij liet niet los en bracht zijn linkerhand naar het voorwerp dat zijn rechterhand al beet had.

Boomwortels. Dat waren het. Die hadden voorkomen dat hij naar de brug toe gezogen werd. Hij greep de volgende, en de volgende en eindelijk wist hij zich uit de rivier omhoog te hijsen.

Zodra hij vaste grond onder zijn knieën voelde, liet hij zich voorover vallen. Hij lag op zijn buik op de rivieroever en gaf over. Hij gooide het water eruit dat de rivier hem met geweld door de strot geduwd had.

Maar hij had geen tijd om uit te rusten. Hij dwong zichzelf om op te staan. Het water bulderde oorverdovend. Hij keek om zich heen in een poging te bepalen waar hij was. Hij was een paar meter van de brug verwijderd. De boom waaraan hij zich vastgegrepen had, was zijn laatste kans geweest. Als hij die wortels gemist had, was hij nu dood geweest.

Hij stond op het hoogste punt van de rivieroever. Maar het regende nog steeds pijpenstelen. Binnenkort zou de rivier ook hier buiten haar oevers treden en de stroom die op de stad af raasde alleen maar breder maken.

De klok van St Hilda's lichtte zwakjes op in de niet-aflatende regen, als de volle maan achter een wolk. Bill wankelde bij de rivier vandaan, naar het nog ondiepe water achter de brug. Wat hij zag was het spiegelbeeld van het tafereel aan de andere kant van de brug. Waar het water aan die kant door de hoofdstraat stroomde, zo liep het hier door East Street.

Het stond zo te zien ook ongeveer even hoog: zestig centimeter, misschien zelfs hoger, misschien bijna een meter...

Bill dacht aan Tony, zoals hij hem voor het laatst gezien had; behendig had hij de snelste route door het stromende water gekozen. Bill besloot hetzelfde te doen. Het water zou aan deze kant niet veel sneller stromen, dacht hij. En het moeilijkste deel van zijn tocht – de oversteek – was achter de rug. Van nu af aan had hij de stroom mee in plaats van tegen.

Bill hoorde kreten. Door het waas van regen zag hij mensen, beladen met spullen, tegen de stroom in de straten uit lopen, op weg naar hoger, droger terrein.

'Richard,' schreeuwde hij, toen hij zijn vriend met zijn vrouw en dochters in oostelijke richting van het oprukkende water weg zag lopen. 'Heb je Emily gezien?'

'Nee,' riep Richard terug. 'Wat gebeurt er allemaal?'

'Doorlopen,' schreeuwde Bill. 'Zorg dat je zo ver mogelijk uit de buurt van de rivier komt.'

Bill wist niet of Richard hem gehoord had. Hij liep alweer de andere kant op, langs de kant van de nieuwe rivier, tot hij aan het begin van East Street het water in waadde.

In het begin leek de stroming niet al te sterk. Hij keek de straat in. Emily's huis lag – wat zou het zijn? – vijftig meter verderop. Hij was er zo. En wat dan? Dan zou hij met haar verder stroomafwaarts lopen en dan rechtsaf slaan en buiten het bereik van de rivier naar het oosten lopen.

Opeens werd de stroming sterker, trok aan zijn benen. Bills hart bonsde tegen zijn ribben. Onder zijn voeten kwamen de straatstenen omhoog, omgewoeld door de kracht van het water. Er sloeg iets tegen zijn heup en hij viel, gleed onder water.

Duisternis. Kou. Water overal. Een oceaan drong in zijn oren, een miljoen ruisende belletjes.

Hij buitelde door het water, probeerde zich op te richten. Hij schreeuwde zonder geluid te maken. Hij wist niet meer wat boven en onder was. Iets zachts streek langs zijn gezicht. Toen was het weer weg. Zijn knokkels schraapten over de straat. Even later was er lucht. Een long vol. Genoeg om boven te komen.

Hij kon weer ademhalen. Maar hij zag niets. Heel even dacht hij dat hij dood was. Dat hij nog steeds onder water was. Dat hij alleen maar dacht dat hij lucht kreeg omdat hij in werkelijkheid zijn lichaam al verlaten had en geen zuurstof meer nodig had.

Nog een longvol lucht. En nog een. Hij sloeg met armen en benen in het water, als een dronkaard die probeert overeind te komen. Toen drong tot zijn hersenen door wat zijn lichaam al begrepen had. Hij was niet meer onder water. Hij was niet dood. De elektriciteit, besefte hij. De elektriciteit was weer uitgevallen.

Hij hoorde een schreeuw. Een gil. Zijn naam. Licht flitste in zijn ogen. Iets trok aan zijn benen, greep zijn riem.

'Trekken!' riep een stem.

Bill voelde handen om zijn polsen en onder zijn ellebogen. Vingers drukten in zijn vlees. Ze brandden op zijn verkleumde huid. Toen hij uit het water getrokken werd, schreeuwde hij het uit van de pijn. Stenen schraapten langs zijn ribben. Vanuit het niets verscheen een rechthoek van licht. Hij werd er met een ruk doorheen getrokken. Hij viel op droge vloerbedekking.

Een stem in zijn oor, een warme stem, een stem die hij niet verwacht had ooit nog te zullen horen: 'Bill, Bill, o mijn lieve Bill.'

Hij lag ademloos in het kaarslicht en keek in Emily's ogen. Ze was doorweekt, in handdoeken gehuld. Warmte doorstroomde hem, alsof dit allemaal niet echt gebeurde, alsof ze gewoon in Emily's badkamer waren en hij in bad in slaap gesukkeld was en bij het ontwaken merkte dat zij op hem neer stond te kijken. Het lukte hem om te gaan zitten en hij trok haar dicht tegen zich aan.

Maar het gruwelijke drong onmiddellijk weer tot hem door.

'We moeten hier weg,' zei hij.

Hij keek op en zag dat ze niet alleen waren. Giles Weatherly, drijfnat en bleek, stond op hem neer te kijken. Naast hem stond Lewis Cook, zijn vriend, die naast Emily woonde. Lewis trilde hevig. Zijn linkerslaap was dik en geschaafd. Zijn blauwe trui was gescheurd, een van de mouwen hing er los bij. In zijn hand had hij de bootshaak waarmee hij Bill zojuist uit het water gevist had.

Als Giles hier was, dan kon hij Glover niet helpen zijn moeder uit haar huis te dragen. Had Glover iemand anders gevonden? Was zijn moeder in veiligheid? Bill kwam met moeite overeind.

'Waar zijn we?' vroeg hij, om zich heen kijkend in de onbekende kamer. Emily's hand lag in de zijne, hun vingers innig verstrengeld. Hij zag een ladenkast en een witte wasbak, oplichtend in het schijnsel van de kaarsen. Midden op het bed stond absurd genoeg een gloednieuwe televisie – de televisie die Giles was komen bewonderen.

'Mijn huis,' zei Lewis Cook. De gezette man met het woeste witblonde haar runde het postkantoor en was vrijwilliger bij de reddingsbrigade.

'Het café is ondergelopen,' voegde Emily eraan toe. 'Giles en Lewis kwamen me halen.'

'Omdat ons huis hoger ligt dachten we dat we hier veilig waren,' zei Lewis. 'Maar het water bleef maar stijgen.'

'Hier,' zei Josephine, Lewis' vrouw, die de kamer in kwam en een deken over Bills schouders legde.

Lewis liep terug naar het raam. Zonder iets te zeggen voegden Bill, Emily en de anderen zich bij hem om de situatie op te nemen. De regen knisperde als statische elektriciteit. Bliksemflitsen doorkliefden de lucht. De stank van veen en hout en modder drong in hun neusgaten.

Pas nu besefte Bill dat ze op de eerste verdieping stonden en dat de anderen al door het water naar boven gejaagd waren. Hij tuurde de duisternis in. Het water in East Street moest inmiddels anderhalve meter hoog staan. En het kolkte met hoge snelheid onder het raam door. Hij had geluk gehad dat hij niet naar zee gesleurd was.

In de huizen aan de overkant brandde geen licht. Misschien

zouden de lampen straks weer aangaan, zoals al eerder gebeurd was. Als Bills theorie over Watersbind klopte, zou dat niet het geval zijn. Het kon zijn dat het kanaal waardoor het water van het meer naar de waterkrachtcentrale geleid werd overstroomd was. Dan stond de centrale zelf misschien ook al onder water.

In het donkere gat van een raam aan de overkant ging een zaklamp aan en uit. Morse. Bill las het zonder erbij na te denken, zoals hij in het leger geleerd had: sos – *save our souls*, het internationale noodsein.

'Dat is John Mitchell,' schreeuwde Lewis boven het kabaal uit, 'maar we komen nooit aan de overkant. Ze moeten zichzelf zien te redden, net als wij.' Door Bills hoofd schoot het beeld van John, die in het voorjaar uit datzelfde raam had gehangen om zijn bloemen water te geven. Was dit echt dezelfde planeet?

'We moeten hier weg zien te komen,' zei Bill. Maar nog terwijl hij het zei voelde hij de paniek opkomen. Want hoe kónden ze hier wegkomen? Hoe kon hij Emily hier weg krijgen, terwijl het water nu zo snel stroomde dat ze meegesleurd zouden worden?

'Nee,' zei Giles. 'We moeten hier blijven. Hier is het veilig.'

'Als het water nog hoger komt – en dat kan ik haast niet geloven – hebben we altijd de zolder nog,' zei Lewis instemmend.

'Jullie begrijpen het niet,' wierp Bill tegen. 'De brug is geblokkeerd. Ik ben bang dat het in Watersbind hetzelfde is. Ik vrees dat als...'

Maar voor Bill het kon uitleggen begon zijn stem te beven. Hij kuchte en schraapte zijn keel, maar toen hij verder wilde praten gebeurde hetzelfde. Op dat moment besefte hij dat het trillen niet uit hém kwam.

Bill vloog naar de kamer aan de achterkant van het huis en keek naar buiten, maar ook daar kolkte het water onder het raam.

Toen hij naar de anderen terugrende steeg boven het lawaai van wind en regen een laag gerommel uit. Het was geen onweer, want het ebde niet weg. Het werd juist steeds luider, kwam dichterbij, alsof er een goederentrein op hen af raasde. Een tafelklok viel van de schoorsteenmantel en lag in stukken op de grond.

'Allemaal liggen!' schreeuwde Bill, terwijl hij zijn armen om

Emily heen sloeg en haar naar de grond trok.

Het was alsof het huis tot leven kwam. De planken van de vloer spanden zich als spieren onder hen. De muren kreunden. Het plafond huiverde. Stof daalde op hen neer. Kaarsen dropen en doofden uit. Duisternis zo dik als fluweel nam bezit van de kamer.

Terwijl de donder voortrolde, sloot Bill zijn ogen en drukte zijn lippen op Emily's wang. Wat er ook op hen afkwam, het zou niet stoppen. De brug bij Watersbind... Bill wist dat hij gelijk had gehad. De brug was bezweken onder de druk van het stuwmeer en nu kwam de vloedgolf op Stepmouth af.

Bill begreep dat hij ging sterven. Hij ging sterven, met Emily aan zijn zijde. Hij was er niet in geslaagd haar te redden, maar hij had haar op tijd bereikt. Hij was blij dat hij zelf naar haar op zoek was gegaan, in plaats van Tony. Hij was nu bij haar en niet bij zijn moeder; hij had de juiste keuze gemaakt. Hij ging liever met Emily dood dan dat hij haar alleen liet sterven. Hij trok haar hoofd tegen zijn borst en probeerde haar met heel zijn lichaam te beschermen.

Hij deed zijn mond open om een afscheid te fluisteren.

Maar toen sloeg het water toe.

Het lawaai. Het was alsof er een lawine op hen afkwam. Alsof ze levend begraven werden.

Het huis stond te schudden als door een machtige hamerslag. De lucht werd uit de kamer gezogen door het langsstromende water. En toen kwam de ene golf na de andere naar binnen, door de ramen en deuren. Ze stonden op de brug van een zinkend schip. Bill hield zich stevig aan Emily vast, samen werden ze tegen de muur gesmeten en weer teruggetrokken als een kluwen gillende ledematen. Ze stikten, verdronken in elkaars armen terwijl het water hen heen en weer smeet.

En toen niets.

In duisternis gehuld probeerde Bill vergeefs iets te zien. De hand in de zijne bewoog.

'Emily?' vroeg hij.

Hij lag languit op zijn buik, zo te voelen in een hoek van de kamer.

Hij kneep een beetje harder in de hand.

'Emily?' vroeg hij opnieuw.

'Bill,' antwoordde ze.

Hij tastte naar haar gezicht, haar lippen... 'Je leeft nog,' zei hij. Hij kuste haar. Vervoering brak in hem door als zonlicht door een wolk. 'Is iedereen in orde?' riep hij in het donker.

Een man – Giles? – riep: 'Ja.'

Josephine gilde hysterisch: 'Lewis! Lewis, ben je daar?'

Van de andere kant van de kamer kwam een laag gekreun. 'Mijn arm... Ik voel mijn...'

Maar Bill luisterde niet. Hij nam Emily's gezicht in zijn handen. 'Nu is het voorbij. Het is voorbij. Dat was het stuwmeer, maar nu is het weg...'

Hij voelde haar handen op de zijne. 'Ik had je eerder moeten zeggen hoeveel ik van je hou,' fluisterde ze. 'Ik had het je elke dag een keer moeten zeggen.'

'O, god.' Dat was Giles. 'O, god. Kijk.'

Afgaande op Giles' stem sleepte Bill zich door het bruisende, schuimende, golvende water. Hij kon de omtrek van het raam onderscheiden, grijs tegen het diepe duister in de kamer. Hij probeerde op te staan, maar zijn benen waren te slap. Zijn huid tintelde. Achter het raam zag hij vaag iets langsglijden. Als een schaduw. Hij trok zich op aan de vensterbank.

De bliksem knetterde door de lucht, flitsend als een stroboscoop. Wat Bill toen zag, zou hem de rest van zijn leven bijblijven. De rivier stroomde nog geen halve meter onder het raamkozijn. Monsterlijke golven joegen achter elkaar aan, rollend, schuimend, oprijzend tot hoge kammen, voortkolkend als een enorme zwarte massa.

Maar dat was niet wat Bills aandacht trok. De rij huizen aan de overkant was toegetakeld als het gebit van een bokser. Dakpannen waren van daken geslagen, erkers weggespoeld. Het raam waarachter John Mitchell had staan seinen, de hele bovenverdieping van zijn huis, was weg. Net als de verdiepingen van de huizen aan weerszijden.

Half East Street was letterlijk de zee in gespoeld.

'God, heb meelij met ze,' mompelde Giles aan één stuk door.

366

Opeens zagen ze, stroomopwaarts, onder water twee lichtbundels hun kant op schijnen.

'Maar dat is toch geen...' zei Emily, die naast Bill was komen staan.

'Auto,' vulde Bill aan.

Het was wel een auto. Verbijsterd zagen ze hoe hij door de straat dreef, half ondergedompeld in de helse rivier, op een of andere manier kortgesloten, met koplampen die op volle sterkte het water ervoor verlichtten. Toen hij vlak onder hen was dook de spookauto met zijn neus in het water en verdween in een fontein van luchtbellen uit het zicht.

De bliksem ebde weg. De duisternis keerde terug.

Achter hen sloeg Lewis een kreet van pijn.

Bill zag geen hand voor ogen.

'Ik kom eraan,' riep Emily.

Op dat moment verstijfden ze allemaal, want daar begon dat gerommel weer. Bill fronste verward zijn voorhoofd. Dat kon toch niet? Als het stuwmeer bij Watersbind al doorgebroken was?

Zestien bruggen, wist hij. Zestien bruggen telden de valleien van de East en de West Step. En die konden allemaal net als South Bridge geblokkeerd geraakt zijn. En ze konden allemaal zojuist doorgebroken zijn...

De muren gilden. Het gerommel ging over in gebulder. De duivelse kakofonie zwol aan. Bill schreeuwde Emily's naam, maar zijn tong had net zo goed verlamd kunnen zijn. Hij wankelde door die inktzwarte gevangenis, terwijl de vloer onder zijn voeten als een ijsschots omhoogkwam en in stukken brak. Hij maaide met zijn armen in de lucht, biddend om Emily.

Een bliksemflits en hij zag haar, afgetekend tegen het raam. Ze had haar armen gespreid, net als hij. Hij rende op haar af.

Maar zijn handen voelden niets anders dan de muur van water die op het huis stortte.

27

Mallorca, nu

'Vuile, smerige hoer!'

Rachel hield de hoorn een eindje van haar oor terwijl de stort-vloed van scheldwoorden onverminderd doorging. In godsnaam, wat... Hier had ze geen tijd voor, dacht ze geërgerd. Ze had geen tijd voor obscene telefoontjes, niet nu ze op het punt stond naar beneden te gaan en na vijftig jaar haar broer weer de hand te schudden.

Een paar minuten geleden had ze vanuit het raam op de bo-venste verdieping naar Laurie en Bill bij het zwembad staan kij-ken. Laurie had kennelijk weinig succes met haar uitleg. Ze kon niet horen wat ze zeiden, maar aan hun lichaamstaal zag Rachel dat het wellicht tijd werd om in te grijpen. Ze had besloten dat ze zich niet langer in haar eigen huis wilde verstoppen. Het werd tijd om de koe bij de horens te vatten, zogezegd.

Ze was al onderweg naar beneden geweest toen de telefoon ging. Waarom had ze hem niet gewoon laten rinkelen?

'Hallo,' probeerde ze nog een keer voorzichtig. 'Wilt u alstu-blieft...'

Toen herkende ze in al dat tieren en schelden de stem van Claire.

'Lieverd? Lieverd? Ben jij dat?' Maar Claire gaf geen antwoord. Ze was door het dolle heen. 'Claire, Claire, kalmeer een beetje,' zei Rachel wat harder, om boven Claires snikken uit te komen. 'Wat is er gebeurd? Zeg me wat er gebeurd is. Is er iets met Ar-chie?'

Rachel dacht nu niet meer aan Bill en Laurie en greep de hoorn met beide handen vast. Ze voelde de angst in haar groeien. Claire had wel vaker een hysterische bui, maar zo buiten zinnen had Rachel haar nog nooit meegemaakt.

'Hij heeft iets met een ander,' zei Claire met verstikte stem. 'Hij heeft iets met een ander.'

'Waar heb je het in vredesnaam over?' Rachel had het gevoel dat ze viel. Alsof de vloer onder haar wegzakte.

'Sam. Hij doet het *met haar*,' huilde Claire.

'Met wie?'

'Die lieve Laurie van jou. Die hoer, die... die... ik belde haar om te zeggen...'

Rachel liet zich zwaar op het bed zakken. Een van de familiefoto's gleed van de sprei en viel stuk op de grond.

'Weet je dat zeker?'

'Natuurlijk weet ik het zeker, verdomme. Sam heeft het me net allemaal verteld.' Claire slaakte een luide jammerklacht, diep vanuit haar keel.

Rachel sloeg een hand voor haar mond om het niet ook uit te gillen. Ze voelde iets – angst, adrenaline, woede? – van top tot teen door haar lichaam slaan. Ze hield zich aan de rand van het bed vast terwijl Claire vertelde wat ze van Sam gehoord had.

Niet Sam. O jezus, nee. Claire en hij – ze waren toch gelukkig getrouwd? Sam zou Claire nooit bedriegen, dat bestond gewoon niet.

En met Laurie nog wel?

Nee, het kon niet kloppen. Sam mocht Laurie niet eens. Opeens dacht ze weer aan die avond, toen ze met z'n allen hier gegeten hadden en Laurie zo stil geweest was. Had Sam zich zo vreemd gedragen omdat Laurie erbij was? Omdat ze zijn minnares was?

En James dan? Laurie was toch verliefd op James? Het sloeg allemaal nergens op. Ze had James zelf gesproken. Maar misschien was James alleen maar een afleidingsmanoeuvre. Misschien had ze zich ook in James vergist. Zoekend naar de betekenis van wat ze zojuist gehoord had, liet ze de beelden van Sam en Laurie samen aan zich voorbijtrekken.

'Het kan niet waar zijn...' zei ze half mompelend tegen Claire, maar meteen dacht ze aan Lauries koffers, die keurig gepakt in haar kamer stonden. Eindelijk drong de waarheid tot haar door.

Laurie wist dat het uit zou komen! Ze wist het. Ze wist dat ze zou moeten vertrekken.

'Wat moet ik nu doen?' jammerde Claire.

Toen ze de wanhopige klank in de stem van haar kleindochter hoorde, haar schreeuw om hulp, schudde Rachel haar eigen schrik van zich af. Ze moest nu even helder denken. Dit ging mooi niet door. Ze vond het domweg niet goed. Wat er ook tussen Sam en Laurie was, Rachel zou er onmiddellijk een eind aan maken, daar konden ze vergif op innemen. Sam was de vader van Claires kind. Wat dacht hij wel? Dat hij zich zomaar uit de voeten kon maken?

Nou, dan had hij het goed mis! Hij had verantwoordelijkheden. Alles wat hij in zijn leven zo vanzelfsprekend vond had hij aan Claire te danken. Nee, Sam zou Claire zijn verontschuldigingen aanbieden en de schade die hij aangericht had herstellen. Elk huwelijk kende pieken en dalen – god, daar wist zij alles van. Sam en Claire zouden dit weer te boven komen en verdergaan met hun leven.

En Laurie? Die kon verdomme haar gepakte koffers halen en maken dat ze wegkwam, voor ze Rachels familie nog meer verdriet deed.

'Claire, rustig maar.' Rachel probeerde tot Claire door te dringen, maar het kostte haar de grootste moeite om haar stem in bedwang te houden. 'Alsjeblieft, lieverd. Huil nou maar niet. Probeer jezelf een beetje te vermannen. Ik regel het wel, dat beloof ik je. Dit kan Sam niet maken. Laat het maar aan mij over. Is hij daar nog?'

'Ja, hij...'

Rachel stond op. 'Wat je ook doet, zorg dat hij daar blijft. Alles komt goed.'

Rachel smeet de hoorn op de haak. Haar moederinstinct zei haar onmiddellijk naar Claire toe te gaan, haar armen om haar heen te slaan, al haar zorgen weg te nemen. Maar tegelijk ontplofte ze bijna van woede. Ze had het gevoel dat ze op een vreselijke manier gefaald had. Het was haar niet gelukt haar gezin te beschermen. Dit was allemaal haar schuld. En ze zou het ook weer rechtzetten, nu meteen.

Ze bonkte de trap af naar de hal, zonder precies te weten wat ze zou zeggen. Hoe dan ook, Laurie kreeg de volle laag. Vanuit de heup. Recht tussen haar ogen. En wel nu.

Op dat moment zag ze Bill onder aan de trap staan. Hij had zijn armen over elkaar geslagen, als de uitsmijter van een nacht-club.

'Rachel,' zei hij.

Ze bleef staan. Het was de vertrouwdheid van zijn stem die het hem deed. Vijftig jaar was op slag vervlogen en ze voelde zich betrapt, alsof ze weer dat stiekeme schoolmeisje van vroeger was. Hij was zo tastbaar, zo echt, zo statig, al was hij dan al in de ze-ventig – hij bracht haar volledig van haar stuk. Alle kracht vloeide uit haar weg.

Ze wist opeens niet meer wat ze tegen hem had willen zeggen. Ze had het gevoel dat de hechtheid van haar gezin, de troefkaart die ze hem had willen laten zien, zojuist in het niet verdwenen was. Nu voelde ze zich naakt, alsof hij haar betrapte op haar meest kwetsbare moment.

'Bill,' zei ze. Haar blik ontmoette de zijne en ze herinnerde zich weer haarscherp de laatste keer dat ze hem zag. Zijn ogen stonden harder dan ooit.

'Luister naar me, en luister goed,' zei Bill. Hij priemde met een vinger in haar richting. 'Ik weet niet wat voor spelletje je speelt en ik weet niet wat je je in je hoofd haalde toen je Laurie vroeg mij uit te nodigen, maar ik ben niet van plan je te vergeven. Ik zal je nooit vergeven. Jij hebt je keus gemaakt. En dat je nu we-duwe bent, betekent niet dat je de tijd kunt terugdraaien.'

Zijn kille stem, zijn gebrek aan medeleven en begrip overwel-digden haar. Haar hart bonsde.

'Je bent met een leugenaar getrouwd, Rachel. Als je denkt dat ik je geweten kom sussen, dan heb je het mis. Wij zijn geen fami-lie van elkaar, jij en ik. We hielden op familie van elkaar te zijn op de dag dat jij ervandoor ging.'

In al die vijftig jaar had niemand ooit zo tegen haar gesproken. Niemand had het gewaagd haar of Tony aan te vallen of haar integriteit in twijfel te trekken. Niemand had haar zijn wil opge-legd, zeker niet in haar eigen huis.

Ze stond te trillen op haar benen. Alle hoop die ze eerder gekoesterd had was de bodem in geslagen, haar verwachtingen waren vervlogen. Dit was hopeloos. Er was niets veranderd. Het was dwaas geweest om te denken dat Bill in de loop van de tijd milder zou zijn geworden. Hoe had ze ooit kunnen denken dat hij haar zou vergeven? Ze had aangenomen dat als ze elkaar eenmaal weer zagen, het verleden op magische wijze uitgewist zou worden. Maar nu ze oog in oog met elkaar stonden, begreep ze hoe naïef en onrealistisch die gedachte was geweest. Al haar voorstellingen over haar verzoening met Bill lagen in scherven aan haar voeten. Hij was alleen maar onbuigzamer geworden. Hij wilde niet hetzelfde als zij. Hij had geen behoefte aan vergeving of begrip. Hij zou zijn haat en verbittering koesteren tot zijn laatste snik, net als hun moeder gedaan had, en sterven in de vaste overtuiging dat hij aan de goede kant stond.

'Jij was degene die ervandoor ging, Bill,' verbeterde ze.

Bill schudde zijn hoofd, alsof hij haar woorden wilde beletten in zijn oren te dringen. 'Ik wil er helemaal niet over praten. Daar is het nu te laat voor.'

'Waarom ben je dan hier? Waarom sta je daar?' *Waarom kwel je me zo*, had ze eigenlijk willen vragen.

'Voor Laurie. Omdat zij dit niet voor mij hoeft te zeggen.'

'Ha!' sneerde Rachel, toen de ironie van de situatie, de ironie van deze ontmoeting tot haar doordrong. De hele tijd had ze gedacht dat Laurie haar probeerde te helpen. Maar de waarheid was dat ze Bill hierheen gehaald had om haar nog meer pijn te doen. Vader en dochter. Allebei even slecht. Even egoïstisch. Even kortzichtig en koppig. Wat toepasselijk dat Laurie naar hun moeder was vernoemd.

'Ik vind het hoogst verwerpelijk dat je Laurie voor je karretje hebt gespannen,' vervolgde Bill. 'Waarom denk je dat ik je al die jaren geheim heb gehouden? Om haar tegen jou te beschermen. Om te voorkomen dat ze erachter kwam wat er met haar grootouders gebeurd is. Maar ik had kunnen weten dat je zo achterbaks zou zijn. Ik had kunnen weten dat je zodra je de kans kreeg misbruik van haar vriendelijke karakter zou maken. Dat je nog net zo egoïstisch bent als altijd en nog steeds alleen maar aan jezelf denkt. Wat zielig dat je moest wachten tot je man doodging.'

Rachel wilde om Tony roepen. Ze voelde scherper dan ooit dat ze hem verraden had. Vanaf het moment dat hij doodging had ze achter Bill aangezeten. Achter de rug van haar man om was ze naar hem op zoek gegaan. En dit was haar straf.

Ze had op Tony moeten vertrouwen. Dat had ze toen hij nog leefde ook altijd gedaan. Waarom dan niet meer toen hij dood was? Hij had namelijk gelijk gehad over Bill. Ze probeerde zich Tony's gezicht voor de geest te halen. Ze dacht aan al die foto's die ze omwille van Bill en Laurie mee naar boven had genomen. Hoe had ze dat kunnen doen? Ze schaamde zich niet voor Tony. Geen moment. Ze had die foto's rustig moeten laten hangen.

'Lauries vriendelijke karakter? Lauries vriendelijke karakter?' Rachels woede vond een uitweg. 'Hoe durf je dit allemaal in mijn eigen huis tegen me te zeggen. Hoe durf je nog steeds de baas over me te spelen. Dit pik ik van niemand, en van jou al helemaal niet. Je weet er weer eens helemaal niets van, net als vroeger.'

Bill moest eerst maar eens de waarheid over zijn eigen familie onder ogen zien, voor hij die van haar begon te veroordelen. Ze stormde de trap af en dreef hem terug de hal in.

'Na wat Laurie aangericht heeft!' schreeuwde ze. 'Je durft me de les te lezen over Tony, terwijl je hem niet eens kende? Je weet niet eens wat voor man hij geworden is. Hij was fatsoenlijk en aardig en eerlijk en trouw. In tegenstelling tot die verachtelijke dochter van jou.'

'Waar heb je het in vredesnaam over?'

Rachel had zin om te gillen. 'Als je nou even je kop houdt en naar me luistert... dan zal ik je dat eens haarfijn vertellen, Bill Vale.'

28

Stepmouth, 15 augustus 1953, middernacht

Rachel zat rillend op een omgekeerd krat, met een tinnen kroes koud geworden thee in haar handen geklemd en een grijze legerdeken om haar schouders. Met klapperende tanden tuurde ze naar de weg die van de Summerglade Hill naar beneden leidde, maar de duisternis was zo totaal dat ze alleen maar in een zwart gat keek. Ze deed haar uiterste best om iets te onderscheiden, biddend dat Tony uit de duisternis te voorschijn zou komen, maar ze zag alleen maar het gordijn van waterdruppels die over de rand van het groene zeildoek op de verzadigde grond voor haar voeten vielen. Ze had geen idee hoe laat het was. Ze wist alleen maar dat deze nachtmerrie nu al uren duurde.

Het leek een heel leven geleden dat Tony en Bill haar alleen in het busje achtergelaten hadden. Ze was doodsbang geweest, met die gierende wind en de regen die op het ritme van de kloppende pijn in haar borst op het dak roffelde. Toen ze in het licht van een bliksemflits mensen zag opdoemen, dacht ze dat haar beproeving ten einde was, maar in werkelijkheid was dat pas het begin.

Hoewel Rachel de met modder besmeurde, doorweekte mensen die de heuvel op kwamen door de voorruit van het busje maar vaag kon onderscheiden, zag ze wel dat een flink aantal van hen gewond was. Ze bonkte met haar vuist op het raam en gilde dat ze op haar moesten wachten, maar niemand hoorde haar. Het gebulder van de wind was oorverdovend. In wanhoop klom ze aan de bestuurderskant naar buiten.

Een van de mannen had een zaklamp – de enige lichtbron – maar toen Rachel zich in de stromende regen bij de groep voegde, doofde de zwakke lichtbundel na een paar keer flikkeren uit.

In het donker pakte ze op de tast iemands natte jas en zo schui-felden ze met z'n allen de Summerglade Hill op, op zoek naar een droge plek.

Opeens scheurde een bliksemflits de hemel open en ving Rachel als door een scheur in een zwart gordijn een flits op van het drama dat zich beneden afspeelde. Ze kon het tafereel amper bevatten. Wat ze zag was een onvoorstelbaar woeste stroom, die dwars door het stadje trok.

De overlevenden waren pas bij de open plek halverwege de heuvel toen de groep uit elkaar viel. Iemand schreeuwde boven het huilen van de wind en het ruisen van het water uit en slaagde erin de anderen door het hek naar de verlaten woonwagen te di-rigeren, waar Rachel ooit met Tony gevreeën had.

Met z'n allen zaten ze in elkaar gedoken in het donker te wachten, terwijl de regen door het dak van de vervallen woonwa-gen stroomde en de geur van modder zich vermengde met de zurige lucht van schimmel. Niemand wist wat er gebeurd was. Ze wisten alleen dat ze aan het water ontsnapt waren. Onder een stoel vond Rachel in een doos een kaars en iemand stak hem aan. In het schaarse licht herkende ze haar lotgenoten: mevrouw Ta-mar van de slagerij, Janet van de ijssalon met haar twee zusjes, meneer Barry en de oude meneer Stebbing. Een vrouw, die waar-schijnlijk uit het hotel kwam, gaf zachtjes huilend een kind de borst, met een klein meisje snikkend aan haar rokken. Meneer John schudde net zolang met de zaklamp tot hij als een knipper-licht aan- en uitging en bood aan om buiten de wacht te houden, waarna hij op klaaglijke toon tegen voorbijgangers ging staan roepen dat ze in de woonwagen zaten.

Niemand vroeg aan Rachel hoe ze in haar eentje in een bestel-busje op de Summerglade Hill terechtgekomen was. De pijn en de schok hadden de mensen stil gemaakt en iedereen deed zijn uiterste best om boven de wind uit te horen of er nog andere overlevenden aankwamen en of er al hulp op komst was. Rachel kon nauwelijks zitten, zo hevig was de pijn in haar borst. Terwijl ze die wraakzuchtige God daarbuiten smeekte haar uit deze af-schuwelijke nachtmerrie te laten ontwaken, stroomden de tranen onopgemerkt over haar wangen.

Ongeveer een uur later was de eerste ziekenwagen uit Barnstaple gekomen. Rachel had geen idee wie er alarm geslagen had, aangezien meneer John verteld had dat behalve de stroom ook de telefoon uitgevallen was. Daarna waren er van de legerbasis nog meer ziekenwagens gekomen. De legermensen hadden verklaard dat de wegen te slecht waren om de groep te evacueren, waarna ze een noodkamp ingericht hadden door naast de woonwagen zeildoek boven de open plek te spannen. Een vriendelijke vrouw in een grijs uniform had thee en dekens uitgedeeld.

Nu kon Rachel, als de wind even ging liggen en het zeildoek niet zo hard klapperde, af en toe een van de anderen horen kreunen. Maar ondanks de gaslampen die het leger meegebracht had, zag ze nog steeds bijna geen hand voor ogen. Het bliksemde niet meer, maar nu en dan verlichtten de koplampen van een auto een heg of een boom en dan zag ze weer dat ze op de Summerglade Hill zat, aan een weg die ze kende als haar broekzak.

Ze schrok toen achter haar de hospik die haar behandeld had – hij had haar ribben verbonden en haar gezicht schoongemaakt – uit een ziekenwagen sprong. Hij had even bij meneer Barry gekeken, die buiten westen op een bed achter in de wagen lag. Rachel wist dat de anderen het er niet mee eens waren dat ze meneer Barry een verdoving gegeven hadden, maar hij was zo tegen de soldaten tekeergegaan dat ze volgens haar geen andere keus hadden gehad dan hem het zwijgen op te leggen.

De geruchten over de luchtmacht die regen maakte, die ze in de winkel wel eens opgevangen had, waren blijkbaar ook tot anderen doorgedrongen. En meneer Barry, die zijn zoon kwijt was en kennelijk dacht dat het leger de boosdoener was, had van zijn hart geen moordkuil gemaakt.

Rachel had medelijden met de geplaagde hospik. Ze wilde iets doen, ze wilde helpen, maar ze wist al wat hij daarvan zou zeggen. Ze had te horen gekregen dat ze twee gebroken ribben had en stil moest blijven zitten. Bovendien was ze nog een beetje duizelig van de klap tegen haar hoofd, van toen de auto tegen die boom reed. Ze vroeg zich af of ze de baby kwijt zou raken. Haar buik voelde pijnlijk aan.

Maar het leek niet meer belangrijk. Het enige wat nog belangrijk was, was dat Tony het overleefde en bij haar terugkwam... net als Bill en haar moeder. Ze hadden geruchten gehoord over enorme golven... over instortende huizen. Maar Rachel geloofde er niets van. Hoe kon iemand dat weten, als je nog geen hand voor ogen zag?

Toch hield de angst haar in zijn greep. Als hun huis nu eens getroffen was door zo'n golf? Als haar moeder niet buiten had kunnen komen? Rachel werd wanhopig bij de gedachte aan haar moeder, alleen en bang in haar kamer, met alleen een kaars, niet in staat om eruit te komen. Rachel dacht terug aan hun ruzie van de dag ervoor, toen ze haar moeder uit de grond van haar hart gehaat had. Zou dat straks de laatste herinnering van haar moeder zijn? Zou Rachel ooit nog de kans krijgen tegen haar te zeggen hoeveel ze van haar hield? Zou haar moeder ooit nog begrijpen dat ze net zoveel van haar hield als van Tony?

En Tony? Stel dat het water hem te pakken had gekregen? Lag hij daar ergens gewond op redding te wachten? Had hij pijn? Als dat zo was, was het haar schuld.

Het had allemaal heel anders moeten lopen. Tony en zij hadden al ver weg moeten zijn. Morgen of overmorgen, of de dag daarna, zouden ze in Gretna Green getrouwd zijn. Zonder andere mensen erbij zouden ze elkaar eeuwige trouw hebben beloofd. Niemand zou ooit nog tussen hen gekomen zijn, niemand had hun baby weggehaald. Zelfs haar moeder niet.

Maar nu ze over al die mensen van wie ze hield nadacht, kon ze zich niet voorstellen dat ze echt in gevaar verkeerden. South Bridge kon toch niet echt verdwenen zijn? Zo hoog kwam het water in de vallei nooit. Het was onmogelijk.

Dit was Stepmouth. In Stepmouth gebeurden geen rampen. Het was geen plaats die opviel. Het was geen plaats die zomaar van de kaart geveegd werd. Dit soort dingen gebeurde in het buitenland, bij andere mensen. Overstromingen zag je in het bioscoopjournaal, die had je niet in haar eigen achtertuin.

Maar het beeld van die woeste stroom achtervolgde haar. Misschien waren er mensen verdronken. Misschien zaten hier daarom niet meer mensen; omdat iedereen dood was. Rachel werd duizelig van paniek. Misschien was dit alles wat overbleef van de wereld die gisteren nog zo gewoon en zo saai geleken had.

'Is er nog nieuws?' schreeuwde ze, terwijl ze een pas gearriveerde reddingswerker bij een arm greep. Hij keek haar van onder zijn druipende zuidwester aan.

'Nog niet,' riep hij boven de herrie uit. 'We hebben geprobeerd de stad in te komen, maar we kwamen niet verder dan de voet van de heuvel. Er staat veel te veel water. We doen wat we kunnen. Als er nieuws is, laten we het je weten. Maak je geen zorgen, meid, de regen wordt eindelijk minder.'

Rachel was niet gerustgesteld. Ze zakte opnieuw weg in een zwarte angst, turend naar de weg, biddend en smekend dat Bill en Tony opeens voor haar neus zouden staan. Ze had geen idee hoe lang ze zo gezeten had, toen ze opeens een hand op haar schouder voelde. Ze draaide zich om in de verwachting een politieagent of een soldaat te zien, maar het was Bill. Haar mok koude thee viel op de grond en het vocht spatte op haar doorweekte rok toen ze krimpend van de pijn overeind kwam.

Hij was doornat. Hij had alleen een hemd en broek aan en zag eruit alsof hij gezwommen had. Zelfs zijn schoenen waren weg. Rachel zag dat hij onder de schrammen en blauwe plekken zat. Hij hield zijn linkerarm voor zijn borst en Rachel merkte dat hij veel pijn had.

Ze had verwacht dat hij kwaad zou zijn. Ze had een confrontatie verwacht over de diefstal van zijn geliefde auto, of erger, een preek over haar zwangerschap, maar ze schrok zo van zijn uiterlijk dat ze dat allemaal onmiddellijk vergat.

Ze snakte naar adem en hij stak zijn armen naar haar uit.

'Godzijdank,' zei Bill, terwijl hij haar dicht tegen zich aan trok. Hij trilde hevig. 'Godzijdank, je leeft nog.'

Ze nam de deken van haar schouders. Toen dwong ze hem op een krat te gaan zitten en sloeg de deken om hem heen. Hij was drijfnat, zijn gezicht zat onder de modder en het bloed.

'Ik heb me zo'n zorgen gemaakt,' zei ze. 'O Bill, het is afschuwelijk. Waar zat je?'

'O god!' Hij klampte zich snikkend aan haar vast.

'Wat is er?'

'Emily,' dacht ze hem te horen zeggen. 'Ze is weg.'

Bill keek haar met bloeddoorlopen ogen aan. 'Ik probeerde haar vast te houden, maar het lukte niet. Het lukte niet.' Zijn stem stokte. 'Ik zag hoe het water haar meesleurde, Rachel. Ik was niet snel genoeg bij haar.'

Hij drukte zijn gezicht tegen Rachels borst. Ze hijgde van de pijn.

'Ze vinden haar wel. Iemand heeft haar vast al gevonden. Maak je geen zorgen.' Ze probeerde sterk te klinken, al voelde ze vanbinnen alleen maar een ijskoude angst.

'Ik ga weer,' zei Bill, die haar plotseling losliet en opsprong. 'Ik ga haar zoeken.'

Rachel klampte zich aan hem vast. 'Maar dat kan niet. Het is te...'

'Laat me los.' Schreeuwend schudde hij haar van zich af.

'Wat gebeurt daar allemaal?' riep iemand.

Rachel zag twee soldaten op hen af rennen. Ze pakten Bill vast.

'Niemand gaat weg,' zei een van hen. 'Niet tot het sein veilig gegeven is.'

'Hospik!' riep de andere soldaat. 'Hier heeft iemand verzorging nodig.'

Het was een paar uur later, vlak voor zonsopkomst, toen het sein veilig eindelijk kwam. Kort daarna kwam een grote groep mensen de heuvel op lopen, begeleid door een aantal politieagenten en soldaten.

Terwijl de duisternis plaats maakte voor een loodgrijze dageraad, waren er opeens overal mensen, licht en geluid, sirenes van ambulances en brandweerwagens, die door het gedrang bij de gewonden probeerden te komen.

Wanhopig en met stijve benen verliet Rachel haar post onder het zeildoek. Ze begon zo snel als ze kon door de menigte te lopen, tussen de gepijnigde, diepbedroefde gezichten speurend naar Tony. Terwijl de een na de ander langs haar liep, snikte ze van verdriet.

En toen zag ze hem. Hij werd ondersteund door een agent. Maar hij leefde nog. Haar Tony leefde nog.

Zijn gezicht zag lijkbleek, zijn haar zat op zijn voorhoofd en wangen geplakt. Zijn overhemd hing in flarden om zijn lijf, zijn doorweekte broek was gescheurd en hij liep mank, maar in Rachels ogen was hij mooier dan ooit.

Ze baande zich een weg door de menigte en rende op hem af, sloeg haar armen om zijn hals, kuste zijn gezicht.

'Je bent er, je bent er,' hijgde ze door haar tranen heen. Het kon haar niet schelen wie hen samen zag. Alles wat gisteren nog zo belangrijk geleken had, deed er nu absoluut niet meer toe.

Maar voor Tony iets terug kon zeggen, stormde Bill naar voren en wrong zich tussen hen in.

'Waar is mijn moeder?' wilde hij weten.

Tony keek eerst naar Rachel en toen naar Bill. 'Het spijt me verschrikkelijk,' fluisterde hij.

Ze staarde hem aan, nog niet helemaal begrijpend wat hij zei. Ze zag in zijn ogen dat het het slechtst denkbare nieuws was.

'Wat?' vroeg Rachel, en ze deed een stap achteruit.

'Ik kon niet... ik was niet op tijd bij haar.'

'Hoe bedoel je? Ze moet toch ergens zijn,' zei Bill, die Tony opzij duwde.

Tony pakte hem bij een schouder. 'Nee, er is niets meer aan te doen.'

'Hoe bedoel je?' vroeg Rachel.

'Het huis. Ik zag het instorten toen het water kwam. Ik probeerde bij haar te komen. De hele winkel. Weg.'

'Weg?' zei Rachel ademloos.

'Ik wist voor de golven kwamen in de oude eik te klimmen. Daar hebben ze me net uitgehaald.'

Bill schudde zijn hoofd. In het schaarse licht zag Rachel dat zijn gezicht wit was van woede. 'Je bent tot aan de boom gekomen? Als je tot aan de boom gekomen bent, had je ook bij moeder kunnen komen. Wat een... wat een vuile lafaard ben je toch!'

'Nee, Bill, nee,' zei Tony. 'Nee, ik heb het echt geprobeerd...'

'Je liegt. Je hebt je eigen hachje gered, hè? En je hebt haar gewoon dood laten gaan.'

'Jij daar! Rustig aan,' zei een agent die op het lawaai afgekomen was. 'Die arme knul heeft vast zijn best gedaan. Je hebt zelf gezien hoe het daar was. Hij heeft geluk dat hij het er levend van afgebracht heeft. Hij heeft de hele nacht in die boom gezeten.'

Rachel geloofde haar oren niet. Haar moeder was dood. En zij had het haar toegewenst. Het laatste wat ze gisteren tegen Tony gezegd had was dat ze haar moeder haatte en wilde dat ze dood was. Als het iemands schuld was, dan was het de hare.

'Je had haar net zo goed zelf kunnen vermoorden,' schreeuwde Bill met zijn gezicht vlak bij dat van Tony.

Door haar tranen heen zag Rachel Tony ineenkrimpen en terugdeinzen.

'Dat meent hij niet, Tony,' zei ze. Ze ging tussen hen in staan om ze uit elkaar te halen.

'Ik had je nooit moeten vertrouwen,' schreeuwde Bill. 'Ik had zelf naar haar toe moeten gaan. Je bent precies je broer... vuile moordenaar!' Bill stompte hem in het gezicht. Rachel gilde, Tony struikelde naar achteren. Bill wierp zich op Tony en samen vielen ze hijgend op de natte weg.

'Hou op!' gilde Rachel tegen Bill. 'Hou op.'

Ze liet zich op haar knieën naast hen vallen. Ze hapten allebei naar lucht. Bill greep Tony bij zijn doorweekte overhemd en hield zijn vuist onder zijn kin. De agent probeerde ze uit alle macht uit elkaar te halen.

Rachel trok aan Bills schouder. 'Laat hem los, Bill. Laat hem los!'

'Ik wilde haar redden, ik zweer het,' wist Tony met moeite uit te brengen.

'Je liegt. Ik zie het aan je ogen.'

Er moesten nog twee politiemensen aan te pas komen om Bill en Tony uit elkaar te halen. 'Zo is het genoeg. Nog even en we arresteren jullie.'

Bill kwam overeind en schudde zijn hoofd. Hij greep met zijn handen in zijn haar en balde zijn vuisten, zijn gezicht vertrokken van verdriet en woede.

Tony lag nog steeds op de grond. Zijn haar hing in zijn gezicht. Hij voelde aan de wang die Bill geraakt had.

Rachel keek op naar Bill. 'Wat doe je nou?' schreeuwde ze. 'Het is Tony's schuld niet.'

Bill liep weg en kwam vervolgens, een beetje gekalmeerd, weer terug. Hij stak zijn hand naar haar uit.

'Ga bij hem vandaan, Rachel,' zei Bill. 'Kom nou. Kom mee.'

Maar Rachel bleef bij Tony en hielp hem overeind.

'Ik ga helemaal niet mee,' snikte ze. 'Niet met jou. Hoe kon je al die vreselijke dingen zeggen?'

Bill kwam een stap dichterbij. 'Nu!'

Ze klampte zich aan Tony's arm vast.

'Als je hem nu niet loslaat, ben je mijn zus niet meer. Heb je dat begrepen?' Bills stem klonk ijskoud toen hij haar aankeek. 'Door hem moest ik naar jou toe terwijl ik bij mama had moeten zijn. Ik had ze allebei kunnen redden. Mama en Emily. Ik had niet naar jou op zoek gehoeven als jij niet zo stom was geweest, zo, zo...'

'Het spijt me,' huilde Rachel. 'Het spijt me.'

'Kom dan mee. Vooruit, nu!'

'Nee,' snikte Rachel.

'Dan hoef ik je nooit meer te zien.'

En hij liep weg. Rachel rende achter hem aan en pakte zijn arm, maar hij trok zich los.

'Laat hem maar,' zei Tony, die achter haar aan gekomen was en zijn armen om haar heen sloeg. Door haar tranen heen zag Rachel hoe Bill zich met grote stappen door de menigte baande en in de richting van Stepmouth Summerglade Hill af liep.

29

Mallorca, nu

Laat in de middag was de hitte bijna ondraaglijk. Het was alsof een onzichtbare brand de hele wereld in vuur en vlam zette. Laurie, die altijd een echt gevoelsmens was geweest, had het idee dat er geweld in de lucht hing. Toch was het griezelig stil om haar heen.

Ze zat in het enige stukje schaduw dat ze in de tuin had kunnen vinden, op de hoek van het zwembad, met haar voeten in het lauwe water. De schaduw kwam van een van de rotan parasols, maar het hielp nauwelijks. Hoewel ze zo stil mogelijk bleef zitten, brak het zweet haar aan alle kanten uit, zelfs op haar vingers, alsof ze een marathon aan het lopen was. Ze had het gevoel dat ze stikte.

Ze tuurde in de verte, waar het zonlicht weerspiegelde op het schitterende oppervlak van de kalme zee, die eruitzag als een immense lap aluminiumfolie. Het deed bijna pijn aan haar ogen. Aan de horizon zag ze een jacht. Ze dacht aan de dag dat ze samen met Sam op de *Flight* had gezeten. Toen was ze zo gelukkig geweest. Zo helder in haar hoofd. En nu?

Laurie haalde haar voeten uit het water en legde haar hoofd op haar opgetrokken knieën. Ze had nog steeds niets van Sam gehoord. Even had ze gedacht dat hij het was die belde, maar die gedachte had ze snel weer van zich afgezet. Ze was gewoon geobsedeerd. Het was natuurlijk iemand voor Rachel.

Waarschijnlijk was Sam op dit moment met Claire aan het praten, hield ze zichzelf voor. Misschien voelde ze zich daarom zo. Haar oren gloeiden, en ze moest denken aan dat kinderachtige rijmpje. Hoe ging het ook alweer? Links is liefde, rechts is pech? Nou, haar rechteroor stond in brand.

Ze voelde voorzichtig aan haar oorlelletje. Kon ze maar horen wat er over haar gezegd werd. Ze voelde zich zo hulpeloos. En zo nerveus. Het kwam door haar gesprek met haar vader. Nu ze alleen was en tijd had om wat hij gezegd had nog eens te herkauwen, begonnen zijn ongezouten opmerkingen over het huwelijk van Sam en Claire, waarvan zij volgens hem helemaal niets wist, en zijn sceptische reactie op Sams belofte bij Claire weg te gaan gemeen pijn te doen.

Laurie dacht aan de trouwfoto van Sam en Claire die ze op haar eerste dag hier gezien had, en ze herinnerde zich hoe bedrogen ze zich toen gevoeld had. Ze had natuurlijk vooral op Sam gelet, maar naast hem had Claire er zo gelukkig uitgezien. Gelukkig en opgetogen. Misschien had haar vader gelijk, overwoog Laurie, kijkend naar twee vlinders die vlak boven het water achter elkaar aan dartelden. Ze wist hoe Sam erover dacht en hoe het er in zijn ogen voor stond, maar ze had geen flauw idee wat Claire van hun huwelijk vond. Haar huwelijksgelofte aan Sam was vast oprecht geweest. Ze had er op dat moment geen idee van gehad dat Sam iets voor haar verborgen hield, dat zijn hart niet honderd procent bij haar lag.

Drie jaar nadat die foto gemaakt was, waren ze nog steeds getrouwd. Laurie dacht aan de keren dat ze Claire en Sam samen gezien had, aan hoe Claire hem geplaagd had en hem in gezelschap op de kast had proberen te krijgen. Laurie had zich eraan geërgerd, maar als dit nou eens gewoon Claires manier was om haar genegenheid te uiten?

Laurie probeerde zich in Claire te verplaatsen. Ze zou er kapot van zijn als Sam haar vertelde dat hij wegging. Het zou als een donderslag bij heldere hemel komen. Ze wilde zich niet eens voorstellen hoezeer Claire haar zou haten. En haar haat zou terecht zijn, nietwaar? Het was tenslotte Lauries schuld. Zij had Claires man afgepikt. Zo zou Claire het zien. Ze zou niet zien dat het liefde was. Ze zou alleen maar leugens en bedrog zien.

En wat had Claire Laurie ooit aangedaan? Ze had alleen maar haar vriendin willen zijn. Vanaf het moment dat ze aan elkaar voorgesteld waren, had Claire alleen maar geprobeerd haar bij de familie te betrekken. En als dank had Laurie haar verraden.

Ze had hun familieband misbruikt.

Laurie sloeg haar handen voor haar gezicht. Ze voelde zich zo gemeen. Zo smerig. Al het goede en mooie en pure van haar liefde voor Sam kwam haar nu bezoedeld voor, en het schuldgevoel verpletterde haar. Nu ze Sam gezien had door de ogen van haar vader, als verrader, voelde ze zichzelf ook een paria. Niet alleen Claire, ook de rest van de wereld zou nooit in staat zijn te zien hoe het werkelijk zat tussen Sam en haar.

Het was een reis naar het onbekende. Het was zo'n riskante onderneming. Verdomme, ze wist niet eens of Sam en zij wel samen konden leven. Hij kende maar een paar van haar vriendinnen, en die wantrouwden hem vanwege die toestand drie jaar geleden. Zouden Lauries vriendinnen ooit inzien dat Sam en zij een bijzondere, magische band hadden? Of zouden ze, net als Lauries familie, alleen maar twee mensen zien die zich onaangepast gedroegen en gedachteloos hun eigen gang gingen? Het was zo oneerlijk. Ze wilde niet alleen maar aan zichzelf denken, ze wilde juist dat iedereen gelukkig was.

Maar nu zag ze in hoe naïef dat was. In werkelijkheid had ze eigenlijk geen idee. Dat hadden haar vaders ontboezemingen haar wel geleerd. Laurie wierp een blik op de achterdeuren van het huis en vroeg zich af wat daar allemaal gebeurde. Haar vader had erop gestaan de confrontatie met Rachel in zijn eentje aan te gaan en Laurie was zo verstandig geweest hem niet tegen te houden. En nu durfde ze er niet tussen te komen, hoewel ze niets liever wilde dan haar spullen pakken en vertrekken.

Alsof iemand daarbinnen haar gedachten had gelezen, gingen plotseling de schuifdeuren open. Ze stond op en trok haar schoenen aan. De zolen brandden aan haar voeten. Haar vader en Rachel kwamen zwijgend het terras op. Laurie hield een hand boven haar ogen tegen het felle zonlicht.

Ze zag aan hun grimmige gezichten dat de hereniging niet volgens plan verlopen was. Gek genoeg kwamen ze nu wel zij aan zij, met gelijke tred de trap af. Zelfs van deze afstand kon Laurie zien dat ze op elkaar leken.

Maar toen ze aan de andere kant van het zwembad vlak voor haar bleven staan, ging er een schok door Laurie heen. Rachel had gehuild. Erger nog, ze zag eruit alsof ze iets afschuwelijks meegemaakt had. Haar ogen waren bloeddoorlopen en haar gezicht was diep doorgroefd, alsof ze in twintig minuten tijd twintig jaar ouder geworden was.

Laurie had zo'n medelijden met haar. Ze wilde haar omhelzen, alles weer goedmaken. Ze wist hoe razend haar vader geweest was. Had hij zijn woede op Rachel afgereageerd? Kwam het door hem dat ze nog maar een schim was van de vrouw die Laurie had leren kennen? Vanmorgen was Rachel zo opgewonden geweest, nu maakte ze een volkomen afgetobde indruk. Laurie probeerde naar haar te glimlachen, maar Rachel ontweek haar blik.

Haar vader sprak als eerste.

'Je hebt me niet de waarheid verteld over Sam, Laurel,' zei hij. Hij noemde haar nooit Laurel.

Laurie keek met open mond naar Rachel en haar vader.

'Je vertelde er niet bij dat hij familie is van mijn zus,' vervolgde hij. 'Dat hij met haar kleindochter getrouwd is.'

Nu was het Rachels beurt om iets te zeggen. Ze keek Laurie boos aan en vroeg met trillende stem: 'Is het waar?'

Haar vader had Rachel dus over Sam verteld. Zo was ze erachter gekomen. Wat bizar dat zij de hele tijd gedacht had dat ze het daarbinnen over hun verleden hadden, terwijl ze in werkelijkheid over Sam en haar spraken. Geen wonder dat haar oren gloeiden.

'Rachel, het was niet mijn bedoeling...' begon ze, maar ze zweeg toen ze de blik in Rachels ogen zag. Haar maag keerde zich om.

'Toen je hierheen kwam wist je dat je bij Sam in de buurt zou zijn. En jij...' Rachels stem haperde. 'Ik vertrouwde je.'

Laurie keek haar en Bill hulpeloos aan. Ze had geen idee hoe ze zichzelf moest verdedigen. In alle scenario's die ze zich voorgesteld had, had ze Sam of haar vader aan haar kant gehad. Ze had niet verwacht dat haar vader partij zou kiezen voor Rachel, dat hij zo'n morele verontwaardiging aan de dag zou leggen en opeens zijn zusje zou willen beschermen. Ze voelde zich in een hoek gedrukt.

'Maar... maar...' stamelde ze.

'Je bent gewoon een leugenaar!' zei Rachel met verstikte stem en Laurie begreep dat ze al veroordeeld was, wat ze verder ook zou zeggen. De walging in Rachels stem maakte haar bang. Ze deed een beroep op haar vader.

'Hoor eens, het spijt me, maar als jij eerlijk tegen me was geweest en me over Rachel verteld had, in plaats van je familie al die jaren geheim te houden, dan had ik geweten wie Sam was. Dan had ik, toen ik *drie jaar geleden* in Frankrijk verliefd op hem werd, geweten dat hij en ik deel uitmaakten van dezelfde familie.'

'Je had het recht niet om verliefd op hem te worden,' beet Rachel haar toe.

'Misschien niet, Rachel. Maar... Sam is een mens. Hij is niet jouw eigendom.'

'En hij is ook niet van jou. Mijn huis uit, jij. Ik wil dat je vertrekt voordat je nog meer schade kunt aanrichten.'

Rachels giftige woorden raakten Laurie diep. 'O, Rachel. Denk je nou echt dat ik om die reden naar Mallorca gekomen ben? Om mensen ongelukkig te maken? Zo ben ik toch niet.'

'O nee?'

'Nee! Het was niet... Het was niet de bedoeling dat het zo zou gaan...'

Rachel viel haar in de rede: 'Mag ik je eraan herinneren dat Sam met Claire getrouwd is?'

Het had geen zin om het aan Rachel uit te leggen, maar Laurie probeerde het nog één keer.

'Ja, dat weet ik. En hij is hondstrouw geweest. Hij is bij Claire gebleven en heeft Archie een thuis gegeven. Hij heeft precies gedaan wat je wilde, maar intussen heeft hij zijn eigen geluk opgeofferd. Hij heeft dit ook niet zo gewild.'

'Hoe durf je! Hij was helemaal gelukkig, totdat jij kwam. Maar je krijgt hem niet. Hoor je me? Ik steek er hoogstpersoonlijk een stokje voor.'

Laurie wist dat ze het meende. Ze voelde zich een geslagen hond. Maar nog steeds gaf ze het niet op. Ze moest haar gevoelens voor Sam verdedigen. Ze moest proberen het hun duidelijk te maken. 'Het spijt me dat jij vindt dat het niet hoort, pap, en het spijt me voor jou dat het zo gelopen is, Rachel, maar ik ga geen sorry zeggen omdat ik verliefd geworden ben. Tegen nie-

mand. Ik heb er niet voor gekozen, maar het is nu eenmaal gebeurd. En ik ben niet van plan te doen alsof het niet zo is, alleen
maar om jullie een plezier te doen.' Ze zweeg even. Aan de harde
blik in hun ogen zag ze dat ze geen stap verderkwam. Het was
aan dovemansoren gericht. 'Zal ik jullie eens wat zeggen? Dit is
mijn leven. Het gaat jullie geen moer aan.'

'Ze heeft gelijk, Rachel.'

Het was Sam. Hij moest door het huis gekomen zijn. Als een
geestverschijning stond hij nu boven Rachel en haar vader op het
terras. Ze had geen idee hoe lang hij al meeluisterde.

Sam zette zijn zonnebril af, en pas toen zag Laurie dat zijn gezicht asgrauw was. Tussen Rachel en Bill door keek hij haar aan
en haar tranen, die zo dicht aan de oppervlakte gelegen hadden,
stroomden plotseling over haar gezicht.

'O Sam,' huilde ze, en ze rende op hem af.

Hij leek te geschokt om iets te zeggen. Hij drukte haar tegen
zich aan en gaf haar een kus op haar voorhoofd. Op dat moment
wist Laurie dat hij het aan Claire verteld had.

'Dit kun je niet doen, Sam!' zei Rachel met trillende stem.

'Het spijt me, Rachel, maar het is al gebeurd.' Zijn stem klonk
als een schor gefluister.

'Haal het niet in je hoofd...' sprak Rachel dreigend.

Hij pakte Lauries hand. Ze wist dat hij veel van Rachel hield;
haar de rug toekeren was een van de moeilijkste dingen die hem
te doen stonden.

'Papa?' vroeg Laurie, terwijl ze haar tranen droogde. Maar haar
vader draaide zich om en stak zijn handen in zijn zakken. Hij
keurde Sam geen blik waardig.

'Bill?' schreeuwde Rachel. 'Je moet iets doen!'

'Ik kan ze niet tegenhouden, Rachel. Dat weet jij ook wel. Als
iemand dat weet, dan ben jij het wel.'

Rachel keek hem verbaasd aan.

'Ben je er klaar voor?' fluisterde Sam, zich tot Laurie wendend.
Hij zag er gepijnigd uit, alsof hij een flinke opdoffer gekregen
had.

Ze knikte.

'Als je nu de deur achter je dichttrekt is het voorgoed afgelopen, Sam,' riep Rachel. 'Als je weggaat, laat je ook alles achter. Je bent ontslagen. Ik waarschuw je...'

Maar Sam kneep in Lauries hand. Ze keerden Rachel de rug toe en liepen haastig het huis in.

Binnen wist Laurie de hal te bereiken voor ze haar armen om Sam heen sloeg en hem dicht tegen zich aan hield.

'O god, Sam, dat was afschuwelijk,' zei ze bevend.

'Vreselijk.'

'Alles goed met je? Ik heb me zo veel zorgen gemaakt.'

Hij nam haar gezicht in zijn handen en keek haar diep in de ogen. 'Laurie, ik hou zoveel van je.'

Weer kuste hij haar, maar toen liet hij haar los.

'Wat is er gebeurd?' vroeg Laurie. 'Hoe zit het met Archie?'

Sam schudde zijn hoofd. Ze zag de tranen die hij ingeslikt had opwellen in zijn ogen. 'Claire... ze... ik heb hem achter moeten laten.'

'O, lieverd, het spijt me zo.'

Waarom was dit zo moeilijk? Ze wist niet wat ze moest zeggen om Sams pijn weg te nemen.

'Ik hou het niet uit,' zei hij. 'De gedachte dat hij geen vader heeft... of dat hij iemand anders "papa" noemt.' Sam sloeg een hand voor zijn ogen.

'Jij bent zijn papa,' zei Laurie beslist. Ze pakte zijn hand, zodat hij gedwongen was haar aan te kijken. 'Wat er ook gebeurt, Archie zal altijd weten dat jij zijn vader bent, Sam. Hij zal weten hoe het zit. Bij hem gaat het anders dan bij mij. We zorgen dat we hem te zien krijgen. En we vertellen hem alles. We zorgen er wel voor dat hij het snapt.'

Sam vlocht zijn vingers door de hare en kneep in haar handen.

'Nu hebben we elkaar,' zei ze.

Sam knikte. 'Laten we maken dat we wegkomen.'

Ze holden naar boven om haar spullen te halen. 'En je schilderijen?' vroeg Sam.

'Laat maar staan. Ik maak wel nieuwe. We gaan gewoon.'

Op de oprit liet Laurie de koffers aan haar voeten vallen.

'Welke auto?' vroeg ze. 'Deze heb ik gehuurd, maar dat maakt niet uit.'

Sam haalde het sleuteltje van de Porsche uit zijn zak en stak het in het portier. 'Ik werk niet meer voor het bedrijf, dus laten we de jouwe maar nemen.'

Zonder om te kijken liep hij naar de Fiësta, maakte het portier open en smeet Lauries tassen op de achterbank. Ze verbaasde zich over zijn moed. Hij keek haar over het autodak heen aan.

'Ik vind het zo rot voor mijn vader,' zei Laurie aarzelend, met een blik op het huis.

'Wil je weer naar binnen?'

Laurie schudde haar hoofd en keek nog een laatste keer om, maar ze voelde zich nog steeds schuldig omdat ze haar vader zo achterliet. Ze dacht aan wat hij haar over het verleden verteld had. Laurie moest er niet aan denken dat hij haar nooit zou vergeven. Maar als hij over de eerste schok heen was, zou hij misschien wel begrijpen dat ze niet anders kon dan alle schepen achter zich verbranden, net zoals hij al die jaren geleden gedaan had. Ze moest proberen samen met Sam een eigen gezin te stichten – ook al betekende dit dat ze de mensen van wie ze hield pijn deed.

'Laurie?' vroeg Sam zachtjes.

Laurie schudde haar hoofd en stapte in de auto, en Sam kwam naast haar zitten. Het was ondraaglijk heet, maar dat kon haar niet schelen. Ze boog zich naar hem toe en kuste hem hartstochtelijk. Toen liet ze hem los en keek hem in de ogen.

'O Laurie,' zei Sam met een diepe zucht, terwijl hij zijn hoofd tegen de steun liet rusten. 'Waarom hebben we er toch zo lang over gedaan om hier te komen?'

'Wacht even,' zei ze met een vermoeide glimlach. 'We zijn er nog niet.' Ze startte de motor.

30

De korte stoot van het met de hand aangezwengelde luchtalarm klonk op in de bleekblauwe lucht. Het was bedoeld als waarschuwing, maar er waren er al zoveel geweest dat geen van de mensen die bij het Leger des Heils voor eten in de rij stonden, Tony Glover incluis, ook maar een krimp gaf. Even later kwam het zware dreunen van een explosie. In de verte rees op de plek waar het raadhuis had gestaan een wolk stof en gruis op.

Een fluit snerpte door de lucht, gevolgd door het gebulder van bulldozers en de kreten van de soldaten. Waar je ook keek, overal waren mensen in uniform aan het werk: soldaten, leden van de burgerwacht, de luchtmacht, de luchtverdediging, het Korps Artillerie en de Vrouwelijke Vrijwilligers.

Er was nog zoveel te doen. Het zestig ton zware rotsblok dat het leger zojuist in stukken had geblazen was maar een fractie van de naar schatting vijftienduizend ton steen die de Step op de avond van de overstroming Stepmouth in geslingerd had.

Er waren sinds die avond acht dagen verstreken. Gistermiddag waren Tony en Rachel met de andere overlevenden samengekomen op de begraafplaats van St Jude's, waar aan de kant van de zee op een helling een herdenkingsdienst voor de doden was gehouden.

Op de avond van 15 augustus waren in de straten van Stepmouth en de omringende dorpen zesendertig mensen om het leven gekomen. Het oudste slachtoffer was een tachtigjarige vrouw, het jongste een baby van amper drie maanden. Vier volwassenen werden nog vermist, maar waren waarschijnlijk ook dood. Ter nagedachtenis aan al die doden had een Schotse doedelzakspeler *Flowers of the Forest* gespeeld. De droevige tonen waren van de begraafplaats naar de heuvels gedreven.

Er zou een monument gebouwd worden, met de namen van de doden erin gegraveerd. De Duke of Edinburgh had beloofd het gebied te zullen bezoeken.

Volgens een krantenartikel dat Tony gelezen had, was er op de avond van 15 augustus bijna dertig centimeter regen gevallen, waarvan de helft tijdens de wolkbreuk tussen zeven uur en half-negen. Nu de mensen alleen de natuur de schuld konden geven, waren sommigen van plan bij het ministerie van Defensie te protesteren tegen de regenmakerij van de maanden ervoor.

Een televisieploeg van de BBC bivakkeerde al de hele week in Stepmouth en had de herdenkingsdienst live landelijk uitgezonden. De overstroming was de eerste Engelse ramp die in alle landen het televisienieuws haalde, zodat de hele wereld nu van het lot van het stadje op de hoogte was.

Stepmouth was verwoest. De straten lagen vol puin, gebouwen waren zwaar beschadigd of ingestort. Het centrum was het zwaarst getroffen. Ramen hingen uit hun sponningen. Kapotte meubels blokkeerden deuropeningen en lagen verbrijzeld in de modder, die op sommige plaatsen drie meter hoog tussen de overgebleven huizen lag. Hele verdiepingen van gebouwen waren verstopt met modder en puin of domweg weggespoeld. Op de plaats waar vroeger gebouwen van twee of drie verdiepingen hadden gestaan, stonden nu alleen nog nutteloze muren.

Mensen die in Londen gewoond hadden, zeiden dat het te vergelijken was met de verwoestingen die in 1940 door de Duitse bommen waren aangericht.

In het binnenland was de situatie niet beter. Die ochtend hadden Tony en Rachel een lift gekregen van de soldaten die in het dorp Brookford ingekwartierd zaten. Ze waren door de vallei van de West Step gereden en via de Summerglade Hill naar het dorp afgedaald.

In de hele vallei was aan een smerige waterlijn te zien hoe hoog de rivier gekomen was. Bijna alle bruggen waren weggeslagen, ook die bij Watersbind. Dat Bill na de overstroming nog een veilige brug naar de overkant gevonden had, was een wonder. Ook de waterkrachtcentrale was verwoest. Don, Tony's stiefvader, had op de avond van de overstroming als een paard gewerkt om de stroom naar het stadje in stand te houden, tot hij uiteindelijk had moeten vluchten. Twee van zijn vrienden waren niet op tijd weggekomen, maar Don zelf had het overleefd.

Tony stond nu voor de toonbank van de mobiele keuken van het Leger des Heils.

'Tony, is het niet?' vroeg een van de mannen die daar werkten.

'Klopt.'

'En je haalt nog steeds voor je familie en...' – de man in het keurige uniform keek op de lijst voor hem – 'Rachel Vale?'

'Ja.'

De man vulde Tony's fles met drinkwater, waarna hij een zware doos op de toonbank zette. Op de doos stond:

FAMILIES GLOVER & VALE
(verblijven bij elkaar)

In de straat waar Tony geboren was, stonden nog maar drie huizen overeind. De andere waren door de gezwollen West Step meegesleurd. Maar Tony's familie had geluk gehad. Het huis van zijn moeder, waar zij en de tweeling zich in de slaapkamer verschanst hadden, was gespaard gebleven.

Behalve slechte dingen was er dus ook nog iets goeds uit de overstroming voortgekomen. In het aangezicht van deze vreselijke tragedie waren Tony's problemen met zijn moeder als sneeuw voor de zon verdwenen. Toen het water zich teruggetrokken had, was hij weer bij haar ingetrokken. Zijn moeder had Rachel op een geweldige manier geholpen te aanvaarden wat er gebeurd was. Ze had Rachel onderdak aangeboden – in ieder geval tot de baby geboren werd.

Het was niet zo'n slecht plan, nu mevrouw Vale dood was en het voor Rachel en Tony gemakkelijker zou zijn om samen in Stepmouth te blijven. De komende twee jaar was het in ieder geval wel zo praktisch, aangezien Tony en Rachel een groot deel van de tijd niet bij elkaar zouden zijn.

Een van de weinige dingen die niet weggespoeld waren, was Tony's oproep, die op de ochtend van 14 augustus bezorgd was.

Volgende week moest hij voor een medische keuring naar Barnstaple, waarna hij voor twee jaar het leger in zou gaan. Over een tijdje zou hij om een aparte woning voor hem en zijn vrouw vragen, maar hij had gehoord dat dat soort woningen niet dik gezaaid waren.

'Dat moet genoeg zijn voor twee dagen,' zei de man van het Leger des Heils vriendelijk, terwijl hij de bruine kartonnen doos naar Tony toe schoof, 'maar geef maar een gil als je meer nodig hebt.'

Iets in de doos trok Tony's aandacht en hij rommelde erin tot hij er iets uithaalde wat op een reusachtige gele klauw leek. 'Zijn dit...'

'Bananen,' bevestigde de man. 'In het kader van de noodhulp uit Jamaica gekomen.'

'Zo heb ik ze nog nooit gezien,' zei Tony. 'Ik ken ze alleen zwart, zoals ze eruitzien als ze geconserveerd zijn.'

'Ja, nou, zo zien ze eruit als ze vers zijn.'

De man glimlachte naar hem en Tony glimlachte terug. Vers, dacht hij. Een nieuw begin. De wereld was aan het veranderen. Hij voelde het aan alles.

'Tony!' Dat was de stem van Rachel.

Hij draaide zich om en zag haar door de hoofdstraat langzaam op zich af lopen. In tegenstelling tot Tony, die bij zijn moeder thuis nog wat kleren had, liep Rachel in gedoneerde kleren: te grote zwarte schoenen, een te lange gestreepte broek en een te warme wollen jurk.

Onder de jurk waren haar ribben nog steeds strak in het verband gewikkeld, zodat ze gemakkelijker zouden genezen. Ze zou eigenlijk in bed moeten liggen, maar had per se met hem mee de stad in gewild. Om bij Pearl langs te gaan, had ze gezegd. Om te zien of alles goed met haar was.

Nadat hij de man achter de toonbank bedankt had, liep Tony met de doos over de hobbelige grond naar Rachel toe.

'Kijk!' zei ze toen hij bij haar was. Haar ogen straalden vurig, haar schoenen zaten onder de modder. Ze stak een hand uit om hem te laten zien wat ze gevonden had. 'Dit is van mijn moeder,' zei ze.

Hij wist precies wat het was: het eenvoudige zilveren kruisje dat mevrouw Vale op de avond van de overstroming in Bills kamer op de grond had laten vallen. Onthutst zag hij het ding in Rachels hand liggen. Het was hem een raadsel hoe ze eraan kwam.

'Je zei dat je niet zou gaan kijken.' Naar het huis, bedoelde hij. Dat had ze op de ochtend na de overstroming gezegd, toen het water zich nog aan het terugtrekken was en ze van een afstandje hadden staan kijken naar de stinkende modderpoel die in de plaats gekomen was van Vale Supplies en de ijzerhandel. Van het geboortehuis van Bill en Rachel was niets over.

'Ik kon het niet helpen,' zei ze. 'Ik moest afscheid nemen. Niet zoals gisteren bij de dienst. Maar op de plek waar het gebeurd is. En toen zag ik het hangen, aan de zijkant van de bushalte, net alsof ze het daar voor me achtergelaten had...' Hij dacht dat ze zou gaan huilen, maar ze keek hem glimlachend aan. 'Ik ben zo blij dat ik deze herinnering heb gevonden.' Ze gaf hem het kruisje aan. 'Wil jij het voor me bewaren? Het kettinkje brak toen ik het lostrok en er zitten geen zakken in deze jurk.'

Hij zette de kartonnen doos op de grond. Het kruisje brandde in zijn hand toen hij het van haar aannam.

'We moeten gaan,' zei hij, terwijl hij het in zijn zak liet glijden en de doos weer optilde.

Maar Rachel bleef staan. 'Laten we nog niet meteen teruggaan,' zei ze.

'Maar we kunnen nergens anders heen.'

'We kunnen doen alsof,' zei ze. Ze raakte zijn gehavende gezicht aan. In haar ogen las hij een onwezenlijke hoop. 'Laten we gewoon heel even doen alsof alles gewoon is.'

'Hoe?'

Want dat kon natuurlijk niet. Gewoon doen. Want na de verwoesting was de wederopbouw begonnen. De wegen die naar Stepmouth leidden waren afgezet om ongewenste bezoekers op afstand te houden. Voor de stroomvoorziening was een noodkabel gespannen. Onveilige huizen werden door bulldozers neergehaald. Grote vrachtwagens reden over de wegen rond de Summerglade Hill en voerden puin af. Mensen van de gemeente repareerden kapotte rioolbuizen. In de straten hing de stank van het desinfectiemiddel dat de brandweer spoot om ziekten tegen te gaan.

'We gaan naar het strand,' zei Rachel, 'waar we alleen het geluid van de golven horen.' Ze keek hem vastberaden aan. 'We keren Stepmouth de rug toe en gaan een eind lopen.'

'Goed,' zei hij. Hij was tot alles bereid, als het haar pijn maar verlichtte.

Ze gaf hem een arm en samen liepen ze zwijgend naar de oostkant van de stad. De haven lag vol stenen en de muren waren als een zandkasteel in zee gezakt. Zolang het eb was, waren de soldaten er hard aan het werk. Ze ruimden puin, zand en modder, in een poging de haven tegen de zee te beschermen.

Het kanaal dat de stad in tweeën deelde werd uitgebaggerd en dieper en breder gemaakt, zodat dit niet nog eens kon gebeuren. De stenen van South Bridge en Harbour Bridge waren naar zee gespoeld of onder een dikke laag modder begraven. In hun plaats stonden er nu twee gloednieuwe baileybruggen, in elkaar gezet door de genie, die gestuurd was om bij de wederopbouw te helpen. Op de groene stalen brug die de plaats van Harbour Bridge ingenomen had, en waar Tony en Rachel nu op af liepen, stond in een olievat de Engelse vlag te wapperen.

Tony voelde mee met Rachels verdriet. Maar tegelijk voelde hij ook nog iets anders. Opluchting. Opluchting, omdat hij nog leefde. Omdat zijn familie – zijn moeder en Don en de tweeling – de ramp overleefd had. Omdat hij Rachel en de baby nog had. Omdat ze niet dood waren, zoals zoveel anderen die Tony zijn hele leven gekend had.

Wilfred Lee, die Tony voor het laatst gezien had toen ze elkaar door de brievenbus spraken, was dood. Zijn lichaam was de volgende ochtend half begraven in een modderbank gevonden. Zijn huis stond er nog en Tony dacht dat hij waarschijnlijk woord gehouden had en geprobeerd had de hoofdstraat over te steken om mevrouw Vale te redden. Vervolgens had het water hem meegesleurd.

Pete Booth, Tony's oudste vriend, was samen met zijn vader en moeder omgekomen toen de tweede – en, zoals nu algemeen gedacht werd, grootste – golf zich een weg door het stadje baande. Hun piepkleine rijtjeshuis was in stukken geslagen. Petes lichaam was nog niet gevonden. Zijn ouders waren in de puinhopen van hun huis teruggevonden.

Tony koesterde een vage hoop dat Pete nog in leven was.

Maar Emily's dood had Tony het zwaarst getroffen. Volgens Richard Horner, de vriend van Bill, had Bill haar lichaam zelf gevonden, geknakt en gehavend, aangespoeld nabij de plek waar vroeger het strandpaviljoen over zee had uitgekeken. Niemand wist wat hij daar te zoeken had, maar hij had haar eigenhandig naar het kerkhof gedragen.

Toen de doedelzakspeler op de begraafplaats had staan spelen, had Tony aan Emily gedacht.

Onderweg wierp Tony een blik op de resten van de hoofd-straat. De ooit keurig rechte straat lag er verfomfaaid en rommelig bij. Aan het uiteinde stond de oude eik nog recht overeind, de bladeren glanzend in de warme zomerzon.

Hij had geluk dat hij nog leefde... jezus, ja.

Anders dan mevrouw Vale, die als een van de eersten gevonden was, met gebroken en verdraaide ledematen tussen de takken van een plataan aan de haven. Dezelfde agenten die Tony gered hadden, waren twintig minuten bezig geweest om haar naar beneden te praten voor ze erachter kwamen dat ze dood was.

Weer zag hij voor zich hoe het zilveren kruisje op de grond viel, en hij hoorde mevrouw Vale schreeuwen dat hij moest op-hoepelen.

Toen mevrouw Vale onder aan de trap onder water verdween en het gebulder buiten steeds dichterbij kwam, was Tony met een schok bij zinnen gekomen en opgesprongen.

Geen tijd om na te denken. Geen tijd om na te denken over wat hij gedaan had.

Op dat moment was de eerste golf tegen het huis geslagen. Hij had vanaf de overloop staan toekijken toen Bills kamer letterlijk van het huis losgescheurd werd. Water golfde naar binnen en smeet hem met zijn rug tegen de muur. De lamp doofde. Maar Tony had de ladder die naar Rachels kamer leidde al in het oog...

Door het bruisende water klom hij naar de zolder. Hij liet het luik met een klap dichtvallen. Het was aardedonker. Hij kroop voorzichtig over de krakende vloer. Balken kreunden. Buiten bulderden de golven.

Hij kon alleen maar denken aan wat Bill over de fundering gezegd had. Het huis zou onder hem instorten. Hij voelde het al uit elkaar vallen. Het kon nu elk moment afgelopen zijn.

Een bliksemflits en daar zag hij het – een wit vierkant tegen de zwarte lucht – het dakraam.

Op hetzelfde moment herinnerde hij zich de eik waar hij die nacht in juni in geklommen was. Zou hij er nog staan? Zou hij standgehouden hebben tegen het beukende water?

Het was zijn enige kans.

Hij deed het dakraam open. Een oorverdovend geruis omspoelde hem. Onder hem kolkte en bruiste het water – het stond al tot aan de eerste verdieping. Maar de eik stond er nog. Terwijl het dak vervaarlijk begon te kraken, trok Tony zich aan de takken omhoog – een halve meter, een meter, tot hij niet hoger kon.

Hij trok de leren riem uit zijn broek en snoerde zijn arm vast aan de dikste tak die hij kon vinden.

Hij dacht dat het voorbij was. Het water begon te zakken. Maar toen begon het verderop in het dal weer te rommelen. Hij dacht aan Rachel, die in haar eentje in het bestelbusje zat. Hij bad dat de rivier haar daar niet te pakken kreeg. Neem mij, dacht hij. Neem mij, maar laat haar leven.

Terwijl het gerommel aanzwol, keek hij door de woest wuivende takken naar het schuimende zwarte water onder hem. Het was net het einde van de wereld, de muil van de hel, die alles verzwolg, alles wat op zijn weg kwam naar binnen zoog. Een zwarte brei van zwarte zielen. En zijn ziel was nu ook verduisterd. Hij ging sterven, verdoemd en alleen.

Hij onderdrukte de jammerkreet die hij tegen de wind in wilde slingeren. Hij had haar vermoord. Het was niet zijn bedoeling geweest, hij had het niet gewild, maar hij had het gedaan. *Het was een ongeluk*, riep een stem in zijn binnenste. Maar het kwam op hetzelfde neer. Hij had Rachels moeder vermoord, zoals zijn broer haar vader vermoord had.

Hij zou haar kwijtraken. Hij wist dat hij Rachel kwijtraakte als hij de waarheid vertelde.

De donder was nu vlak bij hem en de tweede golf raakte hem als een dreun tegen zijn achterhoofd. De boom kraakte, boog door onder de kracht van het water. Toen verhief hij zich uit het water en zwiepte terug, met Tony tussen zijn takken.

Weer flitste de bliksem. Onder hem verschoof het huis. Even dacht Tony dat het weer veilig op zijn fundering terug zou zwaaien. Maar toen zakte het opzij en viel in de razende golven.

Het verdween, het was verdwenen: het huis was weg, samen met het lichaam van mevrouw Vale. De gebeurtenissen waren uitgewist.

De gedachte overviel Tony: niemand hoefde te weten wat er gebeurd was. Hij zou tegen Bill en Rachel zeggen dat hij niet op tijd was gekomen. Hij zou zeggen dat hij niet binnen was geweest.

Waarom zou Rachel hem verlaten als hij niets verkeerd had gedaan?

Weer kraakte de boom onder het gewicht van een golf. Al zijn plannen waren voor niets. Hij zou de ochtend niet halen. En als dit het einde van de wereld was, zag hij zijn broer terug in de hel. Hij had niet eens afscheid genomen van Rachel... Rachel... Als zij maar het laatste beeld in zijn hoofd was.

'Er is iets met je, hè?' zei Rachel nu. 'Vertel op. Zeg me wat er aan de hand is.'

Zijn geweten. Dat zat hem dwars. Dat las ze in zijn ogen toen ze even bleven staan en hij zich naar haar omdraaide. Het had hem dwarsgezeten vanaf het moment dat hij tegen Bill en haar loog over wat er gebeurd was. En Bill had hem doorgehad, nietwaar? En sindsdien was het alleen maar erger geworden. Hij was niet bang dat hij gesnapt zou worden. Dat zou nooit gebeuren.

Maar hij wilde niet liegen tegen Rachel. Hij moest haar vertrouwen. Als hij dat niet kon, wat had dit dan allemaal voor zin? Wat was een liefde waard die gebaseerd was op leugens?

Ze stonden aan de oostkant van de stad, aan het begin van het rotsstrand. Auto's lagen verspreid over het strand, als blikjes die met de branding waren aangespoeld – slechts een paar van de vele auto's die als vermist waren opgegeven. Verderop vloog een helikopter laag over de golven.

'Ik moet je iets vertellen.' Hij ging op een grote, platte steen zitten. De steen was warm van de zon en zo glad als staal, gepolijst door de zee.

'Wat dan?' Ze kwam naast hem zitten.

Hij zette de doos van het Leger des Heils neer en haalde het kettinkje uit zijn zak. Hij wilde open kaart spelen. Hoe eerder, hoe beter voor hen allebei. Vertrouw haar, hield hij zichzelf nogmaals voor. Geloof in haar. Vertrouw erop dat ze je vergeeft.

'Het gaat over je moeder. Over de manier waarop ze doodgegaan is. Over wat er tussen haar en mij gebeurd is.'

Er verscheen een onzekere blik in Rachels ogen. 'Hoe bedoel je, tussen jullie? Je zei dat je niet op tijd bij haar kon komen.'

Zijn ogen vulden zich met tranen, dezelfde tranen die hij huilde toen hij in de nacht van de overstroming in de eikenboom zat en dood wilde. Voor zover hij zich herinnerde was dat de eerste keer in zijn leven geweest dat hij huilde, en dit was de tweede keer. Hij begon haar de waarheid te vertellen: dat hij wél op tijd bij haar was en dat mevrouw Vale geweigerd had mee te komen.

'Ze schreeuwde tegen me,' vertelde hij. 'Ze schreeuwde dat ik weg moest gaan. Ze schreeuwde tegen me omdat ik ben wie ik ben, omdat ze bang was...'

'Maar jij bent Tony,' zei Rachel. Ze pakte hem bij zijn schouders en keek hem diep in de ogen. 'Mijn Tony. Je zou haar nooit kwaad doen.'

Op dat moment – met die zin, met het vertrouwen dat Rachel in hem stelde – verloor hij in één klap zijn vertrouwen in haar vermogen om hem te vergeven. *Je zou haar nooit kwaad doen.* Dat geloofde Rachel. Dat hij dat nooit zou doen, nooit zou kunnen. Als hij haar de waarheid vertelde – dat hij met haar moeder gevochten had, dat hij haar van de trap had laten vallen – zou dat geloof kapotgaan. Welke Tony zou hij dan zijn? Nog steeds haar Tony? Of een andere Tony, de Tony die ze vroeger dacht dat hij was, de schoft voor wie ze vroeger een eindje omliep? De Tony die gevaarlijk kon worden, die gevaarlijk bleek te zijn.

De waarheid? Wat had hij aan de waarheid als die hen uit elkaar dreef? Met zijn geweten, besloot hij op dat moment, kon hij wel leven. Zijn angst om haar te verliezen was groter.

Weer begon hij te liegen, net zoals toen de politie hem uit de eik haalde, net zoals toen hij Rachel en Bill in het noodkamp terugvond.

Hij verzon een nieuwe afloop. Hij verzachtte de feiten, zodat ze voor Rachel gemakkelijker te accepteren waren.

'Je moeder zat nog in Bills kamer toen de eerste vloedgolf kwam,' zei hij. 'Ze werd meegesleurd toen de zijkant van het huis weggeslagen werd.'

Rachel keek hem verbaasd aan. 'Maar waarom heb je dat niet eerder gezegd? Waarom heb je gelogen?'

Zie je: zijn leugen begon nu al een eigen leven te leiden. Nu al begon zijn verhaal te kiemen als een kwaadaardig zaad, dat op een dag tussen hen zou komen en hen uit elkaar zou drijven.

'Omdat ik haar dood zag gaan,' antwoordde hij zonder erover na te denken, feiten vermengend met leugens, improviserend en uitweidend tot het klonk alsof het de waarheid was. 'Ik zag je moeder doodgaan en ik wilde niet dat jij dat wist... Ik wilde niet dat je wist dat haar laatste gedachte was dat ze mij haatte... dat ze liever doodging dan mij te vertrouwen...'

'Maar ik hou van je. Het had echt geen verschil gemaakt. Ik wist toch dat ze je haatte. Ik heb je verteld wat ze over de baby zei. Wat ik ermee moest doen. Dat was alleen maar omdat het van jou was...'

In een hoek gedrukt loog hij verder. 'Als ik Bill vertelde dat ik vlak bij haar was geweest, had hij nog meer de pest aan me gehad... omdat ik haar in haar laatste minuten doodsbang heb gemaakt. En dan zou hij zichzelf de schuld geven. Omdat hij me naar haar toe gestuurd had. Als hij zelf gegaan was, zou ze meteen meegekomen zijn. Die last wilde ik hem besparen...' zei hij op smekende toon, alsof hij haar wilde overhalen hem eindelijk te geloven. 'En omdat ze toch dood was, dacht ik niet dat het veel uitmaakte wat ik vertelde...'

'Maar de waarheid is altijd belangrijk.'

'Dat weet ik. Daarom vertel ik het je ook.'

'En als Bill het geweten had... was hij misschien niet weggegaan. Als hij had geweten dat je heel erg je best hebt gedaan om haar te redden.' Ze sprak snel, hardop denkend. 'Als hij had geweten dat het helemaal niet jouw schuld was dat ze doodging, maar haar eigen schuld... snap je dat dan niet?'

De opluchting golfde door hem heen. Ze ging niet bij hem weg. Ze geloofde zijn verhaal. En als zij het geloofde – ze had gelijk; waarom zou Bill het niet geloofd hebben? Hij sloeg zichzelf voor zijn hoofd dat hij dit verhaal niet aan Bill verteld had.

Maar hoe had hij moeten weten dat zijn oorspronkelijke verhaal, dat hij niet op tijd bij haar gekomen was, er bij Bill niet in zou gaan? Dat Bill de conclusie zou trekken dat zijn lafheid haar het leven gekost had? Hoe had Tony dat moeten raden, terwijl hij nooit van zijn leven laf was geweest, behalve zonet, toen hij verzuimde Rachel de waarheid te vertellen?

Ze kwam overeind. 'Ik moet het hem vertellen. Hij moet het weten.'

'Maar hoe?' vroeg Tony, die nu ook opstond. Sinds de ruzie hadden ze Bill niet meer gezien. Twee dagen erna was Richard Horner komen vertellen dat Bill bij hem gelogeerd had, maar nu vertrokken was. Hij zou niet meer terugkomen, had Richard gezegd. Hij had hier niets meer te zoeken. Bill was heel stellig geweest.

'Hij komt wel weer terug,' zei ze. Haar ogen straalden optimisme uit. 'Voor mama's begrafenis... voor...'

'En als hij nou niet terugkomt?' vroeg Tony. 'Als hij echt meende wat hij tegen Richard zei?'

'Dan vind ik hem wel.' Weer die vastberaden blik. 'Op een of andere manier. Dan... dan schrijf ik hem. Ik vertel hem alles wat jij mij verteld hebt. Ik zorg wel dat hij het begrijpt...'

Tony keek langs haar naar het braakliggende terrein naast de nieuwe Harbour Bridge. Het strandpaviljoen was volledig met de grond gelijkgemaakt. Wat na de storm van 1933 nog overeind stond, was op de avond van 15 augustus alsnog ingestort. Tony herinnerde zich de tekening die hij in Bills kamer gezien had, in de minuten voordat die van het huis geslagen was. Misschien had

Bill gelijk dat hij vertrokken was. Misschien had hij hier inderdaad niets meer te zoeken.

'En ik?' vroeg Tony. 'Vergeef je me dat ik tegen je gelogen heb?'

'Je hebt me nu toch de waarheid verteld? Natuurlijk vergeef ik je.'

Hij sloeg zijn armen om haar heen en keek over haar schouder naar de verwoeste stad. Hij zou ze allemaal missen, de mensen die hier gestorven waren. Maar, net als bij Keith, zou hij zonder hen leren leven. Rachel en hij waren sterk. Dat zou altijd zo zijn. Het lag nu eenmaal in hun aard. De toekomst strekte zich voor hen uit, oneindig en onkenbaar. Ze renden er samen op af, wist hij, hand in hand, als kinderen naar de zee.

31

Mallorca, nu

In het centrum van Palma haastte Rachel zich over de Costa de la Seu, met zijn gele taxi's en door paarden voortgetrokken *galeras*, naar La Seu, de gotische kathedraal. Het was gelukkig niet meer zo heet. Het was halftien 's ochtends en de zeelucht voelde fris en koel aan, na de verzengende hitte van gisteren. Bij het kruispunt bleef ze even naar de paarden staan kijken, die met hun staart de vliegen verjoegen. Daarachter spoten de fonteinen in de vijvers het water hoog de lucht in.

De kathedraal tekende zich majestueus af tegen de lucht. Ze was er helemaal aan gewend, maar nu ze van plan was er voor het eerst sinds jaren weer als toerist binnen te gaan, stond Rachel vol bewondering naar het imposante bouwwerk te kijken. Was het niet merkwaardig, dacht ze, dat zoiets groots zo'n belangrijke plaats innam in het landschap van haar leven zonder dat ze er ooit echt naar gekeken had? Het was haar tweede openbaring van vandaag en ze schudde verbaasd glimlachend haar hoofd.

Ze keek op haar horloge. Ze had Bill vijf minuten geleden al in de kathedraal zullen ontmoeten, maar nu kwam ze ongewild toch nog te laat. Ze hadden elkaar de hele ochtend niet gezien en ze hoopte dat dit zijn humeur goedgedaan had. Maar misschien zou hij nog net zo gesloten en koppig zijn als eerst.

Het was onzinnig dat ze nog steeds niet echt met elkaar ge-praat hadden, maar nu Rachel de straat overstak en op het plein de zoete geur van gesuikerde pinda's rook en een straatmuzikant op zijn steeldrum hoorde roffelen, voelde ze zich vrolijk en ener-giek. Op een of andere manier had het gesprek met Bill over vroeger, dat een paar uur geleden nog zo belangrijk had geleken, nu alle gewicht verloren.

Ze dacht terug aan hun confrontatie van gistermiddag. Rachel kon zich bijna niet meer voorstellen dat ze zich zo had laten gaan. Ze was het natuurlijk niet van plan geweest, ze had de situatie de baas willen blijven, maar zijn aanval op de trap had haar uit haar evenwicht gebracht. En toen ze eenmaal over Laurie begon te praten, stortte ze volledig in.

Ze wist niet eens of ze wel iets zinnigs had gezegd, maar alle kracht was uit haar verdwenen en ze had Bill alles verteld. Ze had hem over haar relatie met Laurie verteld, en dat ze zich zo verraden voelde. Ze had over Sam en Claire en Archie gesproken. Vervolgens had ze over het pijnlijke verlies van Anna gepraat, en over de adoptie van Claire. Ten slotte had ze hem over Tony verteld, over hun huwelijk, over de leegte die ze nu voelde.

Het was er uitgekomen als één lange verwarde woordenstroom, onderbroken door onbeheerste huilbuien. Pas nu, in het heldere licht van een nieuwe dag, besefte Rachel dat haar instorting een laatste uitbarsting van rouw was geweest. Het was alsof ze zich op dat moment pas echt gerealiseerd had dat Tony er niet meer was. Nu vond ze het vreemd dat het zo lang geduurd had.

Aanvankelijk had Bill afstandelijk gereageerd, maar toen Rachel haar hele hart bij hem uitstortte, kon hij niet anders dan haar troosten. Hij had haar niet onderbroken tot alles eruit was. Hij had gewacht tot ze zichzelf weer in de hand had. Toen had hij gezegd dat ze moest gaan zitten en was hij een glas water voor haar gaan halen. Met een bezorgd gezicht had hij naar haar staan kijken, tot ze zei dat ze zich weer beter voelde. Pas toen had hij voorgesteld samen met Laurie te gaan praten.

Arme Bill. Wat moest hij geschrokken zijn van haar uitbarsting. Ze begreep nu dat hij had willen bemiddelen, dat hij de kwestie met Laurie had willen oplossen, maar toen Rachel de aanval op zijn dochter opende, zag hij dat het geen zin had. Hij had er zo verloren bij gestaan. En nadat Sam en Laurie vertrokken waren, was hij stil en teruggetrokken gebleven.

Ze had Bill weten over te halen een nachtje te blijven slapen, al had ze hem moeten beloven dat ze hem de volgende ochtend naar het vliegveld zou brengen. Ze had hem niet aan durven kijken toen ze hem de logeerkamer wees. Ze had zich geschaamd voor haar uitbarsting en Bill wilde er blijkbaar niet over praten, laat staan haar geruststellen. Omdat ze niets meer te verliezen had, had ze haastig alle brieven die ze hem ooit geschreven had bij elkaar gezocht en op zijn bed gelegd.

Daarna was ze Claire gaan troosten. Toen Rachel terugkwam van een afmattende avond bij Claire, was Bill al naar bed gegaan. Ze had een hele tijd voor zijn deur gestaan, haar hand geheven om aan te kloppen en hem wakker te maken, maar uiteindelijk was ze op haar tenen weggeslopen.

Vanmorgen was ze kapot geweest van slaapgebrek. Bill was al op toen zij aan het ontbijt verscheen. Hij begroette haar hoffelijk maar onpersoonlijk, alsof hij in een pension logeerde. Ze verschansten zich allebei achter een afstandelijke beleefdheid. Ze had geen idee of hij haar brieven gelezen had. Hij zei er in ieder geval niets over. Toen ze later wegreden, besefte ze dat ze hem eigenlijk helemaal niet kende.

Ze vond de afstand tussen hen te groot om voor te stellen mee te gaan naar de kathedraal, die hij voor hij naar huis vloog nog even wilde bezoeken. Ze had hem dus maar alleen gelaten en was naar Ararat gegaan om te proberen de schade te beperken.

Ze moest Sams plotselinge vertrek handig zien te brengen. Het zou dom zijn om het personeel al te erg te laten schrikken. Ze hadden het zonder Tony toch al zwaar te verduren. De hele nacht had ze in bed liggen woelen, denkend over een oplossing. Het was haar niet gelukt haar woede om wat Sam haar persoonlijk had aangedaan te scheiden van de paniek die ze voelde als ze aan Ararat dacht. Kon het bedrijf eigenlijk wel zonder Sam? Ze had hem alles gegeven, en hij had het uit zijn handen laten vallen alsof het niets was.

Het was allemaal zo'n warboel, maar toen ze de koele ontvangstruimte binnenstapte, met zijn lichte vloerbedekking en de glanzende foto's van alle Ararat-hotels, werd Rachels hoofd plotseling helder, alsof ze zich nu weer op bekend terrein bevond.

Omdat het weekend was, was er zo vroeg bijna geen personeel aanwezig. Toch kostte het nog heel wat overredingskracht om de receptioniste over te halen haar in Sams kantoor te laten. Ze moest haar uiteindelijk uitleggen dat het bedrijf haar eigendom was.

Het bedrijf was haar eigendom. Op de vijf procent van Sam na, waarover ze zo snel mogelijk met haar advocaat zou gaan praten. Rachel legde haar handen plat op het bureau en keek om zich heen. Deze ruimte deed haar zo sterk aan Sam denken. Misschien hoefde ze er geen drama van te maken. Misschien pakte ze dit helemaal verkeerd aan. Misschien moest ze Sams misdragingen binnen de familie houden. Ze kon voorlopig tegen het personeel zeggen dat Sam op vakantie was, zodat ze wat meer tijd had.

Maar toen dacht ze aan de laatste keer dat ze hier was, een paar weken geleden nu, en hoe buitengesloten ze zich gevoeld had. Pas nu realiseerde ze zich dat ze ook jaloers was geweest. Dit was het kindje van Tony en haar – een bedrijf dat ze samen met veel liefde grootgebracht hadden. Misschien was ze er bij nader inzien toch niet aan toe om een stap terug te doen en het allemaal aan iemand anders over te laten. Misschien bracht Sams verpletterende nieuws toch nog iets goeds. Misschien had het haar wakker geschud. Was ze echt al aan haar pensioen toe?

Wat zou ze moeten doen, vroeg ze zich af. Ze was niet jong meer, maar ze vond zichzelf ook niet oud. Nog niet, in ieder geval. En ze was gezond. Wat zou ze in 's hemelsnaam met haar tijd moeten als ze niet meer werkte? Als ze de afgelopen maanden iets geleerd had, dan was het wel dat ze niet echt gelukkiger werd als ze al haar energie op haar kinderen en kleinkinderen richtte.

Zelfs Claire had haar toen het erop aankwam eigenlijk niet nodig gehad. Tegen de tijd dat Rachel gisteravond bij het appartement aankwam, had Claire zich al door verschillende vriendinnen laten troosten. Rachel had zo vol woede en gal gezeten. Ze had zich zo bedrogen gevoeld, ze was bereid geweest om het namens Claire tegen Sam op te nemen, maar toen ze Claire aan de telefoon met weer een andere vriendin hoorde praten, was Rachel duidelijk geworden dat Claire en Sam zonder dat zij het wist eigenlijk langs elkaar heen geleefd hadden. Ze was tot de conclusie gekomen dat Claire niet zozeer woedend was omdat

Sam haar verlaten had, maar omdat zij hém niet verlaten had. Het was meer een kwestie van gekwetste trots dan van een gebroken hart.

En Archie... die arme Archie had liggen slapen. Niemand had hem nog verteld wat er aan de hand was.

Ja, besloot Rachel toen ze in Sams stoel ging zitten, haar familie was net een hal vol lachspiegels, die de waarheid vervormd weerkaatsten. Ze had behoefte aan iets echts. Iets tastbaars. Iets om haar aandacht op te richten. En hier was het. Ze had er de hele tijd overheen gekeken.

Ze dacht aan Tony en haar verraad van gisteren. En toen dacht ze aan haar verdriet om zijn dood. Was het nu voorbij? Liet ze hem nu zomaar los? Keerde ze zijn bedrijf, dat zijn lust en zijn leven was geweest, nu ook nog de rug toe?

Nee, verdomme, dat deed ze niet. Als zij gestorven was en Tony was alleen achtergebleven, dan had hij zich op zijn werk gestort. Ja, dacht ze, het was tijd om wakker te worden en haar leven weer op te pakken. Dit was haar bedrijf en als er woelige tijden in het verschiet lagen, was het haar taak, als kapitein, om het roer recht te houden.

In de weelderige kathedraal was het koel en schemerig. Het geluid van schuifelende, fluisterende toeristen weerklonk in de immense ruimte, evenals het monotone geprevel van biddende priesters. Het duurde even voor ze Bill in het oog kreeg, maar uiteindelijk vond Rachel hem in een van de volle banken in het middenschip, met een leesbril op zijn neus, bladerend in een reisgids.

'Weet je dat deze kerk een ongelooflijk knap staaltje bouwkunst is?' vroeg hij bij wijze van begroeting, toen ze zich langs een biddende non wurmde en naast hem ging zitten.

Ze was vergeten dat hij zo in bouwkunde geïnteresseerd was. Laurie had haar verteld dat hij zijn hele leven leraar was geweest. Ze vroeg zich af of hij nog meer dromen had gehad die niet uitgekomen waren.

'De bouw heeft honderden jaren geduurd. En ze moesten het steeds opnieuw verstevigen. Ze bouwden er steeds nieuwe bogen bij. En ze gaven het niet op. Fantastisch, om zo'n droombeeld te hebben.'

Rachel volgde zijn blik omhoog, langs de potlooddunne pilaren die zeker twintig meter hoog oprezen en bovenin als palmbladeren uitwaaierden in het gewelfde plafond. Ze had verwacht dat Bill koel en onvriendelijk zou zijn en was van plan geweest hem zo snel mogelijk de kathedraal uit te loodsen en naar het vliegveld te brengen. Maar er hing hier zo'n serene sfeer dat ze haar gedachten tot stilstand voelde komen, tot de hoge, stille ruimte haar verhitte hoofd helemaal tot rust had gebracht.

'Wat zijn die vijftig jaar snel voorbijgegaan,' zei hij uiteindelijk.

Rachel draaide zich naar hem om.

'Waarom ben je niet teruggekomen? Voor de begrafenis?' vroeg ze, hoewel ze eigenlijk helemaal niet van plan was geweest het over het verleden te hebben.

Het duurde even voor hij antwoord gaf. 'Ik heb er wel over gedacht, maar het was te moeilijk. Ik had het gevoel dat ik iedereen in de steek gelaten had en als ik terugging, zou dat... Ik weet het niet. Ik kon het niet aan. Ik wilde me van dat oord bevrijden.'

'Ik heb nog jaren contact met Richard gehouden,' zei ze. 'Zo wist ik waar je was. Waar die brieven heen moesten...' probeerde ze.

Bill sloeg de reisgids zachtjes dicht en legde hem op zijn knieën.

'Waarom heeft Tony gelogen?' vroeg hij. 'Waarom zei hij dat hij niet op tijd bij mama was gekomen?'

Hij had de brieven dus toch gelezen! In haar binnenste ontvlamde weer een sprankje hoop.

'Ik denk dat hij zei wat op dat moment het gemakkelijkste was. Hij was bang en geschrokken, in de war door wat hij gezien had. Hij dacht dat het zo gemakkelijker voor mij was. En voor jou.'

'Maar hij heeft het dus wel geprobeerd? Hij was op tijd bij ons huis? Wat je schreef in die brieven... is dat allemaal waar?'

Rachel begreep dat het voor Bill veel moeilijker was om te geloven dat de reddingspoging op niets uitgelopen was dan om te geloven wat hij al die jaren gedacht had: dat Tony Glover een lafaard was die het niet eens geprobeerd had.

Rachel wilde hem straffen omdat hij zo obstinaat was en haar al die tijd genegeerd had. Had hij toen maar naar haar geluisterd... als hij ook maar één van die brieven gelezen had, in plaats van ze ongeopend terug te sturen, dan was alles anders gelopen. Maar ze snapte wel dat verwijten over en weer nu geen zin meer hadden.

'Ja, maar het punt is, mama wilde niet gered worden. Niet door Tony in ieder geval. Haar eigen koppigheid kostte haar het leven, niet de overstroming,' zei ze. 'Ze vertikte het om hem te vergeven. Ze wilde niet begrijpen dat hij haar probeerde te redden.'

'Toch had ik haar moeten redden.'

Rachel zuchtte. 'Weet je, het is zo droevig dat wij ons allebei zo schuldig voelen. Dat wilde Tony nu juist voorkomen. Voor ons allebei.'

'Waarom voel jij je schuldig?' Bill klonk verbaasd.

'Omdat ik het haar toewenste. Vlak voor de overstroming hadden we slaande ruzie. Daarom liep ik die avond weg. Ik was zo kwaad, ik wenste dat ze dood was.'

'Je zat in de problemen. Je was nog maar een kind, Rachel. Jij kon toch niet weten wat er zou gebeuren.'

'Nee, dat is zo.'

'Ze was mijn verantwoordelijkheid.'

Rachel keek hem aan. 'Maar jij hoeft je ook niet schuldig te voelen. Snap je dat dan niet? Je deed wat je het beste vond. Je probeerde Emily te redden.'

'Wat me niet gelukt is.'

'Het was een ongeluk, Bill. Het was een gril van de natuur.'

'Maar ik heb mama laten sterven.'

'O Bill, ik weet dat je niet wilde dat mama doodging, je wilde alleen nog liever dat Emily bleef leven. Daarom koos je ervoor naar haar op zoek te gaan. Emily was je toekomst en mama was je verleden. Je hebt de juiste keuze gemaakt, dat zie je toch zelf ook wel?'

Ze zwegen een tijdje en toen stak Bill een hand in zijn achterzak. Hij haalde zijn portefeuille te voorschijn.

'Ik ben haar nooit vergeten, weet je,' zei hij. Hij voelde in een van de vakjes en haalde er een klein bruin envelopje uit. Er zat een foto van Emily in.

Verrast nam Rachel de foto van hem aan. Hij was zo verkleurd en het was zo schemerig in de kathedraal dat ze eerst niet wist waar ze naar keek. En toen herkende ze Emily's gezicht. Weemoedig keek ze naar het kiekje.

'Wat was ze mooi, hè? Ik denk dat ik zelf ook een beetje verliefd op haar was.' Rachel glimlachte droevig naar Bill. 'Niet te geloven. Je hebt dit al die tijd bewaard? Wat vond je vrouw daarvan?'

'Ze wist het niet. Niet echt. Trouwens, met haar was het... anders. We waren ouder. Jij bent de eerste die dit te zien krijgt.'

Rachel voelde dat dit zijn manier was om de tijd die verstreken was te overbruggen. Zwijgend gaf ze hem het fotootje terug.

Bill keek er zuchtend naar voor hij het in zijn portefeuille terugstopte. 'Ik weet eigenlijk niet waarom ik het bewaard heb. Raar, eigenlijk. Maar ik heb altijd het gevoel gehad dat ze zo toch een beetje bij me was. Als een talisman, denk ik.'

'Ze was altijd zo positief ingesteld, hè? Ze zou...'

Rachel zweeg. Ze wist niet wat ze moest zeggen. Als Emily was blijven leven zou ze wat? Het heel anders aangepakt hebben, waarschijnlijk. Zouden ze dan allemaal bij elkaar gebleven zijn?

'Ach,' zei Bill, opeens minder ernstig. 'Het heeft geen zin om te treuren om hoe het had kúnnen zijn. Dat heb ik heel lang geleden al begrepen. Als Emily niet gestorven was, had ik Jean nooit ontmoet. We waren heel gelukkig, weet je.'

Het bleef een hele tijd stil.

'Wij ook,' zei Rachel.

'Ik heb gisteren dingen gezegd die ik niet meende, Rachel. Ik zie wel dat Tony een goede man voor je geweest is. Nu ik weet dat hij zijn best heeft gedaan, weet ik ook dat ik niet zomaar had moeten vertrekken...'

'Ik wou dat het anders gelopen was. Ik wou dat ik niet tussen jullie in had gezeten. Je had hem kunnen leren kennen.'

'Ja, maar het was gemakkelijker om hem de schuld te geven als ik hem niet kende. O, ik weet wel dat ik deed alsof ik hem haatte, voor de vorm, want het was niet echt zo. Wat dat betreft had Emily me al het een en ander duidelijk gemaakt. Als die overstroming er niet was geweest, was ik misschien wel vrienden met hem geworden, wie weet? Maar toen was ik denk ik jaloers op hem.'

'Jaloers? Op Tony?'

'Ja, ik denk het wel. Jaloers en boos. Omdat hij mijn kleine zusje inpikte, en dat betekende dat ik gefaald had.'

'Gefaald? Hoe bedoel je?'

'Omdat ik papa beloofd had altijd voor je te zullen zorgen. Voor jou en mama. En dat heb ik niet gedaan. Ik heb hem teleurgesteld. Ik liet jou met Tony omgaan en toen het erop aankwam, liet ik jullie allebei in de steek.'

'Ik denk niet dat je papa teleurgesteld hebt,' zei ze zachtjes.

'Zeg eens. Heb je Keith Glover ooit nog gezien?'

Rachel zuchtte. 'Nee. Hij is gedood bij een vechtpartij in een kroeg, vlak nadat hij vrijkwam – voor Tony hem zelfs maar gezien had.'

'Dat wist ik. Ik heb het gehoord.'

'We hebben de kinderen ook nooit over hem verteld. Over wat hij gedaan heeft. We hebben het achter ons gelaten. We hebben het allemaal achter ons gelaten.'

Rachel tuurde naar de caleidoscoop van licht in het roosvenster hoog boven haar. Ze had zich altijd afgevraagd hoe het zou zijn om dit gesprek te voeren en ze had gedacht dat het veel moeilijker zou zijn. Maar nu, in deze immense kathedraal, leken de gevoelens van haar en haar broer zo onbetekenend. Ze had het gevoel dat iets in die kerk hen allebei beter maakte. Alsof ze het verleden eindelijk loslieten en vergeving al die tijd net onder de oppervlakte had gelegen.

Opeens dacht ze aan het kruisje van haar moeder om haar hals. Ze maakte het sluitinkje open.

'Dit heb ik naderhand nog gevonden,' zei ze, terwijl ze het aan Bill gaf. 'Neem maar.'

Bill staarde naar het kettinkje in zijn hand. Ze zag dat het hem ontroerde.

'Arme mama. Ik denk dat we allebei meer op haar lijken dan

we willen toegeven,' zei hij, naar haar opkijkend. Zijn zachte ogen stonden vol tranen. Ze had het gevoel dat ze weer kinderen waren.

'Ik niet,' zei Rachel. 'Ik probeer mijn hele leven al niet zo te zijn als zij.'

'Ik geef toe dat ik koppig ben, je krijgt er heus niks van als je toegeeft dat jij net zo bazig bent als zij,' zei hij.

Ze barstten allebei in lachen uit.

Maar toen keek Bill haar weer ernstig aan. 'Maak niet dezelfde fout, Rachel. Doe Sam en Laurie niet aan wat mama jou en Tony aandeed.'

Rachel maakte een afwerend gebaar, geïrriteerd dat hij net op het moment van hun doorbraak over Sam en Laurie begon. 'Dat is iets heel anders.'

'O ja? Laurie is een goeie meid, Rachel,' zei Bill. 'Geloof me. Ze lijkt op haar moeder. Ze voelt alles heel intens. En ze verdient het gelukkig te zijn. Ik maak uit haar woorden op dat Sam en zij echt van elkaar houden.'

Rachel zuchtte. 'Maar ik dacht dat Claire en Sam zo gelukkig waren samen,' zei ze. 'Ik dacht dat ze het volmaakte gezinnetje waren.'

'O, Rachel. Dat bestaat helemaal niet. Dat zou je nu toch moeten weten. Je kunt jezelf niet kwalijk nemen dat je niet wist hoe het zat. Liegen mensen niet altijd gemakkelijker tegen hun familie? Dat heb ik wel geleerd. Ik had nooit gedacht dat Laurie me zo in de val zou lokken. Ik had nooit gedacht dat ze me zover zou krijgen.'

Rachel keek hem van opzij aan. 'Ik heb haar gedwongen.'

Bill sloot zijn hand om het zilveren kruisje. 'Laat ze los, Rachel. Vergeef het ze, anders wordt het je dood. Het maakt je oud en verbitterd.'

Hij zei niet 'net zoals mama', maar Rachel voelde dat het op het puntje van zijn tong lag.

Ze had het gevoel dat ze niets meer zeker wist. 'Ik wilde alleen maar het beste voor iedereen.'

'Je weet niet wat het beste is. Accepteer dat nou maar. Geef het op. Kunnen Sam en Laurie en Claire het echt zoveel slechter doen dan wij?'

'Nee, vast niet.'

Rachel legde een hand op die van Bill.

'Kom mee,' zei hij. 'We moeten gaan.'

Buiten deed het felle zonlicht pijn aan Rachels ogen. Ze zette haar zonnebril op. Ze wist niet precies wat er tussen hen gebeurd was. Of alles nu echt opgelost was, of dat ze allebei geaccepteerd hadden dat dat onmogelijk was. Wat er ook gebeurd was, zonder het kettinkje van haar moeder om haar hals voelde ze zich een stuk lichter. Ze had het gevoel dat ze eindelijk niet meer verantwoordelijk was voor wat er vijftig jaar geleden gebeurd was.

Bill tuurde in de verte en Rachel volgde zijn blik naar de rij palmen aan de kant van de weg, de haven en de witte jachten ver weg in de baai. Ze vroeg zich af of Laurie en Sam nu samen op de *Flight* zaten. Ze zag ze al samen lachen, en het beeld herinnerde haar zo sterk aan haar en Tony dat ze boven aan de trap abrupt bleef staan.

En opeens voelde ze zich vrij. Misschien had Bill gelijk. Misschien moest ze het verleden en haar familie inderdaad loslaten. Misschien moest ze eens aan zichzelf gaan denken.

'Luister, Bill, moet je echt weg?' vroeg ze in een opwelling. 'Er valt nog zoveel te zien. Ik moet over een paar dagen weer aan het werk, maar...'

Bill draaide zich naar haar om. 'Wil je dat ik blijf?'

Ze knikte langzaam. 'Als je wilt?'

Hij keek uit over zee, snoof de geur op. En toen keek hij weer naar haar. 'Nou, een paar dagen blijven kan geen kwaad, lijkt me.'

En met die woorden hield hij haar zijn arm voor. Ze stak haar arm erdoor en hij kneep zachtjes in haar hand. Samen liepen ze de witte stenen trap af, het heldere zonlicht in.

Dankwoord

Onze dank als altijd aan de geweldige Vivienne Schuster en Jonny Geller voor hun begeleiding, feedback en aanmoediging. Veel dank ook aan Carol 'De Getrouwde' Gambrill, Diana, Emma, Kate, Sarah en Gill. Dank ook aan Random House, met name Susan Sandon en Andy McKillop voor hun advies en redactionele expertise, Georgina, Richard, Mark, Ron, Justine, Cassie en Glenn (omdat ze zo geduldig waren!). En dank als altijd aan onze familie en vrienden voor hun niet aflatende hulp en bemoediging, vooral aan Tallulah omdat zij ervoor zorgde dat we steeds bleven lachen.